비상 독해路

수능 국어 1등급

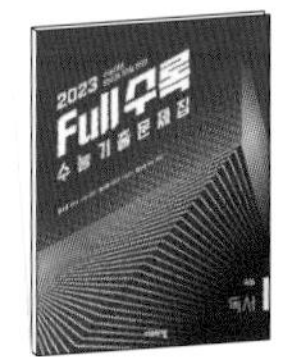

예비 고등~고등3

수능 개념을 바탕으로 실전 감각을 길러요

독서 기본, 독서
기출로 실전 감각을 키우는 기출문제집

예비 중등~중등3

영역별 독해 전략을 바탕으로 독해력을 강화해요

비문학 1~3권
독해력을 단계별로 단련하는 중등 독해

어휘편 1~3권
중등 전 과목 교과서 필수 어휘 학습

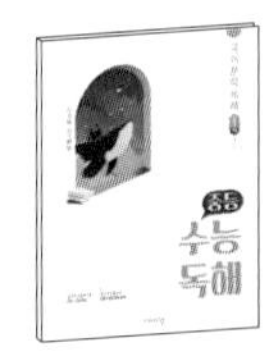

문학편 1~3권
감상 스킬을 단련하는 필수 작품 독해

초등3~예비 중등

본격적으로 학습 독해 실력을 쌓아요

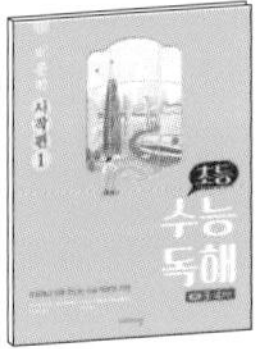

비문학 시작편 1~2권
초등에서 처음 만나는 수능 독해의 기본

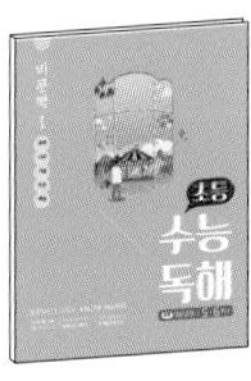

비문학 1~2권
초등 독해의 넥스트레벨 고급 독해

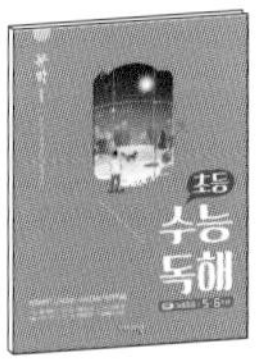

문학 1~3권
시험에 꼭 나오는 작품 독해

중등수능독해 「문학편」 기획에 도움을 주신 선생님

김두환 국풍2000 국어학원
김석우 하제입시학원
김은영 혜윰국어논술학원
박미진 열정과 의지
서주홍 서주홍 국어 학원
임대규 세일학원
한동희 한동희 국어학원
김민영 압구정 정보학원
김여송 라미학원
김재현 갈무리 국어학원
박시현 정진학원
성부경 이룸국어영어전문학원
최재하 해오름 국어학원
홍경란 홍쌤 에프엠 국어학원
김선희 김선희 국어
김영숙 정명학원
김현 내일의창 국어학원
백지은 정음국어학원
신승지 뿌리깊은학원
최지은 류연우논리수학 LS논리속독국어학원
황지혜 갈무리 국어학원
김소희 한울국어학원
김윤범 효현스마트국어논술학원
문선희 쌤이콕학원
변다영 SNU학원
이진협 마루학원

※ 선생님들의 재직처는 발간 시점을 기준으로 하였습니다. 변동 사항은 선생님의 요청이 있을 경우 재쇄 시 반영하겠습니다.

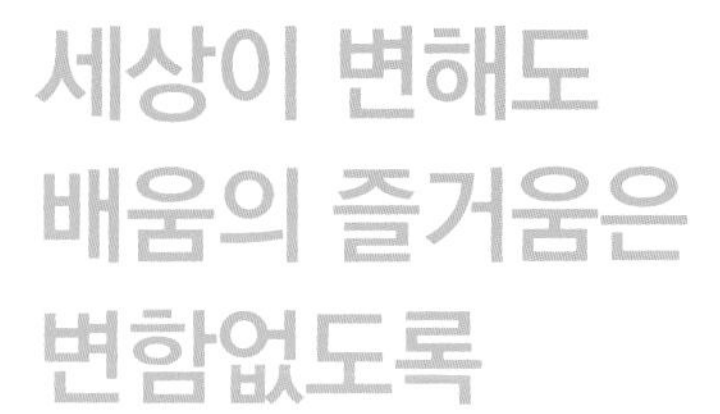

시대는 빠르게 변해도
배움의 즐거움은
변함없어야 하기에

어제의 비상은
남다른 교재부터
결이 다른 콘텐츠
전에 없던 교육 플랫폼까지

변함없는 혁신으로
교육 문화 환경의 새로운 전형을
실현해왔습니다.

비상은 오늘, 다시 한번
새로운 교육 문화 환경을 실현하기 위한
또 하나의 혁신을 시작합니다.

오늘의 내가 어제의 나를 초월하고
오늘의 교육이 어제의 교육을 초월하여
배움의 즐거움을 지속하는 혁신,

바로, 메타인지학습을.

상상을 실현하는 교육 문화 기업 비상

메타인지학습

초월을 뜻하는 meta와 생각을 뜻하는 인지가 결합된 메타인지는
자신이 알고 모르는 것을 스스로 구분하고 학습계획을 세우도록 하는
궁극의 학습 능력입니다. 비상의 메타인지학습은 메타인지를 키워주어
공부를 100% 내 것으로 만들도록 합니다.

중등

수능 독해

1 기본

문학편

중등 수능독해 문학편

단계별 전략

중등 수능독해 문학편은 작품의 수준과 지문의 구성 방식, 문제의 난이도 등을 학생들의 수준에 맞게 단계별로 제시하였습니다.

수능 독해를 처음 접하는 학생은 1권을, 수능 독해 실력을 한 단계 올리고 싶은 학생은 2권을, 수능 독해 실력을 완성하고 싶은 학생은 3권을 선택하여 학습합니다.

1권 기본 | 예비 중1 ~ 중1

작품 수준의 단계별 구성

① 수록 교과서 수준

중등 국어 교과서	고등 국어 교과서	고등 문학 교과서

⇑ 중3 학업성취도 평가 기출 작품 35% 반영

② 고전 문학 작품 수

현대: 20작품	고전: 6작품 23%

기본 수준에 맞는
교과서 및 기출 작품 반영

지문 구성의 단계별 제시

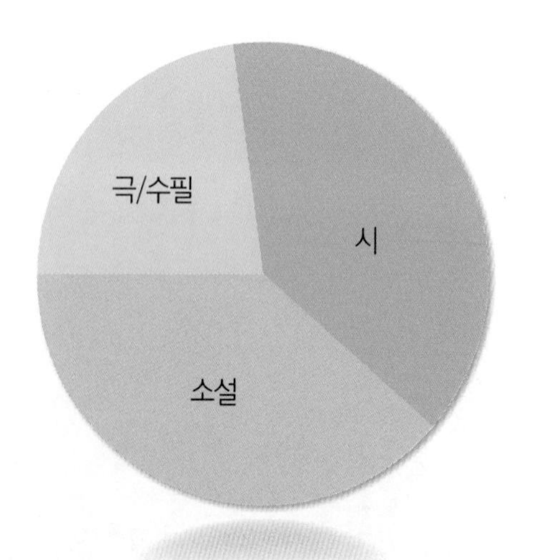

수능 문학에서 출제되는 4개 갈래를
기본 수준에 맞는 단일 지문 100%로 구성

수능 독해 사고력 완성

2권 발전 · 중1 ~ 중2

① 수록 교과서 수준

중등 국어 교과서	고등 국어 교과서	고등 문학 교과서

⇑ 전국연합 학력평가 기출 작품 85% 반영

② 고전 문학 작품 수

현대: 17작품	고전: 9작품 34%

발전 수준에 맞는 교과서 및 기출 작품 반영

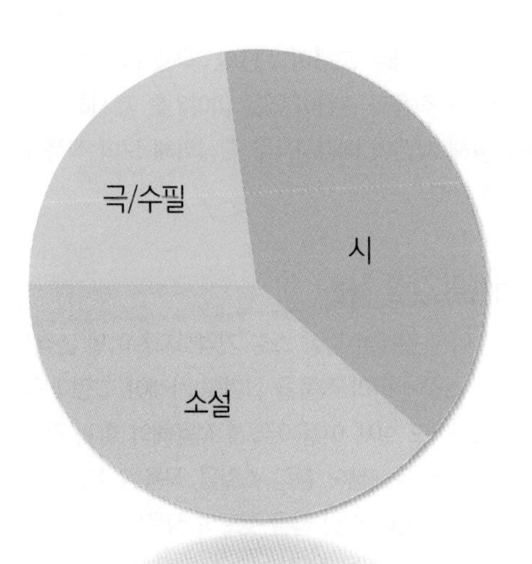

수능 문학에서 출제되는 4개 갈래를 **발전** 수준에 맞는 단일 지문 100%로 구성

3권 심화 · 중3 ~ 예비 고1

① 수록 교과서 수준

중등 국어 교과서	고등 국어 교과서	고등 문학 교과서

⇑ 전국연합 학력평가 기출 작품 93%, 수능 및 평가원 모의평가 기출 작품 68% 반영

② 고전 문학 작품 수

현대: 19작품	고전: 12작품 39%

심화 수준에 맞는 교과서 및 기출 작품 반영

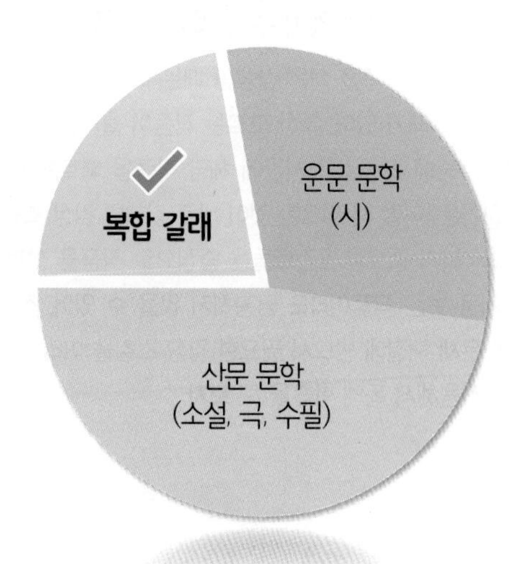

수능 문학에서 출제되는 4개 갈래의 단일 지문과 복합 갈래를 **심화** 수준에 맞게 구성

이 책의 구성과 사용법

1 감상 스킬 이해

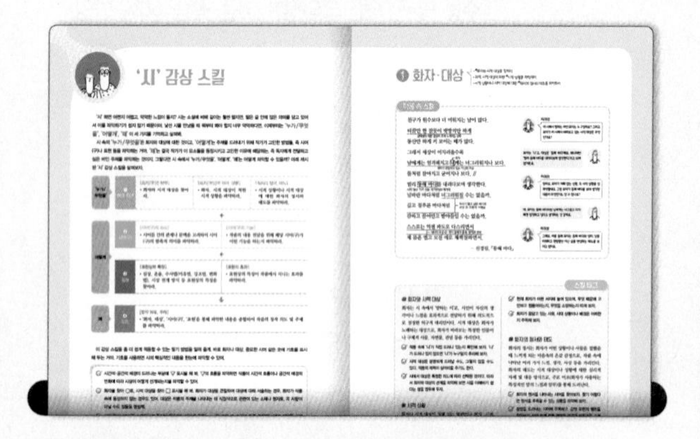

감상 스킬을 아는 것이 수능 독해의 시작!

우리가 낯선 작품을 처음 감상할 때는 어떻게 이해해야 할지 막막할 때가 있어. 특히 모르는 작품이 출제될 가능성이 있는 수능에서는 짧은 시간에 해당 작품을 빠르게 이해해야 하거든. 이럴 때 필요한 것이 바로 갈래별 감상 스킬! 이 스킬에 따라 중요한 포인트들을 중심으로 작품을 살펴본다면 처음 보는 작품이라도 당황하지 않을 수 있어. 작품 감상과 문제 해결에 반드시 필요한 감상 스킬을 미리 익히고, 이를 적용해서 독해 학습을 해 보자.

2 단계별 문제로 키우는 실전력

감상 스킬에 따라 작품을 감상하고, 문제도 풀어 보자.

수능형 문제를 경험하고 수능에 대한 자신감을 키워 봐!

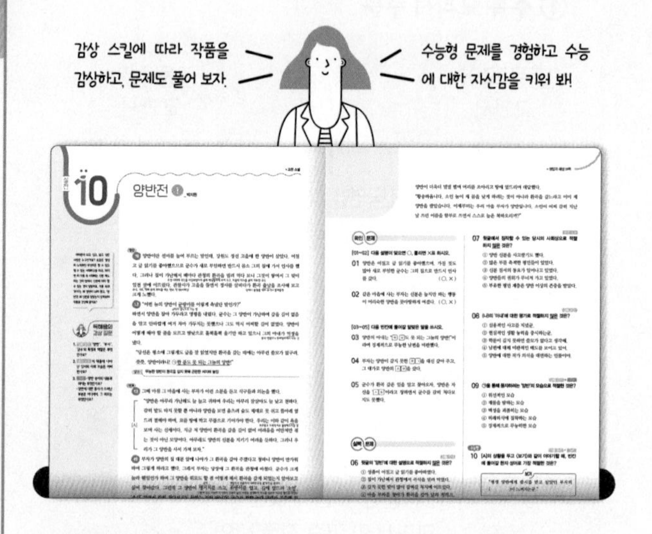

작품 열기

어떤 글을 읽고 이해하는 데 바탕이 되는 경험과 지식을 '배경지식'이라고 하는데, 이 배경지식을 활성화하면 작품을 감상할 때 매우 도움이 된단다. '작품 열기'는 작품을 감상하기 전, 작품과 관련이 있는 이야기를 제시하는 코너야. 이를 통해 자신의 배경지식을 활성화해 보며 작품 감상을 준비해 보자.

독해쌤의 감상 질문

앞에서 익힌 갈래별 감상 스킬 기억하지? 이제 본격적으로 이 감상 스킬에 따라 작품을 살펴볼 차례야. 그런데 감상 스킬을 익혔어도 실제 이를 어떻게 적용해야 할지 막막할 수 있어. 그래서 독해쌤이 감상 스킬을 적용한 질문을 준비해 놓았어. 이 질문에 대한 답을 찾으며 작품을 감상한다면, 자연스럽게 감상 스킬을 적용해 볼 수 있을 거야.

감상 스킬 학습과 빈출 작품 집중 공략으로 실전력을 강화하는

"중등 수능독해 문학편"

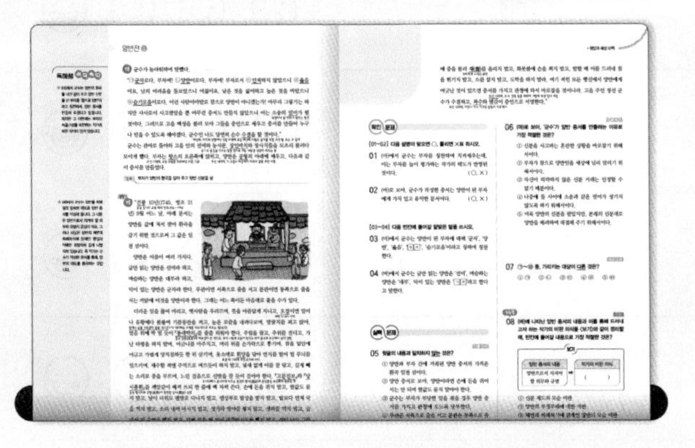

독해쌤의 속닥속닥

작품을 감상하는 중간중간에는 '독해쌤의 속닥속닥'이 제시되어 있어. 작품에서 중요한 내용을 선생님이 직접 설명해 주시는 것처럼 친절하게 알려 주고 있으니까 작품의 깊이 있는 감상에 도움이 될 거야.

수능의 사고력에 맞춰 단계별로 출제한 문제

1단계 확인 문제

OX형, 빈칸 넣기형 문제로 간단히 구성된 확인 문제를 통해 작품에 대한 이해도를 확인해 보자.

2단계 실력 문제

실력 문제에서는 각 문제가 어떤 감상 스킬을 반영하고 있는지 표시해 두었어. 작품 감상은 물론 문제 풀이까지 이어지는 감상 스킬을 확인해 보렴. 또한 실제 학교 시험에서 자주 출제되는 내신형 문제를 풀어 보면서, 실전 감각을 익혀 보자.

3단계 수능형 문제

실력 문제 안에는 실전 수능에 가까운 수능형 문제도 준비해 두었어. 다소 어렵더라도 수능형 문제를 정복하면서 수능에 대한 자신감을 키워 보자.

3 똑똑한 감상 마무리

감상 스킬에 따라 작품의 내용을 정리해 보니 작품 전체가 한눈에 보이는구나!

어휘력이 부족하면 글을 제대로 이해할 수 없어. 다양한 어휘 학습을 통해 어휘력을 쌓아 봐!

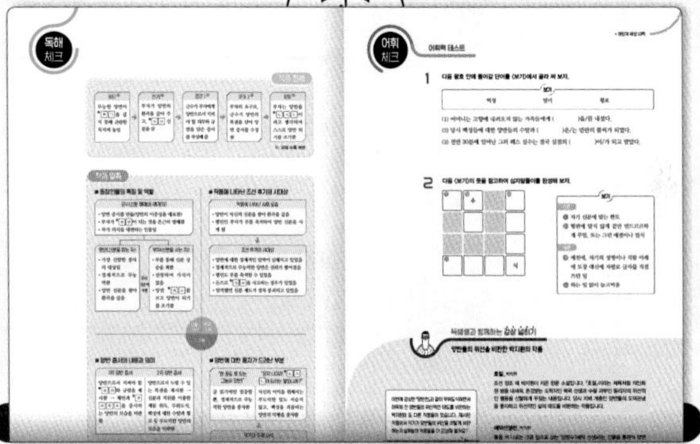

독해 체크

[작품 전체] 작품 전체의 구성과 내용을 한 번에 확인하고 정리할 수 있어.

[작품 압축] 작품 감상 시작 부분에 제시되어 있는 '독해쌤의 감상 질문'에 대한 답을 한눈에 파악할 수 있도록 정리해 두었어.

어휘 체크

지문에 나온 어휘와 문제 선택지에 제시된 어휘를 활용해 다양한 어휘 학습 장치를 마련해 두었어. 독해에 기본이 되는 어휘력 향상도 놓치지 말자고!

독해쌤과 함께하는 감상 넓히기

지금까지 감상한 작품과 주제나 표현 등에서 관련이 있는 다른 작품들을 제시해 두었어. 해당 작품을 추가로 읽어 보고, 작품들의 공통점이나 차이점 등을 비교하며 감상해 본다면 작품에 대한 이해가 더욱 넓어질 거야.

차례와 학습 계획

◎ 1일 1일차씩, 20일 학습을 계획하여 꾸준히 학습해 봅시다.

◎ 학습을 마친 후, 자기의 이해도에 따라 학습 점검 칸을 😨 😛 🙂 😁 색칠해 봅시다.

3 극/수필

일차	작품명		쪽수	날짜	학습 점검
9day	실전 04	수난이대_하근찬	090	/	😨 : 😛 : 🙂 : 😁
10day	실전 05	꺼삐딴 리_전광용	100	/	😨 : 😛 : 🙂 : 😁
11day	실전 06	모래톱 이야기_김정한	110	/	😨 : 😛 : 🙂 : 😁
12day	실전 07	마지막 땅_양귀자	120	/	😨 : 😛 : 🙂 : 😁
13day	실전 08	내가 그린 히말라야시다 그림_성석제	130	/	😨 : 😛 : 🙂 : 😁
14day	실전 09	춘향전_작자 미상	140	/	😨 : 😛 : 🙂 : 😁
15day	실전 10	양반전_박지원	150	/	😨 : 😛 : 🙂 : 😁
16day	실전 01	들판에서_이강백	162	/	😨 : 😛 : 🙂 : 😁
17day	실전 02	집으로_이정향	170	/	😨 : 😛 : 🙂 : 😁
18day	실전 03	파초_이태준	176	/	😨 : 😛 : 🙂 : 😁
19day	실전 04	실수_나희덕	180	/	😨 : 😛 : 🙂 : 😁
20day	실전 05	이옥설_이규보	186	/	😨 : 😛 : 🙂 : 😁

1

시

작품명	학업 성취도	전국 연합	수능, 모평	중등 교과서	고등 교과서
[실전 01] 먼 후일		○		○	○
[실전 02] 나룻배와 행인			○	○	
[실전 03] 모란이 피기까지는		○	○	○	○
[실전 04] 청포도		○		○	○
[실전 05] 길	○	○	○	○	
[실전 06] 가정	○	○	○	○	
[실전 07] 엄마 걱정		○		○	○
[실전 08] 풀벌레들의 작은 귀를 생각함	○		○		○
[실전 09] 까마귀 싸우는 골에				○	
[실전 09] 까마귀 검다 하고				○	
[실전 10] 훈민가		○		○	○

'시' 감상 스킬

'시' 하면 어쩐지 어렵고, 막막한 느낌이 들지? 시는 소설에 비해 길이는 훨씬 짧지만, 짧은 글 안에 많은 의미를 담고 있어서 이를 파악하기가 쉽지 않기 때문이야. 낯선 시를 만났을 때 뭐부터 봐야 할지 너무 막막하다면, 이제부터는 **'누가/무엇을'**, **'어떻게'**, **'왜'** 이 세 가지를 기억하고 살펴봐.

시 속의 **'누가/무엇을'**은 화자와 대상에 대한 것이고, **'어떻게'**는 주제를 드러내기 위해 작가가 고민한 방법들, 즉 시어(구)나 표현 등을 파악하는 거야. **'왜'**는 결국 작가가 이 요소들을 등장시키고 고민한 이유에 해당하는, 즉 독자에게 전달하고 싶은 바인 주제를 파악하는 것이지. 그렇다면 시 속에서 '누가/무엇을', '어떻게', '왜'는 어떻게 파악할 수 있을까? 아래 제시된 '시' 감상 스킬을 살펴보자.

구분	단계	내용		
'누가/무엇을'	❶ 화자·대상	[화자(대상) 파악] • 화자와 시적 대상을 찾아라.	[화자(대상)의 처지, 상황] • 화자, 시적 대상이 처한 시적 상황을 파악하라.	[화자의 정서, 태도] • 시적 상황이나 시적 대상에 대한 화자의 정서와 태도를 파악하라.
+				
어떻게	❷ 시어(구)	[시어(구)의 의미] • 시어들 간의 관계나 문맥을 고려하여 시어(구)의 함축적 의미를 파악하라.	[시어(구)의 기능] • 작품의 내용 전달을 위해 해당 시어(구)가 어떤 기능을 하는지 파악하라.	
+				
어떻게	❸ 표현	[표현상의 특징] • 심상, 운율, 수사법(비유법, 강조법, 변화법), 시상 전개 방식 등 표현상의 특징을 찾아라.	[표현의 효과] • 표현상의 특징이 작품에서 지니는 효과를 파악하라.	
⇓				
왜	❹ 주제	[창작 의도, 주제] • '화자, 대상', '시어(구)', '표현'을 통해 파악한 내용을 종합하여 작품의 창작 의도 및 주제를 파악하라.		

이 감상 스킬을 좀 더 쉽게 적용할 수 있는 필기 방법을 알려 줄게. 바로 화자나 대상, 중요한 시어 같은 곳에 기호를 표시해 두는 거야. 기호를 사용하면 시의 핵심적인 내용을 한눈에 파악할 수 있어.

- ✓ 시간적·공간적 배경이 드러나는 부분에 ▽ 표시를 해 봐. ▽의 흐름을 파악하면 작품이 시간적 흐름이나 공간적 배경의 변화에 따라 시상이 어떻게 전개되는지를 파악할 수 있어.
- ✓ 화자를 찾아 ○로, 시적 대상을 찾아 □ 표시를 해 봐. 화자가 대상을 관찰하여 대상에 대해 서술하는 경우, 화자가 작품 속에 등장하지 않는 경우도 있어. 대상은 작품의 주제를 나타내는 데 직접적으로 관련이 있는 소재나 청자로, 꼭 사람이 아닐 수도 있음을 명심해.
- ✓ 시의 핵심 시어(구)나 표현상의 특징이 두드러진 부분에 밑줄(____)을 그어 봐. 그리고 밑줄 아래에는 내가 파악한 시어(구)의 함축적 의미나 표현의 효과 등을 간단히 함께 적어 두면 좋지.

❶ 화자·대상

- #화자와 시적 대상을 찾아라.
- 화자, 시적 대상이 처한 #시적 상황을 파악하라.
- 시적 상황이나 시적 대상에 대한 #화자의 정서와 태도를 파악하라.

작품 속 스킬

친구가 원수보다 더 미워지는 날이 많다.
티끌만 한 잘못이 맷방석만 하게 (상대방의 작은 잘못이 크게 느껴지는 경우)
동산만 하게 커 보이는 때가 많다.
그래서 세상이 어지러울수록
남에게는 엄격해지고 내(화자)게는 너그러워지나 보다. (화자가 성찰하고 있는 자신의 모습)
돌처럼 잘아지고 굳어지나 보다. //
멀리 동해 바다를 내려다보며 생각한다. (시적 대상: 자기 성찰, 자기반성의 매개체)
널따란 바다처럼 너그러워질 수는 없을까,
깊고 짙푸른 바다처럼 (화자가 닮고 싶은 바다의 속성 ①: 포용력, 이해심)
감싸고 끌어안고 받아들일 수는 없을까,
스스로는 억센 파도로 다스리면서
제 몸은 맵고 모진 매로 채찍질하면서. (바다의 속성 ②: 자기 절제와 통제, 질책과 반성)

— 신경림, 「동해 바다」

이 시에서 말하는 이인 화자는 누구일까요? 그리고 화자가 이 시에서 바라보고 있는 시적 대상은 무엇인가요?

화자는 '나'고, 대상은 '동해 바다'예요. 왜냐하면 '멀리 동해 바다를 내려다보며 생각한다.'라고 되어 있거든요.

맞아요. 화자가 처해 있는 상황, 즉 시적 상황을 잘 파악했네요. 그럼 화자가 동해 바다를 보며 생각한 내용이 무엇인지도 알 수 있나요?

네, 화자는 동해 바다처럼 남에게는 너그럽고 자기에겐 엄격하고 싶다고 생각하는 것 같아요.

그래요. 이를 통해 화자는 동해 바다와 달리, 남을 미워하고 원망했던 지난 삶을 반성하는 태도를 보이고 있지요.

스킬 태그

화자와 시적 대상

화자는 시 속에서 '말하는 이'로, 시인이 자신의 생각이나 느낌을 효과적으로 전달하기 위해 의도적으로 설정한 허구적 대리인이다. 시적 대상은 화자가 노래하는 대상으로, 화자가 바라보는 특정한 인물이나 구체적 사물, 자연물, 관념 등을 가리킨다.

- ✔ 작품 속에 '나'가 직접 드러나 있는지 확인해 보자. '나'가 드러나 있지 않으면 '나'가 누구일지 추리해 보자.
- ✔ 시적 대상은 분명하게 드러날 수도, 그렇지 않을 수도 있다. 작품의 제목이 실마리를 주기도 한다.
- ✔ 시에서 대상은 특정한 의도에 따라 선택된 것이다. 따라서 화자와 대상의 관계를 파악해 보면 시를 이해하기 쉽다는 점을 염두에 두자.

시적 상황

화자나 시적 대상이 처해 있는 형편이나 처지, 시적 배경을 말한다.

- ✔ 현재 화자가 어떤 처지에 놓여 있으며, 무엇 때문에 고민하고 힘들어하는지, 무엇을 소망하는지 따져 보자.
- ✔ 화자가 몸담고 있는 사회, 시대 상황이나 배경은 어떠한지 주목해 보자.

화자의 정서와 태도

화자의 정서는 화자가 어떤 상황이나 사물을 접했을 때 느끼게 되는 마음속의 온갖 감정으로, 작품 속에 나타난 여러 가지 느낌, 생각, 사상 등을 가리킨다. 화자의 태도는 시적 대상이나 상황에 대한 심리적 자세 및 대응 방식으로, 주로 어조(화자가 사용하는 특징적인 말의 느낌과 말투)를 통해 드러난다.

- ✔ 화자의 정서를 나타내는 시어를 찾아보자. 찾기 어렵다면 정서를 추측할 수 있는 상황을 파악해 보자.
- ✔ 감정을 드러내는 시어에 주목하고, 감정 표현의 행위를 찾아보자. 이와 함께 작품 전체의 배경과 분위기를 고려해 보자.

② 시어(구)

• 시어들 간의 관계나 문맥을 고려하여 #시어(구)의 함축적 의미를 파악하라.
• 작품의 내용 전달을 위해 해당 #시어(구)가 어떤 기능을 하는지 파악하라.

작품 속 스킬

외할머니네 집 뒤안에는 장판지 두 장만큼 한 먹오딧빛 툇마루가 깔려 있습니다. 이 툇마루는 외할머니의 손때와 그네 딸들의 손때로 날이 날마다 칠해져 온 것이라 하니 내 어머니의 처녀 때의 손때도 꽤나 많이는 묻어 있을 것입니다마는, 그러나 그것은 하도나 많이 문질러서 인제는 이미 때가 아니라, 한 개의 거울로 번질번질 닦이어져 어린 내 얼굴을 들이비칩니다. //

(툇마루: 시적 대상 ①: 화자의 안식과 위안의 공간이자 추억의 공간 / 외할머니의 손때와 그네 딸들의 손때로 날이 날마다 칠해져 온 것: 툇마루의 역사와 내력 / 내: 화자)

그래, 나는 어머니한테 꾸지람을 되게 들어 따로 어디 갈 곳이 없이 된 날은, 이 외할머니네 때거울 툇마루를 찾아와, 외할머니가 장독대 옆 뽕나무에서 따다 주는 오디 열매를 약으로 먹어 숨을 바로 합니다. 외할머니의 얼굴과 내 얼굴이 나란히 비치어 있는 이 툇마루에까지는 어머니도 그네 꾸지람을 가지고 올 수 없기 때문입니다.

(오디 열매: 시적 대상 ②: 외할머니의 사랑과 위안 / 외할머니의 얼굴과 내 얼굴이 나란히 비치어 있는 이 툇마루: 세대 간의 공존과 사랑)

– 서정주, 「외할머니의 뒤안 툇마루」

독해쌤
시어의 의미와 기능을 파악하기 위해서는 먼저 화자와 대상 및 시적 상황을 파악해야 해요. 찾아볼 수 있나요?

이 시의 화자는 어린 시절을 회상하는 '나'로 외할머니의 툇마루에 얽힌 추억을 노래하고 있어요.

독해쌤
그럼 이 시의 시어 중, '툇마루'와 '오디 열매'의 의미를 함께 살펴볼까요? 각 시어는 어떤 특징이 있나요?

'툇마루'는 '나'가 어머니께 꾸중을 들은 날이면 찾아가던 곳이고, '오디 열매'는 '나'를 위로하기 위해 외할머니가 건넸던 약이에요.

독해쌤
맞아요. 이러한 시어들은 화자에게 어린 시절을 추억하게 함으로써 외할머니에 대한 그리움을 불러일으키죠. 동시에 독자들에게는 향토적인 정서를 느끼게 한답니다.

스킬 태그

시어(구)의 의미

시어는 시에 사용된 언어이다. 시인은 일상어에 새로운 의미를 부여하여 사용하기 때문에, 시어는 일상어의 사전적·지시적 의미 외에도 시의 문맥 속에서 여러 가지로 형성된 의미인 '함축적 의미'를 띠게 된다. 시어의 함축적 의미는 시대적 배경이나 시인의 사상을 바탕으로 작품의 전체적인 맥락을 고려하여 파악해야 한다.

- ✓ 반복해서 쓰이는 시어가 있는지, 특정 시어와 유사한 의미를 지닌 시어가 반복되는지를 통해 핵심 시어를 찾아내자.
- ✓ 해당 시어 앞의 꾸미는 말이나 뒤의 서술어에 주목하여, 그 시어의 의미가 긍정적으로 쓰였는지 부정적으로 쓰였는지 판단해 보자.
- ✓ 작품 내에서 시어들 간의 관계가 서로 대립적인지, 유사한 의미로 쓰여 확장되는지 파악해 보자.

시어(구)의 기능

시어의 기능이란 시어가 작품 안에서 하는 여러 가지 구실이나 작용을 말한다. 작품 속에서 시어는 음악적 효과를 이루고, 이미지와 분위기를 형성한다. 또한 화자의 정서 및 태도, 화자가 처한 상황을 드러내며 화자와 대상 간의 매개체 역할을 한다.

- ✓ 시어의 기능을 이야기할 때 자주 쓰이는 용어는 다음과 같다. 해당 시어가 어떤 기능을 하는지 알아보기 위해서는 아래의 용어들을 기준으로 판단해 보자.
  - 매개체(물): 둘 사이에서 어떤 일, 관계를 맺어 주는 대상
  - 감정 이입: 화자가 대상에 자신의 감정을 불어넣거나, 대상으로부터 느낌을 직접 받아들여 대상과 자기가 서로 통한다고 느끼는 것
  - 객관적 상관물: 화자가 자신의 감정을 간접적으로 나타내기 위해 사용한 구체적인 대상

❸ 표현

- 심상, 운율, 수사법(비유법, 강조법, 변화법), 시상 전개 방식 등 #표현상의 특징을 찾아라.
- 표현상의 특징이 작품에서 지니는 #효과를 파악하라.

작품 속 스킬

㉯ 보기가 역겨워
화자의 처지: 이별의 상황을 가정함
가실 때에는

말없이 고이 보내 드리오리다. //
화자의 심정: 체념적

영변에 약산

진달래꽃
시적 대상: 화자의 분신이자, 임에 대한 사랑과 축복을 나타내는 소재
아름 따다 가실 길에 뿌리오리다. //

가시는 걸음 걸음

놓인 그 꽃을

사뿐히 즈려 밟고 가시옵소서. //

㉯ 보기가 역겨워

가실 때에는

죽어도 아니 눈물 흘리오리다.
반어법을 통해 슬픔의 극복 의지를 강조함

– 김소월, 「진달래꽃」

독해쌤
이 시의 화자는 지금 어떤 상황에 처해 있나요?

이 시의 화자는 사랑하는 임과 이별하는 상황을 가정하고 있어요. 임이 가시는 길에 진달래꽃을 뿌릴 것이라며, 임에 대한 사랑과 정성을 보이고 있네요.

독해쌤
그럼 이 시의 표현 중 제일 마지막 행인 '죽어도 아니 눈물 흘리오리다.'를 살펴볼까요?

임과 이별한 화자는 굉장히 슬플 것 같은데, 죽어도 눈물을 흘리지 않겠다고 하네요?

독해쌤
여기에는 속마음을 반대로 표현하는 '반어'가 쓰였어요. 이를 통해 이별의 슬픔을 극복하려는 화자의 의지를 강조하고, 임이 떠나지 않기를 바라는 소망을 효과적으로 드러내었죠.

스킬 태그

표현상의 특징

심상(이미지), 운율 형성 요소, 수사법(비유법, 강조법, 변화법), 시상 전개 방식 등 시인이 자신의 정서나 생각을 효과적으로 드러내기 위해 사용한 표현 방식을 말한다.

✔ 표현상의 특징으로 자주 쓰이는 용어는 다음과 같다. 제시된 내용을 참고하여 작품에 나타난 표현상의 특징을 파악해 보자.

- 심상(이미지): 시를 읽을 때 마음속에 그려지는 감각적인 느낌으로, 감각의 종류에 따라 시각적, 청각적, 후각적, 미각적, 촉각적, 공감각적 심상으로 나뉨
- 운율 형성 요소: 유사한 음운, 일정한 글자 수, 일정한 음보, 동일한 단어나 문장 구조의 반복이나 음성 상징어의 사용 등으로 이루어짐
- 비유: 사물이나 관념(원관념)을 다른 대상(보조 관념)에 빗대어 나타내는 것으로, 직유법, 은유법, 의인법, 활유법, 대유법 등이 있음
- 반어: 표현의 효과를 높이기 위해 실제와 반대되는 뜻의 말을 하는 것
- 역설: 표면적으로는 말이 성립되지 않는 모순된 표현이지만, 그 속에 참뜻(진리)을 담는 것
- 시상 전개 방식: 시에 나타난 사상이나 감정을 배열하여 주제를 구현하고 시의 구조를 만드는 것. 시간이나 공간(시선)의 흐름, 수미 상관, 선경 후정, 기승전결 등이 있음

표현의 효과

표현 방식은 시의 내용을 보다 선명하게 하고 함축적인 의미를 담는 데 중요한 역할을 하며, 시상 전개 방식은 화자의 정서 및 태도, 시적 상황과 밀접한 관련성인 연관성을 갖고 있다. 따라서 표현의 효과를 파악하기 위해서는 시에 사용된 표현 방식과 시상 전개 방식이 주제와 어떻게 연결되는지를 살펴보아야 한다.

✔ 먼저 작품에 쓰인 다양한 표현상의 특징을 찾아내자.

✔ 해당 표현이 작품의 전개 양상이나 내용의 흐름에 어떤 영향을 주고 있는지, 주제를 나타내는 데 어떤 역할을 하고 있는지 파악해 보자.

먼 후일 _ 김소월

여러분은 자신의 마음과 반대로 친구에게 표현해 본 적이 있나요? 이 작품의 화자는 잊을 수 없는 '당신'에게 '먼 훗날' 잊겠다고 말하고 있네요. 이런 화자의 진짜 마음은 무엇일지, 왜 '잊었노라.'라고 말하고 있는지를 생각하며 작품을 감상해 볼까요?

독해쌤의 감상 질문

1. 화자·대상 화자가 처한 시적 상황과 '당신'에 대한 화자의 태도는 어떠한가요?
2. 시어(구) '찾으시면', '나무라면'과 같은 시어를 사용한 이유는 무엇일까요?
3. 표현 • 화자의 정서를 강조하기 위해 주로 쓰인 표현 방법은 무엇인가요?
   • 이 작품의 운율을 형성하는 요소는 무엇인가요?

독해쌤 속닥속닥

◆ 이 작품의 각 연마다 반복되는 시어 '잊었노라.'는 반어적 표현입니다. 반어(아이러니)란 표현의 효과를 높이기 위해 실제와 반대로 표현하는 것입니다. 인색한 사람에게 '참 푸지게도 준다!'와 같이 표현하는 것을 예로 들 수 있어요.

㉠먼 훗날 당신이 찾으시면
그때에 내 말이 ㉡'잊었노라.'

당신이 속으로 ㉢나무라면
'무척 그리다가 잊었노라.'

그래도 당신이 나무라면
'믿기지 않아서 잊었노라.'

㉣오늘도 어제도 아니 잊고
㉤먼 훗날 그때에 '잊었노라.'

[01~05] 다음 설명이 맞으면 ○, 틀리면 ×표 하시오.

01 이 작품의 화자는 작품 속에 직접 드러나 있다. (○, ×)

02 이 작품은 3음보의 민요적 율격을 지니고 있다. (○, ×)

03 화자는 사랑하는 이와 이별한 상황에서 그 사람을 원망하며 슬퍼하고 있다. (○, ×)

04 화자는 내내 그리워하던 당신과 다시 만났던 순간의 정서를 드러내고 있다. (○, ×)

05 이 작품에서는 '~면 ~ 잊었노라.'라는 문장 구조를 반복하여 사용하고 있다. (○, ×)

[06~07] 다음 빈칸에 들어갈 알맞은 말을 쓰시오.

06 'ㅇㅇㄴㄹ.'는 당신을 그리워하는 화자의 간절한 마음을 반어적으로 강조한 것이다.

07 1~3연에서는 연결 어미 '-ㅁ'을 사용하여 미래의 상황을 ㄱㅈ하여 표현하고 있다.

화자·대상

08 윗글의 화자와 '당신'에 대한 설명으로 적절한 것은?

① 화자는 당신과의 이별을 원하고 있다.
② 당신은 화자가 자신을 잊은 것에 대해 질책하고 있다.
③ 당신의 속마음은 화자를 내내 잊지 못하고 있다는 것이다.
④ 화자는 당신에 대한 마음을 실제와는 반대로 드러내고 있다.
⑤ 화자는 당신이 돌아오지 않는 것을 원망하며 서러워하고 있다.

표현

09 윗글의 표현상의 특징으로 적절하지 않은 것은?

① 반어적 표현이 사용되고 있다.
② 유사한 문장 구조가 반복되고 있다.
③ 시조와 같은 4음보의 율격을 지니고 있다.
④ '잊었노라.'를 반복하며 운율을 형성하고 있다.
⑤ 미래의 상황을 가정하여 시상을 전개하고 있다.

시어(구)

10 ㉠~㉤에 대한 메모로 적절하지 않은 것은?

① ㉠: 당신과 화자가 재회를 약속한 '먼 훗날'임
② ㉡: 시상 전개에 따라 화자의 정서를 점층적으로 강조함
③ ㉢: '잊었노라.'라는 대답에 대한 당신의 예상 반응임
④ ㉣: 당신에 대한 화자의 본심이 드러난 부분임
⑤ ㉤: 당신에 대한 화자의 정서를 효과적으로 강조함

수능형

화자·대상 + 표현 + 주제

11 〈보기〉를 바탕으로 윗글을 감상할 때, 가장 적절한 것은?

보기

김소월 시의 특징 중 하나는 '현재'라는 시간 의식이 제외되어 있다는 것이다. 임이 없는 현재 상황에 대한 시인의 부정적인 인식을 반영하여 시간은 '과거-미래'로 직접 연결된다.

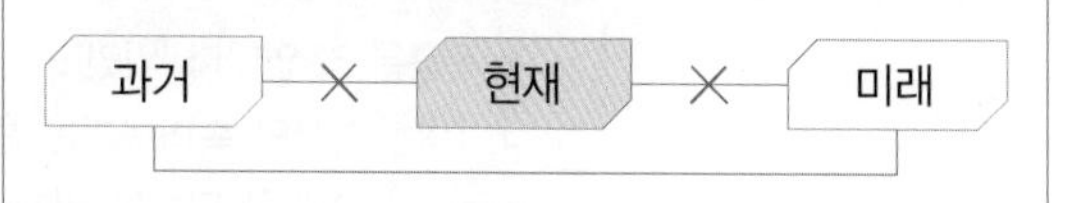

① '그때'는 화자가 당신과 이별했던 과거의 시점이야.
② 화자는 당신을 현재에 다시 만날 것임을 믿고 있어.
③ 화자는 미래의 '먼 후일'이 되어서야 비로소 과거의 당신을 잊겠군.
④ 화자가 '먼 후일'을 기다리고 있는 것은 과거에 당신이 남긴 약속을 잊지 못해서야.
⑤ 화자가 '먼 후일'과 '잊었노라.'를 결합한 것은 '오늘'의 이별 상황을 인정하고 싶지 않기 때문이야.

작품 전체

1연	2연	3연	4연
먼 훗날 ❶ㄷㅅ과 만났을 때의 반응	당신이 질책할 것에 대한 반응	당신이 계속 질책할 것에 대한 반응	당신을 잊지 못하는 마음(❷ㄱㄹㅇ)

작품 압축

■ 시적 상황 및 '당신'에 대한 화자의 태도

1연의 '먼 훗날 당신이 찾으시면'으로 보아, 현재 화자는 당신과 이별한 상황임을 짐작할 수 있다.

시적 상황

사랑하는 당신과 ❸ㅇㅂ한 상황임

⇓

화자의 태도

먼 훗날 당신과 만났을 때를 가정하고, 그때에 당신을 '❹ㅇㅇㄴㄹ.'라고 말할 것임을 밝힘 → 반어적 표현을 반복적으로 사용하여 당신에 대한 그리움을 드러냄

■ 시어 '찾으시면', '나무라면'의 기능

시어 '찾으시면', '나무라면'의 사용

연결 어미 '-면'을 사용하여 아직 일어나지 않은 미래의 어느 날 당신이 찾아온 상황과 '잊었노라.'라고 반복하는 화자를 당신이 질책하는 상황을 ❺ㄱㅈ함

⇓

시어의 기능

화자가 당신을 잊지 못하고 있으며, 앞으로도 잊지 못할 것임을 드러냄 → 당신에 대한 화자의 정서(그리움)를 ❻ㄱㅈ함

화자·대상 / 시어(구) / 표현

■ 반어적 표현의 효과

이 작품은 각 연마다 '잊었노라.'라는 표현이 반복된다. 이는 화자의 속마음과는 반대되는 ❼ㅂㅇ적 표현으로, 이별한 당신을 잊지 못하는 화자의 간절한 그리움을 효과적으로 강조한다.

표현	• 1연: '잊었노라.' • 2연: '무척 그리다가 잊었노라.' • 3연: '믿기지 않아서 잊었노라.' • 4연: 먼 훗날 그때에 '잊었노라.'

⇓

시상의 점층적 전개를 통한 의미 강조

⇓

의미(주제)	(어제도 오늘도, 먼 훗날 그때까지도) 결코 당신을 잊을 수 없다.

■ 운율 형성 요소

이 작품은 3음보의 율격과 시어 및 문장 구조의 반복을 통해 운율을 형성하고 있다.

3음보의 율격

3음보의 ❽ㅁㅇ적 율격을 지님

예 '먼 훗날∨당신이∨찾으시면' 등

＋

시어(구)의 반복

• 반어적 표현인 시어 '잊었노라.'를 반복하여 운율을 형성하고, 화자의 정서를 점층적으로 강조함
• 1~3연에서 '~❾ㅁ ~ 잊었노라.'의 문장 구조를 반복하여 운율을 형성함

어휘력 테스트

1 **다음 단어를 활용하기에 적절한 문장을 찾아 바르게 연결해 보자.**

(1) 믿기다 •   • ㉠ 어린 시절 그는 일하러 나가신 엄마를 혼자 (   ) 가 잠들곤 했다.

(2) 그리다 •   • ㉡ 그가 들려준 소식은 너무 황당한 이야기라서 사실로 (   ) 않았다.

(3) 나무라다 •   • ㉢ '숯이 검정 (   )'는 제 허물은 생각하지 않고 남의 허물을 들추어낸다는 뜻이다.

2 **다음 〈보기〉의 뜻을 참고하여 십자말풀이를 완성해 보자.**

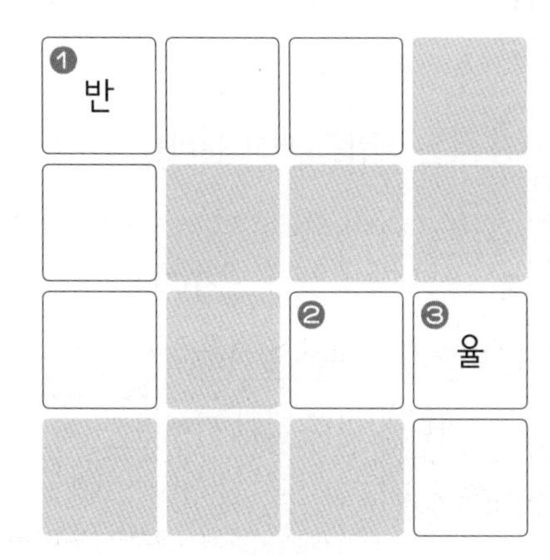

보기

가로

❶ 의미를 강조하거나 표현의 효과를 높이기 위하여 실제와 반대로 표현하는 방법

❷ 시를 읽을 때 느껴지는 말의 가락(리듬)

세로

❶ 같거나 비슷한 어구를 되풀이하여 효과적으로 표현하는 방법

❸ 정형적인 구조를 갖춘 시에서 두드러지게 나타나는 연속적이거나 반복적인 언어의 리듬

독해쌤과 함께하는 감상 넓히기

반어적 표현을 효과적으로 사용한 작품

이번에 감상한 「먼 후일」과 같이 반어적 표현을 효과적으로 사용한 작품들이 있습니다. 제시된 작품들은 「먼 후일」처럼 반어적 표현을 통해 화자의 정서를 표현한 작품들이에요. 어떤 반어적 표현을 사용하여 화자의 정서를 표현했는지, 그 효과는 무엇인지 파악하며 작품들을 더 감상해 볼까요?

진달래꽃_김소월

우리 민족의 보편적 정서인 이별의 정한(情恨)을 노래한 시입니다. 사랑하는 임과의 이별을 가정하고, '죽어도 아니 눈물 흘리우리다.'라는 반어적 표현을 통해 이별의 정한을 극복하고자 하는 전통적 여인상을 보여 주고 있는 작품입니다.

즐거운 편지_황동규

젊은 시절에 연상의 여인을 짝사랑했던 작가의 애틋한 마음을 노래한 시입니다. '그대'에 대한 화자의 변함없는 사랑을 '사소함'이라는 반어적 표현을 통해 감각적으로 그려 내고 있는 작품입니다.

나룻배와 행인 _ 한용운

여러분은 자신이나 가족, 친구 등 특정 인간관계를 비유적으로 표현해 본 적이 있나요? 단순한 비유가 때로는 특정 관계를 아주 효과적으로 설명해 주기도 하지요. 이 작품은 비유적 표현을 통해 화자와 대상의 관계를 드러내고 있어요. 그럼 이 작품의 화자가 자신과 대상을 무엇에 비유하고 있는지, 이를 통해 무엇을 표현하려 했는지 파악하며 작품을 감상해 볼까요?

독해쌤의 감상 질문

1. 화자·대상 • 이 작품의 화자는 어떤 특성을 지니고 있나요?
   • '나'와 '당신'이 서로를 대하는 태도는 어떠한가요?
2. 시어(구) '급한 여울', '바람', '눈비'의 상징적 의미는 무엇인가요?
3. 표현 이 작품에 나타난 표현상의 특징은 무엇인가요?

독해쌤 속닥속닥

◆ 시의 처음과 끝에 같거나 유사한 구절(시행, 연)을 반복하여 배치하는 방법을 '수미상관'이라고 합니다. 그러니까 이 작품의 1연과 4연이 바로 '수미상관'에 해당하죠. 이처럼 처음에 제시한 구절을 끝에도 다시 반복하면 그 의미가 강조됩니다. 또한 구조적인 안정감을 주며 운율을 형성하고, 작품에 여운과 감동을 주기도 합니다.

나는 나룻배
당신은 행인.

당신은 흙발로 나를 짓밟습니다.
나는 당신을 안고 물을 건너갑니다.
나는 당신을 안으면 깊으나 옅으나 급한 여울이나 건너갑니다.

만일 당신이 아니 오시면 나는 바람을 쐬고 눈비를 맞으며 밤에서 낮까지 당신을 기다리고 있습니다.
당신은 물만 건너면 나를 돌아보지도 않고 가십니다그려.
그러나 ㉠<u>당신이 언제든지 오실 줄만은 알아요.</u>
나는 당신을 기다리면서 날마다 날마다 낡아 갑니다.

나는 나룻배
당신은 행인.

확인 문제

[01~05] 다음 설명이 맞으면 ○, 틀리면 ×표 하시오.

01 이 작품의 화자는 부드러운 어조를 지니고 있다. (○, ×)

02 이 작품의 2연으로 보아, 당신은 '나'를 소중하게 생각하고 있다. (○, ×)

03 이 작품은 1연을 4연에서 다시 반복하는 수미상관의 방식을 취하고 있다. (○, ×)

04 이 작품의 화자인 '나'는 날마다 낡아 가면서 당신을 기다리지만, 당신이 돌아올 것은 확신하지 못하고 있다. (○, ×)

05 이 작품의 화자는 당신에 대해 희생적이고 헌신적인 태도를 드러내고 있다. (○, ×)

[06~07] 다음 빈칸에 들어갈 알맞은 말을 쓰시오.

06 이 작품에서는 당신을 'ㅎㅇ'에, '나'를 'ㄴㄹㅂ'에 빗대고 있다.

07 이 작품에서 '급한 여울', 'ㅂㄹ', '눈비'는 어려움이나 고난, 시련을 의미한다.

실력 문제

표현

08 윗글에 대한 설명으로 적절하지 않은 것은?

① 경어체 '-ㅂ니다'를 반복하여 운율을 형성하고 있다.
② 고백적 어조를 통해 당신에 대한 화자의 태도를 드러내고 있다.
③ 은유, 대구의 방식을 활용하여 화자와 당신의 관계를 나타내고 있다.
④ 반어적 표현을 사용하여 당신에 대한 화자의 헌신적인 희생을 강조하고 있다.
⑤ 같은 시구를 작품의 처음과 끝에 배치하여 작품의 전체적인 균형을 유지시켜 주고 있다.

화자·대상

09 윗글에서 '나'가 '당신'을 대하는 태도로 적절하지 않은 것은?

① 인내 ② 원망 ③ 희생
④ 믿음 ⑤ 기다림

시어(구) + 어휘

10 ㉠과 의미가 통하는 한자 성어로 적절한 것은?

① 새옹지마(塞翁之馬)
② 거자필반(去者必返)
③ 전화위복(轉禍爲福)
④ 고진감래(苦盡甘來)
⑤ 우공이산(愚公移山)

수능형 화자·대상

11 〈보기〉를 참고하여 윗글의 '나'와 '당신'의 소통 구조에 대해 감상한 내용으로 적절하지 않은 것은?

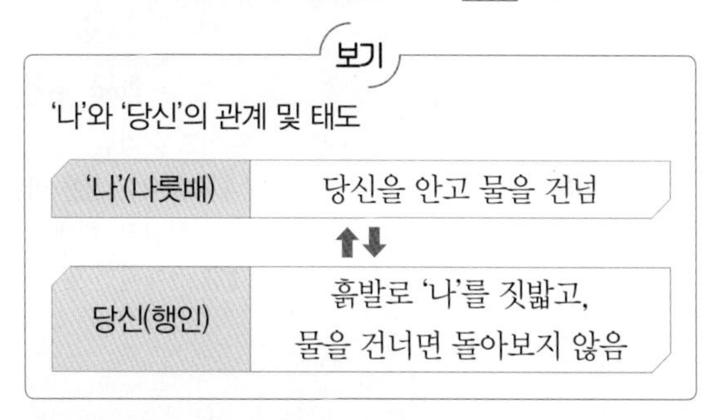
보기

'나'와 '당신'의 관계 및 태도

'나'(나룻배)	당신을 안고 물을 건넘
⬆⬇	
당신(행인)	흙발로 '나'를 짓밟고, 물을 건너면 돌아보지 않음

① 1연의 '나는 나룻배'로 볼 때 '나'는 화자로, 시인의 분신이라고도 할 수 있어.
② 1연에서 화자는 자신을 '나룻배'에, 시적 대상인 당신을 '행인'에 비유하여 둘의 관계를 설정하고 있어.
③ 2연에서 당신은 '나'에게 무정하지만, '나'는 당신을 위해 어떤 어려운 상황도 이겨 내려는 모습을 보이고 있어.
④ 3연에 나타난 당신에 대한 '나'의 헌신적인 태도로 볼 때, 당신은 '나'에게 소중한 존재이거나 절대적인 영향을 미치는 대상이라고 할 수 있어.
⑤ 3연에서 '물만 건너면 나를 돌아보지도 않고 가' 버리는 당신의 태도로 인해, '나'는 외롭고 불안한 마음으로 당신을 날마다 기다리고 있다고 할 수 있어.

작품 전체

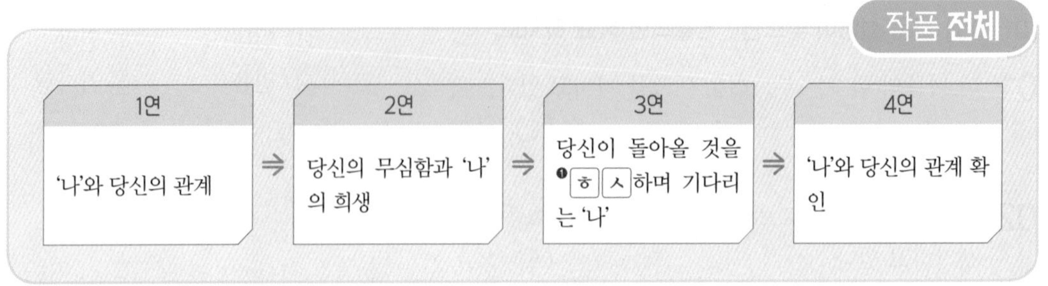

작품 압축

■ 화자의 특성

이 작품에서는 화자를 '나룻배'에 빗대어 '행인'을 태워 물을 건너고, '행인'이 떠나면 언젠가 그가 다시 돌아올 때까지 기다리는 존재로 그리고 있다. 이를 통해 화자인 '나'의 희생적이고 헌신적인 태도를 효과적으로 드러내고 있다.

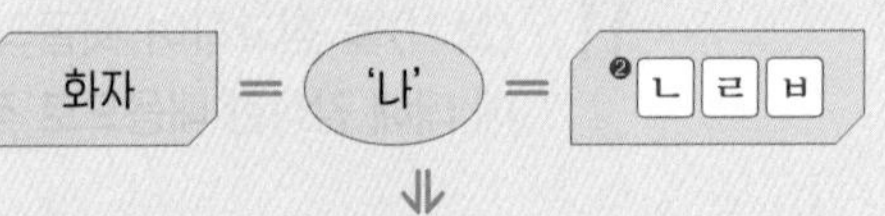

화자의 특성

- 부드러운 어조를 지님
- 사물인 '나룻배'에 자신을 비유함
- 당신에 대해 헌신적·희생적인 태도를 보임
- 당신에 대해 절대적인 믿음을 지님

■ '나'와 '당신'이 서로를 대하는 태도

'나'(나룻배)	당신(행인)
• 어떤 어려운 상황에서도 당신을 안고 물을 건넘 • 당신이 반드시 돌아올 것임을 확신하며 믿고 기다림	• '나'를 ❸ㅎㅂ로 짓밟음 • 물만 건너면 '나'를 돌아보지도 않고 가버림

⇓

당신에 대한 '나'의 태도	'나'에 대한 당신의 태도
희생적이고 헌신적임, 절대적인 믿음을 지님	무관심함, 무정함, 무심함

⇓

작품의 주제

인내와 희생을 통한 참된 ❹ㅅㄹ의 실천

화자·대상 / 시어(구) / 표현

■ 시어(구)의 상징적 의미

시어(구)	의미	
급한 여울	당신을 안고 물을 건널 때 발생할 수 있는 어려운 상황	'나'가 겪는 어려움, 고난과 시련, 역경
바람, ❺ㄴㅂ	당신을 오래도록 기다리며 겪는 고난과 시련	
행인	'나'가 사랑하는 사람, 절대자, 종교(불교)적 진리, 중생 등	

■ 표현상의 특징

작품의 표현상의 특징

- 경어체 종결 어미 '-ㅂ니다'를 반복하여 운율을 형성함
- ❻ㅇㅇ법 및 대구법을 활용하여 '나'와 당신의 관계를 효과적으로 드러냄
- 경어체와 부드러운 어조를 사용하여 당신에 대한 화자의 헌신적인 태도를 드러냄
- ❼ㅅㅁㅅㄱ의 방식을 통해 구조적 안정감을 주고, 운율을 살리며 주제를 강조함

어휘력 테스트

1 다음 괄호 안에 들어갈 단어를 〈보기〉에서 골라 써 보자.

보기

여울 　 행인 　 나룻배

(1) (　　　　)의 얕은 곳을 따라 디딤돌이 띄엄띄엄 놓여 있었다.

(2) 오래된 재래시장이 철거된 뒤로, 그 동네는 밤이 되면 (　　　　)의 발걸음이 뜸했다.

(3) 나루터에서 봇짐을 짊어진 남자 여럿을 태운 (　　　　)은/는 기우뚱대더니 물살을 가르며 앞으로 나아갔다.

2 다음 단어를 활용하기에 적절한 문장을 찾아 바르게 연결해 보자.

(1) 절대적 •　　• ㉠ 이번 붕괴 사고의 원인은 건물의 (　　　　) 결함이었다.

(2) 구조적 •　　• ㉡ 아내의 (　　　　)인 간호로 결국 그는 건강을 되찾을 수 있었다.

(3) 헌신적 •　　• ㉢ 그는 여행 계획을 세우는 데 있어서만은 동생의 의견을 (　　　　)으로 신뢰했다.

독해쌤과 함께하는 감상 넓히기

비유적 표현을 통해 사랑하는 마음을 노래한 작품

이번에 감상한 「나룻배와 행인」과 같이 비유적 표현을 사용하여 사랑의 마음을 효과적으로 형상화한 작품이 많이 있어요. 화자가 처한 상황은 어떠한지, 그리고 그런 처지에서 느끼는 마음을 무엇에, 또 어떻게 빗대고 있는지 파악하며 작품들을 더 감상해 볼까요?

내 마음은_김동명

화자인 '나'의 마음을 다양한 사물에 비유하여 사랑의 기쁨과 애달픔을 노래한 시입니다. 사랑하는 사람에 대한 화자의 마음을 각각 '호수', '촛불', '나그네', '낙엽'에 비유함으로써, 순수한 사랑의 마음을 형상화한 작품입니다.

배를 매며_장석남

생각지 못한 순간에 시작되는 사랑의 과정을 '배는 매는 행위'에 비유한 시입니다. 예고 없이 날아온 밧줄을 잡아 배를 매는 것처럼 사랑은 갑자기 시작되며, 배를 매는 것이 배를 둘러싼 구름과 빛과 시간을 하나로 묶듯 사랑 역시 그 대상을 둘러싼 세계까지 함께 받아들이는 일이라는 인식을 드러낸 작품입니다.

모란이 피기까지는

_ 김영랑

여러분은 춥고 매서운 겨울이 끝나고 따뜻한 봄에 아름다운 꽃들이 활짝 피어나기를 손꼽아 기다려 본 일이 있나요? 이 작품은 기다리던 모란이 피고 지는 것에 대한 감흥을 노래하고 있어요. 여러분이 기다렸던 꽃들이 피고 질 때 느꼈던 감흥과 비교해 보고, 화자에게 '모란'이 피기를 기다린다는 것은 어떤 의미였을지 생각하며 작품을 감상해 볼까요?

모란이 피기까지는
나는 아직 나의 봄을 기둘리고(기다리고) 있을 테요
모란이 뚝뚝 떨어져 버린 날
나는 비로소 봄을 여읜 설움에 잠길 테요
오월 어느 날 그 하루 무덥던 날
떨어져 누운 꽃잎마저 시들어 버리고는
천지에 모란은 자취도 없어지고
뻗쳐 오르던 내 보람 서운케 무너졌느니
모란이 지고 말면 그뿐 내 한 해는 다 가고 말아
삼백예순 날 하냥(늘) 섭섭해 우옵네다('웁니다 / 우옵니다'의 전라도 방언. 또는 '우옵나이다'의 준말)
모란이 피기까지는
나는 아직 기둘리고 있을 테요 ㉠찬란한 슬픔의 봄을

독해쌤의 감상 질문

1. 화자·대상 이 작품에 나타난 화자의 정서와 태도는 어떠한가요?
2. 시어(구) '모란', '봄', '보람', '삼백예순 날'의 상징적 의미는 무엇인가요?
3. 표현 • '찬란한 슬픔의 봄'에 쓰인 표현법과 그 의미는 무엇인가요?
   • 이 작품에서 운율을 형성하는 요소는 무엇인가요?

독해쌤 속닥속닥

◆ 이 작품에 쓰인 '찬란한 슬픔의 봄'은 역설적 표현의 대표적인 예로 자주 등장합니다. 흔히들 반어와 역설을 혼동하기도 하죠. 맥락을 고려하여 속마음과는 반대로 표현하는 반어적 표현과 달리, 역설적 표현은 표현 자체에는 논리적인 모순이 존재하지만, 이를 통해 오히려 진실을 더 효과적으로 드러내는 표현 방법입니다.

확인 문제

[01~04] 다음 설명이 맞으면 ○, 틀리면 ×표 하시오.

01 이 작품은 '모란이 피기를 기다림', '모란이 진 후의 슬픔과 상실감', '모란이 피기를 기다림'의 내용 구성에 따라 3연으로 이루어져 있다. (○, ×)

02 이 작품은 'ㄴ, ㄹ, ㅁ, ㅇ'과 같은 울림소리를 많이 사용하여 부드러운 느낌을 준다. (○, ×)

03 이 작품의 화자에게 '모란'은 순수한 아름다움의 대상이자, 삶의 보람이다. (○, ×)

04 이 작품에는 모란이 피고 지는 것에 대한 화자의 감흥이 잘 나타나 있다. (○, ×)

[05~07] 다음 빈칸에 들어갈 알맞은 말을 쓰시오.

05 이 작품은 시의 처음과 끝에 같거나 유사한 구절을 반복하여 배치하는 ㅅㅁㅅㄱ의 구조를 취하고 있다.

06 'ㅅㅂㅇㅅ ㄴ'은 화자의 기다림의 나날을 강조하고, 서글픈 정감의 깊이를 드러내는 표현이다.

07 이 작품의 마지막 행에는 말의 차례를 바꾸어 쓰는 표현법인 ㄷㅊㅂ이 쓰였다.

실력 문제

화자·대상 + 표현 + 주제

08 윗글에 대한 설명으로 적절하지 않은 것은?

① 아름다움을 중시하는 유미적 성격을 띤다.
② 모란이 피고 지는 과정을 통해 시상을 전개한다.
③ 과장법, 도치법 등을 통해 화자의 심경을 강조한다.
④ 세련된 시어와 감각적인 표현을 통해 주제를 효과적으로 표현한다.
⑤ 모란이 피고 지는 모습을 통해 당시 민중들의 울분을 간접적으로 표출한다.

표현

09 윗글의 운율 형성 요소로 적절하지 않은 것은?

① 시행의 배열이 간결하고 규칙적이다.
② 첫 두 행을 마지막 부분에 반복하는 구조를 이룬다.
③ 울림소리를 많이 사용하여 부드러운 어감을 형성한다.
④ 시어 '모란'과 예스러운 말투인 '-ㄹ 테요'를 반복한다.
⑤ 내용상 두 시행씩 한 단락을 이루면서 호흡의 속도를 조절한다.

표현

10 ㉠과 같은 표현 방법이 쓰인 것은?

① 두 볼에 흐르는 빛이 / 정작으로 고와서 서러워라.
② 오늘도 어제도 아니 잊고 / 먼 훗날 그때에 '잊었노라.'
③ 나 보기가 역겨워 / 가실 때에는 / 죽어도 아니 눈물 흘리우리다.
④ 그날이 오면 그날이 오면은 / …… / 두개골은 깨어져 산산조각이 나도 / 기뻐서 죽사오매 오히려 무슨 한이 남으오리까.
⑤ 돌담에 속삭이는 햇발같이 / 풀 아래 웃음 짓는 샘물같이 / 내 마음 고요히 고운 봄 길 위에 / 오늘 하루 하늘을 우러르고 싶다.

수능형 화자·대상

11 윗글에 나타난 화자의 정서를 〈보기〉처럼 정리할 때, ⓐ~ⓔ에 들어갈 내용으로 적절하지 않은 것은?

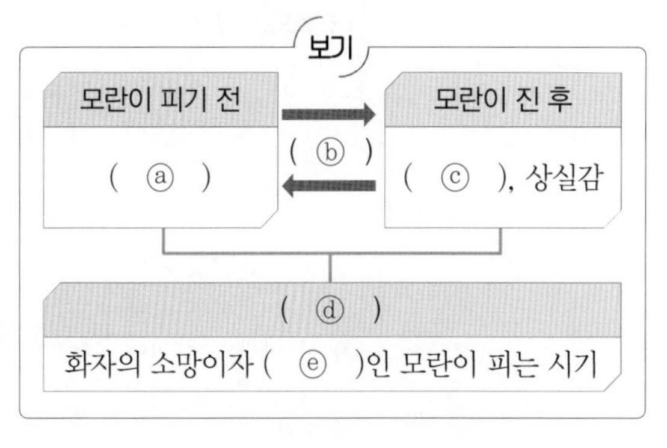

① ⓐ: 기다림 ② ⓑ: 순환 ③ ⓒ: 기쁨
④ ⓓ: 봄 ⑤ ⓔ: 보람

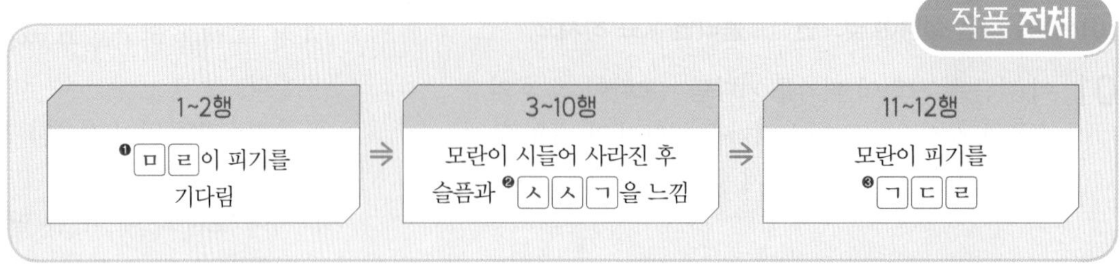

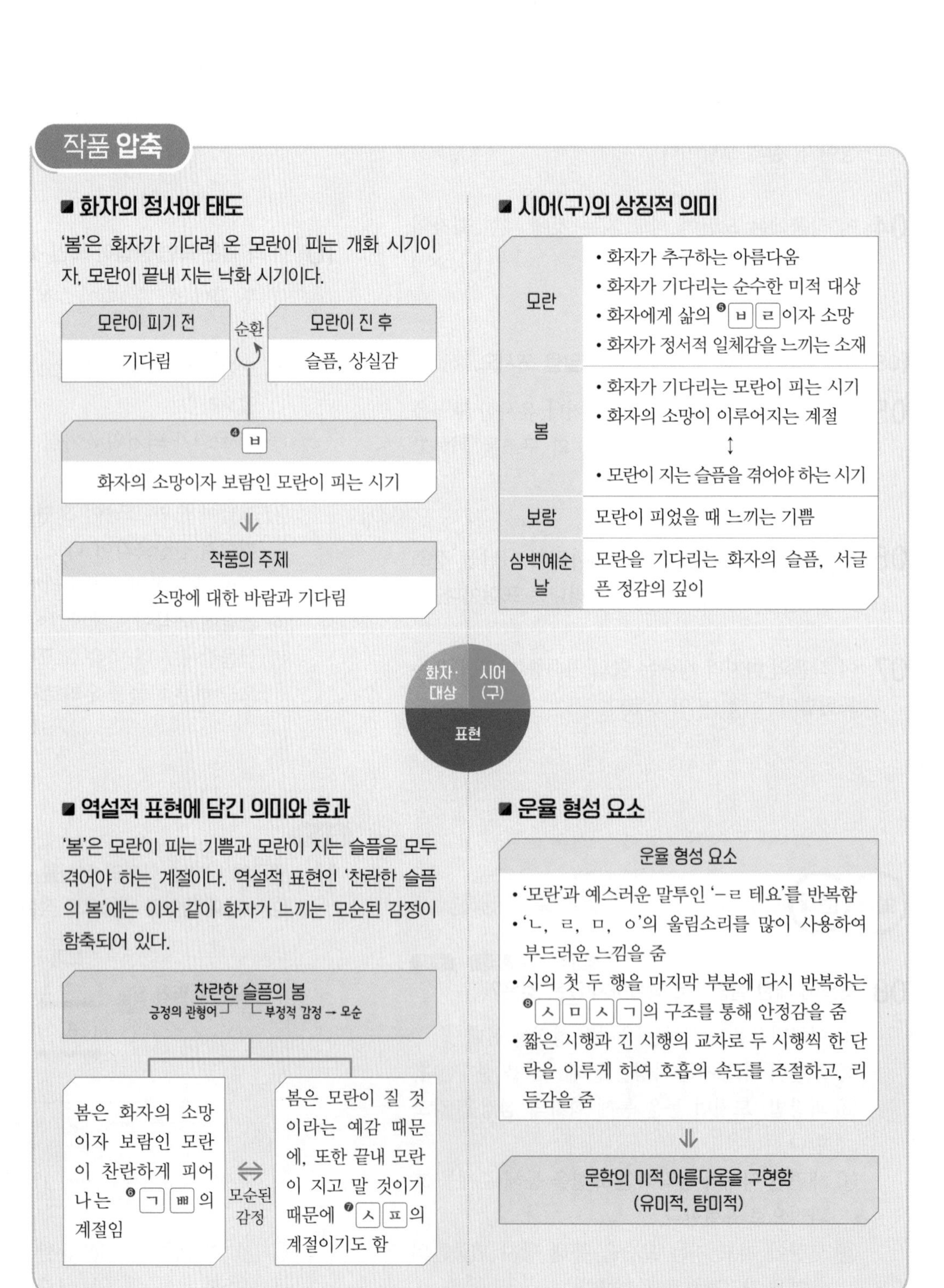

작품 압축

■ 화자의 정서와 태도

'봄'은 화자가 기다려 온 모란이 피는 개화 시기이자, 모란이 끝내 지는 낙화 시기이다.

■ 시어(구)의 상징적 의미

모란	• 화자가 추구하는 아름다움 • 화자가 기다리는 순수한 미적 대상 • 화자에게 삶의 ❺ ㅂ ㄹ이자 소망 • 화자가 정서적 일체감을 느끼는 소재
봄	• 화자가 기다리는 모란이 피는 시기 • 화자의 소망이 이루어지는 계절 ↕ • 모란이 지는 슬픔을 겪어야 하는 시기
보람	모란이 피었을 때 느끼는 기쁨
삼백예순 날	모란을 기다리는 화자의 슬픔, 서글픈 정감의 깊이

■ 역설적 표현에 담긴 의미와 효과

'봄'은 모란이 피는 기쁨과 모란이 지는 슬픔을 모두 겪어야 하는 계절이다. 역설적 표현인 '찬란한 슬픔의 봄'에는 이와 같이 화자가 느끼는 모순된 감정이 함축되어 있다.

■ 운율 형성 요소

어휘력 테스트

1 다음 괄호 안에 들어갈 단어를 〈보기〉에서 골라 써 보자.

보기

감흥　　자취　　비로소

(1) 중학생이 되어서야 (　　　　) 부모님의 마음을 조금 이해할 수 있었다.

(2) 그 영화는 세상 사람들의 평가와 달리, 나에게 별다른 (　　　　)을/를 불러일으키지 못했다.

(3) 그는 비록 외롭고 고된 삶을 살았지만, 그의 삶과 그가 남긴 그림들은 현대 미술사에 커다란 (　　　　)을/를 남겼다.

2 다음 단어를 활용하기에 적절한 문장을 찾아 바르게 연결해 보자.

(1) 여의다 •　　• ㉠ 그의 마음속에는 서로 (　　　　) 두 가지 감정이 동시에 나타나고 있었다.

(2) 모순되다 •　　• ㉡ 「공무도하가」는 사랑하는 임을 (　　　　) 슬픔과 한(恨)을 주제로 하는 고대 가요이다.

(3) 표출하다 •　　• ㉢ 그녀는 그때그때 느끼는 감정들을 아무런 여과 없이 밖으로 직접 (　　　　) 성격을 지녔다.

독해쌤과 함께하는 감상 넓히기

역설적 표현을 효과적으로 사용한 작품

이번에 감상한 「모란이 피기까지는」과 같이 역설적 표현을 사용하여 주제를 효과적으로 형상화하는 시들이 많이 있어요. 표면적으로는 논리적으로 모순되지만, 그 속에 진지한 참뜻을 품고 있는 역설적 표현! 다른 작품들에는 이러한 역설적 표현이 어떻게 쓰였는지, 그 표현에 담겨 있는 참뜻은 무엇인지 파악하며 작품들을 더 감상해 볼까요?

파밭 가에서 _김수영

새로운 사랑(삶)을 얻기 위한 의지를 노래한 시입니다. 새싹이 흙을 뚫고 나오는 파밭을 통해 과거의 묵은 사랑을 버림으로써 새로운 사랑을 얻을 수 있다는 깨달음을 '얻는다는 것은 곧 잃는 것이다.'라고 역설적으로 표현한 작품입니다.

유리창 1 _정지용

유리창을 매개로 어린 자식을 잃은 아버지의 슬픔과 자식에 대한 그리움을 노래한 시입니다. 죽은 아이를 만나고자 유리를 닦는 행위를 '외로운 황홀한 심사'라는 역설적 표현으로 시의 함축성을 높인 작품입니다.

청포도 _ 이육사

여러분은 '청포도' 하면 어떤 느낌이 떠오르나요? 선명한 푸른색의 싱싱한 청포도에서 연상되는 모습이나 풍경을 상상해 보세요. 그리고 이 작품의 화자가 '청포도'나 '하이얀 모시 수건'과 같은 소재를 통해 무엇을 그려 내고 있는지 생각하며 작품을 감상해 볼까요?

독해쌤의 감상 질문

1. 화자·대상 화자가 기다리는 대상은 누구이며, 그 대상에 대한 화자의 태도는 어떠한가요?
2. 시어(구) '청포도', '은쟁반'과 '하이얀 모시 수건'의 상징적 의미는 무엇인가요?
3. 표현 이 작품에 나타난 색채 대비의 효과는 무엇인가요?
4. 주제 역사적 배경을 고려할 때, 작가가 이 작품을 창작한 의도는 무엇일까요?

내 고장 칠월은
청포도가 익어 가는 시절

이 마을 전설이 주저리주저리 열리고
먼 데 하늘이 꿈꾸려 알알이 들어와 박혀

하늘 밑 푸른 바다가 가슴을 열고
흰 돛단배가 곱게 밀려서 오면

㉠ 내가 바라는 손님은 고달픈 몸으로
청포를 입고 찾아온다고 했으니
(청포: 푸른 색깔의 도포)

내 그를 맞아 이 포도를 따 먹으면
두 손은 함뿍 적셔도 좋으련
(함뿍: 물이 쭉 내배도록 젖은 모양)

아이야 우리 식탁엔 은쟁반에
하이얀 모시 수건을 마련해 두렴

확인 문제

[01~04] 다음 설명이 맞으면 ○, 틀리면 ×표 하시오.

01 이 작품은 푸른색과 흰색의 색채 대비를 통해 주제를 효과적으로 드러내고 있다. (○, ×)

02 3연에서 '푸른 바다'는 화자가 겪고 있는 현실의 고통을 상징하는 소재이다. (○, ×)

03 6연에서 '은쟁반'과 '하이얀 모시 수건'은 화자와 어서 만나기를 소망하는 손님의 정성과 순수한 마음을 상징한다. (○, ×)

04 이 작품의 화자는 '내가 바라는 손님'이 반드시 올 것이라는 확신을 지니고 있다. (○, ×)

[05~07] 다음 빈칸에 들어갈 알맞은 말을 쓰시오.

05 이 작품은 '주저리주저리', '알알이' 같은 ㅇㅌㅇ(음성 상징어)를 사용하여 '청포도'의 시적 의미를 감각적으로 형상화하고 있다.

06 이 작품의 창작 배경을 고려할 때, 화자가 기다리는 '손님'은 조국의 ㄱㅂ으로 볼 수 있다.

07 6연에서 시어 'ㅎㅇㅇ'은 시적 허용에 해당하는 표현이다.

실력 문제

화자·대상 + 표현

08 윗글에 대한 설명으로 적절하지 않은 것은?

① 음성 상징어를 감각적으로 사용하고 있다.
② 상징적 시어를 통해 주제를 형상화하고 있다.
③ 시어의 색채 대비를 통해 화자의 소망을 강조하고 있다.
④ 어두운 현실 상황에 대한 화자의 절망감이 드러나 있다.
⑤ 각 연을 2행으로 배열하여 구조적으로 안정감을 주고 있다.

시어(구)

09 다음 중 ㉠의 상징적 의미로 적절한 것은? (정답 2개)

① 조국의 광복
② 새로운 문물의 도입
③ 화자가 사랑하는 사람
④ 풍요롭고 평화로운 세계
⑤ 싱그러운 고향의 여름날

수능형 표현

10 윗글을 감상한 후 떠오른 생각을 바탕으로 〈보기〉의 밑그림을 그렸다. 이 그림을 완성하기 위해 세운 계획으로 적절하지 않은 것은?

보기

	대상	색채		표현 방법
		푸른색 계열	흰색 계열	
①	㉮	○		'하늘'과 이어져 밝고 평화로운 느낌이 들도록 표현한다.
②	㉯		○	'하늘', '바다'와의 색채 대비를 통해 더욱 선명하고 희망적인 느낌이 들도록 표현한다.
③	㉰	○		'하늘', '청포도'와는 다른 색감을 주어 괴롭고 답답한 느낌이 들도록 표현한다.
④	㉱	○		싱그럽고 풍성한 느낌이 들도록 표현한다.
⑤	㉲		○	깨끗하고 정성 어린 느낌이 들도록 표현한다.

작품 전체

1~2연	3~4연	5연	6연
청포도가 익어 가는 ❶ㄱㅎ에 대한 추억	손님을 기다리는 마음	손님을 맞이하는 기쁨에 빠지고 싶은 ❷ㅅㅁ	손님이 올 때를 대비하는 정성스러운 마음

작품 압축

화자의 소망과 태도

이 작품에서 화자가 기다리는 대상인 '손님'이 찾아온다는 것은 화자의 소망이 이루어진다는 것을 의미한다.

화자가 기다리는 대상 = 화자의 소망

'내가 바라는 ❸ㅅㄴ' → '❹ㅈㄱ의 광복', '풍요롭고 평화로운 세계'를 상징함

⇓

화자의 태도

손님이 올 것이라는 ❺ㅎㅅ에 찬 기대감을 지니고, 손님이 올 때를 대비함 → 예언자적 태도를 드러냄

시어(구)의 상징적 의미

시어(구)	의미
청포도	❻ㅍㅇ롭고 평화로운 삶
하늘	소망, 동경, 이상
푸른 바다	희망과 소망의 세계
흰 돛단배	희망, 꿈
은쟁반, 하이얀 모시 수건	❼ㅈㅅ, 순수, 순결 → 화자가 손님이 올 때를 기다리며 정성스럽게 준비하는 소재임

화자·대상 / 시어(구) / 표현 / 주제

색채 대비를 통한 표현의 효과

이 작품은 '푸른색'과 '흰색'의 선명한 색채 대비를 통해, 주제를 형상화하고 미래에 대한 화자의 소망과 기대를 강조한다.

푸른색	⇔	흰색
• ❽ㅊㅍㄷ • 하늘 • 푸른 바다 • 청포		• 흰 돛단배 ❾ㅇㅈㅂ • 하이얀 모시 수건
⇓		⇓
풍요롭고 평화로운 세계(조국 광복)에 대한 소망		화자의 순수한 마음과 희망

역사적 배경을 고려한 창작 의도 및 주제

역사적 배경

우리 민족이 인적·물적 수탈과 같은 극심한 수난을 겪던 ❿ㅇㅈ ㄱㅈㄱ(1939년)에 발표됨

⇓

창작 의도 및 주제

작가는 우리 민족이 극심한 수난을 겪고 있는 현실 속에서, 조국 광복을 맞이하여 평화롭게 살고 싶은 소망을 표현하고자 함

어휘력 테스트

1 **다음 괄호 안에 들어갈 단어를 〈보기〉에서 골라 써 보자.**

보기
함뿍 알알이 주저리주저리

(1) 화창하던 하늘에서 갑자기 내린 소나기에 몸이 ( ) 젖었다.
(2) 주말농장에서 아빠와 함께 캐낸 감자들이 ( ) 모두 실했다.
(3) 지금도 할머니께서는 어릴 적 초가지붕에 ( ) 달렸던 조롱박의 모습을 잊지 못한다고 말씀하신다.

2 **다음 〈보기〉의 뜻을 참고하여 십자말풀이를 완성해 보자.**

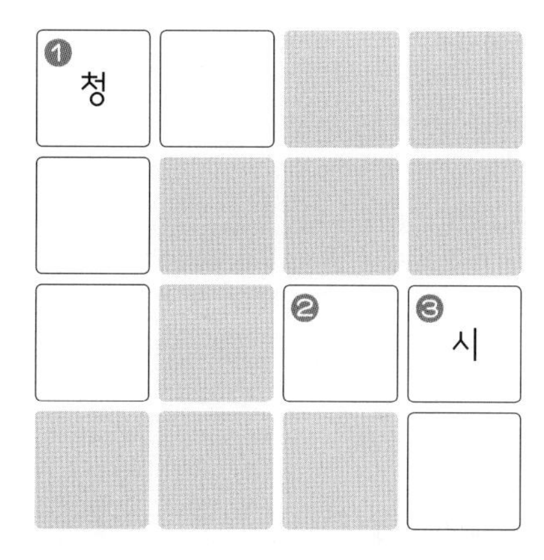

보기

가로
❶ 푸른 색깔의 도포(道袍)
❷ 모시풀 껍질의 섬유로 짠 피륙. 베보다 곱고 빛깔이 희며 여름 옷감으로 많이 쓰인다.

세로
❶ 포도의 한 종류. 열매가 푸르스름하며, 껍질이 얇고 맛이 달다.
❸ 일정한 시기나 때

독해쌤과 함께하는 감상 넓히기

상징적 표현을 효과적으로 사용한 작품

이번에 감상한 「청포도」와 같이 상징적 표현을 효과적으로 사용한 작품들이 있습니다. 제시된 작품들은 상징적 표현을 사용하여 주제를 강조하고 있어요. 작품에 쓰인 상징적 표현에는 어떤 것들이 있는지, 이를 통해 화자가 강조하고자 하는 바는 무엇인지 파악하며 작품들을 더 감상해 볼까요?

해_박두진
어둠의 세계는 가고 '해'와 같은 밝음의 세계가 도래하기를 바라는 화자의 소망을 형상화한 시입니다. 절망적 현실을 상징하는 '어둠'과 절망을 극복한 새로운 삶의 세계를 상징하는 '밝음'의 대립 구도를 통해 평화와 화합의 세계가 오기를 바라는 마음을 표현한 작품입니다.

절정_이육사
시인이자 독립지사로서 살았던 작가의 저항 의식이 담겨 있는 시입니다. 일제 강점기의 상황을 상징하는 '매운 계절'과 '겨울', 희망을 상징하는 '하늘'과 '무지개'를 통해 견디기 힘든 극한의 상황 속에서도 절망하지 않고 강인한 정신을 바탕으로 지금의 고난(겨울)을 극복하려는 의지를 드러내고 있는 작품입니다.

길 _ 윤동주

여러분은 '길' 하면 어떤 것이 떠오르나요? 대부분 우리가 걸어 다니는 땅 위의 '길'을 먼저 떠올릴 거예요. 하지만 '길'은 우리가 삶을 살아가는 데 지향하는 방향이나 목적 또는 삶 그 자체를 의미하기도 합니다. 이 작품의 화자에게 '길'은 어떤 의미일지, 또한 화자는 어떤 '길'을 가고 싶어 하는지 파악하며 작품을 감상해 볼까요?

독해쌤의 감상 질문

1. 화자·대상 • 이 작품에 나타난 화자의 처지와 태도는 어떠한가요?
   • 화자의 '현실적 자아'와 '참된 자아'를 가로막고 있는 장애물은 무엇인가요?
2. 시어(구) '하늘'은 무엇을 의미하며 어떤 역할을 하나요?
3. 주제 화자에게 '길'은 어떤 의미를 지니고 있나요?

독해쌤 속닥속닥

◆ 이 작품은 화자가 걷는 '길'에 대한 이야기입니다. 화자는 무엇인가에 대한 상실을 인식하고, 그것을 찾기 위해 주머니를 더듬으며 길로 나서죠. 결국 '길'은 화자가 잃어버린 것, 즉 6연에서 드러나듯 '담 저쪽에' 있는 '나'를 찾아가는 과정이에요.

잃어버렸습니다.
무얼 어디다 잃었는지 몰라
㉠두 손이 주머니를 더듬어
길에 나아갑니다.

돌과 돌과 돌이 끝없이 연달아
길은 돌담을 끼고 갑니다.

담은 쇠문을 굳게 닫아
㉡길 위에 긴 그림자를 드리우고

길은 아침에서 저녁으로
㉢저녁에서 아침으로 통했습니다.

돌담을 더듬어 눈물짓다
㉣쳐다보면 하늘은 부끄럽게 푸릅니다.

풀 한 포기 없는 이 길을 걷는 것은
담 저쪽에 내가 남아 있는 까닭이고,

내가 사는 것은, 다만,
㉤잃은 것을 찾는 까닭입니다.

확인 문제

[01~04] 다음 설명이 맞으면 ○, 틀리면 ×표 하시오.

01 이 작품은 일상적인 표현과 고백적인 어조를 사용하여 주제를 드러낸다. (○, ×)

02 이 작품은 '-ㅂ니다'의 높임 표현을 반복하여 화자의 간절한 태도를 드러낸다. (○, ×)

03 1연에서 화자는 자신이 잃어버린 것이 무엇인지 명확하게 깨달은 상태이다. (○, ×)

04 6연으로 보아, 화자가 찾고자 하는 대상은 화자가 추구하는 참된 '나'이다. (○, ×)

[05~07] 다음 빈칸에 들어갈 알맞은 말을 쓰시오.

05 'ㄱ'은 상실한 것을 찾기 위해 화자가 선택한 공간이자 과정이다.

06 'ㄷㄷ'과 'ㅅㅁ'은 화자와 참된 자아의 만남을 가로막는 장애물이다.

07 5연에서 화자가 자신을 성찰하도록 이끄는 매개체는 'ㅎㄴ'이다.

시어(구) + 주제

08 윗글의 중심 소재인 '길'에 대한 설명으로 적절하지 <u>않은</u> 것은?

① 돌담을 끼고 끝없이 이어져 있는 공간이다.
② 잃어버린 '나'를 되찾기 위한 과정에 해당한다.
③ 화자가 자기 탐색과 자기 성찰을 하는 공간이다.
④ 화자의 내면세계와의 단절을 가져오는 대상이다.
⑤ 화자가 실제로 맞닥뜨린 채 살아가고 있는 암담한 현실 상황으로도 해석할 수 있다.

시어(구)

09 〈보기〉의 빈칸에 들어갈 시어로 적절한 것은?

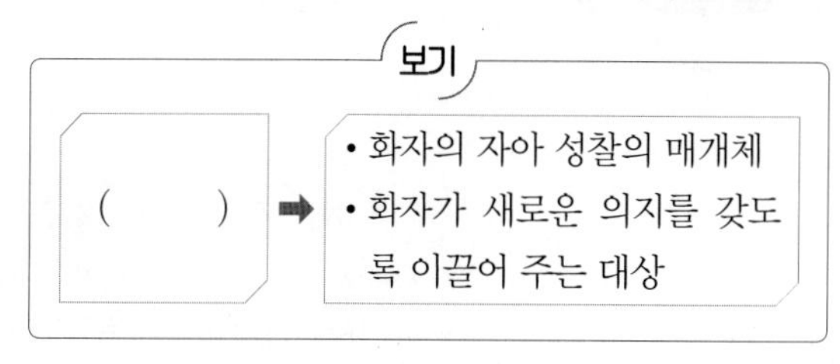
보기

(　　　) ➡ • 화자의 자아 성찰의 매개체
• 화자가 새로운 의지를 갖도록 이끌어 주는 대상

① 주머니　② 돌담　③ 쇠문
④ 그림자　⑤ 하늘

표현

10 윗글의 표현상의 특징으로 적절하지 <u>않은</u> 것은?

① 소박하고 일상적인 시어를 사용하여 주제를 드러내고 있다.
② 삶에 대한 화자의 자기 성찰적 자세를 차분하게 표현하고 있다.
③ 상징적 소재를 사용하여 화자가 처한 부정적 현실을 형상화하고 있다.
④ 단호하고 자신감 있는 어조를 통해 화자가 지향하는 삶의 태도를 강조하고 있다.
⑤ 종결 어미 '-ㅂ니다'를 반복하여 운율을 형성하고, 화자의 고백적 태도를 효과적으로 드러내고 있다.

수능형　화자·대상 + 시어(구)

11 〈보기〉를 창작 당시 작가가 쓴 일기라고 가정할 때, ㉠~㉤ 중, 〈보기〉의 내용을 형상화한 표현으로 적절한 것은?

보기

일본 고등계 형사가 무시로 찾아와 내 방 서가에 꽂혀 있는 책 이름을 적어 가기도 하고, 고리짝을 뒤져서 편지를 빼앗아 가기도 하면서 나를 괴롭혔다. 나는 다시 하숙집을 옮기지 않을 수 없었다. 현실적 상황은 하루하루 나를 무겁게 압박해 왔다.

① ㉠　② ㉡　③ ㉢　④ ㉣　⑤ ㉤

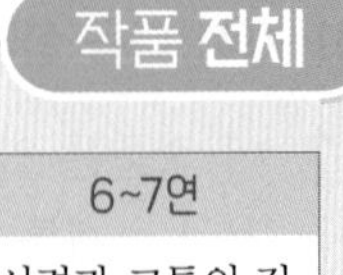

1연		2연		3~4연		5연		6~7연
상실을 인식하고 찾아 나선 길	⇒	화자가 걸어가는 길의 모습	⇒	단절된 참된 ❶ㅈㅇ를 찾기 위한 오랜 과정	⇒	자아 성찰을 통한 부끄러움의 인식	⇒	시련과 고통의 길을 걷는 이유와 참된 자아를 찾고자 하는 ❷ㅇㅈ

작품 압축

■ 화자의 처지와 태도

화자의 처지	
무엇인가 잃어버린 것(참된 자아)을 인식하고 이를 찾기 위해 ❸ㄱ을 나섬	
⇓	
'하늘은 부끄럽게 푸릅니다'	참된 자아를 회복하지 못한 자신에게 부끄러움을 느낌 → 자아 ❹ㅅㅊ적 태도를 드러냄
'내가 사는 것은, 다만, / 잃은 것을 찾는 까닭입니다.'	참된 자아를 회복하고 부정적 현실을 극복하려는 의지를 드러냄

■ '현실적 자아'와 '참된 자아'의 단절

화자의 현실적 자아는 화자가 지향하는 참된 자아에 도달하지 못하고 장애물에 가로막혀 있다.

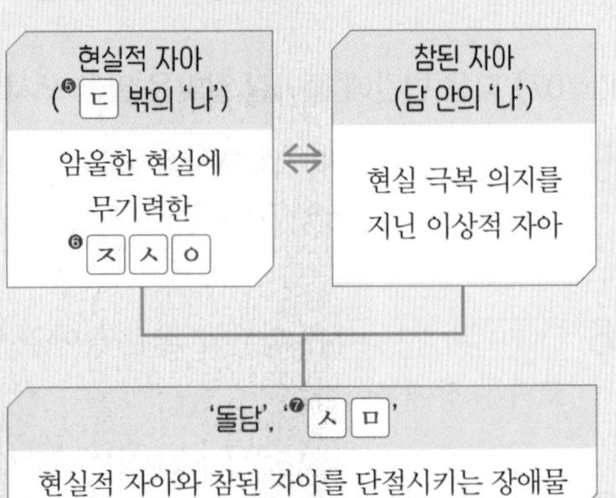

화자·대상 / 시어(구) / 주제

■ 시어 '하늘'의 의미와 역할

화자의 상황

- 1연: 참된 자아를 잃어버림
- 2~4연: 참된 자아를 찾고자 길을 나섰으나, 장애물에 가로막혀 담 안쪽으로 들어갈 수 없는 시간이 지속됨
- 5연: 현실과 ❽ㅇㅅ의 괴리를 느끼며 눈물짓다가 하늘을 올려다봄

⇓

'하늘'의 의미와 역할

- 참된 자아를 회복하지 못한 화자를 부끄럽게 만드는 존재 → 자아 성찰의 ❾ㅁㄱㅊ
- 화자에게 새로운 의지를 갖게 만드는 존재

■ '길'을 걷는 과정의 상징적 의미

상실을 인식함

참된 자아를 잃어버린 상황임

⇓

길을 나섬

'돌담'과 '쇠문'에 의해 가로막힌, 담 안쪽의 '나'(참된 자아)를 만나기 위해 길을 걸음

⇓

'길'의 상징적 의미

- 참된 자아를 찾기 위해 선택한 공간임
- 화자가 자아(내면세계)를 탐색하고 성찰하는 ❿ㄱㅈ임

어휘력 테스트

1 **제시된 뜻과 예문을 참고하여 다음 초성에 해당하는 단어를 괄호 안에 써 보자.**

(1) ㅍ ㄱ : (수량을 나타내는 말 뒤에 쓰여) 뿌리를 단위로 한 초목의 낱개를 세는 단위

예 올해는 시골에 계신 아버님이 보내 주신 배추 스무 (   )로 김장을 담갔다.

(2) ㅁ ㄱ ㅊ : 둘 사이에서 어떤 일을 맺어 주는 것

예 장애인과 비장애인이 함께 만드는 지역 라디오 방송이 편견 없는 지역 소통의 (   )로 주목받고 있다.

(3) ㅈ ㅇ ㅅ ㅊ : 자기 자신에 대한 의식이나 관념을 반성하고 살핌

예 이 시는 식민지 현실에 대해 고뇌하던 젊은 지식인의 순수한 마음을 (   )의 태도로 노래한 작품이다.

2 **다음 단어를 활용하기에 적절한 문장을 찾아 바르게 연결해 보자.**

(1) 지향하다 •		• ㉠ 올림픽은 인류의 평화와 공존을 ( ) 지구촌 축제라는 것에 의의를 둔다.
(2) 상실하다 •		• ㉡ 참된 자아를 회복하기 위해서는 먼저 자신의 현재 모습을 분명하게 ( ) 것이 중요하다.
(3) 인식하다 •		• ㉢ 그 시인은 암울한 현실에 가로막혀 삶의 모든 의지를 ( ) 채 무기력한 나날을 보내고 있었다.

독해쌤과 함께하는 감상 넓히기

'길'을 소재로 한 작품

이번에 감상한 「길」과 같이 '길'을 소재로 한 작품들이 있습니다. 제시된 작품들은 '길'에 다양한 의미를 부여하여 주제를 전달하고 있어요. 화자가 말하는 '길'에 담긴 의미는 무엇인지, 이를 통해 화자가 이야기하고자 하는 바는 무엇인지 파악하며 작품들을 더 감상해 볼까요?

봄 길_정호승

절망적인 상황이나 이별의 아픔에 좌절하지 않고 사랑과 희망에 대한 믿음을 지니며 '봄 길'을 걸어가는 사람을 노래한 시입니다. '봄 길'에 긍정적, 희망적 가치를 부여해 절망적인 상황에서도 희망이 있다는 믿음을 보여 주고, 희망이 되어 주는 사람들을 예찬하고 있는 작품입니다.

가 보지 못한 길_프로스트

인생에서 마주치는 선택의 문제와 그에 대한 아쉬움을 노래한 시입니다. '길'을 인생의 과정으로, '두 갈래 길'을 인생에서 어느 한 가지를 선택해야만 하는 상황으로 설정하여 선택의 과정에서 느끼는 아쉬움과 그 선택에 책임지는 삶의 자세가 중요함을 이야기하고 있는 작품입니다.

가정 _ 박목월

가족을 위해 삶의 무게를 짊어지고 계신 부모님의 노력과 희생에 대해 생각해 본 적이 있나요? 꼭 필요하지만 늘 주변에 있어 소중함을 모르는 공기처럼, 부모님에 대해서도 감사함을 잘 모른 채 지내고 있진 않나요? 가족을 위해 가장으로서 살아가시는 우리 부모님의 마음을 헤아려 보며, 가장으로서 겪는 고달픔이 잘 나타나 있는 이 작품을 감상해 볼까요?

독해쌤의 감상 질문

1. 화자·대상 화자가 처한 상황은 어떠한가요?
2. 시어(구) • 이 작품의 시대적 배경과 이를 나타내는 시어 및 시구는 무엇인가요?
   • '십구 문 반', '눈과 얼음의 길' 등의 상징적 의미는 무엇인가요?
3. 표현 이 작품에 나타난 표현상 특징은 무엇인가요?

독해쌤 속닥속닥

◆ '알전등', '문수(십구 문 반, 육 문 삼)', '아홉 켤레의 신발', '아홉 마리의 강아지(자식을 많이 낳지 않는 요즘 세태와 차이가 있음)' 등을 통해 이 작품의 시대적 배경이 1960년대임을 짐작할 수 있어요. 하지만 '들깐', '아랫목' 등도 현재에 흔하지 않다는 점에서 시대적 배경을 나타내는 말로 보기도 합니다.

지상에는
아홉 켤레의 신발.
아니 현관에는 아니 들깐에는
(들깐: 부엌 가까이 설치되어 주로 주방 용품을 보관하는 공간(경상도 방언))
아니 어느 시인의 가정에는
알전등이 켜질 무렵을
문수(文數)가 다른 아홉 켤레의 신발을.
(문수: 신발의 크기를 나타내는 길이의 단위(1문≒2.4cm))

내 신발은 ㉠십구 문 반(十九文半).
㉡눈과 얼음의 길을 걸어
그들 옆에 벗으면
육 문 삼(六文三)의 코가 납작한
귀염둥아 귀염둥아 / 우리 막내둥아.

㉢미소하는 / 내 얼굴을 보아라.
얼음과 눈으로 벽을 짜 올린
여기는 / 지상.
연민한 삶의 길이여.
내 신발은 십구 문 반.

아랫목에 모인
㉣아홉 마리의 강아지야.
강아지 같은 것들아.
굴욕과 굶주림과 추운 길을 걸어
내가 왔다. / 아버지가 왔다.
아니 십구 문 반의 신발이 왔다.
아니 지상에는
㉤아버지라는 어설픈 것이
존재한다.
미소하는 / 내 얼굴을 보아라.

확인 문제

[01~04] 다음 설명이 맞으면 ○, 틀리면 ×표 하시오.

01 이 작품의 시대적 배경은 1910년대 일제 강점기이다. (○, ×)

02 이 작품 속 화자는 직업이 시인이고, 자식을 아홉 명이나 둔 가장이다. (○, ×)

03 이 작품에서 촉각적 심상을 통해 가정의 따뜻함을 표현한 시어는 '알전등'이다. (○, ×)

04 '강아지 같은 것들아.'에서 '강아지'는 막내둥이를 비유적으로 표현한 시어이다. (○, ×)

[05~07] 다음 빈칸에 들어갈 알맞은 말을 쓰시오.

05 '아홉 켤레의 신발', '알전등', '[ㅁ][ㅅ]' 등은 이 작품의 시대적 배경을 알려 주는 시어이다.

06 '십구 문 반의 신발'은 화자가 가장으로서 느끼는 [ㅊ][ㅇ][ㄱ]을 상징적으로 드러낸 시구이다.

07 '연민한 삶의 길'을 통해 화자가 [ㄱ][ㅈ]으로서 고달프고 힘든 현실을 살아가고 있음을 알 수 있다.

표현

08 윗글에 대한 설명으로 적절하지 않은 것은?

① 평범하고 일상적인 시어를 사용하고 있다.
② 화자가 시의 표면에 직접적으로 드러나 있다.
③ 가난한 시인의 삶을 비유적, 상징적으로 표현하고 있다.
④ 동일한 시어와 유사한 시구의 반복을 통해 운율을 형성하고 있다.
⑤ 후각적 심상을 활용하여 현실의 고달픔과 가족에 대한 사랑을 대비시키고 있다.

주제

09 윗글의 주제로 가장 적절한 것은?

① 많은 자식을 둔 아버지의 뿌듯함
② 힘든 삶을 사셨던 아버지에 대한 그리움
③ 가정과 사회에서 소외된 한 가장의 비애
④ 가장으로서의 고달픈 삶과 자식에 대한 사랑
⑤ 가족을 위해 가장의 희생을 강요하는 사회에 대한 비판

시어(구) + 표현

10 ㉠~㉤에 대한 설명으로 적절하지 않은 것은?

① ㉠: 가장으로서 아버지의 권위를 강조한다.
② ㉡: 화자의 고달프고 힘겨운 현실을 의미한다.
③ ㉢: 힘들지만 자식들 앞에서 웃음을 보이려는 아버지의 마음이 나타난다.
④ ㉣: 화자가 보살펴 주어야 하는 대상으로 화자의 자식들을 빗댄 표현이다.
⑤ ㉤: 아버지로서의 책임을 다하지 못하는 것에 대한 화자의 자책감이 담겨 있다.

수능형 / 화자·대상

11 〈보기〉와 같이 윗글의 화자와 가상 인터뷰를 한다고 할 때, 그 내용으로 적절하지 않은 것은?

보기

기자: 지금 무슨 일을 하고 계신가요?
화자: 네, ①저의 직업은 시인입니다.
기자: 아, 그렇군요. 결혼은 하셨나요?
화자: 네, ②아홉 명의 자녀를 둔 아버지랍니다.
기자: 자녀가 많으시군요. 막내는 아직 많이 어리겠어요.
화자: 네, 애교도 많아서 제가 특히 ③막내를 귀여워하죠.
기자: 자녀의 수가 많으니, 가정을 이끌어 가시는데 어려움이 많으시겠어요.
화자: 힘들죠. ④하루하루 생활이 고달프죠.
기자: 그럴 땐 기분이 어떠세요?
화자: ⑤하루를 마치고 집에 돌아오면 각박한 현실 속에서 체념할 수밖에 없는 제 자신에게 안타까움을 많이 느끼지요.

작품 전체

1연	2연	3연	4연
현관에 놓인 ❶ㅇㅎ 켤레의 신발	생활의 고달픔과 자식에 대한 애정	고달픈 삶과 가장으로서의 ❷ㅊㅇㄱ	가장으로서의 책임감과 가족에 대한 애정

작품 압축

시대적 배경을 나타내는 시구

이 작품은 자식을 많이 낳아 기르고 경제적으로 궁핍했던 1960년대를 시대적 배경으로 하고 있다.

시구	설명
아홉 켤레의 신발 (아홉 마리의 강아지)	요즘은 자식을 아홉이나 낳는 가정이 드묾
❸ㅇㅈㄷ	요즘은 갓이 없이 전구만 있는 등을 보기 어려움
❹ㅁㅅ (십구 문 반, 육 문 삼)	요즘은 신발의 크기를 'mm' 단위로 나타냄

⇓

작품의 시대적 배경
1960년대

시어 및 시구의 상징적 의미

시어 및 시구	의미
십구 문 반	가장으로서 느끼는 무거운 책임감
❺ㄱㅇㅈ	보살핌과 보호가 필요한 사랑스러운 자식들
미소하는 / 내 얼굴을 보아라.	자식들(가족)에 대한 애정과 책임감, 현실의 어려움을 이겨 내려는 의지
눈과 얼음의 길, 얼음과 눈으로 벽을 짜 올린, 연민한 삶의 길, 굴욕과 굶주림과 추운 길	고달프고 험난한 현실, ❻ㄱㅈ으로서의 고단한 삶

시어(구) / 화자·대상 / 표현

작품에 나타난 화자의 상황

직업	❼ㅅㅇ: '어느 시인의 가정에는'
가족 사항	자식이 아홉 명임: '문수가 다른 아홉 켤레의 신발을.', '아홉 마리의 강아지야.'
처지	고달프고 힘든 현실을 살아감: '눈과 얼음의 길', '얼음과 눈으로 벽을 짜 올린', '연민한 삶의 길', '굴욕과 굶주림과 추운 길'
태도	• 가족(자식들)에 대한 애정과 책임감이 있음: '내 신발은 / 십구 문 반.', '미소하는 / 내 얼굴을 보아라.', '아홉 마리의 강아지야.' • ❽ㅁㄴ를 특히 귀여워함: '귀염둥아 귀염둥아 / 우리 막내둥아.'

표현상 특징

표현	내용
대유법	'아홉 켤레의 신발': 대상의 일부인 '신발'로 아홉 명의 '자식'을 나타냄
반복법	• 동일한 시어의 반복: '아니 현관에는 아니 들깐에는 / 아니 어느 시인의 가정에는', '귀염둥아 귀염둥아 / 우리 막내둥아.' 등 • 동일한 시구의 반복: '내 신발은 십구 문 반.'(2, 3연 반복), '미소하는 / 내 얼굴을 보아라.'(3, 4연 반복)
❾ㄷㅈ법	'십구 문 반' ↔ '육 문 삼'
은유법	'아홉 마리의 강아지야.'
직유법	'강아지 같은 것들아.'
촉각적 심상	'❿ㅇㄹㅁ': 가정의 따스한 느낌

어휘력 테스트

1 **다음 괄호 안에 들어갈 단어를 〈보기〉에서 골라 써 보자.**

보기			
굴욕	문수	지상	아랫목

(1) (　　　　)에 사는 거의 모든 동물들은 아가미가 없다.

(2) 어머니께서는 이부자리를 따뜻한 (　　　　)에 깔아 두셨다.

(3) 그 애는 항상 자기 발보다 큰 (　　　　)의 신발을 신고 다닌다.

(4) 우리 학교 축구팀은 경기에서 한 골도 득점하지 못하는 (　　　　)을/를 당했다.

2 **다음 단어를 활용하기에 적절한 문장을 찾아 바르게 연결해 보자.**

(1) 어설프다 •　　　• ㉠ 잘 알지도 못하는 남의 일에는 (　　　　) 나서지 말아야 한다.

(2) 연민하다 •　　　• ㉡ 우리가 사는 세상에는 과학적으로 설명되지 않는 현상이 많이 (　　　　).

(3) 존재하다 •　　　• ㉢ 열심히 살고 있지만 여전히 외롭고 고단한 그의 삶을, 나는 줄곧 (　　　　) 왔다.

독해쌤과 함께하는 감상 넓히기

가장의 고달픈 삶과 가족에 대한 애정을 노래한 작품

이번에 감상한 「가정」과 같이 가장의 고달픈 삶과 가족에 대한 애정을 노래한 다른 작품들이 있어요. 작품에 나타난 가장의 모습과 그를 통해 알 수 있는 가족에 대한 애정을 살펴보며 작품들을 더 감상해 볼까요?

못 위의 잠_나희덕

가족을 위해 보금자리를 내어 주고 작은 못에서 꾸벅거리며 잠이 든 아비 제비의 모습을 통해, 유년 시절 아버지의 고단한 삶을 떠올리고 그에 대한 연민을 노래한 작품입니다.

성탄제_김종길

어른이 된 화자가 성탄제 무렵 도시에 내리는 눈을 맞으며 회상한 어린 시절의 이야기를 담은 시입니다. 아픈 자신을 위해 눈 속에서 산수유를 따 오셨던 아버지를 통해, 아버지의 정성과 헌신적인 사랑에 대한 그리움을 노래한 작품입니다.

엄마 걱정 _ 기형도

여러분은 직장에 나가신 엄마나 아빠를 걱정하며 늦도록 기다려 본 경험이 있나요? 이 작품의 화자는 시장에 장사를 하러 간 엄마를 밤늦도록 기다리던 유년 시절의 정서를 표현하고 있어요. 여러분이 화자와 같은 처지라면 어떤 마음과 생각이 들지 상상하며 작품을 감상해 볼까요?

독해쌤의 감상 질문

1. 화자·대상 화자가 처한 상황과 화자의 정서는 어떠한가요?
2. 시어(구) '찬밥', '금 간 창틈', '빗소리', '빈방', '윗목'의 의미와 기능은 무엇인가요?
3. 표현 • 이 작품에 나타난 비유적 표현과 반복적 표현은 무엇인가요?
   • 이 작품에 쓰인 감각적 심상과 그 효과는 무엇인가요?

열무 삼십 단을 이고
시장에 간 우리 엄마
안 오시네, ㉠해는 시든 지 오래
나는 찬밥처럼 방에 담겨
아무리 천천히 숙제를 해도
엄마 안 오시네, 배추잎 같은 발소리 타박타박
안 들리네, 어둡고 무서워
금 간 창틈으로 고요히 빗소리
빈방에 혼자 엎드려 훌쩍거리던

아주 먼 옛날
지금도 내 눈시울을 뜨겁게 하는
그 시절, 내 유년의 윗목

윗목: 온돌방에서 아궁이로부터 먼 쪽의 방바닥. 불길이 잘 닿지 않아 아랫목보다 상대적으로 차가운 쪽

확인 문제

[01~04] 다음 설명이 맞으면 ○, 틀리면 ×표 하시오.

01 화자는 현재, 시장에 장사하러 간 엄마를 기다리고 있다. (○, ×)

02 이 작품에서 느껴지는 주된 정서는 외로움과 쓸쓸함이다. (○, ×)

03 1연의 6행에서 '배추잎 같은 발소리'는 삶에 지친 화자의 모습을 비유한 표현이다. (○, ×)

04 이 작품은 유사한 시구의 반복을 통해 운율을 형성하고 의미를 심화한다. (○, ×)

[05~07] 다음 빈칸에 들어갈 알맞은 말을 쓰시오.

05 이 작품에서 '[ㅊ][ㅂ]'은 늦게까지 혼자 엄마를 기다리던 화자의 처지를 드러내는 시어이다.

06 이 작품은 어린 시절을 회상하는 형식을 취하며, '[ㄱ][ㄱ] → [ㅎ][ㅈ]'로 시간의 변화를 보인다.

07 1연의 8행에는 시각적 심상과 [ㅊ][ㄱ][ㅈ] 심상이 나타난다.

실력 문제

화자·대상 + 시어(구) + 표현

08 윗글에 대한 설명으로 적절하지 <u>않은</u> 것은?

① 1연에서 '나'는 장사하러 시장에 가신 엄마를 늦도록 혼자 기다리고 있다.
② 1연에서는 삶에 지친 엄마의 고된 모습을 '배추잎 같은 발소리'에 빗대고 있다.
③ 1연에서는 늦도록 혼자 남겨진 '나'의 모습을 '찬밥'처럼 방에 담겨 있다고 표현하고 있다.
④ 1연에서 '나'는 엄마가 늦게 오실 것을 알고 있었기에 하기 싫은 숙제를 천천히 할 수 있었다.
⑤ 2연에서는 촉각적 심상을 활용하여 어린 시절의 '나'를 떠올리는 화자의 정서를 드러내고 있다.

시어(구)

09 윗글의 분위기와 정서를 살려 주는 소재로 적절하지 <u>않은</u> 것은?

① 숙제 ② 금 간 창틈 ③ 빗소리 ④ 빈방 ⑤ 윗목

표현

10 ㉠과 같은 표현 방법이 사용된 시구로 적절한 것은?

① 이것은 소리 없는 아우성
② 나는 나룻배 / 당신은 행인.
③ 구름에 달 가듯이 / 가는 나그네
④ 목이 긴 / 메아리가 / 자맥질을 / 하는 곳
⑤ 산에는 꽃 피네 / 꽃이 피네 / 갈봄 여름 없이 / 꽃이 피네

수능형 화자·대상 + 표현

11 〈보기〉에서 윗글을 쓰기 위해 작가가 구상한 내용으로 적절하지 <u>않은</u> 것은?

> 보기
>
> 〈화자 설정〉
>
> a. 어린 시절의 '나'와 어른이 된 '나'를 동시에 화자로 설정하여, 두 자아의 괴리감을 보여 준다.
>
> 〈시상 전개〉
>
> b. 1연은 어린 시절 시장에 장사하러 간 엄마를 기다리던 과거의 시점에서, 2연은 1연의 시점을 떠올리는 현재의 시점에서 시상을 전개한다.
>
> 〈표현 방법〉
>
> c. 유사한 시구의 반복을 통해 리듬감을 형성하고 의미를 심화한다.
>
> d. 화자의 상황이나 정서를 감각적 심상을 활용하여 생생하게 표현한다.
>
> e. 엄마의 고달픈 삶과 빈방에 남겨진 어린 화자의 외로움을 비유적 표현을 통해 형상화한다.

① a ② b ③ c ④ d ⑤ e

작품 전체

1연		2연
장사하러 시장에 가신 엄마를 늦도록 혼자 기다림(❶ㄱㄱ 회상)	⇒	어른이 된 지금, 외로웠던 유년 시절의 기억을 떠올림(❷ㅎㅈ)

작품 압축

■ 화자가 처한 상황과 화자의 정서

이 작품은 화자가 어린 시절을 회상하는 형식으로 이루어져 있으며, 과거에서 현재로 시간의 변화를 보인다.

화자가 처한 상황

1연(과거의 '나'): 장사하러 ❸ㅅㅈ에 가신 엄마를 늦도록 혼자 기다림

↓

2연(현재의 '나'): ❹ㅇㄹ이 된 지금, 외롭고 슬픈 유년 시절의 기억을 떠올림

⇓

화자의 정서

❺ㅇㄹㅇ과 슬픔, 쓸쓸함과 허전함, 무서움과 두려움 등

■ 시어(구)의 의미와 기능

❻ㅊㅂ, 금 간 창틈, 빗소리, 빈방, ❼ㅇㅁ

- 춥고 을씨년스러운 분위기
- 쓸쓸하고 외로운 느낌
- 슬프고 허전한 느낌
- 세상과 동떨어진 공간에서 외톨이로 있는 느낌

⇓

작품의 분위기와 정서를 살려 주는 소재

화자·대상 / 시어(구) / 표현

■ 작품에 쓰인 비유적 표현과 반복적 표현

① 비유적 표현

활유법	해는 시든 지 오래: 해(무생물)가 지는 상황을 ❽ㅇㅁ(생물〉식물)가 시드는 것으로 표현함
직유법	나는 찬밥처럼 방에 담겨: 늦도록 혼자 엄마를 기다리는 외롭고 슬픈 '나'의 모습을 표현함
직유법	배추잎 같은 발소리: 삶에 지쳐 고단한 ❾ㅇㅁ의 모습을 표현함

② 반복적 표현

'안 오시네', '엄마 안 오시네', '안 들리네' 등 유사한 시구의 반복을 통해 운율을 형성하고, 의미를 심화한다.

■ 작품에 쓰인 감각적 심상과 그 효과

시각적 심상	금 간 창틈으로
청각적 심상	• 발소리 타박타박 • 고요히 빗소리
❿ㅊㄱ적 심상	• 찬밥처럼 • 내 눈시울을 뜨겁게 하는 • 내 유년의 윗목

⇓

표현 효과

감각적 심상을 다양하게 활용하여 어린 시절의 화자가 느꼈을 외로움과 슬픔을 구체적으로 생생하게 형상화함

어휘력 테스트

1 **다음 괄호 안에 들어갈 단어를 〈보기〉에서 골라 써 보자.**

보기

단 윗목 괴리감

(1) 시장에 가서 시금치 두 ( )만 사다 주렴.

(2) 차가운 ( )에 앉지 마시고, 여기 따뜻한 아랫목에 앉으세요.

(3) 모처럼 모여 즐거운 가족들과 달리, 나는 혼자 동떨어진 듯 ( )을 느꼈다.

2 **다음 단어의 뜻을 참고하여 끝말잇기를 완성해 보자.**

( )장	장( )	( )심
여러 가지 상품을 사고파는 일정한 장소	이익을 얻으려고 물건을 사서 팖. 또는 그런 일	사사로운 마음. 또는 자기 욕심을 채우려는 마음

심( )	( )형	형( )( )
감각에 의하여 획득한 현상이 마음속에서 재생된 것	어떤 물건의 모양이나 상태를 본뜸	형체로는 분명히 나타나 있지 않은 것을 구체적이고 명확한 형상으로 나타냄

독해쌤과 함께하는 감상 넓히기

어린 시절에 대한 회상을 담은 작품

이번에 감상한 「엄마 걱정」과 같이 어린 시절에 대한 회상을 담고 있는 작품들이 있습니다. 제시된 작품들은 각각 소설과 수필의 형식으로 어린 시절의 이야기를 전달하고 있어요. 인물이 어린 시절의 어떤 일을 회상하고 있는지, 그 일에 대해 어떻게 느끼고 있는지 파악하며 작품들을 더 감상해 볼까요?

세상에 단 한 권뿐인 시집_박상률

어른이 된 현재 시점에서 고등학교 시절을 회상하며 성장기에 겪게 되는 첫사랑의 순수하고 애틋한 감정을 보여 주는 소설입니다. 첫사랑이라는 보편적인 감정을 내세워 첫사랑의 설렘과 아픔, 그 과정에서 얻게 된 삶의 깨달음 등을 섬세하게 그려 낸 작품입니다.

짜장면_정진권

어린 시절 짜장면을 먹었던 중국집을 회상하며 과거와 달리 훈훈한 인심과 인정이 사라져 가는 현대 사회에 대해 아쉬움을 드러내고 있는 수필입니다. 일상에서 흔히 볼 수 있는 짜장면을 소재로 삼아 소박하고 인정 넘치던 시절에 대한 그리움을 표현한 작품입니다.

풀벌레들의 작은 귀를 생각함 _ 김기택

혹시 풀벌레들의 작은 울음소리를 들어 본 적 있나요? 주변이 정말 고요해야 겨우 들을 수 있는 작은 풀벌레들의 소리. 우리에게 수없이 다가왔었을 그 여린 소리들을 우리는 문명의 소음에 길들여져 외면했던 건 아닐까요? 풀벌레들의 작은 귀에서 화자는 어떤 성찰을 했을지, 작품을 감상해 볼까요?

독해쌤의 감상 질문

1. 화자·대상 '풀벌레 소리'에 대해 화자가 성찰한 내용은 무엇인가요?
2. 시어(구) 이 작품에 쓰인 대조적인 의미의 시어(구)는 무엇인가요?
3. 표현 이 작품에 활용된 심상의 종류와 그 효과는 무엇인가요?
4. 주제 작가가 화자의 성찰 과정을 통해 독자에게 전달하려는 의미는 무엇인가요?

ⓐ텔레비전을 끄자
풀벌레 소리
㉠어둠과 함께 방 안 가득 들어온다
[A] 어둠 속에서 들으니 벌레 소리들 환하다
별빛이 묻어 더 낭랑하다 (낭랑하다: 소리가 맑고 또랑또랑하다)
귀뚜라미나 여치 같은 큰 울음 사이에는
너무 작아 들리지 않는 소리도 있다
㉡그 풀벌레들의 작은 귀를 생각한다
내 귀에는 들리지 않는 소리들이 드나드는
㉢까맣고 좁은 통로들을 생각한다
ⓑ그 통로의 끝에 두근거리며 매달린
여린 마음들을 생각한다
발뒤꿈치처럼 ⓒ두꺼운 내 귀에 부딪쳤다가
되돌아간 소리들을 생각한다
ⓓ브라운관이 뿜어낸 현란한 빛이
㉣내 눈과 귀를 두껍게 채우는 동안
그 울음소리들은 수없이 나에게 왔다가
너무 단단한 벽에 놀라 되돌아갔을 것이다
하루살이들처럼 ⓔ전등에 부딪쳤다가
바닥에 새카맣게 떨어졌을 것이다
크게 밤공기 들이쉬니
㉤허파 속으로 그 소리들이 들어온다
허파도 별빛이 묻어 조금은 환해진다

확인 문제

[01~04] 다음 설명이 맞으면 ○, 틀리면 ×표 하시오.

01 이 작품의 화자는 '귀뚜라미'이다. (○, ×)

02 이 작품은 시어와 문장 구조의 반복을 통해 운율을 형성하고 있다. (○, ×)

03 이 작품은 후각적 심상을 주로 활용하여 대상을 감각적으로 표현하고 있다. (○, ×)

04 이 작품은 대조적인 의미의 시어를 사용하여 주제를 효과적으로 강조하고 있다. (○, ×)

[05~07] 다음 빈칸에 들어갈 알맞은 말을 쓰시오.

05 이 작품에서 '[ㅌ][ㄹ][ㅂ][ㅈ]'은 인공적인 대상으로, '풀벌레 소리'와 상반된 의미를 지니고 있다.

06 이 작품에서 시어 '[ㅇ][ㄷ]'은 방 안의 분위기를 변화시키고, 화자가 풀벌레 소리를 더욱 선명하게 듣게 하는 요소이다.

07 이 작품에서 화자는 '브라운관이 뿜어낸 현란한 빛'으로 인해 풀벌레 소리를 듣지 못했던 자신의 모습을 [ㅅ][ㅊ]하고 있다.

화자·대상

08 **윗글에 나타난 화자의 태도로 적절한 것은?**

① 현대 문명의 편리함을 동경하고 있다.
② 자연 속에서 살았던 시절을 그리워하고 있다.
③ 자연의 소리를 외면했던 자신의 삶을 반성하고 있다.
④ 어린 시절에 헤어진 존재들과 다시 만날 것을 소망하고 있다.
⑤ 자연의 소리에 귀 기울이며 살아가는 사람들을 부러워하고 있다.

표현

09 **[A]에 나타난 표현상의 특징으로 적절한 것은?**

① 묻고 답하는 형식으로 대상을 부각하고 있다.
② 사투리를 활용하여 토속적 분위기를 형성하고 있다.
③ 반어의 방법을 활용하여 시의 주제를 효과적으로 드러내고 있다.
④ 공감각적 표현을 사용하여 시의 이미지를 생생하게 형상화하고 있다.
⑤ 검은색과 흰색의 색채 대비를 통해 화자와 대상의 관계를 나타내고 있다.

화자·대상 + 시어(구)

10 **㉠~㉤의 의미로 적절하지 않은 것은?**

① ㉠: 텔레비전을 끈 뒤 풀벌레 소리를 자각함
② ㉡: 작은 풀벌레들의 소리에 관심을 갖게 됨
③ ㉢: 풀벌레들의 작은 귀를 떠올림
④ ㉣: 평소에 듣지 못했던 작은 소리를 들음
⑤ ㉤: 풀벌레 소리를 내면 깊숙이 받아들임

시어(구)

11 **ⓐ~ⓔ 중, 함축적 의미가 나머지와 다른 것은?**

① ⓐ ② ⓑ ③ ⓒ ④ ⓓ ⑤ ⓔ

수능형 주제

12 **〈보기〉는 윗글의 내용을 일기로 구성한 것이다. 그 내용으로 적절하지 않은 것은?**

보기

평소와 다름없이 텔레비전을 보다가 전원을 껐다. ①어두워지자 텔레비전의 현란한 빛과 소리 때문에 들리지 않았던 풀벌레 소리가 들리기 시작했고, 방 안이 풀벌레 소리로 환해진 느낌이었다. ②지금까지도 이 작은 소리들은 내 주변에 존재했을 텐데 나는 어째서 인식하지 못했던 걸까? 그동안 당연하게 누려 온 ③현대 문명이 자연의 소리에 귀 기울이지 못하도록 단단하고도 두꺼운 벽을 만들었나 보다. 이 일로 ④인공적인 삶의 환경에 익숙해져 자연의 삶을 외면하지 않았는지 나의 삶을 돌아보게 되었다. ⑤앞으로는 환경 오염으로 인해 우리 주변에서 사라져 가는 자연의 존재들에게 관심을 가져야겠다.

작품 전체

1~5행	6~12행	13~20행	21~23행
텔레비전을 끄고 어둠 속에서 ❶ ㅍㅂㄹ 소리를 들음 ⇒	풀벌레들의 작은 귀를 생각함 ⇒	풀벌레 소리에 ❷ ㅁㄱㅅ했던 자신을 반성함 ⇒	풀벌레 소리를 내면으로 받아들이며 기뻐함

작품 압축

■ '풀벌레 소리'에 대한 화자의 성찰

화자는 텔레비전을 끈 후에 평소에 듣지 못했던 풀벌레 소리를 듣고 그동안 외면했던 '풀벌레들의 작은 귀'와 '여린 마음들'을 생각한다. 그리고 '브라운관이 뿜어낸 현란한 빛'으로 인해 만들어진 '단단한 벽' 때문에 '풀벌레 소리'와 같이 작은 것들에 무관심했던 자신을 반성한다. 화자는 자연의 평온함을 인식한 후 풀벌레 소리를 내면 깊숙이 받아들인다.

성찰의 계기	텔레비전을 끄고 '풀벌레들의 작은 귀'와 '여린 마음들'을 생각함
⇓	
성찰	작은 것들을 ❸ ㅇㅁ해 왔던 자신의 태도를 반성함

■ 대조적인 의미의 시어 및 시구

화자는 텔레비전의 '브라운관이 뿜어낸 현란한 빛'으로 인해 자신의 눈과 귀가 두꺼워졌고, 풀벌레 소리들은 이런 벽에 부딪쳐 돌아갔을 것이라고 추측하고 있다. 이로 보아, 화자는 '텔레비전'으로 대표되는 인공적인 삶에 대해 부정적인 시각을, '풀벌레 소리'로 대표되는 자연적인 삶에 대해 긍정적인 시각을 지니고 있음을 알 수 있다.

인공적인 삶(부정적)	⇔	자연적인 삶(긍정적)
• 텔레비전 • 두꺼운 내 귀 • 브라운관이 뿜어낸 현란한 빛 • 벽, ❹ ㅈㄷ	⇔	• 풀벌레 소리 • ❺ ㅇㄷ, 별빛 • 작은 귀 • 여린 마음 • 울음소리

화자·대상 / 시어(구) / 표현 / 주제

■ 심상의 종류와 효과

이 작품은 다양한 심상을 활용하여 대상의 특성을 감각적이고 구체적으로 드러냄으로써, 의미를 효과적으로 전달한다.

시각적 심상	브라운관이 뿜어낸 현란한 빛
❻ ㅊㄱ적 심상	• 풀벌레 소리 • 귀뚜라미나 여치 같은 큰 울음
공감각적 심상	• 풀벌레 소리 / 어둠과 함께 방 안 가득 들어온다 • 어둠 속에서 들으니 벌레 소리들 환하다 / 별빛이 묻어 더 낭랑하다 • 허파 속으로 그 소리들이 들어온다

■ 작품의 주제

이 작품에는 텔레비전 소리를 듣느라 풀벌레 소리를 듣지 못했던 자신의 삶을 돌아보며 반성하는 화자의 모습이 제시되어 있다. 이를 통해 작가는 자연의 소리를 외면하고 살아가는 현대인들의 모습을 비판하고, 문명으로 인해 소외된 존재들에게 관심을 가질 것을 권유하고 있다.

화자의 경험	텔레비전을 끈 후에 풀벌레 소리를 듣고, ❼ ㅁㅁ으로 인해 잊고 살아온 것들에 대한 소중함을 깨달음
⇓	
주제	문명의 ❽ ㅅㅇ에 길들여진 삶에 대한 비판과 성찰

어휘력 테스트

1 **제시된 뜻과 예문을 참고하여 다음 초성에 해당하는 단어를 괄호 안에 써 보자.**

(1) ㅍ ㅂ ㄹ : 풀숲에서 사는 벌레를 통틀어 이르는 말

예 산속에서 (　　　　)가 찌르륵거리는 소리가 들렸다.

(2) ㄴ ㄹ 하다: 소리가 맑고 또랑또랑하다.

예 예지는 무대 위에서 (　　　　)한 목소리로 시를 낭송했다.

(3) ㅎ ㄹ 하다: 눈이 부시도록 찬란하다.

예 오늘따라 그녀의 옷차림이 매우 화려하고 (　　　　)했다.

2 **다음 단어를 활용하기에 적절한 문장을 찾아 바르게 연결해 보자.**

(1) 허파 •　　• ㉠ 우리는 진지한 (　　　　)을/를 통해서 깨달음을 얻을 수 있다.

(2) 성찰 •　　• ㉡ 인간이 이룩한 (　　　　)은/는 삶의 편리함을 누리게 해 주었다.

(3) 문명 •　　• ㉢ 그는 실없이 행동하는 것이 꼭 (　　　　)에 바람 든 사람처럼 보였다.

독해쌤과 함께하는 감상 넓히기

화자의 성찰적 태도가 담겨 있는 작품

이번에 감상한 「풀벌레들의 작은 귀를 생각함」과 같이 자신을 되돌아보며 반성하는 화자의 성찰적 태도가 담겨 있는 작품들이 많아요. 이 작품에는 문명의 소음에 길들여진 삶에 대한 반성이 담겨 있지만, 화자가 이기적인 삶에 대해 성찰하거나 부조리한 현실에 적극적으로 대항하지 못하는 자신의 모습을 반성하는 작품도 있어요. 이러한 작품들을 더 감상해 볼까요?

연탄 한 장_안도현

'연탄'이라는 구체적 사물에 상징적 의미를 부여하여 희생적 사랑이라는 주제를 전달하고 있는 시입니다. 자신을 기꺼이 태워 남을 따뜻하게 해 주는 연탄을 통해 그렇게 하지 못했던 자신을 성찰하고, 타인을 위해 희생하는 삶을 살고 싶은 소망을 노래한 작품입니다.

어느 날 고궁을 나오면서_김수영

정치와 언론의 자유에 대해서는 침묵하면서도, 힘없는 이웃들의 사소한 잘못에 대해서는 분노하는 옹졸한 소시민적 삶에 대한 반성을 담고 있는 시입니다. 일상적인 제재와 비속어를 사용하여 화자 자신의 소시민적이고 속물적인 근성을 진솔하게 고백하고 있는 작품입니다.

(가) 까마귀 싸우는 골에 _ 정몽주의 어머니
(나) 까마귀 검다 하고 _ 이직

여러분은 '까마귀' 하면 어떤 느낌이 드나요? 까마귀는 흔히들 흉조(凶鳥)로 인식하고 무서워하기도 하지만, 우리나라에서는 예로부터 예언의 새, 신비한 새로 여기기도 했습니다. 또 중국에서는 검은 까마귀를 불길한 새로 여기지만, 북유럽 신화에서는 최고의 신인 오딘의 새로 지혜와 기억을 상징합니다. 이처럼 나라와 문화마다 다르게 인식되는 '까마귀', 우리 선조들은 이런 까마귀를 통해 어떤 생각을 전하고자 했는지 작품을 감상해 볼까요?

독해쌤의 감상 질문

1. 시어(구) (가), (나)의 중심 소재는 무엇이며, 그 의미는 어떠한가요?
2. 표현 (가), (나)의 운율 형성 요소는 무엇인가요?
3. 주제 (가), (나)의 주제는 무엇인가요?

독해쌤 속닥속닥

◆ (가)와 (나)의 두 시조는 모두 '까마귀'와 '백로'를 중심 소재로 하고 있지만, 소재의 상징적 의미는 정반대입니다. (가)에서 '까마귀'는 '나쁜 무리'를, '백로'는 '군자'를 뜻하지만, (나)에서 '까마귀'는 '겉은 초라하지만 속은 올바른 사람'을, '백로'는 '겉과 달리 속은 바르지 못한 사람'을 뜻하지요.

가 까마귀 싸우는 골(골짜기)에 백로야 가지 마라.
성낸 까마귀 흰빛을 새올세라(시샘할까 두렵구나).
청강(淸江)에 조히(깨끗이) 씻은 몸을 더럽힐까 하노라(걱정하노라).

나 까마귀 검다 하고 백로야 웃지 마라.
겉이 검은들 속조차 검을소냐(검을 것 같으냐).
㉠겉 희고 속 검을손(검은 것은) 너뿐인가 하노라.

확인 문제

[01~04] 다음 설명이 맞으면 ○, 틀리면 ×표 하시오.

01 (가)와 (나)에서 모두 '까마귀'는 부정적 의미로, '백로'는 긍정적 의미로 쓰였다. (○, ×)

02 (가)의 '까마귀'는 '백로'의 흰빛을 부러워하고 있다. (○, ×)

03 (가)에서 '청강(淸江)에 조히 씻은 몸'은 '지조와 절개를 지닌 군자'를 의미한다. (○, ×)

04 (나)에서 화자가 비판하고 있는 대상은 '백로'이다. (○, ×)

[05~07] 다음 빈칸에 들어갈 알맞은 말을 쓰시오.

05 (가)는 교훈적 성격의 시조이며, (나)는 [ㅂ][ㅍ]적, 풍자적 성격의 시조이다.

06 (나)에서 '검을소냐.'는 '검을 것 같으냐?'라는 의미로, 누구나 다 아는 사실을 의문문의 형식으로 제시하여 변화를 주는 표현 방법인 [ㅅ][ㅇ][ㅂ]이 쓰인 부분이다.

07 시조의 종장 첫 음보는 대체로 3음절로 고정되는데 (가)에서는 '[ㅊ][ㄱ][ㅇ]'가, (나)에서는 '[ㄱ] [ㅎ][ㄱ]'가 이에 해당한다.

실력 문제

화자·대상 + 시어(구) + 표현

08 **(가), (나)에 공통된 특징으로 적절하지 않은 것은?**

① 시조의 기본형으로 평시조에 해당한다.
② 각 시조의 화자가 모두 특정 대상을 비판한다.
③ '까마귀'와 '백로'의 검은색과 흰색이 대비되어 나타난다.
④ 3장 6구 45자 내외로, 각 장은 4음보를 기본 단위로 한다.
⑤ '까마귀'를 듣는 이로 설정하여, 주제를 직접적으로 드러낸다.

시어(구)

09 **(나)의 '까마귀'와 '백로'에 해당하는 사람으로 적절한 것은?**

	'까마귀'	'백로'
①	남의 탓만 하는 사람	잘못을 인정하는 사람
②	배운 것이 많은 사람	배움을 소홀히 한 사람
③	험담을 자주 하는 사람	험담을 하지 않는 사람
④	외모만 가꾸는 사람	내면을 가꾸는 사람
⑤	겉모습과 달리 양심을 지키는 사람	겉만 번지르르하고 양심이 없는 사람

시어(구) + 어휘

10 **㉠과 의미가 통하는 한자 성어로 적절한 것은?**

① 아전인수(我田引水) ② 명약관화(明若觀火)
③ 표리부동(表裏不同) ④ 이심전심(以心傳心)
⑤ 소탐대실(小貪大失)

수능형

시어(구) + 주제

11 **〈보기〉의 내용을 고려할 때, (가)와 (나)를 감상한 내용으로 적절하지 않은 것은?**

보기

(가)는 고려의 충신인 정몽주의 어머니가 지었다고 전해진다. 고려 말, 새 왕조를 건국하려 했던 이성계가 아들 이방원을 통해 잔치를 베풀어 고려의 충신 정몽주를 초대하였는데, 이때 아들을 염려한 정몽주의 어머니가 (가)를 지어 불러 주었다는 것이다. 또한 (나)는 이성계를 도와 조선 개국에 공헌한 이직이 지었다고 전해진다. 고려가 멸망한 후 조선의 개국을 반대하던 사람들에게 비난을 받자, 자신의 행위에 대해 정당성을 주장하기 위해 (나)를 지었다는 것이다.

① (가)의 '까마귀 싸우는 골'이란 새 왕조를 건국하려고 세력을 다투는 무리들 속을 지칭해.
② (가)의 창작 배경을 고려할 때, '청강'은 이성계가 추구하는 이상 세계를 의미한다고 볼 수 있어.
③ (가)의 '백로'는 화자가 염려하는 대상이지만, (나)의 '백로'는 화자가 비판하는 대상이야.
④ (가)의 '백로'는 작가의 아들인 정몽주로 볼 수 있는데, (나)의 '백로' 역시 정몽주와 같은 고려 유신들로 볼 수 있겠어.
⑤ (가)는 '백로'의 '흰빛'을 통해 군자의 지조와 절개를 내세우지만, (나)는 '백로'가 겉은 희나 속이 검다고 풍자하며 화자의 입장을 합리화하고 있어.

작품 전체

	초장		중장		종장
(가)	까마귀 싸우는 골에 가지 말 것을 당부함	⇒	까마귀가 백로의 ❶ㅎ ㅂ을 시샘할까 봐 걱정함	⇒	백로의 깨끗함이 더럽혀질 것을 경계함
(나)	까마귀를 탓하는 ❷ㅂ ㄹ에게 비웃지 말 것을 경고함		까마귀는 겉은 초라해도 속은 올바름을 강조함		겉과 속이 다른 백로에 대해 질책하고 훈계함

작품 압축

(가), (나)의 중심 소재와 그 의미

	까마귀	백로
(가)	옳지 않은 일을 하는 나쁜 무리(부정적)	더러움에 물들지 않은 결백한 군자(긍정적)
(나)	겉은 초라하나 속은 올바른 사람(긍정적)	겉과 속이 다른 사람(❸ㅂ ㅈ적)

(가), (나)의 운율 형성 요소

(가), (나)의 운율 형성 요소
• 3장 6구 45자 내외의 ❹ㅍ ㅅ ㅈ임 • 4음보의 율격(❺ㅇ ㅎ ㄹ)을 지님 • 종장의 첫 음보는 3음절로 고정됨

⇓

둘 다 평시조의 전형적 율격(외형률)을 지님

시어(구) 표현 주제

(가)에 쓰인 대조적 시어와 주제

(가)는 표면적으로는 '까마귀'로 표현된 무리, 즉 다툼을 일삼는 나쁜 무리와 어울리는 것을 경계하라는 교훈이 담긴 시조이다. 한편 (가)의 작가가 고려 충신이었던 정몽주의 어머니라는 점을 고려하면, 이면적으로는 '백로'로 상징되는 자신의 아들에게 이성계의 무리와 어울리는 것을 경계하고, 지조와 절개를 지킬 것을 조언하는 시조라고 볼 수 있다.

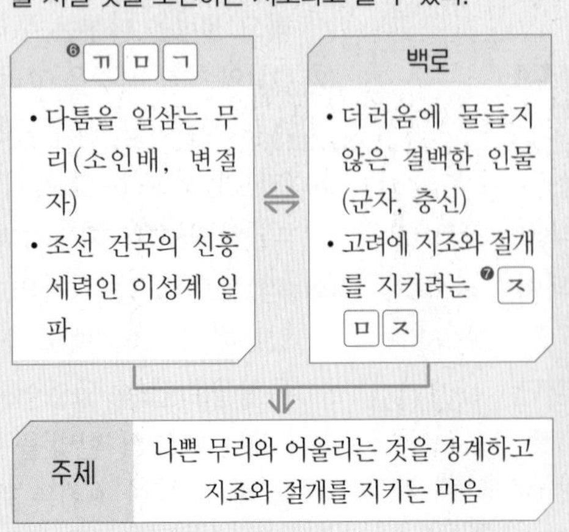

(나)에 쓰인 대조적 시어와 주제

(나)는 표면적으로는 겉으로 올바른 척하지만, 속은 그렇지 못한 사람, 즉 겉과 속이 다른 사람을 '백로'에 빗대어 비판하고 있다. 한편 (나)의 작가가 조선 개국에 공헌한 사람임을 고려하면, 이면적으로는 자신을 '까마귀'에 빗대어 조선의 개국에 참여한 자신의 처신을 정당화하고, 자신을 비웃는 고려 유신들을 풍자하는 시조라고 볼 수 있다.

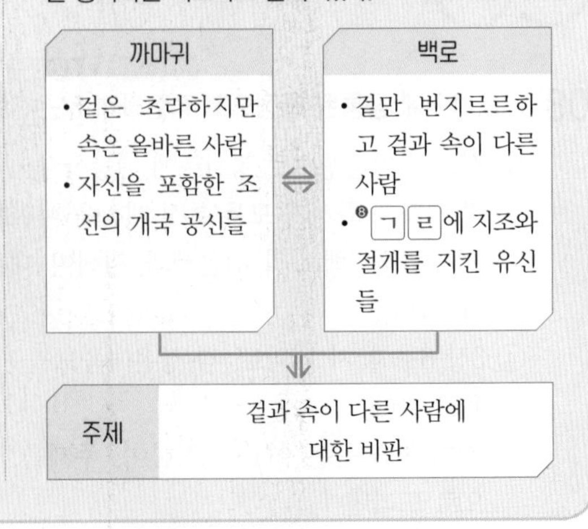

어휘력 테스트

1 **제시된 뜻과 예문을 참고하여 다음 초성에 해당하는 단어를 괄호 안에 써 보자.**

(1) ㅈ ㅈ : 원칙과 신념을 굽히지 않고 끝까지 지켜 나가는 꿋꿋한 의지. 또는 그런 기개

예 정몽주는 끝까지 고려에 대한 (　　　　)를 지켰던 고려를 대표하는 충신이다.

(2) ㅈ ㄱ : 신념, 신의 따위를 굽히지 아니하고 굳게 지키는 꿋꿋한 태도

예 당시의 선비들은 송죽같이 굳은 (　　　　)를 노래하는 시조를 많이 창작하였다.

(3) ㅅ ㅅ : '시새움'의 준말. 자기보다 잘되거나 나은 사람을 공연히 미워하고 싫어함. 또는 그런 마음

예 그녀는 친구들 사이에서도 유난히 (　　　　)이 많은 편이었다.

2 **다음 단어를 활용하기에 적절한 문장을 찾아 바르게 연결해 보자.**

(1) 경계하다 •	• ㉠ 그는 성품이 청강(淸江)처럼 맑고 (　　　　) 주위 사람들의 존경을 받았다.
(2) 결백하다 •	• ㉡ 다이어트를 한다던 누나는 초밥을 배부르게 먹고 나서, 해산물은 살이 찌지 않는다며 (　　　　).
(3) 합리화하다 •	• ㉢ 우리는 자기중심적인 사람이 되지 않도록 늘 스스로의 생각과 행동을 돌아보고 (　　　　) 한다.

독해쌤과 함께하는 감상 넓히기

고려 말의 시대 상황이 반영된 작품

이번에 감상한 두 작품은 조선 건국을 앞둔 고려 말의 시대 상황과 관련이 있어요. 그런데 앞에서 본 두 작품 이외에도 이 시기의 시대 상황이 반영된 작품을 이야기할 때 반드시 언급되는 작품이 있어요. 바로 이방원과 정몽주의 시조입니다. 각 작품에 나타난 두 인물의 태도와 입장이 어떻게 다른지 비교하며 작품들을 더 감상해 볼까요?

이런들 어떠하며_이방원

고려 말, 조선의 개국에 힘쓰던 이방원이 고려의 충신 정몽주의 진심을 떠보고 회유하기 위해 지은 시조로, 「하여가(何如歌)」라고도 합니다. 정치적 복선을 깔고 있지만, 직설적인 말을 피하고 우회적인 방법으로 자신의 뜻을 여유롭고 느긋하게 표현한 작품입니다.

이 몸이 죽고 죽어_정몽주

고려에 대한 정몽주의 충절을 담고 있는 시조로, 「단심가(丹心歌)」라고도 합니다. 이성계의 아들 이방원이 정몽주의 뜻을 떠보려고 읊은 「하여가(何如歌)」에 대한 답가로 알려져 있습니다. 부드러운 정서의 「하여가」와는 달리, 직설적이고 단정적인 표현으로 자신의 굳은 의지를 드러낸 작품입니다.

훈민가 _ 정철

다른 사람을 설득할 때는 어떤 표현을 사용해야 할까요? 이 작품은 백성들을 계몽·교화할 목적으로 지은 16수의 연시조로, 유교 윤리의 실천을 권장하는 노래랍니다. 작가는 백성들이 쉽게 이해할 수 있도록 일상어와 순우리말을 사용하고 청유형, 명령형 표현을 활용하고 있어요. 그럼 작가의 창작 의도가 작품에 어떻게 드러나고 있는지 생각하며 작품을 감상해 볼까요?

형아 아우야 네 살을 만져 보아라
㉠누구에게서 태어났기에 모습조차 같은 것인가?
같은 젖 먹고 자라났으니 딴 마음을 먹지 마라.

〈제3수〉

어버이 살아 계실 때 섬기기를 다하여라.
㉡디나간 후면 애달프다 어이하리.
평생에 다시 못할 일이 이뿐인가 하노라.

〈제4수〉

마을 사람들아 옳은 일 하자꾸나.
사람이 되어 나서 옳지를 못하면
㉢마소를 갓 고깔 씌워 밥 먹이나 다르겠는가?
(마소: 말과 소)

〈제8수〉

팔목 쥐시거든 두 손으로 받치리라.
㉣나갈 데 계시거든 막대 들고 좇으리라.
향음주 다 파한 후에 모셔 가려 하노라.
(향음주: 마을에서 어른들을 모시기 위해 마련한 술자리)

〈제9수〉

㉤오늘도 다 새었다, 호미 메고 가자꾸나.
내 논 다 매거든 네 논도 매어 주마.
오는 길에 뽕 따다가 누에 먹여 보자꾸나.
(새었다: 밝았다)

〈제13수〉

독해쌤의 감상 질문

1. 화자(대상) · 각 수의 화자와 대상은 누구인가요?
   · 작품에 나타난 화자의 태도는 어떠한가요?
2. 시어(구) 화자가 권장하는 유교 윤리가 반영된 부분들은 어디인가요?
3. 표현 화자가 설득력을 높이기 위해 활용한 표현과 그 효과는 무엇인가요?

독해쌤 속닥속닥

◆ 이 작품은 작가가 강원도 관찰사로 재직할 때 지었어요. 당시에는 사화와 당쟁으로 사회가 어수선한 분위기였고, 그가 부임한 강원도는 문화의 혜택을 받지 못하는 곳이었지요. 이에 작가는 유교 윤리의 실천과 향촌의 질서 확립을 목적으로 「훈민가」를 지었답니다.

확인 문제

[01~04] 다음 설명이 맞으면 ○, 틀리면 ×표 하시오.

01 이 작품은 두 개 이상의 평시조가 하나의 제목으로 엮인 연시조이다. (○, ×)

02 이 작품이 창작된 당시에는 유교적 가치관이 생활의 바탕이 되었다. (○, ×)

03 〈제3수〉의 '딴 마음'은 친구 사이의 믿음을 해치는 마음을 의미한다. (○, ×)

04 〈제9수〉에서는 어른을 공경하지 않는 사람과 공경하는 사람의 태도를 대비하여 제시하고 있다. (○, ×)

[05~07] 다음 빈칸에 들어갈 알맞은 말을 쓰시오.

05 이 작품에서는 '하자꾸나', '가자꾸나' 등과 같은 [ㅊ][ㅇ][ㅎ] 표현을 통해 전달 효과를 높이고 있다.

06 〈제8수〉에서는 윤리 의식을 갖추지 못한 사람을 '[ㅁ][ㅅ]'에 빗대어 표현하고 있다.

07 이 작품은 〈제9수〉의 [ㅎ][ㅇ][ㅈ], 〈제13수〉의 품앗이 등 우리의 전통문화와 연관되는 내용들을 담고 있다.

실력 문제

화자·대상

08 윗글의 화자의 특징으로 적절한 것은?

① 양반 계층으로 설정되어 있다.
② 강압적인 어조로 말하고 있다.
③ 백성들에 대해 비판적 태도를 보이고 있다.
④ 자신이 지향하는 바람직한 삶의 자세를 드러내고 있다.
⑤ 과거의 모습을 되돌아보면서 자신의 잘못을 반성하고 있다.

표현

09 윗글의 표현상 특징으로 적절하지 않은 것은?

① 한자어보다 순우리말을 주로 사용하고 있다.
② 청유형 어미를 활용하여 대상을 예찬하고 있다.
③ 평이하고 정감이 느껴지는 어휘가 나타나고 있다.
④ 화자가 청자에게 말을 건네는 듯한 어조를 활용하고 있다.
⑤ 명령형 표현을 통해 백성을 교화하는 효과를 극대화하고 있다.

시어(구)

10 ㉠~㉤의 의미로 적절하지 않은 것은?

① ㉠: 형과 아우의 외모가 닮았음을 알 수 있다.
② ㉡: '풍수지탄(風樹之歎)'의 정서와 관련이 깊다.
③ ㉢: 설의적 표현을 통해 사람답지 않은 사람을 나무라고 있다.
④ ㉣: 상황을 가정하여 어른을 공경하는 행동을 제시하고 있다.
⑤ ㉤: 농민들이 하루를 마무리할 때의 바람직한 태도를 보여 주고 있다.

수능형 시어(구) + 주제

11 윗글의 각 수에서 〈보기〉의 밑줄 친 부분에 해당하는 내용으로 적절하지 않은 것은?

보기

조선 시대의 사대부들이 누리며 즐기던 시조는 자연 속에서 한가롭게 지내는 삶을 노래한 '강호가류(江湖歌類)'와, 백성들에게 유교적인 덕목인 '오륜(五倫)'을 실생활 속에서 실천할 것을 권장하는 '오륜가류(五倫歌類)'로 나눌 수 있다. 이 중에서 '오륜가류'는 쉬운 일상어를 활용하여 백성들이 일상생활에서 마땅히 행하거나 행하지 말아야 할 것들을 명령형이나 청유형 표현으로 노래하였다. 이처럼 '오륜가류'는 유교적 덕목인 인륜을 실천할 것을 설득함으로써 인간과 인간이 이상적인 조화를 이루고, 이를 통해 향촌과 국가의 질서를 확립하고자 했다.

① 〈제3수〉: 형제간에 우애 있게 지내기
② 〈제4수〉: 부모님께 효도하기
③ 〈제8수〉: 올바르게 행동하기
④ 〈제9수〉: 어른 공경하기
⑤ 〈제13수〉: 이웃 간에 친목 도모하기

작품 전체

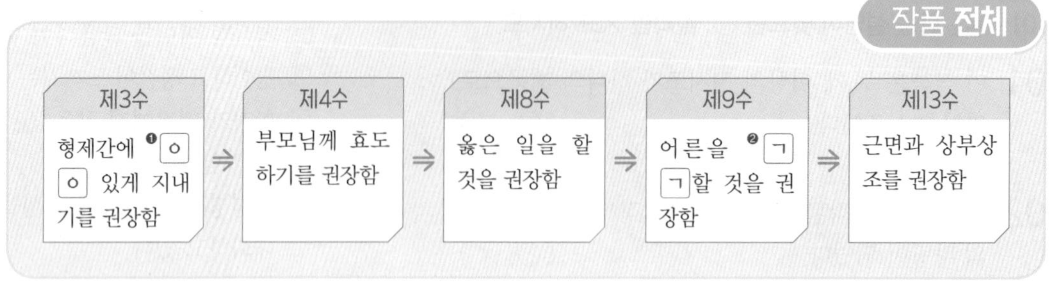

작품 압축

■ 각 수의 화자와 대상

〈제13수〉의 '내 논 다 매거든'을 통해 화자인 '나'는 논을 매는 농민임을 알 수 있다. 또한 화자는 각 수에서 여러 대상에게 말을 건네는데, 이들은 모두 백성들에 해당한다.

	화자	대상
제3수	드러나지 않음	❸ㅎ, 아우
제4수		불특정 다수
제8수		❹ㅁㅇ 사람들
제9수		불특정 다수
제13수	내(농민)	네(농민)

■ 화자의 태도

화자는 백성들에게 일상에서 지켜야 할 도덕적 규범, 즉 유교 윤리를 지키며 살 것을 권장하고 있다. 그런데 이러한 내용을 전달할 때 '만져 보아라', '먹지 마라', '다하여라'와 같이 '-(으)라'의 명령형 어미를 사용하고 '하자꾸나', '가자꾸나', '보자꾸나'와 같이 '-자꾸나'의 청유형 어미를 사용하여 표현하고 있다. 즉, 화자는 백성들과 대화를 하는 것이 아니라 백성들이 지켜야 할 유교 윤리를 직설적으로 전달하고 있는데, 이를 통해 화자의 태도가 계몽적, 설득적임을 알 수 있다.

화자·대상
시어(구)
표현

■ 유교 윤리가 반영된 시구들

화자는 백성들에게 일상에서 지켜야 할 유교 윤리들을 제시하고, 이를 실천할 것을 권하고 있다.

	시구	유교 윤리
제3수	딴 마음을 먹지 마라.	우애
제4수	어버이 살아 계실 때 섬기기를 다하여라.	❻ㅎㄷ
제8수	옳은 일 하자꾸나.	올바른 행동
제9수	팔목 쥐시거든 ~ 모셔 가려 하노라.	어른 공경, 경로
제13수	• 호미 메고 가자꾸나. • 내 논 다 매거든 네 논도 매어 주마.	❼ㄱㅁ, 상부상조

■ 설득력을 높이기 위한 표현 방법과 효과

이 작품에서 작가는 양반인데도 어려운 한자어 대신 백성들이 일상에서 사용하는 일상어와 순우리말을 활용하고 있다. 또한 명령형과 청유형 표현을 사용하여 백성들을 교화하려는 목적을 효과적으로 달성하고 있다.

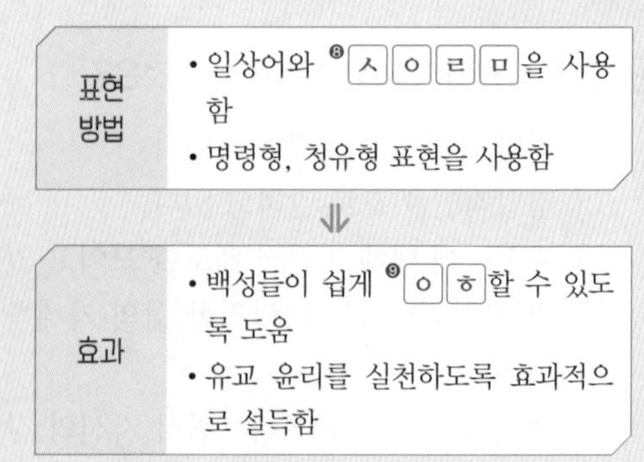

• 정답과 해설 14쪽

어휘력 테스트

1 **제시된 뜻과 예문을 참고하여 다음 초성에 해당하는 단어를 괄호 안에 써 보자.**

(1) ㅁ ㅅ : 말과 소를 아울러 이르는 말

예 아버지는 일찍 일어나 (   )에게 먹이를 주셨다.

(2) ㅍ ㅅ : 세상에 태어나서 죽을 때까지의 동안

예 내 (   ) 그런 진수성찬은 처음 먹어 보았다.

(3) ㅎ ㅇ ㅈ : 마을에서 어른들을 모시기 위해 마련한 술자리

예 마을의 선비들이 (   )를 위해 어른들을 모시러 갔다.

2 **다음 단어를 활용하기에 적절한 문장을 찾아 바르게 연결해 보자.**

(1) 새다 •　　• ㉠ 사람들은 그를 스승으로 (   ).

(2) 섬기다 •　　• ㉡ 10년 만에 만난 그들은 날이 (   ) 밤새 이야기를 나누었다.

(3) 애달프다 •　　• ㉢ 그 사람의 (   ) 사연을 듣고 있던 나는 그만 눈물을 왈칵 쏟고야 말았다.

독해쌤과 함께하는 감상 넓히기

'훈민(訓民)'을 목적으로 하는 작품

이번에 감상한 「훈민가」는 백성을 계몽, 교화할 목적으로 지은 16수의 연시조로, 삼강오륜(三綱五倫)의 유교 윤리가 중심 내용이에요. '백성을 가르침'이라는 의미의 '훈민(訓民)'은 조선 왕조가 건국 초기부터 강조한 것으로, 이를 목적으로 한 작품들은 많은 백성들이 이해할 수 있도록 쉬운 언어를 사용한다는 특징이 있지요. 이러한 작품들을 더 감상해 볼까요?

오륜가_주세붕

서시(序詩)를 포함하여 총 6수로 이루어진 연시조로, 사람이 지켜야 할 다섯 가지 도리인 오륜을 백성들에게 일깨우기 위해 지은 시조입니다. 부모님의 은혜에 대한 자식의 도리, 임금에 대한 신하의 도리, 형제간의 불화에 대한 경계 등의 내용을 담고 있는 작품입니다.

농가월령가_정학유

조선 후기에 지어진 월령체(한 해 열두 달의 순서에 따라 노래한 시가의 형식) 가사입니다. 농가의 행사를 한 달 단위로 나누어, 각 달의 절기상 특징과 농사일, 세시 풍속을 자세히 소개하고 있는 작품입니다.

소설

작품명	학업 성취도	전국 연합	수능, 모평	중등 교과서	고등 교과서
[실전 01] 운수 좋은 날				○	
[실전 02] 동백꽃			○	○	○
[실전 03] 하늘은 맑건만				○	
[실전 04] 수난이대		○		○	
[실전 05] 꺼삐딴 리	○	○	○	○	○
[실전 06] 모래톱 이야기	○	○	○		
[실전 07] 마지막 땅	○	○		○	○
[실전 08] 내가 그린 히말라야시다 그림				○	○
[실전 09] 춘향전		○	○	○	○
[실전 10] 양반전		○	○	○	○

'소설' 감상 스킬

'소설'은 시에 비해 소재나 배경이 지닌 의미를 파악하기가 좀 더 수월하긴 하지만, 길이가 길어서 등장인물의 관계나 사건의 진행 등을 잘 파악하며 감상해야 해. 낯선 소설을 만났을 때 뭐부터 봐야 할지 너무 막막하다면, 이제부터는 **'누가/무엇을'**, **'어떻게'**, **'왜'** 이 세 가지를 기억하고 살펴봐.

소설 속의 **'누가/무엇을'**은 인물과 사건에 대한 것이고, **'어떻게'**는 주제를 드러내기 위해 작가가 고민한 방법들, 즉 배경이나 소재, 서술상의 특징이나 효과 등을 파악하는 거야. **'왜'**는 결국 작가가 이 요소들을 등장시키고 고민한 이유에 해당하는, 즉 독자에게 전달하고 싶은 바인 주제를 파악하는 것이지. 그렇다면 소설 속에서 '누가/무엇을', '어떻게', '왜'는 구체적으로 어떻게 파악할 수 있을까? 아래 제시된 '소설' 감상 스킬을 살펴보자.

'누가/무엇을'	① 인물·사건	[사건/인물의 처지, 상황] • 사건에 나타난 인물의 처지와 상황을 파악하라.	[인물의 심리, 태도] • 인물의 말과 행동을 통해 인물의 심리와 태도를 파악하라.	[갈등 양상] • 인물 간의 갈등 양상과 그 해결 과정을 파악하라.

+

어떻게	② 배경·소재	[배경의 의미와 기능] • 시간과 공간, 시대적 상황이 나타난 부분을 찾아 작품의 배경과 그 기능을 파악하라.	[소재의 의미와 기능] • 사건 전개나 주제에 영향을 미치는 소재를 찾아 그 의미와 기능을 파악하라.
	+		
	③ 서술	[서술상의 특징] • 시점, 구성, 어조와 문체, 묘사와 대화 등 서술상의 특징을 찾아라.	[서술의 효과] • 서술상의 특징이 작품에서 지니는 효과를 파악하라.

⇓

왜	④ 주제	[창작 의도, 주제] • '인물·사건', '배경·소재', '서술'을 통해 파악한 내용을 종합하여 작품의 창작 의도 및 주제를 파악하라.

이 감상 스킬을 좀 더 쉽게 적용할 수 있는 필기 방법을 알려 줄게. 바로 인물과 사건, 중요한 배경이나 소재 같은 곳에 기호를 표시해 두는 거야. 기호를 사용하면 소설의 핵심적인 내용을 한눈에 파악할 수 있어.

- ✓ 시간적·공간적 배경이 드러나는 부분에 ▽ 표시를 해 봐. 시간적·공간적 배경이 나타나는 부분을 정리하며 작품을 읽으면 사건을 이해하는 데 도움이 돼.
- ✓ 중심인물에 ○ 표시를 해 봐. ○ 표시는 모든 인물에 하는 것이 아니라, 사건의 전개에 중심 역할을 하는 중심인물에만 표시를 하렴.
- ✓ 인물과 인물의 관계는 선으로 표시해 두면 좋아. 가령 우호적 관계는 —선, 대립적 관계는 ↔선, 어떤 영향이나 태도를 나타낼 때는 →선 등으로 표시하며 인물 간의 관계를 살펴봐.
- ✓ 주요 사건, 배경과 소재의 의미나 기능이 드러나는 부분에 밑줄(____)을 그어 봐. 그리고 밑줄 아래에는 내가 파악한 내용을 간단히 적어 두면 좋지.

1 인물·사건

- #사건에 나타난 #인물의 처지와 상황을 파악하라.
- 인물의 말과 행동을 통해 #인물의 심리와 태도를 파악하라.
- 인물 간의 #갈등 양상과 그 해결 과정을 파악하라.

작품 속 스킬

길동이 아뢰었다. / "소인이 평생 서러워하는 바가 있습니다. 대감의 정기를 받아 당당한 남자로 태어났으니, 소인을 낳아 길러 주신 부모님의 은혜가 너무나 깊습니다. 그런데도 아버지를 아버지라 못 하옵고 형을 형이라 못 하오니, 어찌 사람이라 하겠습니까."

(길동의 신분을 알 수 있는 호칭 ①: 자신을 낮춤 / 길동의 신분을 알 수 있는 호칭 ②: 아버지라 부르지 못함)

〈중략〉 / 홍 판서가 듣고 나서 비록 측은하게 생각하였으나 길동을 위로해 주면 마음이 방자해지지나 않을까 염려하여 오히려 크게 꾸짖었다.

(홍 판서의 심정 ① / 홍 판서의 심정 ②)

"재상 집안에 천한 계집종에게서 태어난 자식이 너뿐이 아닌데 네 어찌 이토록 방자하냐? 앞으로 다시 이런 말을 하면 내 눈앞에 설 수 없도록 하겠다."

(당시 처첩 제도와 이에 따른 적서 차별이 있었음)

길동은 감히 한마디도 더 아뢰지 못하고 다만 땅에 엎드려 눈물을 흘릴 뿐이었다.

(길동의 심리: 슬픔, 한스러움)

– 허균, 「홍길동전」

독해쌤

제시된 장면은 중심인물인 길동과 홍 판서의 대화입니다. 대화를 통해 알 수 있는 인물의 처지는 무엇인가요?

길동과 홍 판서는 부자지간이지만, 길동은 홍 판서를 아버지라고 못 불러요. 즉 신분으로 인해 차별을 받고 있는 처지예요.

독해쌤

그럼 각 인물의 심리는 어떠한지 알 수 있나요?

홍 판서는 길동을 측은해하고 있지만 혹시라도 길동이 방자해질까 염려하고 있고, 길동은 서러움에 눈물을 흘리고 있어요.

독해쌤

맞아요. 결국 인물들이 이러한 심리와 태도를 보이는 것은 신분 제도 때문이지요. 길동은 바로 이러한 사회 제도와 갈등을 겪고 있는 것이랍니다.

스킬 태그

사건 / 인물의 처지, 상황

사건은 작품 속에서 인물들 간에 구체적으로 전개되는 이야기로, 작품 전체의 줄거리를 이루며 주제를 형상화한다. 인물은 작품 속에 등장하여 사건을 이끌어 가는 사람을 가리킨다. 소설은 인물을 중심으로 사건이 전개되므로, 먼저 작품에 나타난 사건이나 상황의 내용을 정확하게 파악해야 한다.

- ✓ 작품에서 사건을 이끌어 나가는 중심인물을 파악하고, 그와 관련된 인물 간의 관계를 파악해 보자.
- ✓ 중심인물은 대체로 인물 간의 불화나 특정 상황으로 인해 갈등과 위기 상황을 겪게 되므로, 이런 내용이 드러난 부분을 찾아 인물의 처지와 상황을 파악해 보자.

인물의 심리, 태도

인물의 심리는 인물의 마음의 움직임이나 상태를 말하는데, 서술자의 서술에 의해 직접 제시되기도 하고, 인물의 행동이나 대화를 통해 간접적으로 제시되기도 한다. 인물의 태도는 인물이 작품 속의 대상이나 상황을 대하는 자세를 의미하는데, 인물의 말이나 행동 등을 통해 파악할 수 있다.

- ✓ 사건이나 상황 속에서 인물이 어떤 관점으로 행동하는지 찾아보자.
- ✓ 사건의 구체적인 정황이나 대화의 특성을 통해 인물의 심리나 태도를 파악해 보자.

갈등 양상

갈등이란 등장인물 사이에 일어나는 대립과 충돌 또는 등장인물과 환경 사이의 대립을 말한다. 소설에서의 사건은 결국 인물들의 갈등을 통해 나타난다.

- ✓ 작품 속에 드러나는 사건들을 인과 관계와 시간의 흐름에 맞게 파악해 보고, 각 사건에서 나타난 갈등의 양상과 그 해결 과정을 살펴보자.
- ✓ 사건과 갈등이 작품의 주제를 구현하는 양상도 함께 파악해 보자.

❷ 배경·소재

- 시간과 공간, 시대적 상황이 나타난 부분을 찾아 작품의 #배경과 그 기능을 파악하라.
- 사건 전개나 주제에 영향을 미치는 #소재를 찾아 그 의미와 기능을 파악하라.

작품 속 스킬

"달밤에는 그런 이야기가 격에 맞거든."
(성 서방네 처녀와의 추억에 대한 이야기)

조 선달 편을 바라는 보았으나, 물론 미안해서가 아니라 달빛에 감동하여서였다. 이지러는졌으나 보름을 가제 지난 달은 부드러운 빛을 흐붓이 흘리고 있다.(낭만적이고 서정적인 달밤의 분위기 묘사) 대화까지는 칠십 리의 밤길, 고개를 둘이나 넘고 개울을 하나 건너고 벌판과 산길을 걸어야 한다. 길은 지금 긴 산허리에 걸려 있다. 밤중을 지난 무렵인지 죽은 듯이 고요한 속에서 짐승 같은 달의 숨소리가 손에 잡힐 듯이 들리며,(달밤의 고요한 정경 묘사) 콩 포기와 옥수수 잎새가 한층 달에 푸르게 젖었다. 산허리는 온통 메밀밭이어서 피기 시작한 꽃이 소금을 뿌린 듯이(흐드러지게 핀 메밀꽃의 모습) 흐붓한 달빛에 숨이 막힐 지경이다. 붉은 대궁이 향기같이 애잔하고, 나귀들의 걸음도 시원하다.

– 이효석, 「메밀꽃 필 무렵」

독해쌤: 제시된 장면은 허 생원이라는 인물이 조 선달과 함께 대화에 가는 길이에요. 이 장면의 시간적·공간적 배경은 어떠한가요?

메밀꽃이 핀 산속의 달밤이에요.

독해쌤: 그럼 이러한 배경이 주는 느낌은 어떠한가요?

부드러운 빛을 흘리는 달과 흐드러지게 핀 메밀꽃이 달밤의 고요하고 신비로운 느낌을 주었어요.

독해쌤: 맞아요. 이러한 배경은 작품에 서정적이고 낭만적인 분위기를 형성하고, 작품 속 인물인 허 생원이 어느 달밤에 이루어진 과거의 인연을 회상하게 하는 매개체로서 기능을 하지요.

스킬 태그

배경의 의미와 기능

소설 속의 인물이 사건을 겪게 되는 구체적인 시간적, 공간적, 사회적 환경이나 상황 등을 배경이라고 한다. 이러한 배경은 단순히 사건이 벌어지는 바탕이 되는 환경으로서만 의미를 갖는 것이 아니라, 인물이나 사건과 더불어 소설의 주제와 필연적인 관계를 맺고 있는 매우 중요한 요소이다.

- ✓ 작품 속에 제시된 시간과 공간, 계절과 지역 등 작품의 물리적인 배경(자연적 배경)이나, 인간에 의해 이루어진 사회적 환경, 혹은 역사적 상황(사회적 배경) 등을 파악해 보자.
- ✓ 사건의 전개 양상을 고려하여 배경이 어떤 의미를 지니는지, 인물이나 사건, 주제 등을 나타내기 위해 어떤 기능을 하는지 파악해 보자.
- ✓ 배경은 작품에 사실성을 부여하고 작품의 전반적인 분위기를 조성한다. 또한 인물의 심리와 사건 전개를 암시하거나 인물의 행동과 사건 진행에 개연성을 부여하므로 이를 고려하여 배경의 기능을 파악해 보자.

소재의 의미와 기능

소재는 이야기를 전개하기 위해 사용되는 글의 재료로, 특정 대상이나 환경, 인물의 행동이나 감정 등이 모두 소재가 될 수 있다. 소재는 장면 설정을 위한 도구이면서 작품의 의미를 상징적으로 드러내기도 한다.

- ✓ 사건의 전개 양상이나 인물의 심리와 관련지어 특정 소재가 작품 안에서 어떤 의미나 기능을 가지고 있는지 파악해 보고, 동일한 역할을 하는 소재는 무엇인지도 함께 찾아보자.
- ✓ 작품의 분위기와 주요 사건의 전개 양상을 이해하고, 이를 바탕으로 소재가 인물에게 어떤 영향을 주는지, 사건 전개에서 어떤 역할을 하는지 파악해 보자.
- ✓ 소재는 인물 간의 갈등을 유발하거나 해소하고, 앞으로 일어날 사건을 암시하거나 인물의 심리 및 태도를 드러내기도 한다. 또한 작품의 주제를 상징하거나 배경을 효과적으로 형상화하므로 이를 고려하여 소재의 기능을 파악해 보자.

❸ 서술

- 시점, 구성, 어조와 문체, 묘사와 대화 등 #서술상의 특징을 찾아라.
- 서술상의 특징이 작품에서 지니는 #효과를 파악하라.

작품 속 스킬

"이리 와 봐. 이게 금이래."

이윽고 남편은 아내를 부른다. 그리고 내 뭐랬어, 그러게 해 보라고 그랬지, 하고 설면설면 덤벼 오는 아내가 한결 예뻤다. 그는 엄지손가락으로 아내의 눈물을 지워 주고 그러고 나서 껑충거리며 구덩이로 들어간다.

(작품 밖의 서술자가 인물의 심리를 직접 제시함 ①)

"그 속에 금이 있지요?"

영식이 처가 너무 기뻐서 코다리에 고래등 같은 집까지 연상할 제, 수재는 시원스러이,

(작품 밖의 서술자가 인물의 심리를 직접 제시함 ②)

"네, 한 포대에 오십 원씩 나와유."

(수재의 거짓말)

하고, 오늘 밤에는 정녕코 달아나리라 생각하였다. 거짓말이란 오래 못 간다. 뽕이 나서 뼈다귀도 못 추리기 전에 훨훨 벗어나는 게 상책이겠다.

(작품 밖의 서술자가 인물의 심리를 직접 제시함 ③)

– 김유정, 「금 따는 콩밭」

독해쌤: 이 작품의 서술자는 작품 안에 있나요? 밖에 있나요? 서술자는 작품에서 벌어지는 모든 사건과 인물들에 대해 속속들이 다 알고 있나요? 아니면 그들을 관찰하기만 하나요?

'나'라고 제시되어 있지 않은 걸 보니, 서술자는 작품 밖에 있어요. 그리고 인물의 심리를 구체적으로 제시하고 있어요.

독해쌤: 맞아요. 서술자는 작품 밖에서 아내의 행동을 예쁘다고 생각하는 영식의 마음, 그리고 영식을 속이면서 도망갈 궁리를 하는 수재의 속셈을 직접 설명해요. 이처럼 전지적 작가 시점은 독자가 사건을 쉽게 이해할 수 있게 하지요. 시점은 서술상의 특징 중 하나라고 볼 수 있는데요. 시점 이외에도 묘사나 대화 같은 서술 방식, 어조나 문체 등도 있답니다. 작가가 주제를 구현하기 위해 사용하는 장치인 만큼 이러한 서술상의 특징과 효과를 잘 파악하는 게 좋겠죠?

스킬 태그

서술상의 특징

서술상의 특징은 서술자가 작품 안에서 일어나는 일들을 전달해 주는 방식을 말한다. 사건의 전개와 주제 구현과 관련지어 서술자와 시점, 어조와 문체, 서술 방식 등을 파악해야 한다.

- ✔ 서술자는 작품 속에서 독자에게 이야기를 건네는 인물로, 작품 안에 등장하는 인물일 수도 있고 그렇지 않을 수도 있다.
- ✔ 시점은 서술자가 사건과 인물 등을 바라보는 관점을 말한다. 서술자의 위치와 서술 범위에 따라 시점의 종류(1인칭 주인공, 1인칭 관찰자, 3인칭(작가) 관찰자, 전지적 작가)는 달라진다.
- ✔ 어조는 서술자의 말투로, 인물이나 상황에 대한 서술자의 태도와 작품 전체의 분위기를 조성하며 주제를 간접적으로 드러낸다. 해학적, 풍자적, 비판적, 냉소적, 반어적 어조 등이 있다.
- ✔ 문체는 소설 속에서 이야기를 이끌어 나가는 문장들의 독특한 표현적 특징을 말한다. 독자는 문체를 통해 작가의 개성을 느낄 수 있고, 주제를 파악하는 데에도 도움을 받는다.
- ✔ 서술 방식의 종류에는 서술, 묘사, 대화가 있다.
  - 서술: 서술자가 독자에게 인물, 사건, 배경 등을 직접 설명하는 방식
  - 묘사: 어떤 장면을 그림 그리듯 보여 주어 독자에게 어떤 인상이나 이해를 갖게 하는 방식
  - 대화: 인물들이 주고받거나 혼자 하는 말로, 인물의 성격과 심리, 작품 속 상황에 대한 인물의 반응을 보여 주는 방식

서술의 효과

작가가 다양한 서술 방식을 활용하는 이유는 결국 자신의 의도나 주제를 효과적으로 드러내기 위함이다. 따라서 서술의 효과를 파악하기 위해서는 서술상의 특징을 주제의 형상화 측면에서 관련지어 보아야 한다.

운수 좋은 날 ①

_ 현진건

이상할 정도로 모든 일이 잘 풀리고 공부도 잘 된다고 생각했던 날이 있었나요? 뜻한 바대로 다 진행되는 운수가 좋은 날 말이죠. 그런데 오후가 되면서 생각 밖의 방향으로 갑자기 일이 흘러가 버린다면……. 이 작품 속의 김 첨지에겐 '운수 좋은 날'이 어떤 날이었을지, 작품을 감상해 볼까요?

독해쌤의 감상 질문

1. 배경·소재 · 당시 사회상을 나타내는 소재들에는 어떤 것들이 있나요?
   · '겨울비'라는 날씨 배경의 역할과 '설렁탕'의 의미는 무엇인가요?
2. 서술 이 작품에서 비속어를 사용하여 얻는 효과는 무엇인가요?
3. 주제 이 작품의 결말이 주제 전달에 미치는 영향은 무엇인가요?

독해쌤 속닥속닥

◆ (가)에서는 시작부터 추적추적 비가 내리는 날씨 배경이 나타납니다. 이런 날씨 배경은 작품의 전반적인 분위기, 즉 어둡고 을씨년스러운 분위기를 조성해요. 아울러 겨울비가 내리는 날씨는 주인공인 김 첨지가 인력거를 끌기 어렵게 만들기도 하죠. 또한 이와 같은 날씨 배경은 이 작품의 내용 전개나 결말과도 연결되어 있습니다.

발단

가 ㉠새침하게 흐린 품이 눈이 올 듯하더니 눈은 아니 오고 얼다가 만 비가 추적추적 내리었다. / 이날이야말로 동소문 안에서 인력거꾼 노릇을 하는 김 첨지에게는 오래간만에도 닥친 운수 좋은 날이었다. 문안에(거기도 문밖은 아니지만) 들어간답시는 앞집 마나님을 전찻길까지 모셔다드린 것을 비롯하여 행여나 손님이 있을까 하고 정류장에서 어정어정하며, 내리는 사람 하나하나에게 거의 비는 듯한 눈길을 보내고 있다가, 마침내 교원인 듯한 양복쟁이를 동광 학교(東光學校)까지 태워다 주기로 되었다.

- 새침하게: 제법 쌀쌀한 기색으로
- 품: 모습, 기세
- 동소문: 옛 서울의 여덟 성문 중 하나인 홍화문의 다른 이름
- 첨지: 나이 많은 사람을 낮춰 부르는 말
- 문안: 사대문의 안으로 서울의 중심부를 말함
- 마나님: 나이 많은 부인을 높여 부르는 말
- 교원: 교사, 학교에서 소정의 자격을 가지고 학생을 가르치거나 돌보는 사람

첫째 번에 삼십 전, 둘째 번에 오십 전 — 아침 댓바람에 그리 흉하지 않은 일이었다. 그야말로 재수가 옴 붙어서, 근 열흘 동안 돈 구경도 못한 김 첨지는 십 전짜리 백동화 서 푼 또는 다섯 푼이 찰깍하고 손바닥에 떨어질 제 거의 눈물을 흘릴 만큼 기뻤었다. 더구나 이날 이때에 이 팔십 전이라는 돈이 그에게 얼마나 유용한지 몰랐다. 컬컬한 목에 모주 한 잔도 적실 수 있거니와, 그보다도 앓는 아내에게 설렁탕 한 그릇도 사다 줄 수 있음이다.

- 댓바람: 아주 이른 시간
- 백동화: '백통화'의 원말. 백통(구리와 니켈 합금)으로 만든 돈
- 푼: 조선 시대 엽전 단위. 1냥이 10푼임
- 제: 적에
- 모주: 술을 거르고 남은 찌꺼기에 물을 타서 걸러 낸 막걸리

나 그의 아내가 기침으로 쿨룩거리기는 벌써 달포가 넘었다. 조밥도 굶기를 먹다시피 하는 형편이니 물론 약 한 첩 써 본 일이 없다. 구태여 쓰려면 못 쓸 바도 아니로되, 그는 병이란 놈에게 약을 주어 보내면 재미를 붙여서 자꾸 온다는 자기의 신조(信條)에 어디까지 충실하였다. 따라서 의사에게 보인 적이 없으니 무슨 병인지는 알 수 없으나, 반듯이 누워 가지고 일어나기는새로에 모로도 못 눕는 걸 보면 중증은 중증인 듯. 병이 이대도록 심해지기는 열흘 전에 조밥을 먹고 체한 때문이다.

- 달포: 한 달이 조금 넘는 기간
- 조밥: 좁쌀로만 짓거나 입쌀에 좁쌀을 많이 섞어 지은 밥
- 첩: 한방에서 약의 봉지 수를 세는 말
- 구태여: 일부러 애써
- 신조(信條): 굳게 믿어 지키고 있는 생각
- 새로에: 커녕, 고사하고
- 모로도: 옆으로도
- 이대도록: '이다지'의 비표준어: 이렇게까지

다 이 환자가 그러고도 먹는 데는 물리지 않았다. 사흘 전부터 설렁탕 국물이 마시고 싶다고 남편을 졸랐다.

㉡"이런, 조밥도 못 먹는 년이 설렁탕은……. 또, 처먹고 지랄을 하게."

라고 야단을 쳐 보았건만, 못 사 주는 마음이 시원치는 않았다.

인제 설렁탕을 사 줄 수도 있다. 앓는 어미 곁에서 배고파 보채는 개똥이(세 살 먹이)에게 죽을 사 줄 수도 있다. — 팔십 전을 손에 쥔 김 첨지의 마음은 푼푼하였다.

- 세 살 먹이: 세 살배기
- 푼푼하였다: 넉넉하였다

발단 인력거꾼 김 첨지는 오랜만에 행운을 맞음

전개

라 그러나 그의 행운은 그걸로 그치지 않았다. 땀과 빗물이 섞여 흐르는 목덜미를 기름주머니가 다 된 광목 수건으로 닦으며, 그 학교 문을 돌아 나올 때였다. 뒤에서 "인력거!" 하고 부르는 소리가 났다. 자기를 불러 멈춘 사람이 그 학교 학생인 줄 김 첨지는 한 번

◆ '인력거꾼, 김 첨지, 전찻길, 양복쟁이, 동광 학교, 전, 백동화, 푼, 조밥, 인력거, 남대문 정거장, 우장' 등은 당시 사회상을 나타내는 소재입니다.

보고 짐작할 수 있었다. 그 학생은 다짜고짜로, / "남대문 정거장까지 얼마요?"
라고 물었다. 〈중략〉 / "남대문 정거장까지 말씀입니까?"
하고 김 첨지는 잠깐 주저하였다. 그는 이 우중에 우장도 없이 그 먼 곳을 철벅거리고 가기가 싫었음일까? 처음 것, 둘째 것으로 고만 만족하였음일까? 아니다. 결코 아니다. 이상하게도 꼬리를 맞물고 덤비는 이 행운 앞에 조금 겁이 났음이다.

우장: 비를 맞지 아니하기 위해서 차려 입음. 또는 그런 복장

확인 문제

[01~02] 다음 설명이 맞으면 ○, 틀리면 ×표 하시오.

01 이 작품에서 을씨년스럽게 내리는 겨울비는 작품 전체에 어두운 분위기를 조성하는 역할을 한다. (○, ×)

02 '인력거', '김 첨지', '전찻길', '동광 학교' 등은 작품을 창작할 당시의 사회상을 반영하는 소재이다. (○, ×)

[03~04] 다음 빈칸에 들어갈 알맞은 말을 쓰시오.

03 'ㅅㄹㅌ'은 아내에 대한 김 첨지의 사랑을 드러내는 소재이다.

04 (다)에서는 ㅂㅅㅇ를 사실적으로 표현하여, 내용의 현실성과 구체성을 확보하고 있다.

실력 문제

서술

05 윗글의 서술 시점에 대한 설명으로 적절한 것은?

① 주인공이 자신의 이야기를 직접 전달한다.
② 작품 속 서술자가 인물들의 행동을 관찰하여 전달한다.
③ 작가가 객관적인 관찰자의 위치에서 보이는 것만 전달한다.
④ 작품 밖의 서술자가 전지전능한 위치에서 인물들의 내면까지 모두 전달한다.
⑤ 작품 밖의 서술자가 객관적인 입장에서 인물들의 말과 행동을 관찰하여 전달한다.

인물·사건

06 윗글의 내용과 일치하지 않는 것은?

① 김 첨지는 근 열흘 만에 돈을 벌게 되었다.
② 김 첨지는 조밥도 먹기 힘들 정도로 형편이 어렵다.
③ 김 첨지는 행운이 겹치는 데 내심 불안감을 느꼈다.
④ 김 첨지의 아내는 중증의 병을 한 달 넘게 앓고 있다.
⑤ 김 첨지는 아내의 병을 낫게 하려고 안 써 본 약이 없었다.

배경·소재

07 ㉠에 대한 설명으로 적절하지 않은 것은?

① 작품 전체의 분위기를 조성한다.
② 계절적 배경이 겨울임을 알려 준다.
③ 음산하고 을씨년스러운 느낌을 준다.
④ 인물과 인물 사이의 갈등을 심화시킨다.
⑤ 이후 벌어질 일이 밝지만은 않을 것임을 암시한다.

수능형 서술

08 ㉡에 대해 이해한 반응으로 적절하지 않은 것은?

① 비속어를 실감 나게 사용하고 있어.
② 인물의 모습을 생생하게 전달하고 있어.
③ 아내에 대한 김 첨지의 생각을 단적으로 제시하고 있어.
④ 당시 도시 하층민의 생활상을 사실감 있게 보여 주고 있어.
⑤ 속마음과는 달리 거칠게 말하는 데서 김 첨지의 무뚝뚝한 성격을 엿볼 수 있어.

운수 좋은 날 ②

독해쌤 속닥속닥

◆ (마)에서 아내가 김 첨지에게 제발 나가지 말라고 부탁하는 부분과, 일을 나가는 김 첨지에게 일찍 들어오라고 당부하는 부분은 앞으로 벌어질 일을 암시(넌지시 알림)하는 부분이에요. 소설에서는 이런 부분을 '복선'이라고 합니다. 즉 '복선'이란, 앞으로 일어날 사건을 독자에게 미리 암시하는 것을 말해요.

◆ (바)에서 김 첨지는 돈을 벌 수 있다는 기대감으로 기뻐하고 있어요. 하지만 돈 버는 데에만 정신이 팔려 있는 모습은 아니에요. 이것은 아내를 걱정하고 있는 김 첨지가 돈을 벌 욕심으로, 자기 내면의 불안감을 애써 떨쳐 내려고 하는 것으로 이해할 수 있답니다.

◆ (사)에서 집에 가까이 다다르자 김 첨지의 다리가 무거워진 것은 아내에 대한 걱정 때문이에요. 길 한복판에 엉거주춤 멈춰 있을 정도로 아내가 걱정된 것이죠. 하지만 김 첨지는 집에서 차차 멀어지자 아내에 대한 걱정을 잊기 위해 인력거를 끄는 일에 다시 몰두해요.

마 그리고 집을 나올 제 아내의 부탁이 마음에 켕기었다(마음속으로 겁이 나고 탈이 날까 불안했다). 앞집 마마(벼슬아치의 첩을 높여 부르던 말)한테서 부르러 왔을 제 병인(병자)은 그 뼈만 남은 얼굴에 유일의 생물 같은 유달리 크고 움푹한 눈에다 애걸하는 빛을 띄우며,

㉠"오늘은 나가지 말아요. 제발 덕분에 집에 붙어 있어요. 내가 이렇게 아픈데……."

라고 모깃소리같이 중얼거리며 숨을 걸그렁걸그렁하였다(가래가 목구멍에 걸려 숨 쉴 때마다 자꾸 꽤 거칠게 소리가 났다). 그때에 김 첨지는 대수롭지 않은 듯이,

㉡"압다, 젠장맞을, 빌어먹을 소리를 다 하네. 맞붙들고 앉았으면 누가 먹여 살릴 줄 알아?" / 하고 훌쩍 뛰어나오려니까, 환자는 붙잡을 듯이 팔을 내저으며

"나가지 말라도 그래, 그러면 일찍이 들어와요."

하고, 목멘 소리가 뒤를 따랐다.

정거장까지 가잔 말을 들은 순간에 경련적으로(경련을 일으키듯이) 떠는 손, 유달리 큼직한 눈, 울 듯한 아내의 얼굴이 김 첨지의 눈앞에 어른어른하였다.

바 "일 원 오십 전은 너무 과한데." / 이런 말을 하며 학생은 고개를 기웃하였다.

"아니올시다. 이수(거리를 '리(里)'의 단위로 나타낸 수)로 치면 여기서 거기가 시오 리(약 6km)가 넘는답니다. 또, 이런 진날(땅이 질퍽거리게 비나 눈이 오는 날)에는 좀 더 주셔야지요."

하고 빙글빙글 웃는 차부(마차나 우차를 부리는 사람)의 얼굴에는 숨길 수 없는 기쁨이 넘쳐흘렀다.

"그러면 달라는 대로 줄 터이니 빨리 가요."

관대한 어린 손님은 그런 말을 남기고 총총히 옷도 입고 짐도 챙기러 갈 데로 갔다.

그 학생을 태우고 나선 김 첨지의 다리는 이상하게 거뿐하였다. 달음질을 한다느니보다 거의 나는 듯하였다. 바퀴도 어떻게 속히 도는지, 구른다느니보다 마치 얼음을 지쳐 나가는 스케이트 모양으로 미끄러져 가는 듯하였다. 언 땅에 비가 내려 미끄럽기도 하였지만…….

사 이윽고 끄는 이의 다리는 무거워졌다. 자기 집 가까이 다다른 까닭이다. 새삼스러운 염려가 그의 가슴을 눌렀다.

"오늘은 나가지 말아요. 내가 이렇게 아픈데!"

이런 말이 잉잉 그의 귀에 울렸다. 그리고 병자의 움쑥 들어간 눈이 원망하는 듯이 자기를 노리는 듯하였다. 그러자 엉엉하고 우는 개똥이의 곡성(곡하는 소리, 울음소리)을 들은 듯싶다. 딸국딸국하고 숨 모으는 소리도 나는 듯싶다.

"왜 이러우? 기차 놓치겠구먼."

하고, 탄 이의 초조한 부르짖음이 간신히 그의 귀에 들어왔다. 언뜻 깨달으니 김 첨지는 인력거 채를 쥔 채 길 한복판에 엉거주춤 멈춰 있지 않은가?

"예, 예."

하고 김 첨지는 또다시 달음질하였다. 집이 차차 멀어 갈수록 김 첨지의 걸음에는 다시금 신이 나기 시작하였다. 다리를 재게(동작이 재빠르게) 놀려야만, 쉴 새 없이 자기의 머리에 떠오르는 모든 근심과 걱정을 잊을 듯이.

중략 부분 줄거리_ 남대문 정거장까지 학생을 태워다 주고 받은 일 원 오십 전의 삯에 김 첨지는 졸부가 된 듯 기뻤다. 그러나 비가 오는 궂은 날씨에 빈 인력거를 끌고 다시 돌아갈 생각으로 고달파진 김 첨지는 또다시 행운을 기대하며 정거장에서 손님을 물색한다. 양장 차림의 여자 손님에게 거절을 당한 뒤, 큰 가방을 들고 있던 손님에게 다가간 김 첨지는 육십 전에 인사동까지 손님을 태워다 주기로 한다. 거듭되는 행운에 큰돈을 벌게 된 김 첨지는 기쁘면서도 왠지 모를 불안감에 귀가를 늦추려 한다.

전개 | 김 첨지는 거듭되는 행운과 그에 따른 불안감으로 귀가를 늦춤

확인 문제

[01~02] 다음 설명이 맞으면 ○, 틀리면 ×표 하시오.

01 김 첨지는 아내에 대한 근심과 걱정을 모두 잊고 큰돈을 번 기쁨에 들떠 있다. (○, ×)

02 아픈 아내를 두고 일을 나가야 하는 모습에서 김 첨지의 가난한 처지를 알 수 있다. (○, ×)

[03~04] 다음 빈칸에 들어갈 알맞은 말을 쓰시오.

03 (마)에서 아내가 일을 나가려는 김 첨지에게 나가지 말라고 부탁하는 부분은 작품의 결말을 암시하는 ㅂㅅ의 역할을 한다.

04 (바)에서 큰돈인 '일 원 오십 전'을 벌게 된 것으로 보아, 김 첨지의 ㅎㅇ은 계속되고 있다.

실력 문제

인물·사건

05 (마)~(사)의 내용으로 적절하지 않은 것은?

① (마): 김 첨지는 집을 나올 때 했던 아내의 부탁이 신경 쓰였다.
② (바): 김 첨지는 일 원 오십 전을 한 번에 벌 수 있다는 생각에 기뻤다.
③ (바): 학생을 태우고 나선 김 첨지의 다리는 이상하리만치 가벼웠다.
④ (사): 길 한복판에 멈춰 선 김 첨지에게는 개똥이의 울음소리가 들리는 듯했다.
⑤ (사): 남대문 정거장이 먼 탓에 김 첨지의 다리는 결국 지쳐 무거워지고 말았다.

서술

06 ㉠이 작품 속에서 하는 역할로 가장 적절한 것은?

① 주제 의식을 강조한다.
② 인물 간의 갈등을 유발한다.
③ 사건 해결의 실마리를 제공한다.
④ 작품의 비극적 결말을 암시한다.
⑤ 사건을 전환시키는 새로운 계기가 된다.

인물·사건

07 ㉡에 나타나는 '김 첨지'의 모습으로 적절한 것은?

① 포악한 성격을 지녔다.
② 아내에 대한 원망이 크다.
③ 빨리 집을 벗어나고 싶어 한다.
④ 아내에 대한 불안감을 애써 외면한다.
⑤ 아내의 병세를 대수롭지 않게 여긴다.

수능형 인물·사건

08 (사)에 나타난 '김 첨지'의 심리를 걸음의 속도 변화와 연관 지어 <보기>와 같이 정리할 때, ⓐ~ⓔ에 들어갈 내용으로 적절하지 않은 것은?

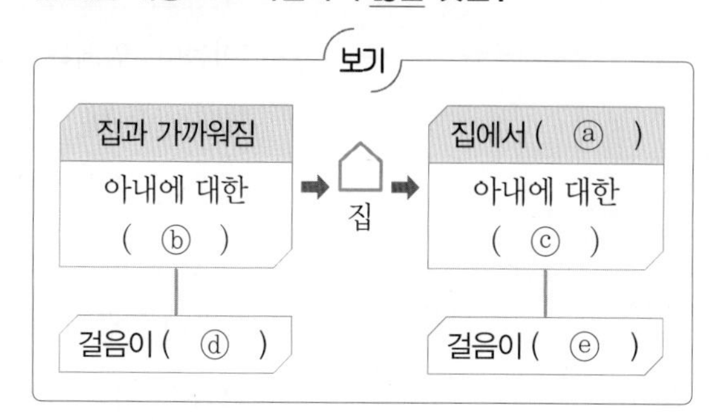

① ⓐ: 멀어짐
② ⓑ: 걱정이 깊어짐
③ ⓒ: 걱정이 모두 사라짐
④ ⓓ: 느려짐
⑤ ⓔ: 빨라짐

운수 좋은 날 ③

중략 부분 줄거리_ 불안한 마음에 사로잡혀 있던 김 첨지는 마침 길가 선술집에서 나오는 친구 치삼을 만나 몹시 반가워한다. 치삼과 함께 선술집에 들어간 김 첨지는 많은 음식과 막걸리를 시켜 허겁지겁 먹는다. 계속 술잔을 들이켜 취하게 된 김 첨지는 오늘 운수가 좋았다며 술주정을 하고, 선술집에서 술을 붓는 아이는 김 첨지가 돈이 없을까 봐 술을 더 주기를 망설인다. 이에 김 첨지는 술을 붓는 아이에게 화를 낸다.

위기

아 "이 오라질 놈들 같으니. 이놈, 내가 돈이 없을 줄 알고……."

하자마자 허리춤을 훔척훔척하더니 일 원짜리 한 장을 꺼내어 중대가리(머리를 빡빡 깎은 사람을 놀림조로 이르는 말) 앞에 펄쩍 집어던졌다. 그 사품(어떤 동작이나 일이 벌어지는 바람이나 겨를)에 몇 푼 은전이 잘그랑하며 떨어진다.

"여보게, 돈 떨어졌네. 왜 돈을 막 끼얹나?"

이런 말을 하며 치삼은 일변(어떤 일의 한 측면. 한편) 돈을 줍는다. ⓐ김 첨지는 취한 중에도 돈의 거처를 살피려는 듯이 눈을 크게 떠서 땅을 내려다보다가 불시에 제 하는 짓이 너무 더럽다는 듯이 고개를 소스라치자 더욱 성을 내며,

ⓑ"봐라, 봐! 이 더러운 놈들아! 내가 돈이 없나. 다리 뼉다구를 꺾어 놓을 놈들 같으니."

하고 치삼이 주워 주는 돈을 받아, / ㉠"이 원수엣돈! 이 육시를 할 돈!"

하면서 팔매질(작고 단단한 돌 따위를 쥐고 팔을 힘껏 흔들어서 멀리 내던지는 짓)을 친다. 벽에 맞아 떨어진 돈은 다시 술 끓이는 양푼에 떨어지며 ⓒ정당한 매를 맞는다는 듯이 쨍하고 울었다.

자 곱빼기 두 잔은 또 부어질 겨를도 없이 말려 가고 말았다. 김 첨지는 입술과 수염에 붙은 술을 빨아들이고 나서 매우 만족한 듯이 그 솔잎 송이 수염을 쓰다듬으며,

"또 부어, 또 부어." / 라고 외쳤다.

또 한 잔 먹고 나서 김 첨지는 치삼의 어깨를 치며 갑자기 깔깔 웃는다. 그 웃음소리가 어떻게 컸던지 술집에 있는 이의 눈은 모두 김 첨지에게로 몰리었다.

차 웃음소리들은 높아졌다. 그러나 그 웃음소리들이 사라지기도 전에 김 첨지는 훌쩍훌쩍 울기 시작하였다. 치삼은 어이없이 주정뱅이를 바라보며,

"금방 웃고 지랄을 하더니 우는 건 무슨 일인가?"

김 첨지는 연해(끊임없이 거듭) 코를 들이마시며,

ⓓ"우리 마누라가 죽었다네." / "뭐, 마누라가 죽다니, 언제?"

"이놈아, 언제는? 오늘이지." / "에끼 미친놈, 거짓말 마라."

"거짓말은 왜, 참말로 죽었어, 참말로……. 마누라 시체를 집에 뻐들쳐 놓고 내가 술을 먹다니, 내가 죽일 놈이야, 죽일 놈이야."

하고 김 첨지는 엉엉 소리를 내어 운다. / 치삼은 흥이 조금 깨어지는 얼굴로,

"원, 이 사람이, 참말을 하나, 거짓말을 하나? 그러면 집으로 가세, 가."

하고 우는 이의 팔을 잡아당기었다.

치삼의 잡는 손을 뿌리치더니, 김 첨지는 눈물이 글썽글썽한 눈으로 싱그레 웃는다.

"죽기는 누가 죽어." / 하고 득의양양(뜻한 바를 이루어 우쭐거리며 뽐냄)…….

"죽기는 왜 죽어, 생떼같이('생때같이'의 비표준어: 아무 탈 없이 멀쩡하게) 살아만 있단다. 그년이 밥을 죽이지. 인제 나한테 속았다, 인제 나한테 속았다." / 하고 어린애 모양으로 손뼉을 치며 웃는다.

독해쌤 속닥속닥

- 이 작품에서는 비속어가 자주 나타나고 있어요. 이와 같은 비속어의 사용을 통해 이야기의 구체성과 현실성을 확보하고 있는 것이지요. 특히 (아)~(차)에서는 비속어를 통해, 궁핍한 삶에 대한 김 첨지의 원망과 아내에 대한 불안감, 그리고 김 첨지라는 인물의 삶의 모습을 사실적으로 드러내고 있어요.
- (아)에서 김 첨지가 돈을 집어 던진 이유는 돈이 없어서 겪어야 하는 궁핍하고 비참한 삶에 대한 원망 때문이에요. 한편 취해서 집어 던진 돈을 김 첨지가 다시 찾으며 연연해하는 모습, 또 그런 자신에게 화를 내는 모습은 김 첨지의 비참한 현실을 더욱 부각하지요.
- (차)에서 김 첨지가 아내가 죽었다고 말하는 부분은 단순히 술에 취해서 횡설수설하는 것이 아니에요. 김 첨지가 두려움 때문에 집에 가지 못한 채 술을 마시고 있지만, 내심 아내의 불행을 예감하고 있다는 것을 드러낸 부분이에요.

◆ 여전히 궂은비가 계속 추적 추적 내리고 있지요? 이 작품에서 '비 오는 날'이라는 배경은 작품 전체의 분위기를 조성하고, 인물의 심리와 앞으로 전개될 사건의 비극성을 암시하는 역할을 해요.

"이 사람이 정말 미쳤단 말인가? 나도 아주먼네가 앓는단 말은 들었었는데."
하고 치삼이도 어떤 불안을 느끼는 듯이 김 첨지에게 또 돌아가라고 권하였다.

"안 죽었어, 안 죽었대도 그래."

김 첨지는 화증을 내며 확신 있게 소리를 질렀으되, 그 소리엔 안 죽은 것을 믿으려고 애쓰는 가락이 있었다. 기어이 일 원어치를 채워서 곱빼기를 한 잔씩 더 먹고 나왔다. ⓔ궂은비는 의연히 추적추적 내린다.

(가락: 여기서는 '낌새'의 뜻)

위기 | 김 첨지는 선술집에서 술을 마시며 아내에 대한 불안감을 떨치려 함

[01~02] 다음 설명이 맞으면 ○, 틀리면 ×표 하시오.

01 (아)에서는 비속어의 사용을 통해 궁핍한 삶을 원망하는 김 첨지의 심리를 효과적으로 드러낸다. (○, ×)

02 (차)에서 '궂은비'는 김 첨지의 어둡고 우울한 마음이 머지않아 기쁨으로 바뀔 것임을 암시한다. (○, ×)

[03~04] 다음 빈칸에 들어갈 알맞은 말을 쓰시오.

03 김 첨지가 친구인 ㅊㅅ과 취하도록 술을 마시는 이유는 집에 들어가기가 불안하고 두려웠기 때문이다.

04 (아)에서 김 첨지가 고생해서 번 돈을 팔매질 치는 이유는 지독한 가난 때문에 돈이 ㅇㅅ처럼 보였기 때문이다.

서술

05 윗글에 쓰인 비속어의 효과로 적절하지 않은 것은?

① 생생한 현장감을 준다.
② 인물의 처지를 강조한다.
③ 인물 간의 갈등을 부각한다.
④ 인물의 삶을 사실적으로 보여 준다.
⑤ 인물의 정서와 심리를 잘 드러낸다.

인물·사건

06 윗글에 나타난 '김 첨지'의 행동에 대한 평가로 적절하지 않은 것은?

① 연재: 힘들게 번 돈을 술 마시는 데 다 쓰고 있어.
② 시안: 열심히 일한 자신에게 주는 보상이 아닐까?
③ 이현: 술에 취해서 그런지 행동이나 말이 과장된 모습이야.
④ 연우: 하루 벌어서 하루 먹고사는 당시 하층민들의 생활상이 그려져.
⑤ 나래: 갑자기 큰 소리로 깔깔 웃는 것은 내면의 불안감을 떨치려는 행동 같아.

인물·사건 + 배경·소재

07 '김 첨지'가 ㉠처럼 말한 이유로 가장 적절한 것은?

① 돈을 벌기는 힘들어도 쓰기는 쉬워서
② 운 좋게 돈을 벌었지만 딱히 쓸 곳이 없어서
③ 돈이 없다는 이유로 사람들에게 무시를 당해서
④ 병든 아내를 뿌리치고 인력거를 끌어도 돈이 부족해서
⑤ 돈 때문에 비참한 삶을 살아야 하는 것이 원망스러워서

수능형 인물·사건 + 서술

08 ⓐ~ⓔ에 대한 설명으로 적절하지 않은 것은?

① ⓐ: 김 첨지의 속마음은 돈에 집중되어 있다.
② ⓑ: 궁핍한 삶에 대한 김 첨지의 분노가 담겨 있다.
③ ⓒ: 김 첨지의 행동에 동조하는 듯한 서술자의 태도를 엿볼 수 있다.
④ ⓓ: 아내의 죽음을 알고서도 술을 마시는 김 첨지의 몰인정함을 보여 준다.
⑤ ⓔ: 집에 돌아가야 하는 김 첨지의 어두운 심정을 대변하고, 불행한 결말을 암시한다.

운수 좋은 날 ④

독해쌤 속닥속닥

◆ 이 작품에서 '설렁탕'은 중요한 소재예요. 특히 작품의 절정과 결말 부분에서 '설렁탕'은 아내를 생각하는 김 첨지의 애정을 드러내고, 결말의 비극성을 고조시키며, 김 첨지의 가난한 현실을 상기시켜 주는 역할을 합니다.

◆ (카)에서는 서술자(작가)가 개입하여 집 안에서 느껴지는 무시무시한 정적과 불길한 침묵을 상기시키고, 이를 통해 아내의 죽음과 비극적인 결말을 암시하고 있어요.

◆ 김 첨지는 대문을 들어서면서부터 비속어를 사용하고, 또 아내를 향해 고함을 치는 모습을 보이는데, 이와 같은 행동의 이면에는 아내에게 무슨 일이 생겼을지도 모른다는 강하고 불길한 예감이 자리 잡고 있어요. 김 첨지는 이런 불안감을 떨치기 위해 과장된 말과 행동을 하며, 말 그대로 '허장성세'를 부리고 있는 거예요.

절정

카 김 첨지는 취중에도 설렁탕을 사 가지고 집에 다다랐다. 집이라 해도 물론 셋집이요, 또 집 전체를 세 든 게 아니라 안과 뚝 떨어진 행랑방 한 칸을 빌려 든 것인데, 물을 길어 대고 한 달에 일 원씩 내는 터이다. 만일 김 첨지가 주기를 띠지 않았던들 한 발을 대문 안에 들여놓았을 제 그곳을 지배하는 ㉠무시무시한 정적(靜寂) — ㉡폭풍우가 지나간 뒤의 바다 같은 정적에 다리가 떨렸으리라. 쿨룩거리는 기침 소리도 들을 수 없다. 그르렁거리는 숨소리조차 들을 수 없다. 다만 ㉢이 무덤 같은 침묵을 깨뜨리는 — 깨뜨린다느니보담 한층 더 ㉣침묵을 깊게 하고 불길하게 하는 빡빡 하는 그윽한 소리 — 어린애의 젖 빠는 소리가 날 뿐이다. 만일, 청각이 예민한 이 같으면, 그 빡빡 소리는 빨 따름이요, ㉤꿀떡꿀떡하고 젖 넘어가는 소리가 없으니, 빈 젖을 빤다는 것도 짐작할는지 모르리라.

혹은, 김 첨지도 이 불길한 침묵을 짐작했는지도 모른다. 그렇지 않으면 대문에 들어서자마자 전에 없이, / "남편이 들어오는데 나와 보지도 않아, 이년."

이라고 고함을 친 게 수상하다. 이 고함이야말로 제 몸을 엄습해 오는 무시무시한 증을 쫓아 버리려는 허장성세(虛張聲勢)인 까닭이다.

허장성세: 든든한 준비 없이 겉으로만 허풍과 세력을 과시함

타 하여간, 김 첨지는 방문을 왈칵 열었다. 구역을 나게 하는 추기 — 떨어진 삿자리 밑에서 나온 먼지내, 빨지 않은 기저귀에서 나는 똥내와 오줌내, 가지각색 때가 켜켜이 앉은 옷 내, 병인의 땀 썩은 내가 섞인 추기가, 무딘 김 첨지의 코를 찔렀다.

추기: 시신에서 나온 물 / 삿자리: 갈대를 엮어 만든 자리

방 안에 들어서며 설렁탕을 한구석에 놓을 사이도 없이 주정꾼은 목청을 있는 대로 다 내어 호통을 쳤다.

"이년, 주야장천 누워만 있으면 제일이야! 남편이 와도 일어나지를 못해?"

주야장천: 낮부터 밤까지 하염없이 계속

라는 소리와 함께 발길로 누운 이의 다리를 몹시 찼다. 그러나 발길에 차이는 건 사람의 살이 아니고 나뭇등걸과 같은 느낌이 있었다. 이때에 빡빡 소리가 응아 소리로 변하였다. 개똥이가 물었던 젖을 빼어 놓고 운다. 운대도 온 얼굴을 찡그려 붙여서 운다는 표정을 할 뿐이라, 응아 소리도 입에서 나는 게 아니고, 마치 배 속에서 나는 듯하였다. 울다가 울다가 목도 잠겼고, 또 울 기운조차 시진한 것 같다.

시진한: 기운이 빠져 없어진

절정 | 김 첨지가 설렁탕을 사 가지고 정적이 감도는 집으로 돌아옴

결말

파 발로 차도 그 보람이 없는 걸 보자, 남편은 아내의 머리맡으로 달려들어 그야말로 까치집 같은 환자의 머리를 꺼들어 흔들며,

"이년아, 말을 해, 말을! 입이 붙었어?" / "……."

"으응, 이것 봐, 아무 말이 없네." / "……."

"이년아, 죽었단 말이냐, 왜 말이 없어?" / "……."

"응으, 또 대답이 없네, 정말 죽었나 보이."

하 이러다가 누운 이의 흰창이 검은창을 덮은, 위로 치뜬 눈을 알아보자마자,

흰창: '흰자위'의 방언 / 검은창: '검은자위'의 방언

"이 눈깔! 이 눈깔! 왜 나를 바루 보지 못하고 천장만 바라보느냐, 응?"

눈깔: '눈알'을 속되게 이르는 말

하는 말끝엔 목이 메었다. 그러자 산 사람의 눈에서 떨어진 닭똥 같은 눈물이 죽은 이의

◆ 작품의 제목과 반대되는 반어적 결말로, 이 작품의 비극성(아내의 죽음)과 주제 의식을 가장 명확하게 드러내는 부분이에요.

뻣뻣한 얼굴을 어룽어룽 적시었다. 문득 김 첨지는 미친 듯이 제 얼굴을 죽은 이의 얼굴에 비비대며 중얼거렸다.

"설렁탕을 사다 놓았는데 왜 먹지를 못하니? 왜 먹지를 못하니……? 괴상하게도 오늘은 운수가 좋더니만……."

결말 김 첨지가 아내의 죽음을 확인하고 통곡함

확인 문제

[01~02] 다음 설명이 맞으면 ○, 틀리면 ×표 하시오.

01 (카)에서 개똥이의 젖 빠는 소리를 통해 아내가 아직 숨을 거두기 전임을 알 수 있다. (○, ×)

02 김 첨지가 사 들고 온 설렁탕을 끝내 먹지 못하고 숨을 거두는 아내의 모습에서 이 작품의 비극성이 고조된다. (○, ×)

[03~05] 다음 빈칸에 들어갈 알맞은 말을 쓰시오.

03 김 첨지는 아내가 죽었을지도 모른다는 불안감을 떨치기 위해, 고함을 치거나 비속어를 사용하는 등의 'ㅎㅈㅅㅅ'를 부린다.

04 (타)에서는 먼지내, 오줌내, 옷 내 등과 같은 냄새를 통해 ㅈㅇ의 분위기를 드러내고 있다.

05 이 작품은 '운수 좋은 날'이라는 제목과 반대되는 ㅂㅇ적 결말을 통해, 일제 강점기 도시 하층민의 비참한 삶을 효과적으로 드러낸다.

실력 문제

배경·소재

06 윗글에서 '설렁탕'의 역할로 적절하지 않은 것은?

① 결말의 비극성을 강조한다.
② 김 첨지의 불안감을 고조시킨다.
③ 김 첨지의 가난한 처지를 드러낸다.
④ 아내에 대한 김 첨지의 애정을 상징한다.
⑤ 김 첨지의 내면에 담긴 인간미를 보여 준다.

서술 + 주제

07 '운수 좋은 날'이라는 제목을 고려하여 윗글을 감상한 내용으로 적절하지 않은 것은?

① 결말로 보아, 제목은 반어적 표현이구나!
② 맞아. 행운이 이어졌지만 결국 아내의 죽음이라는 가장 비극적인 일이 벌어졌잖아.
③ 하루 종일 운수가 좋더니 안타깝게 설렁탕도 먹이지 못하고 아내를 떠나보내고야 말았어.
④ 김 첨지는 끝내 허장성세를 부리며 아내를 구박하다가, 아내의 죽음을 알고 나서야 결국 눈물을 흘렸어.
⑤ 이 작품은 제목과 비극적 결말이 주는 아이러니를 통해 일제 강점기 하층민의 궁핍하고 비참한 삶을 강조하고 있어.

서술

08 ㉠~㉤ 중, '아내'의 죽음을 암시하는 부분으로 적절하지 않은 것은?

① ㉠ ② ㉡ ③ ㉢ ④ ㉣ ⑤ ㉤

수능형 인물·사건

09 윗글 전체에 나타난 '김 첨지'의 심리 변화 과정을 그래프로 나타낸 것으로 적절한 것은?

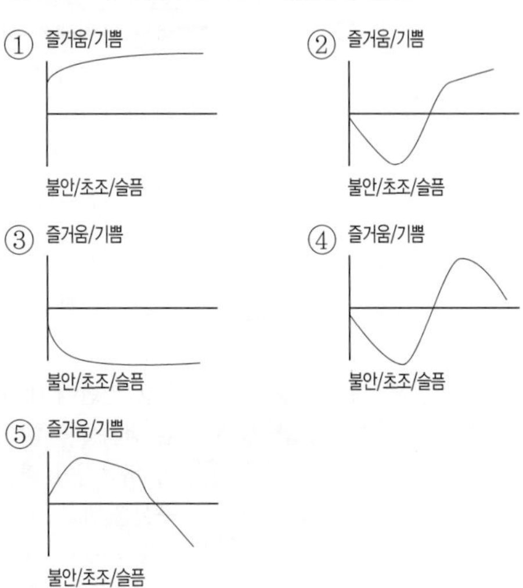

작품 전체

발단✲	전개✲	위기✲	절정✲	결말✲
인력거꾼 김 첨지는 오랜만에 ❶ㅎㅇ을 맞음	김 첨지는 거듭되는 행운과 그에 따른 불안감으로 귀가를 늦춤	김 첨지는 선술집에서 술을 마시며 아내에 대한 불안감을 떨치려 함	김 첨지가 ❷ㅅㄹㅌ을 사 가지고 정적이 감도는 집으로 돌아옴	김 첨지가 아내의 ❸ㅈㅇ을 확인하고 통곡함

✲: 교재 수록 부분

작품 압축

당시 사회상을 나타내는 소재

1920년대 사회상을 나타내는 소재

❹ㅇㄹㄱㄲ, 김 첨지, 양복쟁이, 동광 학교, 전(삼십 전, 오십 전, 팔십 전, 일 원 오십 전), 백동화, 푼(서 푼, 다섯 푼), 조밥, 인력거, 남대문 정거장, 우장, 전찻길 등 → '동소문, 행랑방 등도 시대상을 반영한 말로 보기도 함

⇓

이 작품은 일제 강점기였던 1920년대의 사회상을 반영함

'겨울비'의 역할과 '설렁탕'의 의미

'겨울비'가 내리는 날씨의 역할

- 작품의 전반적인 ❺ㅂㅇㄱ를 이끌어 감 → 어둡고 음산하고 을씨년스러움
- 김 첨지의 복잡하고 착잡한 심리 상태를 반영함
- 앞으로 다가올 불행과 비극적 결말을 암시함

'설렁탕'에 담긴 의미

- 하층민의 가난한 현실을 드러냄
- 아내에 대한 김 첨지의 ❻ㅅㄹ을 확인시켜 줌
- 아내가 설렁탕을 먹지 못하고 죽음으로써 결말의 ❼ㅂㄱㅅ을 강조함

배경·소재 / 서술 / 주제

서술상 특징

반어적 표현	병든 아내에게 설렁탕 하나 사 주지 못하는 극한 상황에 놓인 김 첨지에게 닥친 불행을 '운수 좋은 날'이라는 반어적 제목으로 표현하여 작품의 비극성을 심화함
비속어 사용	비속어를 구사하여 일제 강점기 하층민의 생활상과 심리를 사실적으로 그려 냄
❽ㅂㅅ	작품 전반에 내리는 비와 일 나가는 김 첨지를 만류하는 아내의 모습 등이 비극적인 결말을 암시하는 복선 구실을 함

'운수 좋은 날'의 반어적 의미

표면적: 돈을 많이 번 날	⇔ 상황적 반어	이면적: 아내가 죽은 날
손님이 이어져 오랜만에 큰돈을 벎		병세가 깊던 ❾ㅇㄴ가 끝내 죽음

⇓

'운수 좋은 날'의 의미

- 가장 참혹하고 비통한 날의 ❿ㅂㅇㅈ 표현
- 김 첨지가 겪은 행운이 불행한 결과에 이르게 됨을 나타냄

일제 강점기 하층민의 궁핍하고 비참한 삶에 대한 고발

어휘력 테스트

1 다음 괄호 안에 들어갈 단어를 〈보기〉에서 골라 써 보자.

> 보기
> 일변　　달포　　댓바람

(1) 엄마가 시골 할머니 댁에 가신 지 벌써 (　　　　)이/가 넘었다.

(2) 그 소식을 들으니 기쁨이 앞섰지만 (　　　　)(으)로는 안타깝기도 했다.

(3) 친구는 산에 같이 가자며 아침 (　　　　)부터 집으로 찾아와 나를 깨웠다.

2 다음 단어를 활용하기에 적절한 문장을 찾아 바르게 연결해 보자.

(1) 득의양양(得意揚揚) •　　• ㉠ 그 일을 겪은 후에, 친구는 좁은 방 안에만 틀어박혀서 (　　　　) 책만 읽었다.

(2) 허장성세(虛張聲勢) •　　• ㉡ 그 길고양이는 우리 가게 앞에 참새를 물어다 놓고 (　　　　)하게 앉아 있었다.

(3) 주야장천(晝夜長川) •　　• ㉢ 문학 분야에 대해서는 모르는 게 없다던 그녀의 말은 (　　　　)에 지나지 않았음이 밝혀졌다.

독해쌤과 함께하는 감상 넓히기

1920년대 전후의 현실을 사실적으로 담아낸 작품

이번에 감상한 「운수 좋은 날」과 같이 일제 강점기인 1920년대 전후, 우리 민중들의 삶의 모습을 사실적으로 담아낸 작품들이 많아요. 그중에는 이 작품처럼 도시 하층민의 비참한 삶을 다룬 작품들도 있고, 고통받는 농민의 모습을 다룬 작품들도 있답니다. 이런 작품들을 더 감상해 볼까요?

고향_이기영

일제 강점기 부조리한 농촌 현실에서 고통받는 농민의 모습을 사실적으로 그린 소설입니다. 일본 유학을 마치고 귀향한 '김희준'이라는 인물을 통해 식민지 자본주의에 침식되어 가는 농촌에서의 노동자 소외 현상과, 경제적 불평등으로 인한 절대적 빈곤의 현실을 구체적으로 보여 주고 있는 작품입니다.

화수분_전영택

일제의 수탈이 가속화된 시대의 궁핍한 환경 속에서, 굶주리며 죽어 간 어느 부부의 참혹한 실상을 사실적으로 묘사한 소설입니다. 재물이 자꾸 생겨서 아무리 써도 줄지 않는다는 '화수분'의 의미와, 주인공인 '화수분'의 비참한 생활이 대비되면서 비극적 결말을 효과적으로 보여 주고 있는 작품입니다.

동백꽃 1 _ 김유정

누군가를 좋아해 본 경험이 있나요? 친구의 관심을 끌고, 또 잘해 주고 싶었지만, 뜻대로 되지 않은 경험 말이죠. 어쩐지 쑥스러운 마음에 오히려 퉁명스럽게 말을 하거나, 관심을 끌려고 싫은 장난을 친 적은요? 아니면 그 반대의 입장이었을 수도 있을 거예요. 이 작품 속 인물들은 과연 어땠을지, 작품을 감상해 볼까요?

독해쌤의 감상 질문

1. 인물·사건 '나'와 점순이의 성격과 갈등 양상은 어떠한가요?
2. 배경·소재 • '삶은 감자', '닭싸움'이 의미하는 것은 무엇인가요?
   • '노란 동백꽃'이라는 배경의 기능은 무엇인가요?
3. 서술 서술자인 '나'의 특징과 이 작품의 해학적 요소는 무엇인가요?

독해쌤 속닥속닥

◆ '나'는 일부러 닭싸움을 붙이는 점순이 때문에 자기 집 닭이 괴롭힘을 당하는 것이 속상합니다. 그런데 '나'는 어리숙하여 점순이가 왜 그러는지 도통 이유를 모르죠. 뒤에 이어지는 과거 이야기를 통해 그 이유를 알 수 있을 거예요. 좀 더 읽어 볼까요?

발단

가 오늘도 또 우리 수탉이 막 쪼이었다. 내가 점심을 먹고 나무를 하러 갈 양으로 나올 때이었다. 산으로 올라서려니까 등 뒤에서 푸드덕푸드덕하고 닭의 횃소리가 야단이다. 깜짝 놀라며 고개를 돌려 보니 아니나 다르랴. 두 놈이 또 얼리었다.

점순네 수탉(은 대강이가 크고 똑 오소리같이 실팍하게 생긴 놈)이 덩저리 작은 우리 수탉을 함부로 해내는 것이다. 그것도 그냥 해내는 것이 아니라, 푸드덕하고 면두를 쪼고 물러섰다가 좀 사이를 두고 또 푸드덕하고 모가지를 쪼았다. 〈중략〉 / 이걸 가만히 내려다보자니 내 대강이가 터져서 피가 흐르는 것같이 두 눈에서 불이 번쩍 난다. 대뜸 지게막대기를 메고 달려들어 점순네 닭을 후려칠까 하다가 생각을 고쳐먹고 헛매질로 떼어만 놓았다.

이번에도 점순이가 쌈을 붙여 놨을 것이다. 바짝바짝 내 기를 올리느라고 그랬음에 틀림없을 것이다. / 고놈의 계집애가 요새로 들어서서 왜 나를 못 먹겠다고 고렇게 아르렁거리는지 모른다.

- 횃소리: 닭이나 새가 크게 날갯짓을 하여 탁탁 치는 소리
- 얼리었다: 한데 섞여 어우러지게 되었다
- 실팍하게: 사람이나 물건이 보기에 매우 실하게
- 덩저리: '몸집'을 낮잡아 이르는 말
- 해내는: 상대편을 여지없이 이겨 내는
- 면두: 닭이나 새의 이마 위에 세로로 붙은 살 조각을 뜻하는 '볏'의 사투리

발단 | 점순이가 이유 없이 '나'의 집 닭과 닭싸움을 붙여 '나'를 괴롭힘(현재)

전개 1

나 ㉠나흘 전 감자 쪼간만 하더라도 나는 저에게 조금도 잘못한 것은 없다.

계집애가 나물을 캐러 가면 갔지 남 울타리 엮는데 쌩이질을 하는 것은 다 뭐냐. 그것도 발소리를 죽여 가지고 등 뒤로 살며시 와서, / "얘! 너 혼자만 일하니?" 〈중략〉

"그럼 혼자 하지 떼루 하디?" / 내가 이렇게 내뱉은 소리를 하니까

"너, 일하기 좋니?" / 또는,

"한여름이나 되거든 하지 벌써 울타리를 하니?"

- 쪼간: '어떤 사건이나 간악한 꾀'의 사투리
- 쌩이질: '씨양이질'의 준말. 한창 바쁠 때에 쓸데없는 일로 남을 귀찮게 하는 행동

다 잔소리를 두루 늘어놓다가 남이 들을까 봐 손으로 입을 틀어막고는 그 속에서 깔깔댄다. 별로 우스울 것도 없는데, 날씨가 풀리더니 이놈의 계집애가 미쳤나 하고 의심하였다. 게다가 조금 뒤에는 즈 집께를 할금할금 돌아다보더니 행주치마의 속으로 꼈던 바른손을 뽑아서 나의 턱 밑으로 불쑥 내미는 것이다. 언제 구웠는지 아직도 더운 김이 확 끼치는 굵은 감자 세 개가 손에 뿌듯이 쥐였다.

㉡"느 집엔 이거 없지?" / 하고 생색 있는 큰소리를 하고는, 제가 준 것을 남이 알면 큰일 날 테니 여기서 얼른 먹어 버리란다. 그리고 또 하는 소리가

"너, 봄 감자가 맛있단다." / "난 감자 안 먹는다. 너나 먹어라."

나는 고개도 돌리지 않고 일하던 손으로 그 감자를 도로 어깨너머로 쑥 밀어 버렸다.

- 뿌듯이: 집어넣거나 채우는 것이 한도보다 조금 더하여 불룩하게

[A] 라 그랬더니 그래도 가는 기색(마음의 작용으로 얼굴에 드러나는 빛)이 없고, 뿐만 아니라 쌔근쌔근하고 심상치 않게 숨소리가 점점 거칠어진다. 이건 또 뭐야 싶어서 그때에야 비로소 돌아다보니 나는 참으로 놀랐다. 우리가 이 동리(주로 시골에서, 여러 집이 모여 사는 곳)에 들어온 것은 근 삼 년째 되어 오지만, 여태껏 가무잡잡한 점순이의 얼굴이 이렇게까지 홍당무처럼 새빨개진 법이 없었다. 게다 눈에 독을 올리고 한참 나를 요렇게 쏘아보더니 나중에는 눈물까지 어리는 것이 아니냐. 그리고 바구니를 다시 집어 들더니 이를 꼭 악물고는 엎어질 듯 자빠질 듯 논둑으로 횡하게(곧장 빠르게 가는 모양) 달아나는 것이다.

[01~03] 다음 설명이 맞으면 ○, 틀리면 ×표 하시오.

01 이 작품의 시점은 1인칭 관찰자 시점이다. (○, ×)

02 "느 집엔 이거 없지?"라는 점순이의 말은 '나'의 자존심을 상하게 하였다. (○, ×)

03 (가)는 현재의 상황이고, (나)~(라)는 과거의 일을 회상하고 있는 부분이다. (○, ×)

[04~05] 다음 빈칸에 들어갈 알맞은 말을 쓰시오.

04 '나'와 점순이가 현재 갈등을 겪고 있는 이유는 점순이가 일부러 붙이는 ㄷㅆㅇ 때문이다.

05 점순이가 '나'에게 건네 주면서 '나'에 대한 관심을 표현한 소재는 ㄱㅈ이다.

인물·사건

06 윗글에서 알 수 있는 내용으로 적절하지 않은 것은?

① 점순네 수탉은 '나'의 집 수탉보다 힘이 세다.
② 점순이가 '나'를 괴롭힌 것은 오늘만이 아니다.
③ 사건은 '나'가 아니라 점순이로부터 시작되었다.
④ '나'는 부당함을 점순이에게 따지지 못하고 있다.
⑤ '나'는 점순이가 '나'를 싫어해서 괴롭힌다고 생각하고 있다.

서술

07 ㉠과 같은 어투의 효과로 가장 적절한 것은?

① 사건의 원인을 바르게 파악하여 독자의 이해를 돕는다.
② 어수룩한 서술자의 특징을 부각해 해학성을 높여 준다.
③ 사소한 일도 크게 부풀려 전달하여 독자의 흥미를 유발한다.
④ 시치미를 떼면서 말하는 방법을 통해 인물의 성격을 드러낸다.
⑤ 반어적인 표현을 활용함으로써 부정적 인물을 효과적으로 풍자한다.

인물·사건

08 점순이가 ㉡과 같이 말한 이유로 적절한 것은?

① '나'를 놀리기 위해서
② 평소 '나'의 형편을 무시했기 때문에
③ 일부러 '나'의 자존심을 건드리기 위해서
④ 자신의 집안 사정을 자랑하고 싶었기 때문에
⑤ 갑작스레 '나'에게 관심을 보이기가 쑥스러워서

인물·사건

09 [A]에 나타난 '점순'의 반응에 대한 감상으로 가장 적절한 것은?

① 점순이는 감자를 싫어하는 '나'에게 실망했구나.
② 점순이는 '나'의 마음을 잘 몰라 당황해하고 있구나.
③ 점순이는 '나'와의 우정이 변할까 봐 걱정이 되었구나.
④ 점순이는 자신의 마음을 몰라주는 '나'로 인해 무안했구나.
⑤ 점순이는 자신의 말에 '나'가 상처를 받은 것 같아 미안해하고 있구나.

동백꽃 ②

독해쌤 속닥속닥

◆ (마)를 통해 평소 점순이의 성격을 짐작할 수 있어요. 부끄러울 수도 있는 질문에 천연덕스레 답하고, 솔직하며 괄괄한 점순이의 성격을 말이죠. 그런 점순이가 눈물을 보이며 달아난 상황이 '나'는 도통 이해가 되질 않죠. 점순이의 마음을 전혀 이해하지 못하는 '나'의 어수룩한 모습에 웃음이 나죠?

◆ 이 부분에는 점순이에게 함부로 할 수 없는 '나'의 입장이 나타나 있어요. 바로 '나'의 가족이 마름인 점순네의 땅을 부치며 생계를 꾸려 가고 있기 때문이죠. 이를 통해 이 작품의 시간적 배경인 1930년대의 시대상을 엿볼 수 있습니다.

◆ (사)에서 점순이는 감자를 줬다가 '나'에게 무안당한 다음 날, '나'의 씨암탉을 잡아서 때립니다. 일부러 보란 듯이 '나'의 앞에서 말이죠. 점순이의 보복이 드디어 시작된 거예요. 몹시 화가 났지만, 점순네가 마름이라 함부로 할 수 없는 '나'는 주변의 눈치를 살피다 어른들이 없다는 것을 알고 점순이에게 소리를 지르죠.

마 어쩌다 동리 어른이, / "너, 얼른 시집을 가야지?" / 하고 웃으면

"염려 마서유. 갈 때 되면 어련히 갈라구……." / 이렇게 천연덕스레 받는 점순이었다. 본시 부끄럼을 타는 계집애도 아니거니와 또한 분하다고 눈에 눈물을 보일 얼병이도 아니다. 분하면 차라리 나의 등어리를 바구니로 한번 모질게 후려 쌔리고 달아날지언정.

(얼병이: 어수룩한 사람)

바 그런데 고약한 그 꼴을 하고 가더니 그 뒤로는 나를 보면 잡아먹으려고 기를 복복 쓰는 것이다.

설혹 주는 감자를 안 받아먹은 것이 실례라 하면, 주면 그냥 주었지 "느 집엔 이거 없지?"는 다 뭐냐. 그렇잖아도 저희는 마름이고 우리는 그 손에서 배재를 얻어 땅을 부치므로 일상 굽실거린다. 우리가 이 마을에 처음 들어와 집이 없어서 곤란으로 지낼 제, 집터를 빌리고 그 위에 집을 또 짓도록 마련해 준 것도 점순네의 호의였다. 그리고 우리 어머니 아버지도 농사 때 양식이 달리면 점순네한테 가서 부지런히 꾸어다 먹으면서, 인품 그런 집은 다시없으리라고 침이 마르도록 칭찬하곤 하는 것이다. 그러면서도 열일곱씩이나 된 것들이 수군수군하고 붙어 다니면 동리의 소문이 사납다고 주의를 시켜 준 것도 또 어머니였다. 왜냐하면 내가 점순이하고 일을 저질렀다가는 점순네가 노할 것이고, 그러면 우리는 땅도 떨어지고 집도 내쫓기고 하지 않으면 안 되는 까닭이었다.

(마름: 지주(땅 주인)를 대신하여 소작권을 관리하는 사람 / 배재: 마름과 소작인이 주고받는 소작권 위임 문서 / 호의: 친절한 마음씨. 또는 좋게 생각하여 주는 마음)

그런데 이놈의 계집애가 까닭 없이 기를 복복 쓰며 나를 말려 죽이려고 드는 것이다.

전개 1 | 나흘 전 점순이가 준 감자를 '나'가 거절함(과거)

전개 2

사 눈물을 흘리고 간 그담 날 저녁나절이었다. 나무를 한 짐 잔뜩 지고 산을 내려오려니까 어디서 닭이 죽는 소리를 친다. 이거 뉘 집에서 닭을 잡나 하고 점순네 울 뒤로 돌아오다가 나는 고만 두 눈이 뚱그레졌다. 점순이가 즈 집 봉당에 홀로 걸터앉았는데, 아, 이게 치마 앞에다 우리 씨암탉을 꼭 붙들어 놓고는 / "이놈의 닭! 죽어라, 죽어라."

(봉당: 안방과 건넌방 사이의 마루를 놓을 자리에 마루를 놓지 않고 흙바닥 그대로 둔 곳)

요렇게 암팡스레 패 주는 것이 아닌가. 그것도 대가리나 치면 모른다마는 아주 알도 못 낳으라고 그 볼기짝께를 주먹으로 콕콕 쥐어박는 것이다.

(암팡스레: 야무지고 다부진 면이 있게)

나는 눈에 쌍심지가 오르고 사지가 부르르 떨렸으나, 사방을 한번 휘돌아보고야 그제서 점순이 집에 아무도 없음을 알았다. 잡은 참 지게막대기를 들어 울타리의 중턱을 후려치며 / "이놈의 계집애! 남의 닭 알 못 낳으라구 그러니?" / 하고 소리를 빽 질렀다.

그러나 점순이는 조금도 놀라는 기색이 없고 그대로 의젓이 앉아서 제 닭 가지고 하듯이 또 죽어라, 죽어라, 하고 패는 것이다. 이걸 보면 내가 산에서 내려올 때를 겨냥해 가지고 미리부터 닭을 잡아 가지고 있다가 네 보란 듯이 내 앞에 쥐지르고 있음이 확실하다.

(의젓이: 말이나 행동 따위가 점잖고 무게가 있게 / 쥐지르고: '쥐어지르고'의 준말. 주먹으로 힘껏 내지르고)

아 그러나 나는 그렇다고 남의 집에 뛰어 들어가 계집애하고 싸울 수도 없는 노릇이고, 형편이 썩 불리함을 알았다. 그래 닭이 맞을 적마다 지게막대기로 울타리나 후려칠 수밖에 별도리가 없다. 왜냐하면 울타리를 치면 칠수록 울섶이 물러앉으며 뼈대만 남기 때문이다. 허나, 아무리 생각하여도 나만 밑지는 노릇이다.

(울섶: 울타리를 만드는 데 쓰는 섶나무)

"야, 이년아! 남의 닭 아주 죽일 터이냐?"

내가 도끼눈을 뜨고 다시 꽥 호령을 하니까, 그제야 울타리께로 쪼르르 오더니 울 밖에 섰는 나의 머리를 겨누고 닭을 내팽개친다. / “에이, 더럽다! 더럽다!”

“더러운 걸 널더러 입때(여태, 지금까지) 끼고 있으랬니? 망할 계집애 년 같으니.”

하고 나도 더럽단 듯이 울타리께를 휭하니 돌아내리며 약이 오를 대로 다 올랐다라고 하는 것은 암탉이 풍기는 서슬(강하고 날카로운 기세)에 나의 이마빼기('이마'를 속되게 이르는 말)에다 물찌똥을 찍 깔겼는데, 그걸 본다면 알집만 터졌을 뿐 아니라 골병은 단단히 든 듯싶다.

확인 문제

[01~02] 다음 설명이 맞으면 ○, 틀리면 ×표 하시오.

01 점순이는 '나'에게 호의를 거절당한 것에 대한 보복으로 '나'의 닭을 때렸다. (○, ×)

02 '나'가 점순이에게 직접 화내지 못하는 이유는 점순이와 싸워서 이길 수가 없다고 생각했기 때문이다. (○, ×)

[03~04] 다음 빈칸에 들어갈 알맞은 말을 쓰시오.

03 (바)에서 '나'와 점순네의 신분 차이와 함께, 1930년대 시대적 배경을 드러내는 소재는 'ㅁㄹ'이다.

04 '나'의 어머니가 점순이와 붙어 다니지 말라고 '나'에게 주의를 준 이유는 ㄸ이 떨어질 것을 염려했기 때문이다.

실력 문제

인물·사건

05 윗글을 읽은 학생들의 감상으로 적절하지 않은 것은?

① 윤서: 점순이가 '나'의 닭을 괴롭히는 건 애증의 표현이라고 볼 수 있어.
② 소영: '나'가 울타리라도 후려친 것은 아무것도 하지 않고 있기엔 너무 분했기 때문이야.
③ 지수: 관심의 표현을 거절당하니 민망하고 부끄러워 평소 점순이답지 않은 행동을 했구나.
④ 지환: 점순이가 “느 집엔 이거 없지?”라고 말하지 않았다면 '나'는 감자를 받아먹었을지 몰라.
⑤ 형준: 적극적이고 활달한 것은 '나'나 점순이나 비슷한데, 서로 싸우며 지내는 모습이 안타까워.

인물·사건

06 '나'가 '점순'을 멀리하는 이유로 적절한 것은?

① '나'의 집과 점순네 집이 서로 앙숙이기 때문에
② '나' 역시 점순이에게 관심이 많다는 것을 들킬까 봐
③ 점순이가 이유 없이 기를 복복 쓰며 '나'를 말려 죽이려 했기 때문에
④ 점순네 어머니가 '나'에게 점순이와 친해지지 않도록 행동을 조심하라고 해서
⑤ '나'로 인해 점순네가 화가 나게 되면 땅을 도로 가져가고 집에서도 내쫓기게 될 것이라 생각했기 때문에

수능형 서술

07 (사)의 일부를 〈보기〉와 같이 바꾸었을 때, 나타나는 효과로 적절한 것은?

> **보기**
>
> 영호는 화가 몹시 났지만, 점순이에게 함부로 할 수가 없었다. 그저 지게막대기를 들어 울타리의 중턱을 후려치며
> “이놈의 계집애! 남의 닭 알 못 낳으라구 그러니?” / 라며 소리만 지를 뿐이었다.
> 점순이는 영호의 이런 반응을 미리 짐작했기에 조금도 놀라지 않았다. 그래서 일부러 계속해서 영호네 닭을 가지고 또 죽어라, 죽어라, 하고 때렸다.

① 극적 긴장감을 더 뚜렷이 느낄 수 있다.
② 서술자와 독자의 거리가 더 가까워진다.
③ 독자가 인물들의 심리를 잘 파악할 수 있다.
④ 서술자의 눈에 비친 세계만 제한적으로 보여 줄 수 있다.
⑤ 독자의 상상력을 불러일으키고 문학적 여운을 남길 수 있다.

독해쌤 속닥속닥

◆ (자)~(차)에서 점순이의 침해는 '나'의 닭을 때리는 것에 그치지 않고, 욕을 하거나 자기네 집 수탉과 '나'의 집 수탉을 일부러 싸움을 붙이는 등 날로 심해집니다. 하지만 '나'는 이렇게 집요한 점순이의 괴롭힘에 제대로 대응하지 못한 채, 억울하고 분한 나머지 눈물까지 보입니다.

◆ 점순이는 '나'에 대한 관심과 애정을 암탉을 때리거나 수탉의 닭싸움으로 표현합니다. 강하고 적극적인 점순네 수탉은 점순이의 모습을, 소극적이고 풀이 죽은 '나'의 수탉은 '나'의 모습을 닮았죠? 반복적으로 벌어지는 닭싸움은 점순이와 '나'의 갈등을 심화시키는 역할을 합니다.

◆ 이 작품은 해학적인 성격을 띠고 있어요. '해학적'이란 쉽게 말해 독자의 웃음을 자아낸다는 것이에요. 자신에 대한 점순이의 애정을 이해하지 못하는 어수룩한 '나'의 엉뚱한 생각과 반응, 토속어와 비속어, 구어체의 사용을 통한 인물의 희화화, 과장과 익살이 담긴 해학적 어조가 이 작품의 해학성을 높여 주는 기능을 한답니다.

자 그리고 나의 등 뒤를 향하여 나에게만 들릴 듯 말 듯한 음성으로

"이 바보 녀석아!" / "얘! 너 배냇병신이지?"
(배냇병신: '선천 기형'을 낮잡아 이르는 말)

그만도 좋으련만 / "얘! 너 느 아버지가 고자라지?"

"뭐? 울 아버지가 그래 고자야?" / 할 양으로 열벙거지가 나서 고개를 홱 돌리어 바라봤더니, 그때까지 울타리 위로 나와 있어야 할 점순이의 대가리가 어디 갔는지 보이지를 않는다. 그러다 돌아서서 오자면 아까에 한 욕을 울 밖으로 또 퍼붓는 것이다. 욕을 이토록 먹어 가면서도 대거리 한마디 못 하는 걸 생각하니 돌부리에 채어 발톱 밑이 터지는 것도 모를 만치 분하고, 급기야는 두 눈에 눈물까지 불끈 내솟는다.
(열벙거지: 매우 급하게 치밀어 오르는 화증을 뜻하는 '열화(熱火)'를 속되게 이르는 말)
(대거리: 상대편에게 맞서서 대듦. 또는 그런 말이나 행동)

차 그러나 점순이의 침해는 이것뿐이 아니다. / 사람들이 없으면 틈틈이 즈 집 수탉을 몰고 와서 우리 수탉과 쌈을 붙여 놓는다. 즈 집 수탉은 썩 험상궂게 생기고 쌈이라면 회를 치는 고로 으레 이길 것을 알기 때문이다. 그래서 툭하면 우리 수탉이 면두며 눈깔이 피로 흐드르하게 되도록 해 놓는다. 어떤 때에는 우리 수탉이 나오지를 않으니까 요놈의 계집애가 모이를 쥐고 와서 꾀어내다가 쌈을 붙인다.
(침해: 침범하여 해를 끼침)

전개 2 감자 사건 이후 점순이의 침해가 갈수록 심해짐(과거)

위기

카 이렇게 되면 나도 다른 배채를 차리지 않을 수 없다. 하루는 우리 수탉을 붙들어 가지고 넌지시 장독께로 갔다. 쌈닭에게 고추장을 먹이면, 병든 황소가 살모사를 먹고 용을 쓰는 것처럼 기운이 뻗친다 한다. 장독에서 고추장 한 접시를 떠서 닭 주둥아리께로 들이밀고 먹여 보았다. 닭도 고추장에 맛을 들였는지 거스르지 않고 거진 반 접시 턱이나 곧잘 먹는다. / 그리고 먹고 금세는 용을 못 쓸 터이므로 얼마쯤 기운이 들도록 홰 속에다 가두어 두었다.
(배채: 어떤 일을 하기 위한 꾀)
(용을 쓰는: 한꺼번에 기운을 몰아 쓰는)
(홰: 새장이나 닭장 속에 새나 닭이 앉을 수 있게 가로질러 놓은 막대기. 여기서는 '닭장'을 말함)

타 밭에 두엄을 두어 짐 져 내고 나서 쉴 참에 그 닭을 안고 밖으로 나왔다. 마침 밖에는 아무도 없고 점순이만 즈 울 안에서 헌 옷을 뜯는지 혹은 솜을 터는지 웅크리고 앉아서 일을 할 뿐이다. / 나는 점순네 수탉이 노는 밭으로 가서 닭을 내려놓고 가만히 맥을 보았다. 두 닭은 여전히 얼리어 쌈을 하는데 처음에는 아무 보람이 없다. 멋지게 쪼는 바람에 ㉠우리 닭은 또 피를 흘리고 그러면서도 날갯죽지만 푸드덕푸드덕하고 올라 뛰고 뛰고 할 뿐으로 제법 한 번 쪼아 보지도 못한다.
(맥을 보았다: 일이 돌아가는 형편을 살피었다)

그러나 한번은 어쩐 일인지 용을 쓰고 펄쩍 뛰더니 발톱으로 눈을 하비고 내려오며 면두를 쪼았다. 큰 닭도 여기에는 놀랐는지 뒤로 멈씰하며 물러난다. ㉡이 기회를 타서 작은 우리 수탉이 또 날쌔게 덤벼들어 다시 면두를 쪼니 그제서는 감때사나운 그 대강이에서도 피가 흐르지 않을 수 없다.
(하비고: 손톱이나 발톱으로 조금 긁어 파고)
(멈씰하며: '멈칫하여'의 방언)
(감때사나운: 생김새나 성질이 몹시 억세고 사나운)

옳다, 알았다. 고추장만 먹이면은 되는구나 하고 나는 속으로 아주 쟁그러워 죽겠다. 그때에는 뜻밖에 내가 닭쌈을 붙여 놓는 데 놀라서, 울 밖으로 내다보고 섰던 점순이도 입맛이 쓴지 눈살을 찌푸렸다. / 나는 두 손으로 볼기짝을 두드리며 연방

"잘한다! 잘한다!" / 하고 신이 머리끝까지 뻗치었다.
(쟁그러워: 미운 사람이 잘못되거나 하여 몹시 고소하여)

그러나 얼마 되지 않아서 나는 넋이 풀리어 기둥같이 묵묵히 서 있게 되었다. 왜냐하면 ㉢큰 닭이 한 번 쪼인 앙갚음으로 호들갑스레 연거푸 쪼는 서슬에 우리 수탉은 찔끔 못 하고 막 곯는다. 이걸 보고서 이번에는 점순이가 깔깔거리고 되도록 이쪽에서 많이 들으라고 웃는 것이다.

(곯는다: 해를 입어 골병이 든다)

◆ 닭에게 고추장을 먹이면 기운이 세진다는 말을 믿고 '나'의 수탉에게 고추장을 먹이고, '나'의 수탉이 싸움에서 진 것이 고추장을 적게 먹었기 때문이라고 생각해 고추장을 또 먹이는 '나'. 정말 순박하고 어수룩하죠?

중략 부분 줄거리_ 수탉이 당하는 것을 보다 못한 '나'는 수탉을 붙들어 가지고 도로 집으로 들어온다. 고추장을 좀 더 먹일걸 하고 후회가 든 '나'는 고추장 물을 타서 먹지 않으려는 수탉에게 억지로 먹인다. 그러나 고추장 물을 먹은 뒤 싱싱하던 수탉은 고개를 뒤틀고 '나'의 손아귀에서 빠드러지게 된다. 풀이 죽은 '나'는 아버지에게 들킬까 봐 수탉을 얼른 홰에다 감추어 두고, 수탉은 오늘 아침에서야 겨우 정신을 차린다.

위기 | 고추장을 닭에게 먹여 닭싸움에서 이기려던 '나'의 계획이 실패함(과거)

확인 문제

[01~02] 다음 설명이 맞으면 ○, 틀리면 ×표 하시오.

01 점순이가 '나'의 아버지를 욕하자 '나'는 결국 화를 못 참고 점순네 닭을 때린다. (○, ×)

02 (타)에서 '나'의 닭은 점순네 닭을 공격하는 듯했지만, 결국 점순네 닭에게 또다시 졌다. (○, ×)

[03~04] 다음 빈칸에 들어갈 알맞은 말을 쓰시오.

03 이 작품에서 두드러진 갈등은 점순이와 '나', 즉 인물과 인물 사이의 [ㅇ][ㅈ] 갈등이다.

04 점순이가 '나' 들으라고 웃는 것은 '나'를 [ㅇ] 올리는 행동이자, '나'의 [ㄱ][ㅅ]을 끌기 위한 행동이다.

실력 문제

배경·소재

05 '닭싸움'에 대한 설명으로 적절하지 <u>않은</u> 것은?

① '나'와 점순이의 갈등을 심화시키는 매개체이다.
② 호의를 거절한 '나'에 대한 점순이의 앙갚음이다.
③ 자신을 괴롭히는 점순이에 대한 '나'의 복수이다.
④ 애정 표현에 적극적인 점순이의 성격을 드러내 준다.
⑤ 소작인에 대한 마름의 횡포가 심했음을 간접적으로 보여 준다.

서술

06 윗글의 서술자에 대한 설명으로 적절한 것은?

① 작품 속 관찰자가 '나'와 점순이를 관찰한 모습을 그대로 옮기고 있다.
② 작품 속의 '나'가 자신의 행동과 미묘한 감정에 대해 생생하게 진술하고 있다.
③ 작품 속의 '나'가 자신이 관찰한 점순이의 행동과 심리를 구체적으로 묘사하고 있다.
④ 작품 밖 서술자가 '나'와 점순이의 갈등과 화해의 과정을 객관적으로 서술하고 있다.
⑤ 작품 밖 서술자가 '나'와 점순이의 심리와 생각을 파악하여 자세하게 전달하고 있다.

인물·사건

07 '나'가 자신의 수탉에게 고추장을 먹인 이유로 적절한 것은?

① '나'의 수탉이 평소에 고추장을 즐겨 먹어서
② 점순네 수탉과의 싸움에서 이기게 하기 위해서
③ 점순네 수탉보다 덩치를 더 크게 키우기 위해서
④ 고추장을 먹고 '나'의 수탉이 건강해지길 바라서
⑤ 점순네 수탉에게 지는 '나'의 수탉을 괴롭히려고

인물·사건

08 ㉠~㉢에 나타난 '나'의 심리 변화로 적절한 것은?

	㉠	㉡	㉢
①	분함	통쾌함	허탈함
②	좌절함	우울함	통쾌함
③	신이 남	긴장함	고소함
④	조마조마함	좌절함	분함
⑤	희망에 부풂	풀이 죽음	오기가 생김

동백꽃 4

절정

파 그랬던 걸 이렇게 오다 보니까 또 쌈을 붙여 놨으니 이 망할 계집애가 필연 우리 집에 아무도 없는 틈을 타서 제가 들어와 홰에서 꺼내 가지고 나간 것이 분명하다.

나는 다시 닭을 잡아다 가두고, 염려는 스러우나 그렇다고 산으로 나무를 하러 가지 않을 수도 없는 형편이었다. / 소나무 삭정이(말라 죽은 가지)를 따며 가만히 생각해 보니 암만해도 고년의 목쟁이를 돌려놓고 싶다. 이번에 내려가면 망할 년 등줄기를 한번 되게 후려치겠다 하고 ⓐ싱둥겅둥(건성건성) 나무를 지고는 부리나케 내려왔다. / 거지반(거의 절반) 집께 다 내려와서 나는 호드기(봄철에 물오른 버드나무 가지의 껍질을 비틀어 뽑은 껍질이나 밀짚 토막 따위로 만든 피리) 소리를 듣고 발이 딱 멈추었다. 산기슭에 널려 있는 굵은 바윗돌 틈에 노란 동백꽃이 소보록하니(많이 쌓여 좀 볼록하게) 깔리었다. 그 틈에 끼여 앉아서 점순이가 청승맞게스리(궁상스럽고 처량하여 보기에 몹시 언짢게) 호드기를 불고 있는 것이다. ⓑ그보다도 더 놀란 것은 그 앞에서 또 푸드득푸드득하고 들리는 닭의 횃소리다. 필연코 요년이 나의 약을 올리느라고 또 닭을 집어내다가 내가 내려올 길목에다 쌈을 시켜 놓고 저는 그 앞에 앉아서 천연스레 호드기를 불고 있음에 틀림없으리라.

나는 약이 오를 대로 다 올라서 ⓒ두 눈에서 불과 함께 눈물이 펵 쏟아졌다. 나무 지게도 벗어 놀 새 없이 그대로 내동댕이치고는 지게막대기를 뻗치고 허둥지둥 달려들었다.

하 가차이(가까이) 와 보니, ⓓ과연 나의 짐작대로 우리 수탉이 피를 흘리고 거의 빈사지경(거의 죽게 된 처지나 형편)에 이르렀다. 닭도 닭이려니와 그러함에도 불구하고 눈 하나 깜짝 없이 고대로 앉아서 호드기만 부는 그 꼴에 더욱 치가 떨린다. 동리에서도 소문이 났거니와 나도 한때는 걱실걱실히(성질이 너그러워 말과 행동이 시원시원하게) 일 잘하고 얼굴 예쁜 계집애인 줄 알았더니, ㉠시방 보니까 그 눈깔이 꼭 여우 새끼 같다. / 나는 대뜸 달려들어서 나도 모르는 사이에 큰 수탉을 단매(단 한 번 때리는 매)로 때려 엎었다. 닭은 푹 엎어진 채 다리 하나 꼼짝 못 하고 그대로 죽어 버렸다. 그리고 나는 멍하니 섰다가 점순이가 매섭게 눈을 홉뜨고(눈알을 위로 굴리고 눈시울을 위로 치뜨고) 닥치는 바람에 뒤로 벌렁 나자빠졌다.

"이놈아! 너 왜 남의 닭을 때려죽이니?" / "그럼 어때?" / 하고 일어나다가

㉡"뭐, 이 자식아! 누 집 닭인데?" / 하고 ⓔ복장(가슴 한복판)을 떼미는 바람에 다시 벌렁 자빠졌다. 그리고 나서 가만히 생각을 하니 분하기도 하고 무안도 스럽고, ㉢또 한편 일을 저질렀으니 인젠 땅이 떨어지고 집도 내쫓기고 해야 될는지 모른다.

절정 | 또다시 '나'의 집 닭을 괴롭히는 점순이에게 화가 난 '나'가 점순네 닭을 때려죽임(현재)

결말

거 나는 비슬비슬 일어나며 ㉣소맷자락으로 눈을 가리고는 얼김(자신도 모르게, 얼떨결에)에 엉 하고 울음을 놓았다. 그러다 점순이가 앞으로 다가와서, / "그럼, 너 이담부턴 안 그럴 테냐?"

하고 물을 때에야 비로소 살길을 찾은 듯싶었다. 나는 눈물을 우선 씻고 뭘 안 그러는지 명색도 모르건만, / "그래!" / 하고 무턱대고 대답하였다.

"요담부터 또 그래 봐라, 내 자꾸 못살게 굴 테니."

"그래그래, 인젠 안 그럴 테야." / "닭 죽은 건 염려 마라. 내 안 이를 테니."

그리고 뭣에 떠다밀렸는지 나의 어깨를 짚은 채 그대로 퍽 쓰러진다. 그 바람에 나의 몸뚱이도 겹쳐서 쓰러지며 한창 피어 퍼드러진 노란 동백꽃 속으로 폭 파묻혀 버렸다.

㉤알싸한 그리고 향긋한 그 냄새에 나는 땅이 꺼지는 듯이 온 정신이 고만 아찔하였다.

독해쌤 속닥속닥

- (파)는 과거 회상에서 다시 현재로 돌아온 부분이에요. 이것은 이 작품의 제일 처음 부분인 '오늘도 또 우리 수탉이 막 쪼이었다.'와 연결되는 내용입니다.
- (하)에서 결국 닭싸움은 '나'가 점순네 닭을 단매로 때려 죽이는 것으로 끝이 납니다. (거)에서 엉 하고 울어 버린 '나'에게 점순이는 자신의 호의를 거절하지 않는 조건으로 '나'를 용서하는데, '나'는 점순이의 말을 제대로 이해하지 못한 채 점순이의 조건을 수용하죠. 즉 이 작품에서 '닭싸움'은 '나'와 점순이의 갈등을 심화시키는 소재이면서 동시에 갈등 해소의 실마리를 제공하는 소재라고 할 수 있어요.
- '동백꽃'은 시각적 효과를 바탕으로 서정적이고 낭만적인 분위기를 형성하는 동시에, '나'와 점순이의 갈등이 해소되고 풋풋한 감정이 생겼음을 암시합니다.

너 "너 말 마라?" / "그래!" / 조금 있더니 요 아래서,

"점순아! 점순아! 이년이 바느질을 하다 말구 어딜 갔어?"

하고 어딜 갔다 온 듯싶은 그 어머니가 역정이 대단히 났다.
(역정: 몹시 언짢거나 못마땅하여서 내는 노여움이나 화)

점순이가 겁을 잔뜩 집어먹고 꽃 밑을 살금살금 기어서 산 아래로 내려간 다음, 나는 바위를 끼고 엉금엉금 기어서 산 위로 치빼지 않을 수 없었다.
(치빼지: '냅다 달아나지'의 속된 말)

결말 점순이가 '나'의 비밀을 지켜 주기로 하고, 두 사람은 동백꽃 속으로 넘어지며 화해함

확인 문제

[01~02] 다음 설명이 맞으면 ○, 틀리면 ×표 하시오.

01 닭싸움 사건이 벌어지기 전에도 '나'는 점순이를 미워했었다. (○, ×)

02 '나'는 점순네 수탉을 죽이고 나서, 집에서 내쫓길까 봐 불안한 마음에 울어 버렸다. (○, ×)

[03~04] 다음 빈칸에 들어갈 알맞은 말을 쓰시오.

03 '나'는 자신의 닭을 집어내다가 닭싸움을 시켜 놓고 ㅎㄷㄱ를 불고 있는 점순이의 모습에 매우 약이 올랐다.

04 'ㄷㅂㄲ'은 '나'와 점순이의 갈등이 해소되었음을 나타내는 동시에, 두 사람의 알싸하고 풋풋한 사랑이 시작됨을 암시하는 소재이다.

실력 문제

배경·소재 + 서술 + 주제

05 윗글에 대한 설명으로 적절하지 않은 것은?

① 1930년대 시골을 배경으로 하고 있다.
② 젊은 남녀의 순수한 사랑을 서정적으로 그리고 있다.
③ 향토적 소재와 사투리의 사용으로 작품의 분위기를 형성하고 있다.
④ 현재에서 과거로 이야기가 거슬러 가는 역순행적 구성을 보이고 있다.
⑤ 마름집 딸과 소작농네 아들의 갈등을 통해 당시의 계층 간 대립을 비판하고 있다.

인물·사건

06 윗글을 읽고 나눈 대화 내용으로 적절하지 않은 것은?

① **재희**: 갈등을 겪기 전에 '나'는 점순이에게 호감이 있었구나.
② **창규**: 닭싸움 때문에 화가 난 '나'와는 달리 점순이의 태도는 참 태연했어.
③ **미진**: 결국 점순이가 닭싸움을 붙인 건 '나'의 관심을 끌기 위해서라고 볼 수 있겠네.
④ **경문**: 이담부턴 안 그럴 거냐는 점순이의 물음을 이해하게 된 '나'는 그제야 점순이의 마음을 받아 주었어.
⑤ **연경**: 어머니의 역정에 겁을 먹고 살금살금 산을 내려가는 마지막 점순이의 모습은 지금까지의 모습과는 대조적이어서 웃음이 나.

인물·사건

07 ㉠~㉤에 대한 설명으로 적절한 것은?

① ㉠: 점순이에 대한 '나'의 애정을 드러낸다.
② ㉡: '나'에 대한 점순이의 분노가 극에 달했음을 나타낸다.
③ ㉢: '나'가 점순이와 친해져서 벌어질 상황이다.
④ ㉣: 점순이에게 자존심이 상한 '나'의 행동이다.
⑤ ㉤: '나'는 점순이에 대한 미묘한 감정과 동백꽃 향기로 인해 아찔함을 느낀 것이다.

수능형 서술

08 ⓐ~ⓔ 중, 〈보기〉의 밑줄 친 부분에 해당하는 것은?

> **보기**
> 김유정 소설의 대표적인 특징은 해학성이다. 특히 이 작품에서는 점순이의 애정 심리를 이해하지 못하는 '나'의 엉뚱한 생각과 반응, 과장과 익살이 담긴 어조를 통해 해학성을 느낄 수 있다.

① ⓐ ② ⓑ ③ ⓒ ④ ⓓ ⑤ ⓔ

작품 전체

발단✲	전개✲	위기✲	절정✲	결말✲
점순이가 이유 없이 '나'의 집 닭과 ❶ㄷㅆㅇ을 붙여 '나'를 괴롭힘(현재)	나흘 전 점순이가 준 ❷ㄱㅈ를 거절한 이후로, 점순이의 침해가 갈수록 심해짐(과거)	❸ㄱㅊㅈ을 닭에게 먹여 닭싸움에서 이기려던 '나'의 계획이 실패함(과거)	또다시 '나'의 집 닭을 괴롭히는 점순이에게 화가 난 '나'가 점순네 닭을 때려죽임(현재)	점순이가 '나'의 비밀을 지켜 주기로 하고, 두 사람은 ❹ㄷㅂㄲ 속으로 넘어지며 화해함(현재)

발단 ⇒ 전개 ⇒ 위기 ⇒ 절정 ⇒ 결말

✲: 교재 수록 부분

작품 압축

■ '나'와 '점순'의 성격과 갈등 양상

'나'	• 어수룩하며 통명스러운 성격 • 이성에 대한 관심이 없음 • 점순이의 행동을 ❺ㅇㅎ하지 못하고 엉뚱한 해석만 함

⇕ 외적 갈등

점순	• 조숙하고 ❻ㅈㄱ적인 성격 • 이성에 대한 관심이 많음 • 자신의 마음을 알아주지 않는 '나'에게 앙갚음을 함

■ 서술자의 특징과 작품의 해학적 요소

서술자 '나'	점순이의 이성적인 관심을 전혀 알아채지 못함 → 어수룩하고 눈치 없는 '나'를 통해 ❼ㅇㅇ을 자아냄

\+

• '쟁그러워', '싱둥겅둥', '걱실걱실' 등과 같은 토속어의 사용을 통한 인물의 희화화
• '두 눈에서 불과 함께 눈물이 퍽 쏟아졌다.' 등에서 볼 수 있는 과장과 익살이 담긴 해학적 어조

⇓

독자들의 웃음을 유발함 → 해학적 요소

인물·사건 / 서술 / 배경·소재

■ '삶은 감자', '닭싸움'의 의미

삶은 감자

• '나'에 대한 점순이의 ❽ㅇㅈ이 담긴 소재
• 호의를 거절당한 점순이가 닭싸움을 붙이게 된 계기

닭싸움

• 호의를 거절한 '나'에 대한 점순이의 앙갚음이자, 자신의 수탉을 괴롭히는 점순이에 대한 '나'의 보복임 → 갈등 심화의 매개체
• '나'에게 다시는 그러지 않겠다는 다짐을 받고, 점순이가 닭을 죽인 '나'를 용서함 → 갈등 ❾ㅎㅅ의 실마리

■ 배경 '노란 동백꽃'의 기능

노란 동백꽃

점순이와 '나'가 알싸하고 향긋한 노란 동백꽃 속으로 폭 파묻힘

⇓

• 낭만적, 서정적, ❿ㅎㅌㅈ 분위기를 형성함
• '나'와 점순이의 갈등이 해소되었음을 나타냄
• '나'와 점순이의 꾸밈없고 순박한 사랑을 의미함
• '나'와 점순이의 알싸하고 풋풋한 사랑이 시작될 것임을 암시함

어휘력 테스트

1 **제시된 뜻과 예문을 참고하여 다음 초성에 해당하는 단어를 괄호 안에 써 보자.**

(1) ㅊ ㅎ : 침범하여 해를 끼침

예 무분별한 CCTV 설치는 사생활 (　　　　)의 원인이 되기도 한다.

(2) ㅂ ㅅ ㅈ ㄱ : 거의 죽게 된 처지나 형편

예 오랜 전쟁으로 인해 두 나라 국민들은 모두 (　　　　)에 빠졌다.

(3) ㅁ ㄹ : 지주를 대리하여 소작권을 관리하는 사람

예 지주를 대신해 소작료를 받으러 다니는 (　　　　)과 소작인 사이의 갈등이 깊어졌다.

2 **다음 단어의 뜻을 참고하여 끝말잇기를 완성해 보자.**

호□ : 친절한 마음씨. 또는 좋게 생각하여 주는 마음

□□이 : 말이나 행동 따위가 점잖고 무게가 있게

이마□□ : '이마'를 속되게 이르는 말

□색 : 마음의 작용으로 얼굴에 드러나는 빛

색□ : 여러 색의 옷감을 잇대거나 여러 색으로 염색하여 만든, 아이들의 저고리나 두루마기의 소맷감

□리 : 주로 시골에서, 여러 집이 모여 사는 곳

독해쌤과 함께하는 감상 넓히기

역순행적 구성 방식으로 서술된 작품

이번에 감상한 「동백꽃」과 같이 현재에서 과거로 거슬러 가거나, 혹은 과거로 갔다가 다시 현재로 돌아오는 구성 방식인 '역순행적 구성'으로 이루어진 작품들이 많아요. 독자에게 궁금증과 흥미를 유발하는 역순행적 구성 방식의 작품들을 더 감상해 볼까요?

노새 두 마리_최일남

도시화·산업화가 이루어지던 1970년대를 배경으로, 급변하는 사회에 적응하지 못하는 하층민의 삶을 그린 소설입니다. 처음 노새가 집에 오게 된 2년 전의 일과 노새를 잃어버리게 된 어제의 일을 삽입한 역순행적 구성의 작품입니다.

눈길_이청준

어머니의 절절한 사랑을 깨닫고 어머니와 화해하게 되는 과정을 그린 소설입니다. '나'의 회상과 어머니와 아내의 대화를 통해 과거로 거슬러 가는 역순행적 구성으로, 감추어져 있던 사실을 하나씩 밝히고 있는 작품입니다.

하늘은 맑건만 ①

_ 현덕

가게에서 물건을 사고 받아야 할 거스름돈보다 훨씬 많은 돈을 받았다면 여러분은 어떻게 할 것 같나요? 거스름돈을 잘못 준 것 같다고 솔직하게 말한다는 친구가 많겠죠? 하지만 주인이 모른다면 그냥 꿀꺽해도 되지 않을까 살짝 고민하는 친구도 있을 것 같아요. 이 작품에 등장하는 문기가 바로 그런 상황에 놓여 있어요. 문기는 과연 어떻게 했을지, 작품을 감상해 볼까요?

독해쌤의 감상 질문

1. 인물·사건 • '문기', '수만', '작은아버지(삼촌)'의 특징과 관계는 어떠한가요?
   • 이 작품에 나타난 갈등 구조는 어떠한가요?
2. 서술 이 작품에 나타난 역순행적 구성의 효과는 무엇인가요?
3. 주제 제목 '하늘은 맑건만'에 담긴 의미는 무엇일까요?

독해쌤 속닥속닥

◆ 더 받게 된 거스름돈을 함께 쓰자고 제안하는 수만과 그런 수만의 제안에 머뭇거리는 문기를 통해, 대담하고 탐욕적인 수만의 성격과 소심하고 순수한 문기의 성격이 대조적으로 드러납니다.

발단

가 중문(대문 안에 세운 문) 안 안반(떡을 칠 때에 쓰는 두껍고 넓은 나무 판) 뒤에 숨겨 둔 공이 간 데가 없다. 팔을 넣어 아무리 더듬어도 빈탕(실속이 없는 것을 비유적으로 이르는 말)이다. 문기는 가슴이 두근거리기 시작하였다. 〈중략〉

'필시(아마도 틀림없이) 공은 거지나 동네 아이들이 집어 갔기 쉽지. 그렇잖으면 작은어머니가 알고 가만있을 리가 있나.' / 조금 후, 문기는 아랫방으로 내려갔다. / 그리고 책상 서랍을 열어 보았을 때 문기는 또 좀 놀랐다. 서랍 속에 깊숙이 간직해 둔 쌍안경이 보이질 않는다. 그것뿐이 아니다. 서랍 안이 뒤죽박죽이고 누가 손을 댔음이 분명하다.

'인제 얼마 안 있으면 작은아버지가 회사에서 돌아오시겠지. 그리고 필시 일은 나고 말리라.'

나 ㉠며칠 전 일이다. 문기는 저녁에 쓸 고기 한 근을 사 오라고 숙모에게 지전(지폐) 한 장을 받았다. 언제나 그맘때면 사람이 붐비는 삼거리 고깃간이다. 한참을 기다려서 문기 차례가 왔다. 문기는 지전을 내밀었다. 뚱뚱보 고깃간 주인은 그 돈을 받아 둥구미(짚으로 둥글고 울이 깊게 결어 만든 그릇. 주로 곡식이나 채소 등을 담는 데에 쓰임)에 넣고 천천히 고기를 베어 저울에 단 후 종이에 말아 내밀었다. 그리고 그 거스름돈으로 지전 아홉 장과 그 위에 은전 몇 닢을 얹어 내주는 것이 아닌가.

문기는 어리둥절하였다. 처음 그 돈을 숙모에게 받을 때와 고깃간 주인에게 내밀 때까지도 일 원짜리로만 알았던 것이다. 문기는 돈과 주인을 의심스레 쳐다보았다.

발단 문기는 숙모의 심부름을 갔다가 고깃간 주인에게 거스름돈을 더 받음

중략 부분 줄거리_ 문기는 골목길에서 수만을 만나 고깃간에서 너무 많은 거스름돈을 받은 사정을 이야기한다. 수만은 잔돈만 작은어머니에게 건네 보고, 작은어머니가 아무 말 없거든 좋은 일이 있을 테니 자기한테 나오라고 한다. 수만의 말대로 한 문기는 작은어머니가 아무 말 없으시자 수만이 있는 문밖으로 나간다.

전개 1

다 수만이가 있다던 좋은 일이란 다른 것이 아니었다. 거리에서 보고 지내던 온갖, 가지고 싶고 해 보고 싶은 가지가지를 한번 모조리 돈으로 바꾸어 보자는 것이다. 그러나 문기는, / "돈을 쓰면 어떻게 되니?" / "염려 없어. 나 하는 대로만 해."
하고 머뭇거리는 문기 어깨에 팔을 걸고 수만이는 우쭐거리며 걸음을 옮긴다.

하긴 문기 역시 돈으로 바꾸고 싶은 것이 없지 않은 터, 그리고 수만이가 시키는 대로 하기만 하면 남이 하래서 하는 것이니까 어떻게 자기 책임은 없는 듯싶었다. 그리고 수만이는 수만이대로 돈은 문기가 만든 돈, 나중에 무슨 일이 난다 하여도 자기 책임은 없으니까 또 안심이었다. 이래서 두 소년은 마침내 (㉡   ) 말았다.

그래도 으슥한 골목을 걸을 때에는 알 수 없는 두려움에 가슴이 두근거리었으나 밝은 큰 행길로 나오자 차차 다른 기쁨으로 변했다. 길 좌우편 환한 상점 유리창 안의 온갖 것이 모두 제 것인 양 손짓해 부르는 듯했다. 드디어 그들은 공을 샀다. 만년필을 샀다. 쌍안경을 샀다. 만화책을 샀다. 그리고 활동사진 구경도 갔다. 다니며 이것저것 군것질도 했다.

전개 1 거스름돈으로 물건을 사고 군것질을 한 문기와 수만

[01~03] 다음 설명이 맞으면 ○, 틀리면 ×표 하시오.

01 이 작품은 1인칭 주인공인 서술자가 자신의 이야기를 직접 서술하는 방식으로 내용이 전개되고 있다. (○, ×)

02 '지전', '고깃간', '둥구미' 등을 통해 이 작품의 배경이 1930년대임을 알 수 있다. (○, ×)

03 (가)에서 문기는 책상 서랍에서 쌍안경을 발견하고는 기쁜 마음에 가슴이 두근거렸다. (○, ×)

[04~05] 다음 빈칸에 들어갈 알맞은 말을 쓰시오.

04 문기는 ㅈㅇㅇㅂㅈ에게 자신의 잘못을 들킨 것 같아 걱정스러웠다.

05 (나)에서 문기는 고깃간 주인에게 ㄱㅅㄹㄷ을 잘못 받고 어리둥절했다.

인물·사건

06 '문기'와 '수만'에 대한 설명으로 적절하지 <u>않은</u> 것은?

① 수만은 거스름돈을 쓰는 것에 주저하지 않았다.
② 문기와 수만은 자신들의 잘못을 합리화하였다.
③ 수만은 고깃간 주인을 속여 많은 돈을 받아 냈다.
④ 문기는 정직하지 않은 방법으로 공과 쌍안경을 얻었다.
⑤ 문기는 수만과 대조적으로 소심하고 순진한 심성을 지녔다.

인물·사건

07 윗글에서 '문기'가 심리적 갈등을 겪게 되는 최초의 원인으로 가장 적절한 것은?

① 문기가 수만과 어울리지 않은 것
② 누군가 문기의 방을 어지럽혀 놓은 것
③ 문기가 작은아버지 집에서 살고 있는 것
④ 문기가 고깃간에서 거스름돈을 많이 받은 것
⑤ 문기가 친구들 몰래 자기 집에 쌍안경을 숨겨 둔 것

인물·사건

08 (나)~(다)에 나타난 '문기'의 심리 변화를 정리할 때, ⓐ에 들어갈 심리로 가장 적절한 것은?

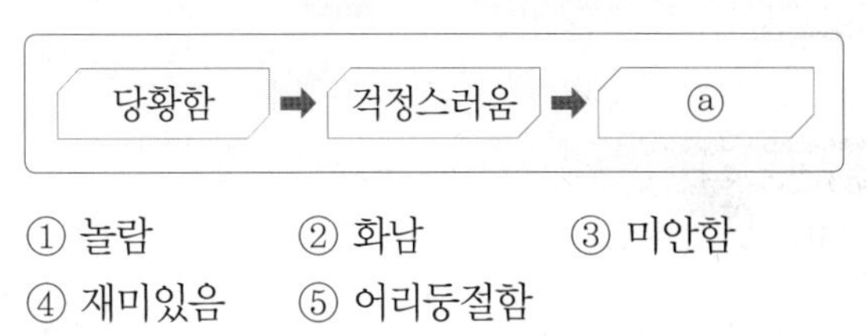

① 놀람 ② 화남 ③ 미안함
④ 재미있음 ⑤ 어리둥절함

서술

09 ㉠에 대한 설명으로 적절하지 <u>않은</u> 것은?

① 독자의 궁금증과 호기심을 유발한다.
② 문기의 심리를 구체적으로 묘사한 부분이다.
③ 현재에서 과거로 이야기가 전환되는 부분이다.
④ 시간의 흐름이 역순행적으로 진행됨을 나타낸다.
⑤ 문기의 현재 상황이 며칠 전 일과 관련되어 있음을 드러낸다.

어휘

10 ㉡에 들어갈 관용 표현으로 적절한 것은?

① 손에 익고 ② 손을 끊고
③ 손이 맞고 ④ 손을 씻고
⑤ 손을 놓고

하늘은 맑건만 ②

전개 2

라 삼촌은 상 밑에 있는 그 공을 굴려 내며, / "이거 웬 공이냐?" / "수만이가 준 공예요."

"이것두?" / 하고 삼촌은 무릎 밑에서 쌍안경을 꺼내 들었다. / "네."

"수만이란 얼마나 돈을 잘 쓰는 아인지 몰라두 이 공은 오십 전은 줬겠구나. 이건 못 줘도 일 원은 넘겨 줬겠구." / 그리고 삼촌은, / "수만이란 뭣 하는 집 아이냐?"

㉠문기는 고개를 숙이고 앉아 말이 없다. 삼촌은 숭늉을 마시고 상을 물렸다.

"네 입으로 수만이가 줬다니 네 말이 옳겠지. 설마 네가 날 속이기야 하겠니. 하지만 남이 준다고 아무것이고 덥적덥적 받는다는 것두 좀 생각해 볼 일이거든."

마 문기는 벌겋게 얼굴이 달아 수그리고 앉았다. 삼촌은 잠시 묵묵히 건너다만 보고 있더니 음성을 고쳐 엄한 어조로,

"어머님은 어려서 돌아가시구 아버지는 저 모양이시구, 앞으로 집안을 일으킬 사람은 너 하나야. 성실치 못한 아이들하고 얼려 다니다 혹 나쁜 데 빠지거나 하면 첫째 네 꼴은 뭐구, 내 모양은 뭐냐? 난 너 하나는 어디까지든지 공부도 시키구 사람을 만들어 주려구 애쓰는데 너두 그 뜻을 받아 주어야 사람이 아니냐."

그리고 삼촌은 어떻게 뒤뚝 맘 한번 잘못 가졌다가 영 신세를 망치고 마는 예를 이것저것 들어 말씀하고는 이후론 절대 이런 것 받아들이지 말라는 단단한 다짐을 받은 후 문기를 내보냈다.

뒤뚝: 큰 물체나 몸이 중심을 잃고 한쪽으로 기울어지는 모양. 여기는 '자칫'이라는 뜻을 지님

> 전개 2 문기는 숨겨 둔 물건들을 들켜, 삼촌에게 남의 물건을 함부로 받지 말라는 꾸중을 듣게 됨

전개 3

바 ㉡문기는 삼거리 고깃간을 향해 갔다. 그리고 골목으로 돌아가 나머지 돈을 종이에 싸서 담 너머로 그 집 안마당을 향해 던졌다.

그제야 문기는 무거운 짐을 풀어 놓은 듯 어깨가 거뜬했다. 아까 물 위로 둥실둥실 떠가던 그 공, 지금은 벌써 십 리고 이십 리고 멀리 떠갔을 듯싶은 그 공과 함께 문기는 자기의 허물도 멀리 사라져 깨끗이 벗어난 듯 속이 후련했다. 그리고,

"다시는, 다시는……."

하고 ㉢문기는 두 번 다시 그런 허물을 범하지 않겠다고 백번 다지며 집을 향해 돌아간다.

그러나 문기는 그것만으로는 도저히 자기 허물을 완전히 벗을 수 없었다.

중략 부분 줄거리_ 문기가 집 어귀에 이르렀을 때 수만이 반기며 나타난다. 수만은 낮에 함께 사기로 약조한(조건을 붙여서 약속한) 환등 틀을 사러 가자고 한다. 그러자 문기는 싫다고 하며, 공과 쌍안경을 모두 버리고 남은 돈을 고깃간 마당에 던졌다고 말한다. 하지만 수만은 이를 믿지 않고 문기 혼자 돈을 쓰려 한다고 생각한다.

사 "거짓말 아니다. 참말야." / 할 뿐, ㉣문기는 어떻게 변명할 줄을 몰라 쳐다보기만 하다가 고개를 떨어뜨리고 울상을 한다.

"오늘 작은아버지에게 막 꾸중 듣구. 그리고 나두 인젠 그런 건 안 헐 작정이다."

"그래도 나하고 약조헌 건 실행해야지. 싫으면 너는 빠져도 좋아. 그럼 돈만 이리 내."

하고 턱 밑에 손을 내민다. / "정말 없대두 그래."

독해쌤 속닥속닥

◆ 문기의 얼굴이 벌겋게 달아오른 이유는 무엇일까요? 문기는 공과 쌍안경이 어디서 난 것인지 묻는 삼촌 앞에서 자신이 저지른 행동에 부끄러움을 느끼고, 자신의 말을 믿어 주는 삼촌에게 거짓말을 한다는 사실에 죄책감이 들었기 때문입니다.

◆ 형을 대신하여 조카인 문기를 바르게 키우기 위해 애쓰고 있는 삼촌은 문기를 아끼며 문기의 장래를 걱정하는 마음으로 문기를 엄하게 훈계하고 있어요. 이를 통해 삼촌이 책임감이 강하며, 올바른 가치관을 지니고 있는 엄격한 성격의 소유자임을 알 수 있죠.

◆ 수만이 자신의 말을 믿지 않자 어찌할 바를 모르는 문기의 모습에서, 문기의 착한 심성과 소심하고 순진한 성격을 알 수 있어요. 또한 삼촌의 꾸중을 듣고 양심에 걸리는 행동은 하지 않겠다는 문기의 말을 통해, 문기의 정직한 면모도 엿볼 수 있지요.

ⓜ수만이는 내밀었던 손으로 대뜸 멱살을 잡는다. 〈중략〉

"낼은 안 만날 테냐, 어디 두고 보자." / 하고 피해 가는 문기 등을 향해 소리쳤다.

전개 3 문기는 남은 돈을 고깃간 집 안마당에 던지고, 그 사실을 수만에게 말함

확인 문제

[01~03] 다음 설명이 맞으면 ○, 틀리면 ×표 하시오.

01 문기가 찾고 있던 공과 쌍안경은 숙모가 숨겨 두고 있었다. (○, ×)

02 (바)에서 문기는 물 위로 멀리 떠갔을 공을 생각하며 서운함을 느꼈다. (○, ×)

03 (사)에서 수만은 문기가 혼자 돈을 쓰고 싶어서 거짓말을 한다고 생각했다. (○, ×)

[04~06] 다음 빈칸에 들어갈 알맞은 말을 쓰시오.

04 문기는 ㅅㅊ에게 공과 쌍안경을 수만이 준 것이라고 거짓말을 했다.

05 문기는 남은 돈을 종이에 싸서 고깃간 집 ㅇㅁㄷ에 던졌다.

06 (사)에서 수만은 문기에게 남은 돈으로 환등 틀을 사러 가자는 ㅇㅈ를 지키라고 요구했다.

인물·사건

07 윗글의 내용과 일치하지 않는 것은?

① 삼촌은 문기의 부모님을 대신해 문기를 키우고 있다.
② 수만은 양심을 지키기보다는 욕심을 채우려 하고 있다.
③ 삼촌은 문기의 장래를 중요시하며 문기를 걱정하고 있다.
④ 문기의 아버지는 부모의 역할을 제대로 하지 못하고 있다.
⑤ 문기는 자신을 믿어 주는 삼촌을 보며 안도감을 느끼고 있다.

인물·사건

08 (사)에서 '수만'의 태도가 앞으로의 내용 전개에 미치는 영향으로 가장 적절한 것은?

① 독자의 예상을 뒤집는 반전을 가져온다.
② 문기의 내적 갈등이 완전히 해소되도록 돕는다.
③ 문기와의 오해를 제시하며 갈등 해결의 실마리를 제공한다.
④ 문기가 잘못을 스스로 깨닫고 잘못을 반복하지 않도록 이끌어 준다.
⑤ 문기가 또 다른 갈등을 겪을 것임을 암시하며 긴장감을 불러일으킨다.

인물·사건

09 ㉠~㉤ 중, 〈보기〉의 설명에 해당하는 것은?

보기
- 인물 간의 외적 갈등이 본격적으로 드러남
- 인물의 내적 갈등이 심해지는 계기가 됨

① ㉠ ② ㉡ ③ ㉢ ④ ㉣ ⑤ ㉤

수능형 인물·사건 + 배경·소재

10 (바)를 토대로 할 때, '문기'가 〈보기〉의 밑줄 친 행동들을 한 이유로 가장 적절한 것은?

보기

골목 하나를 돌아서 나올 즈음, <u>문기는 모르고 흘리는 것인 양 슬며시 쌍안경을 꺼내 길바닥에 떨어뜨렸다.</u> 그리고 걸음을 빨리 건너편 골목으로 들어간다. / 개천가 앞에 이르렀다. 거기서 문기는 커다란 공을 바지 앞에 품고 앉아서 길 가는 사람이 없기를 기다린다. / 자전거가 가고 노인이 오고 동이 뜬 그 중간을 타서 <u>문기는 허옇게 흐르는 물 위로 공을 던져 버렸다.</u>

① 자신의 허물을 사람들이 모르게 하려고
② 양심의 가책과 부끄러움에서 벗어나려고
③ 자신에게 잘못이 없다는 것을 증명하려고
④ 남은 돈을 수만과 나누지 않고 혼자 쓰려고
⑤ 고깃간 주인에게 자신의 잘못을 털어놓으려고

하늘은 맑건만 ③

독해쌤 속닥속닥

◆ 판장과 빈지판에 쓰인 글을 본 문기의 마음은 어땠을까요? 아마 예상하지 못한 일이 벌어져 무척 당황했을 거예요. 또한 자신이 저지른 잘못이 들통날까 봐 두렵고 불안했겠죠. 한편 남은 돈을 받아 내기 위해 문기를 이토록 괴롭히는 수만의 모습에서 집요함과 비열함이 느껴집니다.

◆ 수만의 협박을 견디지 못한 문기는 결국 두 번째 잘못을 저지릅니다. 숙모의 돈을 훔쳐서 수만에게 갖다준 것이지요. 문기는 이 일 때문에 더욱 괴로워하게 된답니다.

◆ 점순의 울음소리를 들은 문기는 점순이 자신 때문에 누명을 쓰고 쫓겨났다는 생각에 무척 괴롭고 미안한 마음이 들었을 거예요. 그래서 결국 문기는 뜬눈으로 밤을 새우게 되죠. 이 일은 문기의 양심을 자극하고 내적 갈등을 더욱 심화하게 됩니다.

위기

아 이튿날 아침이다. 학교를 가는 길에 문기가 큰 행길로 나오자 맞은편 판장에 백묵으로 커다랗게 "김문기는" 하고 그 밑에 동그라미 셋을 쳐 "○○○ 했다" 하고 쓰여 있다. 그리고 학교 어귀에 이르러 삼거리 잡화상 빈지판에도 같은 것이 쓰여 있는 것이다.

(판장: 널판장. 널빤지로 친 울타리 / 빈지판: 빈지문. 한 짝씩 끼웠다 떼었다 하게 만든 문)

문기는 이번에도 무춤하고 보다가는 얼른 모자를 벗어서 이름자만 지워 버렸다.

(무춤하고: 놀라거나 어색한 느낌이 들어 갑자기 하던 짓을 멈추고)

그러는 것을 건너편 길모퉁이에서 수만이가 ⓐ일그러진 웃음으로 보고 섰다. 그리고 문기가 앞으로 지나가자, / "왜, 겁이 나니? 지우게." / 하고 뒤를 오면서 작은 소리로,

"그래, 정말 돈 너만 두고 쓸 테냐? 그럼 요건 약과다."

(약과: 그만한 것이 다행임. 또는 그 정도는 아무것도 아님을 이르는 말)

그리고 수만이는 추근추근하게 쫓아다니며 은근히 골렸다.

(추근추근하게: 성질이나 태도가 검질기고 끈덕지게)

자 "앞에 가는 아이는 공공공 했다지." / 그리고 점점 더해 나중엔 도적질을 거꾸로 붙여서, "앞에 가는 아이는 질적도 했다지." / 하고 거리거리 외며 따라오는 것이다.

문기 집 가까이 이르렀다. 수만이는 문기 앞으로 다가서며 작은 음성으로 조졌다.

(조졌다: 일이나 말이 허술하게 되지 않도록 단단히 단속했다)

ⓑ"너, 지금으로 가지고 나오지 않으면 낼은 가만 안 둔다. 도적질했다 하구 똑바루 써 놀 테야." / 문기는 여전히 못 들은 척 걸음만 옮긴다.

중략 부분 줄거리_ 수만의 협박을 더는 견딜 수 없었던 문기는 결국 숙모의 돈을 훔쳐 수만에게 주고 만다. 또 다시 잘못을 저지른 뒤 풀이 죽은 문기는 그 돈 값어치만큼 밥도 덜 먹고 학용품을 아껴 쓰는 등 그렇게 갚으면 될 일 아닌가 하며 자기의 잘못을 합리화하지만, 죄책감 때문에 쉽게 집으로 돌아가지 못한다.

차 숙모가 방에서 나오다 보고, / "너, 학교에서 인제 오니?"

그리고 이어, / "너 혹 붙장 안의 돈 봤니?" / 하다가는 채 문기가 입을 열기 전에 숙모는,

"학교서 지금 오는 애가 알겠니. 참, 점순이 고년 앙큼헌 년이드라. 낮에 내가 뒤꼍에서 화초 모종을 내고 있는데 집을 간다고 나가더니 글쎄, 돈을 집어 갔구나." / 문기는 잠잠히 듣기만 한다. ⓒ그러나 속으로는 갚으면 고만이지 소리를 또 한 번 외어 본다.

(앙큼헌: 앙큼한. 엉뚱한 욕심을 품고 깜찍하게 분수에 넘치는 짓을 한)

그날 밤이었다. 아랫방 들창 밑에 훌쩍훌쩍 우는 어린아이 울음소리가 났다. 아랫집 심부름하는 아이 점순이 음성이었다. 숙모가 직접 그 집에 가서 무슨 말을 한 것은 아니로되 자연 그 말이 한 입 건너 두 입 건너 그 집에까지 들어갔고, 그리고 그 집주인 여자는 점순이를 때려 쫓아낸 것이다. 먼저는 동네 아이들이 모여 지껄지껄하더니 차차 하나 가고 둘 가고 훌쩍훌쩍 우는 그 소리만 남는다. ⓓ방 안의 문기는 그 밤을 뜬눈으로 새웠다.

위기 | 문기는 수만의 협박에 숙모의 돈을 훔쳐서 주고, 누명을 쓰고 쫓겨난 점순을 보며 밤을 새움

절정

카 학교엘 갔다. 첫 시간은 수신 시간, 그리고 공교로이 제목이 '정직'이다. 선생님은 뒷짐을 지고 교단 위를 왔다 갔다 하며 거짓이라는 것이 얼마나 악한 것이고 정직이 얼마나 귀하고 중한 것인가를 누누이 말씀한다. 그리고 안경 쓴 선생님의 그 눈이 번쩍하고 문기 얼굴에 머물렀다 가고 가고 한다. / 그럴 때마다 문기는 가슴이 뜨끔뜨끔해진다. ㉠문기는 자기 한 사람에게만 들리기 위한 정직이요 수신 시간인 듯싶었다. 그만치 선생님은 제 속을 다 들여다보고 하는 말인 듯싶었다.

(수신: 일제 강점기에 바른 품성을 기르기 위해 만든 과목. 지금의 도덕 과목임)

◆ 제목이기도 한 '하늘을 맑건만'이란 표현은 죄책감으로 어두운 문기의 심리적 상황과 대조되고 있습니다.

운동장에서도 문기는 풀이 없다. 사람 없는 교실 뒤 버드나무 옆 그런 데만 찾아다니며 고개를 숙이고 깊은 생각에 잠기거나 팔짱을 찌르고 왔다 갔다 하기도 한다. 그러다 누가 등을 치면 소스라쳐 깜짝깜짝 놀란다.

언제나 다름없이 하늘은 맑고 푸르건만 문기는 어쩐지 그 하늘조차 쳐다보기가 두려워졌다. 자기는 감히 ⓔ떳떳한 얼굴로 그 하늘을 쳐다볼 만한 사람이 못 된다 싶었다.

확인 문제

[01~03] 다음 설명이 맞으면 ○, 틀리면 ×표 하시오.

01 수만은 문기의 도둑질에 화가 나서 문기의 잘못을 알리려고 했다. (○, ×)

02 문기는 수만의 협박을 못 이겨 숙모의 돈을 훔쳐 수만에게 줬다. (○, ×)

03 (차)에서 숙모는 붙장 안의 돈을 수만이 훔쳐 갔다고 생각했다. (○, ×)

[04~06] 다음 빈칸에 들어갈 알맞은 말을 쓰시오.

04 [ㅈ][ㅅ]은 문기가 저지른 잘못을 뒤집어쓰게 되었다.

05 '수신'이라는 교과목으로 볼 때, 이 작품의 시대적 배경은 [ㅇ][ㅈ] [ㄱ][ㅈ][ㄱ]라는 것을 알 수 있다.

06 문기는 수신 시간에 '[ㅈ][ㅈ]'에 대해 배우면서 양심의 가책을 느끼고 괴로워했다.

인물·사건

07 '수만'에 대한 '문기'의 태도로 적절하지 않은 것은?

① 자신의 잘못을 소문낼까 봐 불안해했다.
② 과감해지는 수만의 행동에 내적 갈등이 깊어졌다.
③ 수만의 괴롭힘이 심해지자 적극적으로 맞서려고 했다.
④ 수만의 협박에 시달리다가 마지못해 원하는 것을 들어줬다.
⑤ 의도적으로 자신을 골리는 수만의 모습에 점점 더 긴장하게 됐다.

인물·사건

08 '문기'의 내적 갈등을 심화시키는 사건이 아닌 것은?

① 수만이 문기의 잘못과 관련된 낙서를 함
② 돈을 훔쳤다는 누명을 쓰고 점순이 쫓겨남
③ 맑고 푸른 하늘을 쳐다보는 것이 두려워짐
④ 돈이 없어진 것을 두고 숙모가 문기를 의심함
⑤ 수신 시간에 바르게 사는 삶의 중요성을 배움

인물·사건

09 (카)에 두드러지게 나타난 갈등의 예로 적절한 것은?

① 반칙을 한 상대 선수에게 항의한 은주
② 서자라서 벼슬길에 오를 수 없었던 길동
③ 서로 다른 정당을 지지하는 어머니와 아버지
④ 갑작스런 산사태로 인해 집이 폐허가 된 준현
⑤ 친구에게 어떻게 사과해야 할지 고민하는 주은

인물·사건 + 어휘

10 문맥상 ㉠의 상황을 가장 잘 나타내는 속담은?

① 눈 가리고 아웅
② 도둑이 제 발 저리다
③ 백지장도 맞들면 낫다
④ 고래 싸움에 새우 등 터진다
⑤ 가는 말이 고와야 오는 말이 곱다

인물·사건 + 주제

11 ⓐ~ⓔ에 대한 설명으로 적절하지 않은 것은?

① ⓐ: 당황해하는 문기를 향한 비웃음이다.
② ⓑ: 수만의 집요하고 비열한 성격이 드러난다.
③ ⓒ: 다른 사람에게 허물을 뒤집어씌우는 문기의 비겁함이 드러난다.
④ ⓓ: 점순에 대한 미안함 때문이다.
⑤ ⓔ: '양심을 지키며 사는 사람'에 해당한다.

하늘은 맑건만 ④

독해쌤 속닥속닥

◆ (타)에서 '컴컴하고 무거운 마음'에 잠긴 문기는 '떳떳이 하늘을 쳐다볼 수 있는 마음'을 갖고 싶다고 말합니다. 이 말은 잘못을 저지르기 전의 떳떳한 마음으로 돌아가고 싶다는 뜻이지요. 이를 통해 여기서 '하늘'은 맑고 깨끗한 마음과 양심, 부끄러움과 죄책감이 없는 마음 상태를 의미한다는 것을 알 수 있어요.

타 언제나 다름없이 여러 아이들은 넓은 운동장에서 마음대로 뛰고 마음대로 지껄이고 마음대로 즐기건만 문기 한 사람만은 어둠과 같이 컴컴하고 무거운 마음에 잠겨 고개를 들지 못한다. 무엇보다도 문기는 전일처럼 맑은 하늘 아래서 아무 거리낌 없이 즐길 수 있는 마음이 갖고 싶다. 떳떳이 하늘을 쳐다볼 수 있는, 떳떳이 남을 대할 수 있는 마음이 갖고 싶었다.

파 오후 해 저물녘이다. 문기는 책보를 흔들흔들 고개를 숙이고 담임 선생님 집 앞을 왔다가는 무춤하고 섰다가 그대로 지나가고 그대로 지나가고 한다. 〈중략〉 선생님은 문기를 안방으로 맞아들였다. 학교에서 볼 때 엄하고 딱딱하던 선생님은 의외로 부드러이 웃는 낯으로 문기를 대한다. / 문기는 선생님 앞에 엎드려 모든 것을 자백할 결심이었다. 그런데 선생님의 부드러운 태도에 도리어 문기는 말문이 열리지 않았다. 다음은 건넌방에서 어린애가 울어 못 했다. 다음은 사모님이 들락날락하고 그리고 다음엔 손님이 왔다. 기어이 문기는 입을 열지 못한 채 물러 나오고 말았다.

◆ 숙모의 돈을 훔친 일부터 점순이 자기 대신 돈을 훔쳤다는 누명을 쓴 일, 수신 시간에 '정직'을 배운 일 등으로 문기는 죄책감에 시달리며 괴로워했죠. 결국 자신의 잘못을 말하려고 찾아간 담임 선생님께도 잘못을 말하지 못한 문기는 더욱 커져 버린 괴로움에 내적 갈등이 최고조에 이르게 됩니다.

하 먼저보다 갑절 무겁고 컴컴한 마음이었다. 도저히 문기의 약한 어깨로는 지탱하지 못할 무거운 눌림이다. 걸음은 집을 향해 가는 것이지만 반대로 마음은 멀어진다. 장차 집엘 가서 대할 숙모가 두려웠고 삼촌이 두려웠고 더욱이 점순이가 두려웠다.

어느덧 걸음은 삼거리를 지나고 있었다. 문기 등 뒤에서 아주 멀리 뿡뿡하고 자동차 소리와 비켜라 하는 사람의 소리가 나는 듯하더니 갑자기 귀밑에서 크게 울린다. 언뜻 돌아다보니 바로 눈앞에 자동차 머리가 달려든다. 그리고 문기는 으쓱하고 높은 데서 아래로 떨어져 가는 듯싶은 감과 함께 정신을 잃고 말았다.

절정 | 잘못을 털어놓으려고 담임 선생님께 간 문기는 아무 말도 못하고, 돌아오는 길에 교통사고를 당함

결말

거 얼마 동안을 지났는지 모른다. 〈중략〉 삼촌은, / "너 내가 누군 줄 알겠니?"

하고 웃지도 않고 내려다본다. / 문기는 이것도 꿈인가 하고 한번 웃어 주려면서 그대로 맑은 정신이 났다. 문기는 병원 침대 위에 누워 있었다. 어디 아픈 데는 없으면서도 몸을 움직일 수는 없다. 삼촌은 근심스러운 얼굴로 내려다본다.

"작은아버지." / 하고 문기는 입을 열었다. 그리고,

"저는 마땅히 받아야 할 벌을 받은 거예요." / 하고 문기는 눈을 감으며 한 마디 한 마디 그러나 똑똑하게 처음서부터 끝까지 먼저 고깃간 주인이 일 원을 십 원으로 알고 거슬러 준 것, 그 돈을 써 버린 것, 그리고 또 붙장 안의 돈을 자기가 훔쳐 낸 것, 이렇게 ㉠<u>하나 하나 숨김없이 자백을 하자</u> 이때까지 겹겹으로 몸을 싸고 있던 허물이 한 꺼풀 한 꺼풀 벗어지면서 따라 마음속의 어둠도 차차 사라지며 맑아지는 것을, 문기는 확실히 깨달을 수 있었다. 마음이 맑아지며 따라 몸도 가뜬해진다.

내일도 해는 뜨고 하늘은 맑아지리라. 그리고 문기는 그 하늘을 떳떳이 마음껏 쳐다볼 수 있을 것이다.

◆ 삼촌에게 잘못을 고백한 뒤 문기는 마음속 어둠이 사라지고 맑아졌으며, 하늘을 마음껏 쳐다볼 수 있게 되었습니다. 이를 통해 문기가 드디어 모든 죄책감을 털어 내어, 갈등이 완전히 해소되었음을 알 수 있어요.

결말 | 문기는 병실에서 삼촌에게 그동안의 잘못을 모두 고백함

확인 문제

[01~04] 다음 설명이 맞으면 ○, 틀리면 ×표 하시오.

01 (파)에서 문기는 잘못을 고백하기 위해 담임 선생님의 집을 찾았다. (○, ×)

02 문기는 친구들과 이야기를 나누는 데 정신이 팔려서 자동차 소리를 듣지 못했다. (○, ×)

03 (거)에서 삼촌은 문기의 잘못을 듣고 문기를 엄하게 꾸짖었다. (○, ×)

04 문기는 삼촌에게 잘못을 털어놓고 마음이 맑아지는 것을 느꼈다. (○, ×)

[05~07] 다음 빈칸에 들어갈 알맞은 말을 쓰시오.

05 문기는 죄책감 없이 [ㅎ][ㄴ]을 떳떳이 바라보고 싶어 했다.

06 문기는 [ㄱ][ㅌ][ㅅ][ㄱ]로 정신을 잃고 병원으로 옮겨졌다.

07 (거)에서는 문기의 [ㄱ][ㄷ]이 해소되는 것을 통해, '바르고 [ㅈ][ㅈ]하게 살자.'라는 작품의 주제를 전달하고 있다.

인물·사건

08 윗글을 통해 알 수 있는 내용으로 적절하지 않은 것은?

① 문기는 삼촌에게 잘못을 모두 자백한 후에 내적 갈등이 해소되었다.
② 문기는 선생님의 엄하고 딱딱한 태도에 풀이 죽어 잘못을 털어놓지 못했다.
③ 문기는 자신이 교통사고를 당한 일을 자신의 잘못에 대한 대가라고 생각했다.
④ 문기는 즐겁게 뛰어노는 친구들과 달리, 양심의 가책을 느껴 고개를 들지 못했다.
⑤ 잘못을 솔직히 털어놓은 문기는 양심을 회복하고 앞으로는 정직하게 살아갈 것이다.

배경·소재 + 주제

09 윗글의 제목인 '하늘은 맑건만'에 대한 해석으로 가장 적절한 것은?

① 다연: 죄책감으로 힘들었던 문기의 심리 상태를 '맑은 하늘'에 빗대어 표현한 제목이야.
② 민수: 타인에 무관심한 사회 현실을 비판하는 작가의 날카로운 시선이 반영된 제목이야.
③ 수진: 맑은 하늘처럼 순수한 어린 시절로 돌아가고 싶은 문기의 마음을 반영한 제목이야.
④ 진규: 잘못을 하면 하늘이 내리는 벌을 받는다는 '권선징악(勸善懲惡)'의 주제를 담고 있는 제목이야.
⑤ 보라: 정직하지 못했던 문기의 상황과 대조적으로 표현하여, 정직한 삶의 중요성을 강조하는 제목이야.

인물·사건

10 ㉠에서 '문기'가 자백했을 내용으로 적절하지 않은 것은?

① 남은 거스름돈을 고깃간 집 안마당에 던진 일
② 고깃간에서 많이 받은 거스름돈으로 군것질을 한 일
③ 수만의 협박에 붙장 안의 돈을 훔쳐 수만에게 건넨 일
④ 고깃간 주인에게 일 원을 십 원으로 속여 거스름돈을 받은 일
⑤ 거스름돈으로 산 쌍안경을 수만이 준 것이라고 삼촌에게 거짓말을 한 일

수능형 인물·사건 + 서술 + 주제

11 윗글을 읽은 독자의 반응으로 적절하지 않은 것은?

① 잘못을 뉘우친 주인공이 성장한 모습을 보여 주고 있어.
② 문기의 자백을 듣고 삼촌이 어떤 반응을 나타낼지 궁금해졌어.
③ 평범한 인물의 주인공이 등장해서인지 내 모습을 더욱 잘 돌아볼 수 있었어.
④ 문기의 내적 갈등은 해소되었지만, 수만과의 외적 갈등은 앞으로 더 심해질 거야.
⑤ 죄책감에 시달리다가 순수한 마음을 회복하는 주인공의 심리 변화가 잘 드러나 있어.

작품 전체

발단✲	전개✲	위기✲	절정✲	결말✲
문기는 숙모의 심부름을 갔다가 고깃간 주인에게 ❶ㄱㅅㄹㄷ을 더 받음	문기는 거스름돈으로 산 물건을 삼촌에게 들켜서 혼나고, 죄책감에 남은 돈을 고깃간 집 안마당에 던짐	문기는 수만의 협박에 숙모의 돈을 훔쳐서 주고, ❷ㄴㅁ을 쓰고 쫓겨난 점순을 보며 밤을 새움	잘못을 털어놓으려고 담임 선생님께 간 문기는 아무 말도 못하고, 돌아오는 길에 교통사고를 당함	문기는 병실에서 ❸ㅅㅊ에게 그동안의 잘못을 모두 고백함

✲: 교재 수록 부분

작품 압축

등장인물의 특징과 관계

문기
- 심성이 착하며, 소심하고 순진함
- 양심의 ❹ㄱㅊ을 느끼며 괴로워함

문기를 꼬여 잘못된 행동을 하게 함 → **수만**
- 약삭빠르고 ❺ㄱㅅ적임
- 수단을 가리지 않고 원하는 것을 얻어낼 정도로 비열함

문기를 바른 길로 이끌려고 함 → **작은아버지(삼촌)**
- 바르고 ❻ㅇㄱ함
- 인정이 많고 책임감이 강함
- 문기를 걱정하고 사랑함

작품의 갈등 구조

갈등의 원인	잘못 받은 거스름돈을 쓰게 됨

⇓

문기의 ❼ㄴㅈ 갈등	솔직하게 자신의 잘못을 고백할 것인지 말 것인지 고민함
문기와 수만의 외적 갈등	문기가 돈을 혼자 쓰려 한다고 생각한 수만이 돈을 내놓으라며 문기를 협박하고 괴롭힘

⇓

갈등의 해결	교통사고를 당한 문기는 삼촌에게 잘못을 모두 자백하고 마음이 맑아짐

인물·사건 / 서술 / 주제

역순행적 구성의 효과

현재	숨겨 둔 공과 쌍안경이 보이지 않음
❽ㄱㄱ	잘못 받은 거스름돈을 수만과 씀
현재	삼촌에게 공과 쌍안경을 들켜 꾸중을 들음

⇓

- 문기의 현재 상황이 며칠 전 사건과 관련되어 있음을 효과적으로 제시함
- 독자에게 궁금증과 흥미를 불러일으킴

제목 '하늘은 맑건만'에 담긴 주제

'하늘은 맑건만'의 의미

문기는 정직하지 못한 행동으로 인한 ❾ㅈㅊㄱ 때문에, 맑고 깨끗한 하늘을 제대로 쳐다볼 수 없음

⇓

주제

양심을 지키며 ❿ㅈㅈ하고 떳떳하게 살아야 한다.

어휘력 테스트

1 다음 괄호 안에 들어갈 단어를 〈보기〉에서 골라 써 보자.

보기

약과　　약조　　필시

(1) 그의 우울한 표정을 보니 (　　　　) 시험을 망친 모양이다.

(2) 앞으로 더는 말썽을 부리지 않겠다고 나와 (　　　　)를 해라.

(3) 엄마가 아끼시는 화분을 깨고 그 정도만 혼난 것은 (　　　　)인 줄 알아.

2 다음 단어를 활용하기에 적절한 문장을 찾아 바르게 연결해 보자.

(1) 무춤하다 •	• ㉠ 그 녀석의 새빨간 거짓말이 (　　　　).
(2) 앙큼하다 •	• ㉡ 밖에서 들리는 큰 소리에 나는 그만 (　　　　).
(3) 추근추근하다 •	• ㉢ 동생은 친구를 만나러 가는 나의 뒤를 (　　　　) 따라다녔다.

독해쌤과 함께하는 감상 넓히기

도덕적인 삶의 중요성을 강조한 작품

이번에 감상한 「하늘은 맑건만」과 같이 양심을 지키며 정직하게 살아가는 도덕적인 삶의 중요성을 강조한 작품들이 많이 있어요. 이런 작품들은 대체로 등장인물의 양심을 둘러싼 내적, 외적 갈등이 나타나는 경우가 많죠. 우리 삶에서 꼭 필요한 도덕에는 어떤 것들이 있을지 생각해 보며, 이러한 작품들을 더 감상해 볼까요?

공작나방_헤르만 헤세

작가인 헤르만 헤세가 나비 수집과 관련된 어린 시절의 경험을 토대로 쓴 성장 소설입니다. '나'와 하인리히가 대화하는 바깥 이야기와, 하인리히가 겪은 어릴 적 사건이 나오는 안 이야기로 된 액자식 구성의 작품으로, 소년 하인리히가 에밀과의 갈등을 통해 정신적으로 성숙해 가는 과정을 그리고 있습니다.

자전거 도둑_박완서

시골에서 서울로 올라와 전기용품 도매상에서 일하는 순수한 소년, 수남의 눈을 통해 어른들의 부도덕한 면을 드러낸 성장 소설입니다. 물질적 이익만을 추구하는 이기적인 현대인들에 대한 작가의 비판 의식을 드러내며, 도덕성과 양심 회복의 필요성을 강조하고 있는 작품입니다.

수난이대 ① _하근찬

여러분은 일제 강점기나 6·25 전쟁 전후, 우리 민족이 처했던 구체적인 상황에 대해 누군가로부터 듣거나 매체를 통해 접해 본 적이 있나요? 단지 평범한 민중일 뿐이었던 이 작품 속의 부자(父子)는 두 번에 걸친 민족의 수난과 역사의 소용돌이 속에서, 과연 어떤 현실과 맞닥뜨리게 되었을지 작품을 감상해 볼까요?

독해쌤의 감상 질문

1. 인물·사건 '만도'와 '진수' 부자(父子)가 겪게 된 수난은 무엇인가요?
2. 배경·소재 • 당시의 사회·문화적 배경을 드러내는 소재는 무엇인가요?
   • '외나무다리'의 상징적 의미와 역할은 무엇인가요?
3. 주제 결말에 담긴 작가의 창작 의도는 무엇인가요?

독해쌤 속닥속닥

◆ (나)를 통해 만도가 과거에 어떤 사연으로 인해 한쪽 팔을 잃게 되었음을 알 수 있어요. 그런 만도는 6·25 전쟁 직후인 현재, 아들 진수가 돌아온다는 사실에 기쁨과 설렘을 느끼지만, 아들이 병원에서 나온다는 것을 알기에 내심 불안해하죠. 이는 '수난이대'라는 제목을 고려할 때, 진수에게 닥친 비극을 암시하는 복선에 해당합니다.

발단

가 진수가 돌아온다. 진수가 살아서 돌아온다. 아무개는 전사했다는 통지가 왔고, 아무개는 죽었는지 살았는지 통 소식이 없는데, 우리 진수는 살아서 오늘 돌아오는 것이다. 생각할수록 어깻바람(신이 나서 어깨를 으쓱거리며 활발히 움직이는 기운)이 날 일이다. 그래 그런지 몰라도 박만도는 여느 때 같으면 아무래도 한두 군데 앉아 쉬어야 넘어설 수 있는 용머리재(길이 나 있어 넘어 다닐 수 있는, 높은 산의 고개)를 단숨에 올라채고 만 것이다. 가슴이 펄럭거리고 허벅지가 뻐근했다.

그러나 그는 고갯마루에서도 쉴 생각을 하지 않았다. 들 건너 멀리 바라보이는 정거장에서 연기가 몰씬몰씬 피어오르며 삐익 기적 소리가 들려왔기 때문이다. 아들이 타고 내려올 기차는 점심때가 가까워야 도착한다는 것을 모르는 바 아니다. 해가 이제 겨우 산등성이 위로 한 뼘가량 떠올랐으니, 오정(정오. 낮 열두 시)이 되려면 아직 차례 먼 것이다. 그러나 그는 공연히(아무 까닭이나 실속이 없게) 마음이 바빴다. / '까짓것, 잠시 앉아 쉬면 뭐할 끼고.'

나 내리막은 오르막에 비하면 아무것도 아니었다. 대고(계속하여 자꾸) 팔을 흔들라치면 절로 굴러 내려가는 것이다. 만도는 오른쪽 팔만을 앞뒤로 흔들고 있었다. 왼쪽 팔은 조끼 주머니에 아무렇게나 쑤셔 넣고 있는 것이다.

'삼대독자가 죽다니 말이 되나. 살아서 돌아와야 일이 옳고말고. ㉠그런데 병원에서 나온다 하니 어디를 좀 다치기는 다친 모양이지만, 설마 나같이 이렇게사(이렇게야) 되지 않았겠지.'

만도는 왼쪽 조끼 주머니에 꽂힌 소맷자락을 내려다보았다. 그 소맷자락 속에는 아무것도 든 것이 없었다. 그저 소맷자락만이 어깨 밑으로 덜렁 처져 있는 것이다. 그래서 노상(언제나 변함없이 한 모양으로 줄곧) 그쪽은 조끼 주머니 속에 꽂혀 있는 것이다.

'볼기짝이나 장딴지 같은 데를 총알이 약간 스쳐 갔을 따름이겠지. 나처럼 팔뚝 하나가 몽땅 달아날 지경이었다면, 그 엄살스러운 놈이 견뎌 냈을 턱이 없고말고.'

슬며시 걱정이 되기도 하는 듯, 그는 속으로 이런 소리를 주워섬겼다.

다 신작로(자동차가 다닐 수 있을 정도로 넓게 새로 낸 길)에 나서면 금시 읍이었다. 만도는 읍 들머리(들어가는 맨 첫머리)에서 잠시 망설이다가, 정거장 쪽과는 반대되는 방향으로 길을 놓았다. 장거리(장이 서는 거리)를 찾아가는 것이었다. 진수가 돌아오는데 고등어나 한 손(한 손에 잡을 만한 분량을 세는 단위. 고등어 한 손은 큰 것 하나와 작은 것 하나를 합한 것을 이름) 사 가지고 가야 될 거 아닌가 싶어서였다. 장날은 아니었으나, 고깃전에는 없는 고기가 없었다. 이것을 살까 하면 저것이 좋아 보이고, 그것을 사러 가면 또 그 옆의 것이 먹음직해 보였다. 한참 이리저리 서성거리다가 결국은 고등어 한 손이었다. 그것을 달랑달랑 들고 정거장을 향해 가는데, 겨드랑 밑이 간질간질해 왔다. 그러나 한쪽밖에 없는 손에 고등어를 들었으니 참 딱했다.

라 만도는 고개를 굽실하고는 두 눈을 연방 껌벅거렸다.

'열 시 사십 분이라. 보자, 그럼 아직도 한 시간이나 넘어 남았구나.'

그는 안심이 되는 듯 후유 숨을 내쉬었다. 궐련을 한 개 빼 물고 불을 댕겼다. 정거장 대합실에 와서 이렇게 도사리고 앉아 있노라면, 만도는 곧잘 생각나는 일이 한 가지 있었다. 그 일이 머리에 떠오르면, 등골을 찬 기운이 쫙 스쳐 내려가는 것이었다. 손가락이 시퍼렇게 굳어져서 이끼 낀 나무토막 같은 팔뚝이 지금도 저만큼 눈앞에 보이는 듯했다.

궐련: 얇은 종이로 가늘고 길게 말아 놓은 담배

발단 | 6·25 전쟁에 나갔던 아들 진수가 돌아온다는 소식에 만도가 정거장으로 마중을 나감

확인 문제

[01~02] 다음 설명이 맞으면 ○, 틀리면 ×표 하시오.

01 이 작품은 일제 강점기에 만도와 진수 부자(父子)가 겪은 수난을 다루고 있다. (○, ×)

02 진수가 병원에서 나온다는 것은, 진수에게도 만도와 유사한 비극이 일어났음을 암시하는 복선이다. (○, ×)

[03~04] 다음 빈칸에 들어갈 알맞은 말을 쓰시오.

03 (가)의 'ㅈㅅ'와 (나)의 'ㅊㅇ'은 이 작품의 사회·문화적 배경을 드러내는 소재이다.

04 장에 들러 ㄱㄷㅇ 한 손을 사는 만도의 행동을 통해 아들에 대한 만도의 사랑을 엿볼 수 있다.

실력 문제

서술 + 주제

05 윗글에 대한 설명으로 적절하지 않은 것은?

① 시골의 작은 마을을 공간적 배경으로 삼고 있다.
② 작품 속 등장인물이 주인공을 관찰하여 전달하고 있다.
③ 일제 강점기에서 6·25 전쟁 직후를 배경으로 하고 있다.
④ 작품 속 부자(父子)가 겪는 수난을 통해 민족의 시대적 아픔을 드러내고 있다.
⑤ 시작 부분의 반복적 표현을 통해 인물의 심정을 강조하고, 독자의 호기심을 자극하고 있다.

인물·사건

06 '만도'에 대한 설명으로 적절하지 않은 것은?

① 6·25 전쟁에 나갔다가 한쪽 팔을 잃는 사고를 당했다.
② 아들이 병원에서 나온다는 사실에 내심 걱정을 하였다.
③ 정거장과 반대 방향인 장거리에서 아들에게 먹일 고등어 한 손을 샀다.
④ 아들이 돌아온다는 사실에 이른 아침부터 서둘러 정거장으로 마중을 나갔다.
⑤ 정거장 대합실에 앉아 있을 때면, 한쪽 팔을 잃게 된 당시의 끔찍하고 무서운 기억을 곧잘 떠올렸다.

인물·사건

07 윗글에 나타난 '만도'의 심리로 적절하지 않은 것은?

① 기쁨 ② 설렘
③ 서운함 ④ 불안감
⑤ 기대감

서술

08 사건 전개상 ㉠의 역할로 가장 적절한 것은?

① 인물의 심리를 드러낸다.
② 시대적 배경을 보여 준다.
③ 인물 간의 갈등을 유발한다.
④ 사건 해결의 실마리를 제공한다.
⑤ 앞으로 전개될 사건을 암시한다.

수난이대 ②

독해쌤 속닥속닥

◆ (마)에서부터 시간의 흐름이 '현재'에서 '과거' 회상의 시점으로 바뀌고 있어요. 이를 통해, 이 작품이 과거와 현재를 교차하며 서술하고 있음을 알 수 있죠. (마)~(아)의 '전개' 부분은 과거 회상을 통해, 일제 강점기에 만도가 징용에 끌려갔다가 한쪽 팔을 잃게 된 사연을 드러내고 있습니다.

◆ (사)에는 만도가 한쪽 팔을 잃게 된 사연이 드러납니다. 강제 징용에 끌려간 만도는 비행기의 공습을 피하려다가, 무의식적으로 다이너마이트가 터지기 직전에 굴 안으로 달려 들어갔고, 결국 다이너마이트가 터지는 바람에 팔을 잃게 된 것이죠. 만도는 영문도 모른 채 가족과 이별하고, 멀고 먼 섬에 끌려가 강제 노동에 시달리다가 결국 팔까지 잃게 되는 비극을 당한 거예요. 이는 당시 우리 민족이 겪던 비극적인 수난인 셈이죠.

전개

마 바로 이 정거장 마당에 백 명 남짓한 사람들이 모여 웅성거리고 있었다. 그중에는 만도도 섞여 있었다. 기차를 기다리고 있는 것이었으나, 그들은 모두 자기네들이 어디로 가는 것인지 알지를 못했다. 그저 차를 타라면 탈 사람들이었다. 징용에 끌려 나가는 사람들이었다. 그러니까, 지금으로부터 십이삼 년 옛날의 이야기인 것이다.

징용: 일제 강점기에, 일본 제국주의자들이 조선 사람을 강제로 동원하여 부리던 일

북해도 탄광으로 갈 것이라는 사람도 있었고, 틀림없이 남양 군도로 간다는 사람도 있었다. 더러는 만주로 가면 좋겠다고 하기도 했다.

북해도: 일본 북쪽 끝에 있는 홋카이도 본도와 부속 도서로 된 지방
남양 군도: 태평양의 적도 부근에 흩어져 있는 섬의 무리

중략 부분 줄거리_ 만도는 정거장에서 징용에 끌려갔던 일을 회상한다. 그는 큰 배를 타고 사흘째 되는 날, 어떤 섬에 도착하게 된다. 그곳은 숨 막히는 더위와 강제 노동, 그리고 잠자리만씩이나 한 모기떼만 있는 참담한 곳이었다. 만도는 이 섬에다 비행장을 닦는 일에 동원되었다.

바 사람의 힘이란 무서운 것이었다. 그처럼 험난하던 산과 산 틈바구니에 비행장을 다듬어 내고야 말았던 것이다. 하나 일은 그것으로는 끝나는 것이 아니고, 오히려 더 벅찬 일이 닥치는 것이었다. 연합군의 비행기가 날아들면서부터 일은 밤중까지 계속되었다. 산허리에 굴을 파 들어가는 것이었다. 비행기를 집어넣을 굴이었다. 〈중략〉

여기저기서 다이너마이트 튀는 소리가 산을 흔들어 댔다. 앵앵앵 하고 공습경보가 나면 일을 하던 손을 놓고 모두가 굴 바닥에 납작납작 엎드려 있어야 했다. 비행기가 돌아갈 때까지 그러고 있는 것이었다. 어떤 때는 근 한 시간 가까이나 엎드려 있어야 하는 때도 있었는데 차라리 그것이 얼마나 편한지 몰랐다. 그래서 더러는 공습이 있기를 은근히 기다리기도 했다. 때로는 공습경보의 사이렌을 듣지 못하고 그냥 일을 계속하는 수도 있었다. / 그럴 때는 모두 큰 손해를 보았다고 야단들이었다. 어떻게 된 셈인지 사이렌이 미처 불기 전에 비행기가 산등성이를 넘어 달려드는 수도 있었다. 그럴 때는 정말 질겁을 하는 것이었다. 가장 많은 손해를 입는 것도 그런 경우였다. 만도가 한쪽 팔뚝을 잃어버린 것도 바로 ㉠그런 때의 일이었다.

다이너마이트: 나이트로글리세린을 규조토, 목탄, 면화약 따위에 흡수시켜 만든 폭발약
공습경보: 적의 항공기가 공습하여 왔을 때 위험을 알리는 경보
질겁: 뜻밖의 일에 자지러질 정도로 깜짝 놀람

사 여느 날과 다름없이 굴속에서 바위를 허물어 내고 있었다. 바위 틈서리에 구멍을 뚫어서 다이너마이트 장치를 하는 것이었다. 장치가 다 되면 모두 바깥으로 나가고, 한 사람만 남아서 불을 댕기는 것이다. 그리고 그것이 터지기 전에 얼른 밖으로 뛰어나와야 한다.

만도가 불을 댕기는 차례였다. 모두 바깥으로 나가 버린 다음 그는 성냥을 꺼내었다. 〈중략〉 성냥 알맹이 네 개째에서 겨우 심지에 불이 댕겨졌다. 심지에 불이 붙는 것을 보자, 그는 얼른 몸을 굴 밖으로 날렸다. 바깥으로 막 나서려는 때였다. 산이 무너지는 소리와 함께 사나운 바람이 귓전을 후려갈기는 것이었다. 만도는 정신이 아찔했다. 공습이었던 것이다. 산등성이를 넘어 달려든 비행기가 머리 위로 아슬아슬하게 지나가는 것이다. 미처 정신을 차리기도 전에 또 한 대가 뒤따라 날아드는 것이 아닌가? 만도는 그만 넋을 잃고 굴 안으로 도로 달려 들어갔다. 달려 들어가서 굴 바닥에 아무렇게나 팍 엎드려 버리고 말았다. 그 순간이었다. 쾅! 굴 안이 미어지는 듯하면서 다이너마이트가 터졌다. 만도의 두 눈에서 불이 번쩍했다.

귓전: 귓바퀴의 가장자리

◆ (아)에는 강제 징용에서 만도가 겪은 비극적인 참사의 상황이 구체적으로 제시되어 있어요. 작가는 이와 같은 만도의 삶을 통해, 일제 강점기에 우리 민족이 겪었던 수난과 아픔을 드러내고 있어요.

아 만도가 어렴풋이 눈을 떠 보니, 바로 거기 눈앞에 누구의 것인지 모를 팔뚝이 하나 아무렇게나 던져져 있었다. 손가락이 시퍼렇게 굳어져서, 마치 이끼 낀 나무토막처럼 보이는 팔뚝이었다. 만도는 그것이 자기의 어깨에 붙어 있던 것인 줄을 알자 그만 으악! 하고 정신을 잃어버렸다. 재차 눈을 떴을 때는 그는 푹신한 담요 속에 누워 있었고, 한쪽 어깻죽지가 못 견디게 쿡쿡 쑤셔 댔다. 절단(자르거나 베어서 끊음) 수술은 이미 끝난 뒤였다.

전개 | 만도가 징용에 끌려갔다가 한쪽 팔을 잃었던 때를 회상함

확인 문제

[01~02] 다음 설명이 맞으면 ○, 틀리면 ×표 하시오.

01 (마)~(아)는 만도가 일제 강점기에 징용에 끌려갔던 기억을 떠올리는 부분이다. (○, ×)

02 이 작품은 과거와 현재의 시점을 교차하며 서술되고 있다. (○, ×)

[03~04] 다음 빈칸에 들어갈 알맞은 말을 쓰시오.

03 (사)에서 만도가 굴 안으로 도로 들어간 이유는 비행기의 ㄱㅅ으로 인해 정신이 아찔했기 때문이다.

04 (사)~(아)로 보아, 만도가 팔을 잃은 원인은 굴 안에서 ㄷㅇㄴㅁㅇㅌ가 터졌기 때문이다.

실력 문제

인물·사건 + 배경·소재

05 윗글의 내용과 일치하지 않는 것은?

① 만도는 큰 배를 타고 머나먼 섬에 들어가 비행장을 닦는 일에 동원되었다.
② 연합군 비행기의 공습경보가 나면 만도와 사람들은 모두 굴 바닥에 납작 엎드렸다.
③ 만도는 진수를 기다리고 있는 바로 그 정거장에서, 과거에 징용 나가는 기차를 탔었다.
④ 만도가 강제 징용에 끌려간 시기는 현재 시점으로부터 십이삼 년 전인, 일제 강점기이다.
⑤ 백 명 남짓한 사람들이 만도와 함께 기차를 타고 징용을 갔고, 그들은 모두 자기가 갈 곳을 알고 있었다.

배경·소재

06 윗글의 사회·문화적 배경을 드러내는 소재로 적절하지 않은 것은?

① 징용 ② 정거장
③ 남양 군도 ④ 공습경보
⑤ 북해도 탄광

인물·사건

07 '만도'가 팔을 잃게 된 사연으로 적절하지 않은 것은?

① 만도는 다이너마이트가 터지는 사고를 당했다.
② 만도가 정신을 차렸을 때는 이미 한쪽 팔의 절단 수술이 끝난 뒤였다.
③ 만도가 굴속에서 바위를 허물어 내기 위한 폭발물의 불을 댕기는 차례에서 일어났다.
④ 사이렌이 미처 불기도 전에 비행기가 산등성이를 넘어 공습하던 순간에 일어난 사건이다.
⑤ 만도는 다이너마이트 심지에 불을 붙인 후 굴 밖으로 피했으나, 비행기의 공습은 미처 피할 수 없었다.

인물·사건

08 ㉠에 해당하는 경우로 적절한 것은?

① 비행기를 집어넣을 굴을 만드는 작업을 할 때
② 비행기 공습을 피해 굴 바닥에 엎드려 있을 때
③ 바위 틈서리 구멍에 다이너마이트 장치를 할 때
④ 공습경보의 사이렌을 듣지 못하고 계속 일을 할 때
⑤ 사이렌이 미처 울리기도 전에 비행기의 공습이 있을 때

수난이대 ③

위기

자 꽤애액 기차 소리였다. 멀리 산모퉁이를 돌아오는가 보다. 만도는 자리를 털고 벌떡 일어서며, 옆에 놓아 둔 고등어를 집어 들었다. ㉠기적 소리가 가까워질수록 가슴이 울렁거렸다. 대합실 밖으로 뛰어나가, 플랫폼(역에서 기차를 타고 내리는 곳)이 잘 보이는 울타리 쪽으로 가서 발돋움을 했다. 〈중략〉 만도의 두 눈은 곧장 이리저리 굴렀다. 그러나 아들의 모습은 쉽사리 눈에 띄지 않았다. 저쪽 출찰구(차나 배에서 내린 손님이 표를 내고 나가거나 나오는 곳)로 밀려가는 사람의 물결 속에 두 개의 지팡이를 짚고 절룩거리며 걸어 나가는 상이군인(전투나 군사상 공무 중에 몸을 다친 군인)이 있었으나, 만도는 그 사람에게 주의가 가지는 않았다. 〈중략〉

㉡만도는 자꾸 가슴이 떨렸다. / '이상한 일이다.' / 하고 있을 때였다. 분명히 뒤에서,

"아부지!" / 부르는 소리가 들렸다. 만도는 깜짝 놀라며, 얼른 뒤를 돌아보았다. ㉢그 순간 만도의 두 눈은 무섭도록 크게 떠지고, 입은 딱 벌어졌다. 틀림없는 아들이었으나, 옛날과 같은 진수는 아니었다. 양쪽 겨드랑이에 지팡이를 끼고 서 있는데, 스쳐 가는 바람결에 한쪽 바짓가랑이가 펄럭거리는 것이 아닌가. 만도는 눈앞이 노래지는 것을 어쩌지 못했다. 한참 동안 그저 멍멍하기만 하다가 ㉣코허리가 찡해지면서 두 눈에 뜨거운 것이 핑 도는 것이었다.

차 "에라이, 이놈아!" / 만도의 입술에서 모지게(마음씨가 몹시 매섭고 독하게, 기세가 몹시 매섭고 사납게) 튀어나온 첫마디였다. 떨리는 목소리였다. 고등어를 든 손이 불끈 주먹을 쥐고 있었다. / "이기 무슨 꼴이고, 이기."

"아부지!" / "이놈아, 이놈아……." / ㉤만도의 들창코가 크게 벌름거리다가 훌쩍 물코를 들이마셨다. 진수의 두 눈에서는 어느 결에 눈물이 꾀죄죄하게 흘러내리고 있었다. 만도는 진수의 잘못이기나 한 듯 험한 얼굴로, / "가자, 어서!"

무뚝뚝한 한마디를 내던지고는 성큼성큼 앞장을 서 가는 것이었다.

카 앞장서 가는 만도는 뒤따라오는 진수를 한 번도 돌아보지 않았다. 한눈을 파는 법도 없었다. 무겁디무거운 짐을 진 사람처럼 땅바닥만을 내려다보며, 이따금 끙끙거리면서 부지런히 걸어만 가는 것이다. 지팡이에 몸을 의지하고 걷는 진수가 성한 사람의, 게다가 부지런히 걷는 걸음을 당해 낼 수는 도저히 없었다. 한 걸음 두 걸음씩 뒤지기 시작한 것이 그만 작은 소리로 불러서는 들리지 않을 만큼 떨어져 버리고 말았다. 진수는 목구멍을 왈칵 넘어오려는 뜨거운 기운을 참느라고, 어금니를 야물게 깨물어 보기도 했다. 그리고 두 개의 지팡이와 한 개의 다리를 열심히 움직여 대는 것이었다.

타 앞서 간 만도는 주막집 앞에 이르자, 비로소 한 번 뒤를 돌아보았다. 진수는 오다가 나무 밑에 서서 오줌을 누고 있었다. 지팡이는 땅바닥에 던져 놓고, 한쪽 손으로는 볼일을 보고, 한쪽 손으로는 나무둥치를 안고 있는 꼬락서니가 을씨년스럽기(보기에 날씨나 분위기 따위가 몹시 스산하고 쓸쓸한 데가 있기) 이를 데 없다. 만도는 눈살을 찌푸리며, 으음! 하고 신음 소리 비슷한 무거운 소리를 토했다. 〈중략〉

술기가 얼큰하게 돌자, 이제 좀 속이 풀리는 것 같아 방문을 열고 바깥을 내다보았다. 진수는 이마에 땀을 척척 흘리면서 다 와 가고 있었다.

"진수야!" / 버럭 소리를 질렀다.

"이리 들어와 보래." / "……."

진수는 아무런 대꾸도 없이 어기적어기적 다가왔다. 다가와서 방문턱에 걸터앉으니까,

독해쌤 속닥속닥

- (자)는 시간의 흐름이 '과거'에서 다시 '현재'로 돌아오는 부분으로, 첫 문장의 '기차 소리'는 과거 회상을 끝냄과 동시에 현재 시점으로 시간을 전환시키는 계기가 됩니다.

- (자)~(타)에는 진수를 기다리고 만나기까지의 상황에 대한 만도의 다양한 심리가 나타납니다. 아들 진수를 기다리는 동안 아들을 만난다는 설렘과 초조함을 느끼지만, 한편으로는 알 수 없는 불안감을 느끼는데, 그것은 아들이 병원에서 나온다는 것 때문이었죠. 결국 진수를 만난 만도는 한쪽 다리를 잃은 아들의 모습을 보고 놀라서 충격을 받아요. 또한 속상하고 안쓰러운 마음, 울분과 분노의 감정이 공존하게 되어, 만도는 진수를 뒤로하고 앞장서서 걷습니다.

여편네가 보고, / "방으로 좀 들어오이소." / 한다. / "여기 좋심더."

그는 수세미 같은 손수건으로 이마와 코언저리를 아무렇게나 훔친다.

"마, 아무 데서나 묵어라. 저…… 국수 한 그릇 말아 주소." / "야."

"곱빼기로 잘 좀…… 참지름도 치소 잉?" / "아아."

위기 만도가 한쪽 다리를 잃고 돌아온 진수를 만나 분노와 절망감을 느낌

확인 문제

[01~02] 다음 설명이 맞으면 ○, 틀리면 ×표 하시오.

01 '꽤애액' 하고 울리는 기차 소리는 과거 회상에서 현재로 시간이 전환되는 계기가 된다. (○, ×)

02 만도가 아들에게 모진 말부터 내뱉은 것은 아들이 자신에게 거짓말을 했기 때문이다. (○, ×)

[03~04] 다음 빈칸에 들어갈 알맞은 말을 쓰시오.

03 진수는 전쟁에서 한쪽 다리를 잃고 ㅅㅇㄱㅇ이 되어 돌아왔다.

04 ㅈㅁㅈ에 이르러서야 만도는 술기운을 빌려 심리적인 안정을 조금이나마 되찾게 된다.

실력 문제

인물·사건 + 배경·소재

05 (자)~(타)에 나타난 '만도'의 행동에 대한 반응으로 적절하지 않은 것은?

① (자): 진수가 크게 다쳤을 것이라고 생각 못했기 때문에 상이군인에게 주의가 가지 않았던 거야.
② (차): 진수에게 모진 말을 내뱉은 것은 자신과 진수가 처한 현실 상황에 울분을 느껴서야.
③ (카): 진수를 돌아보지 않고 앞장서 걷는 것은 아들에게 현실의 어려움을 알려 주기 위해서야.
④ (타): 주막집 앞에서 진수를 바라보며 눈살을 찌푸린 것은 아들이 처한 상황에 대한 안타까움 때문이야.
⑤ (타): 진수에게 먹일 국수 한 그릇을 살뜰하게 챙기는 모습에서 아들에 대한 사랑을 느낄 수 있어.

인물·사건

06 ㉠~㉤에 담긴 '만도'의 심리로 적절하지 않은 것은?

① ㉠: 진수를 곧 만날 수 있다는 초조함
② ㉡: 진수에게 무슨 일이 생겼을지도 모른다는 불안감
③ ㉢: 진수가 드디어 도착한 것에 대한 반가움과 기쁨
④ ㉣: 진수에게도 비극이 닥친 것에 대한 절망감과 속상함
⑤ ㉤: 자신과 진수의 처지를 생각하며 느끼는 비통함

수능형 서술

07 '전개~위기' 부분에서, '만도'가 '진수'를 만나기까지의 내용 흐름을 〈보기〉와 같이 나타낼 때, A~D에 대한 설명으로 적절하지 않은 것은?

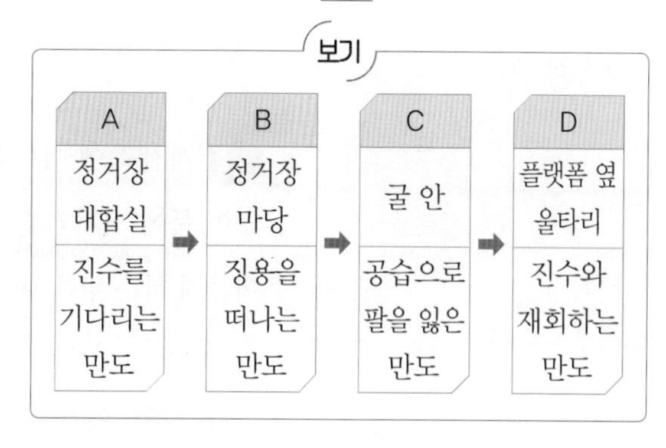

① A는 시간상 C와 D 사이에 일어난 일이다.
② B에서 비롯된 인물의 내적 갈등이 C에서 해소된다.
③ B에서 C로 공간이 변한 것은 시간의 흐름에 따른 것이다.
④ C에서 D로 장면이 전환될 때 '기차 소리'가 사용되었다.
⑤ D에 드러난 만도의 태도는 C에서의 체험과 관련이 있다.

수난이대 ④

절정

파 주막을 나선 그들 부자는 ㉠논두렁길로 접어들었다. 아까와 같이 만도가 앞장을 서는 것이 아니라, 이번에는 진수를 앞세웠다. 지팡이를 짚고 기우뚱기우뚱 앞서 가는 아들의 뒷모습을 바라보며, 팔뚝이 하나밖에 없는 아버지가 느릿느릿 따라가는 것이다. ㉡손에 매달린 고등어가 대고 달랑달랑 춤을 춘다. 〈중략〉

"진수야!" / "예." / "니 우짜다가 그래 됐노?"

"전쟁하다가 이래 안 됐심니꾜, ㉢수류탄 쪼가리에 맞았심더."

"수류탄 쪼가리에?" / "예." / "음……." / "얼른 낫지 않고 막 썩어 들어가기 땜에 군의관이 짤라 버립띠더. 병원에서예." / "……." / 아부지!" / "와?"

군의관: 군대에서 의사의 임무를 맡고 있는 장교

"이래 가지고 우째 살까 싶습니더." / "우째 살긴 뭘 우째 살아. 목숨만 붙어 있으면 다 사능 기다. 그런 소리 하지 마라." / "……."

"나 봐라. 팔뚝이 하나 없어도 잘만 안 사나. 남 봄에 좀 덜 좋아서 그렇지. 살기사 왜 못 살아." / "차라리 아부지같이 팔이 하나 없는 편이 낫겠어예. 다리가 없어 노니, 첫째 걸어 댕기기에 불편해서 똑 죽겠심더." / "야야, 안 그렇다. 걸어 댕기기만 하면 뭐하노. 손을 지대로 놀려야 일이 뜻대로 되지." / "그럴까예?"

"그렇다니. 그러니까 집에 앉아서 할 일은 니가 하고, 나댕기메 할 일은 내가 하고, 그라면 안 되겠나, 그제?" / "예."

하 술을 마시고 나면 이내 오줌이 마려워진다. 만도는 길가에 아무렇게나 쭈그리고 앉아서 고기 묶음을 입에 물려고 한다. 그것을 본 진수는,

"아부지, 그 고등어 이리 주이소." / 한다. 팔이 하나밖에 없는 몸으로 물건을 손에 든 채 소변을 볼 수는 없는 것이다. 아버지가 볼일을 마칠 때까지, 진수는 저만큼 떨어져 서서 지팡이를 한쪽 손에 모아 쥐고, 다른 손으로는 고등어를 들고 있었다.

절정 | 만도와 진수가 자신들의 상황을 받아들이며, 서로 부족한 부분을 채워 가려 함

결말

거 개천 둑에 이르렀다. **외나무다리**가 놓여 있는 그 시냇물이다. 〈중략〉 진수는 하는 수 없이 둑에 퍼지고 앉아서 바짓가랑이를 걷어 올리기 시작했다. 만도는 잠시 멀뚱히 서서 아들의 하는 양을 내려다보고 있다가

퍼지고: 팔다리를 아무렇게나 편하게 뻗고

"진수야, 그만두고 자아, 업자." / 하는 것이었다. / "업고 건느면 일이 다 되는 거 아니가. 자아, 이거 받아라." / 고등어 묶음을 진수 앞으로 민다. / "……."

진수는 퍽 난처해하면서 못 이기는 듯이 그것을 받아 들었다. 만도는 등어리를 아들 앞에 갖다 대고 하나밖에 없는 팔을 뒤로 버쩍 내밀며 / "자아, 어서!"

진수는 지팡이와 고등어를 각각 한 손에 쥐고, 아버지의 등어리로 가서 슬그머니 업혔다. 만도는 팔뚝을 뒤로 돌려서 아들의 하나뿐인 다리를 꼭 안았다. 그리고

"팔로 내 목을 감아야 될 끼다." / 했다. 진수는 무척 황송한 듯 한쪽 눈을 찍 감으면서 고등어와 지팡이를 든 두 팔로 ㉣아버지의 굵은 목줄기를 부둥켜안았다. 만도는 아랫배에 힘을 주며 끙! 하고 일어났다. 아랫도리가 약간 후들거렸으나 걸어갈 만은 했다. 외나

독해쌤 속닥속닥

◆ (파)에서 주막집을 나선 부자(父子)가 걸으면서 대화를 나누는 '논두렁길'은 만도와 진수가 서로의 수난을 이해하고, 이를 극복하고자 하는 의지를 내보이는 계기가 되는 공간입니다.

◆ '절정' 부분에서는 진수가 한쪽 다리를 잃게 된 사연이 제시됩니다. 아버지 만도는 다이너마이트 폭파 사고로 팔을 잃고, 아들 진수는 수류탄 쪼가리에 맞아 다리를 잃었습니다. 강제 징용과 전쟁으로 인해 아버지와 아들이 모두 크나큰 비극을 겪게 된 것이죠. 이것은 비단 진수 부자만의 비극이 아니라, 일제 강점기와 6·25 전쟁 시기를 거치며 우리 민족 전체가 겪게 된 비극을 상징하는 것으로 볼 수 있습니다.

◆ 마지막 부분에서 외나무다리를 건너가는 만도 부자의 모습(근경)을 서술하다가, 우뚝 솟은 용머리재가 이들을 내려다보는 것(원경)으로 시선을 전환하며 작품을 끝내고 있어요. 이는 독자에게 여운을 주고, 수난을 극복하고자 하는 인간의 의지에 대한 경외감을 불러일으킵니다.

무다리 위로 조심조심 발을 내디디며 만도는 속으로, / '이제 새파랗게 젊은 놈이 벌써 이게 무슨 꼴이고. 세상을 잘못 타고나서 진수 니 신세도 참 똥이다, 똥.'

이런 소리를 주워섬겼고, 아버지의 등에 업힌 진수는 곧장 미안스러운 얼굴을 하며 '나꺼정 이렇게 되다니, 아부지도 참 복도 더럽게 없지. 차라리 내가 죽어 버렸더라면 나았을 낀데…….' / 하고 중얼거렸다. / 만도는 아직 술기가 약간 있었으나, 용케 몸을 가누며 아들을 업고 외나무다리를 조심조심 건너가는 것이었다. 눈앞에 우뚝 솟은 ㉤용머리재가 이 광경을 가만히 내려다보고 있었다.

결말 | 만도가 진수를 업고 외나무다리를 건너감

확인 문제

[01~02] 다음 설명이 맞으면 ○, 틀리면 ×표 하시오.

01 진수가 한쪽 다리를 잃게 된 것은 전쟁 중에 다이너마이트가 폭발하는 사고를 당했기 때문이다. (○, ×)

02 만도는 앞으로 살아갈 일을 걱정하는 진수에게 상황을 극복하고자 하는 의지를 드러낸다. (○, ×)

[03~04] 다음 빈칸에 들어갈 알맞은 말을 쓰시오.

03 (파)에서 만도와 진수 부자는 ㄴㄷㄹㄱ을 함께 걸으면서 서로에 대해 이해하고, 수난 극복에 대한 의지를 다지게 된다.

04 (거)의 'ㅇㄴㅁㄷㄹ'는 만도 부자에게 닥친 시련이자, 우리 민족이 극복해야 할 시련을 상징한다.

실력 문제

배경·소재 + 주제

05 윗글의 '외나무다리'가 지닌 의미와 거리가 먼 것은?

① 만도와 진수에게 닥친 시련이자 절망적 삶
② 주제를 효과적으로 전달하기 위한 상징적 대상
③ 민족이 겪는 고난의 공간이자, 수난 극복의 현장
④ 만도와 진수가 서로 도우며 살아갈 것임을 암시하는 소재
⑤ 만도와 진수의 내적·외적 갈등을 해소하고 두 인물이 화합을 이루게 하는 매개체

배경·소재 + 서술

06 ㉠~㉤에 대한 설명으로 적절하지 않은 것은?

① ㉠: 만도와 진수의 대화가 이루어지는 공간으로, 서로의 수난을 이해하고 의지를 다지는 계기가 된다.
② ㉡: 진수에 대한 만도의 애정이 담긴 소재로, 돌아가는 길에 볼일을 볼 때 만도를 불편하게 만든다.
③ ㉢: 진수가 전쟁에서 한쪽 다리를 잃게 된 직접적인 원인이다.
④ ㉣: 만도의 강인한 생명력을 드러내는 소재이다.
⑤ ㉤: 시선을 근경으로 전환하여 만도와 진수가 외나무다리를 건너는 모습에 집중하게 만든다.

수능형 | 인물·사건

07 (거)를 영화로 제작하기 위한 회의에서, 연출자가 요구할 내용으로 적절하지 않은 것은?

① 음향 감독은 다리 위에서 만도의 목소리만 나오는 부분이 있으니, 미리 녹음해 주세요.
② 만도 역을 맡은 배우는 외나무다리를 건널 때, 아슬아슬한 느낌이 들도록 연기해 주세요.
③ 카메라 감독은 마지막 장면에서 용머리재가 두 사람을 바라보는 느낌이 살도록 촬영해 주세요.
④ 진수 역을 맡은 배우는 술에 취해서 비틀거리는 만도를 언짢아하는 마음이 잘 드러나도록 연기해 주세요.
⑤ 카메라 감독은 만도가 진수를 업고 일어서는 장면에서, 힘을 쓰는 만도의 얼굴 표정이 부각되도록 촬영해 주세요.

작품 전체

발단	전개	위기	절정	결말
6·25 전쟁에 나갔던 아들 진수가 돌아온다는 소식에 만도가 정거장으로 마중을 나감	만도가 ❶ ㅈㅇ에 끌려갔다가 한쪽 팔을 잃었던 때를 회상함	만도가 한쪽 다리를 잃고 돌아온 진수를 만나 분노와 절망감을 느낌	만도와 진수가 자신들의 상황을 받아들이며, 서로 부족한 부분을 채워 가려 함	만도가 진수를 업고 외나무다리를 건너감

✡: 교재 수록 부분

작품 압축

■ 사회·문화적 배경을 드러내는 소재

일제 강점기	6·25 전쟁
징용, 북해도 탄광, 남양 군도, 연합군, 공습 경보, 공습 등	전사, 총알, 상이군인, 전쟁, ❷ ㅅㄹㅌ 쪼가리 등

⇓

과거 회상 부분	현재 시점 부분
만도가 ❸ ㅈㅇ에 끌려 나갔던 일제 강점기	진수가 참전했던 6·25 전쟁 직후

■ '외나무다리'의 상징적 의미와 역할

❹ ㅇㄴㅁㄷㄹ
만도가 진수를 업고 건너려는 대상

⇓

- 한쪽 팔이 없는 만도와 한쪽 다리가 없는 진수에게 닥친 시련과 고난의 공간
- 만도와 진수가 서로 도우며 살아갈 수 있을 것임을 암시하는 소재
- 인물 간의 갈등을 해소하고 인물들을 화합시켜 주는 매개체
- 민족의 시련과 고난의 공간이자, 수난 ❺ ㄱㅂ의 가능성을 보여 줌

배경·소재 / 인물·사건 / 주제

■ '만도'와 '진수'가 겪은 수난

만도의 수난	진수의 수난
징용에 끌려가 강제 노동을 하던 중, ❻ ㄷㅇㄴㅁㅇㅌ 폭파 사고로 한쪽 팔을 잃음	6·25 전쟁 참전 중, ❼ ㅅㄹㅌ 파편에 맞아 한쪽 다리를 잃음

⇓

제목 '수난이대'의 의미
만도와 진수 부자가 모두 각기 다른 사회·문화적 상황을 겪으면서, 자기 의지와는 상관없이 대를 이어 수난을 겪었음을 의미함

■ 작품의 결말에 담긴 창작 의도

작품의 결말
만도와 진수 부자가 서로 도우며 외나무다리를 건넘

⇓

창작 의도

- 일제 강점기와 6·25 전쟁이라는 비극적인 역사로 인한 상처와 고통을 극복해 나가는 ❽ ㅇㅈㅈ인 모습을 표현하고자 함
- 일제 강점기와 6·25 전쟁이 우리 민족에게 큰 상처를 남겼지만, 서로 힘을 합쳐 노력하면 극복할 수 있다는 희망과 용기를 전달하고자 함

어휘력 테스트

1 **제시된 뜻과 예문을 참고하여 다음 초성에 해당하는 단어를 괄호 안에 써 보자.**

(1) ㅈ ㄷ : 자르거나 베어서 끊음

예 누가 고의로 전선을 (　　　　)하였는지 강당 안이 갑자기 캄캄해졌다.

(2) ㄴ ㅅ : 언제나 변함없이 한 모양으로 줄곧

예 그 아이가 학교에서는 (　　　　) 웃고 다녔기 때문에, 맘고생이 심한 줄은 몰랐다.

(3) ㄱ ㅇ ㅎ : 아무런 까닭이나 실속이 없게

예 동생은 가족 외식을 할 때마다 (　　　　) 심술을 부려 부모님의 기분을 상하게 했다.

2 **다음 단어를 활용하기에 적절한 문장을 찾아 바르게 연결해 보자.**

(1) 노심초사(勞心焦思) •		• ㉠ 급히 나오느라 옷을 얇게 입고 나섰는데, (　　　　)(으)로 비까지 내렸다.
(2) 설상가상(雪上加霜) •		• ㉡ 초등학교 시절에는 소풍날이 오기만을 (　　　　)하며 잠 못 이루곤 했다.
(3) 학수고대(鶴首苦待) •		• ㉢ 나는 그 거짓말이 탄로 날까 봐 (　　　　)을/를 하느라고 몹시 지친 상태였다.

독해쌤과 함께하는 감상 넓히기

6·25 전쟁으로 인한 삶의 수난이나 극복을 다룬 작품

이번에 감상한 「수난이대」와 같이 우리 민족이 겪어야 했던 비극적 수난인 6·25 전쟁 속의 비참하고 고달픈 삶의 모습을 그려 낸 작품들과, 이런 수난을 극복하고자 하는 의지를 드러낸 작품들이 있습니다. 제시된 작품들에 담긴 시대 상황과 인물들의 대응 태도를 살펴보면서 작품들을 더 감상해 볼까요?

흰 종이수염_하근찬

6·25 전쟁에 노무자로 동원되었다가 한쪽 팔을 잃고 돌아온 아버지가 가족의 생계를 위해 얼굴에 흰 종이수염을 붙이고 극장 광고판으로 일하는 모습을 지켜보는 아들 동길의 이야기를 그린 소설입니다. 전쟁 직후의 고달픈 삶의 모습과 이에 대한 극복 의지를 진솔하되 무겁지 않게 그려 내고 있는 작품입니다.

기억 속의 들꽃_윤흥길

6·25 전쟁 당시 피란민 무리에서 홀로 남겨진 아이인 명선과 '나'의 만남과 이별을 다룬 소설입니다. 명선의 금붙이에 집착하는 어른들의 모습을 통해, 전쟁으로 인해 인간성을 상실해 가는 어른들의 탐욕스럽고 부조리한 모습을 어린아이인 '나'의 순진하고 어리숙한 시선을 통해 드러내고 있는 작품입니다.

꺼삐딴 리 ①

_ 전광용

꺼삐딴: 영어의 '캡틴(captain)'에 해당하는 러시아어 '까삐딴'으로, 해방 후 북한에서 '우두머리, 최고'의 뜻으로 쓰임

우리가 세상을 살아가는 방법은 여러 가지가 있어요. 자신의 신념을 우직하게 지키며 살아가기도 하고, 그때그때 상황에 따라 자신에게 이로운 쪽으로 행동하며 살아가기도 하지요. 이 작품 속에 등장하는 '이인국'은 격변하는 시대 상황에 어떻게 대처하며 살고 있는지, 오늘날의 관점에서 그의 삶은 어떻게 평가되어야 할지 작품을 감상해 볼까요?

독해쌤의 감상 질문

1. 인물·사건 • 시대의 변화에 따른 '이인국'의 대응 방식은 어떠한가요?
• '이인국'이 추구하는 삶의 태도는 무엇인가요?
2. 배경·소재 '회중시계', '노어 교본' 등의 소재에 담긴 의미는 무엇인가요?
3. 주제 작가가 이 작품을 창작한 의도는 무엇인가요?

독해쌤 속닥속닥

◆ (나)의 춘석은 육 개월 전, 형무소에서 병 때문에 석방되어 이인국의 병원에 오게 된 환자였어요. 이인국은 그가 병원비를 감당할 경제적 능력이 없고, 사상범(현존 사회 체제에 반대하는 사상을 가지고 개혁을 꾀하는 범죄를 저지른 사람)인 탓에 그를 입원시키면 일제에게 밉보일까 봐, 입원실이 없다는 핑계로 그를 돌려보냈었죠.

앞부분 줄거리_ 이인국은 종합 병원을 운영하는 실력 있는 외과 전문의로, 환자의 치료보다 환자의 경제적 능력을 더 중요하게 여기는 사람이다. 그는 일제 강점기와 분단, 전쟁을 거치면서 기회주의적 처신술로 무사히 살아왔다. 어느 날 그는 미국인과 결혼하겠다는 딸 때문에 미국에 가기 위해 미국 대사관 브라운을 만나러 간다. 그러던 중, 그는 일본 제국 대학을 졸업할 때 상으로 받은 회중시계를 보며 문득 과거를 회상한다.

(처신술: 어떤 일이나 인간관계 등에 대처하여 행동하는 방법이나 수단)

발단

가 1945년 팔월 하순. / 아직 해방의 감격이 온 누리를 뒤덮어 소용돌이칠 때였다.

말복도 지난 날씨언만 여전히 무더웠다. ㉠이인국 박사는 이 며칠 동안 불안과 초조에 휘몰려 잠도 제대로 자지 못했다. 무엇인가 닥쳐올 사태를 오돌오돌 떨면서 대기하는 상태였다. / 그렇게 붐비던 환자도 하나 얼씬하지 않고 쉴 사이 없던 전화도 뜸하여졌다. 입원실은 최후의 복막염 환자였던 도청의 일본인 과장이 끌려간 후 텅 비었다.

(복막염: 배의 막에 급성 또는 만성으로 생기는 염증)

나 '친일파, 민족 반역자를 타도하자.'

(타도하자: 어떤 대상이나 세력을 쳐서 거꾸러뜨림)

옆에 붉은 동그라미를 두 겹으로 친 글자가 그대로 눈앞에 선명하게 보이는 것만 같다.

어제 저물녘에 그것을 처음 보았을 때의 전율이 되살아왔다.

(전율: 몹시 무섭거나 두려워 몸이 벌벌 떨림)

순간 이인국 박사는 방 쪽으로 머리를 홱 돌렸다. / '나야 원 괜찮겠지…….'

혼자 뇌까리면서 그는 다시 부채를 들었다. 그러나 벽보를 들여다보고 있을 때 자기와 눈이 마주치는 순간, 일그러지는 얼굴에 경멸인지 통쾌인지 모를 웃음을 비죽거리면서 아래위로 훑어보던 그 춘석이 녀석의 모습이 자꾸만 머릿속으로 엄습하여 어두운 밤에 거미줄을 뒤집어쓴 것처럼 꺼림텁텁하기만 했다.

(뇌까리면서: 아무렇게나 되는 대로 마구 지껄이면서 / 엄습하여: 감정, 생각, 감각 따위가 갑작스럽게 들이닥치거나 덮쳐 / 꺼림텁텁하기만: 마음이나 배 속이 언짢고 시원하지 않기만)

발단 | 일제 강점기가 끝나고 이인국은 광복을 맞이함

전개 1

다 "아마 소련군이 들어오나 봐요, 모두들 야단법석이에요……."

숨을 헐떡이며 이야기하는 혜숙이의 말에 이인국 박사는 아무 대꾸도 없이 눈만 껌벅이며 도로 앉았다. 〈중략〉 / 무엇을 생각했던지 그는 움찔 자리에서 일어났다. 그러고는 벽장문을 열었다. 안쪽에 손을 뻗쳐 액자 틀을 끄집어내었다.

'국어(國語) 상용(常用)의 가(家)' / 해방되던 날 떼어서 집어넣어 둔 것을 그동안 깜박 잊고 있었다. / 그는 액자 틀 뒤를 열어 음식점 면허장 같은 두터운 모조지를 빼내어 글자 한 자도 제대로 남지 않게 손끝에 힘을 주어 꼼꼼히 찢었다.

(상용: 일상적으로 씀)

㉡이 종잇장 하나만 해도 일본인과의 교제에 있어서 얼마나 떳떳한 구실을 할 수 있었던 것인가. 야릇한 미련 같은 것이 섬광처럼 머릿속을 스쳐갔다.

(섬광: 순간적으로 강렬히 번쩍이는 빛)

◆ (라)에서 이인국이 주위를 두리번거린 이유는 무엇일까요? 이인국은 그동안 일제의 정책에 동조하며 일본인처럼 살아왔는데 갑자기 상황이 급변하자, 자신의 친일 행적이 드러날까 봐 초조했기 때문일 거예요.

라 헤드라이트의 눈부신 광선. 탱크 부대의 진주는 끝을 알 수 없이 계속되고 있다. 〈중략〉 / 이인국 박사는 자기와는 아무 관련도 없는 이방 부대라는 환각을 느끼면서 박수도 환성도 안 나가는 멋쩍은 속에서 멍하니 쳐다보고만 있다. 그는 자기의 거동을 주시하지나 않나 해서 주위를 두리번거렸다.

(진주: 군대가 쳐들어가거나 파견되어 가서 주둔함)
(이방: 인정, 풍속 따위가 전혀 다른 남의 나라)

그러나 아무도 그에게는 관심을 두는 일 없이 탱크를 향하여 목청이 터지도록 거듭 만세만 부르고 있지 않은가. / '어떻게 되겠지…….'

그는 밑도 끝도 없는 한마디를 뇌면서 유유히 집으로 들어왔다.

전개 1 | 광복 후에 소련군이 들어오고, 이인국은 자신의 친일 행적 때문에 초조해함

확인 문제

[01~02] 다음 설명이 맞으면 ○, 틀리면 ×표 하시오.

01 이 작품의 서술자는 작품 밖에서 주인공의 말과 행동을 객관적인 입장에서 관찰하여 전달하고 있다. (○, ×)

02 현재 시점을 기준으로 한 이 작품의 시대적 배경은 광복 직후이다. (○, ×)

[03~04] 다음 빈칸에 들어갈 알맞은 말을 쓰시오.

03 (나)에서 일제 강점기를 살았던 이인국 박사의 행적을 단적으로 드러내는 말은 '[ㅊ][ㅇ][ㅍ]'이다.

04 (다)의 '국어(國語) 상용(常用)의 가(家)'란 문구에서 '국어'는 [ㅇ][ㅂ][ㅇ]를 의미한다.

실력 문제

배경·소재 + 서술 + 주제

05 윗글에 대한 설명으로 적절하지 않은 것은?

① 일제 강점기부터 1950년대를 배경으로 한다.
② 현재와 과거를 오가는 역순행적 구성을 보인다.
③ 이야기 속에 또 다른 이야기가 전개되는 구성을 취한다.
④ '꺼삐딴 리'라는 제목을 통해 인물의 태도를 암시한다.
⑤ 급변하는 시대에 재빠르게 대응하는 인물의 모습을 풍자한다.

인물·사건

06 윗글에 나타난 '이인국 박사'의 모습으로 적절하지 않은 것은?

① 해방이 된 것을 달가워하지 않는다.
② 소련군의 탱크 부대를 기쁘게 맞이한다.
③ 누군가 자신을 감시하고 있는지 걱정한다.
④ 친일파를 타도하자는 벽보를 보고 두려워한다.
⑤ 자신에게 닥쳐올 사태를 걱정하며 불안해한다.

인물·사건

07 ㉠과 같은 행동의 이유로 가장 적절한 것은?

① 조국 해방의 감격이 채 가시지 않았기 때문에
② 자신을 경멸하는 춘석과 눈이 마주쳤기 때문에
③ 광복 직후라서 아직 일본군이 다 떠나지는 않았기 때문에
④ 해방 이후, 북쪽에 소련군이 들어온다는 소식을 들었기 때문에
⑤ 친일 행위를 한 일로 처벌을 받을지도 모른다고 생각했기 때문에

수능형 / 배경·소재

08 ㉡에 대해 이해한 반응으로 적절하지 않은 것은?

① 벽장문 안쪽의 액자 틀에 담긴 두터운 모조지야.
② '국어(國語) 상용(常用)의 가(家)'라고 적혀 있어.
③ 일본인과의 교제에서 혜택을 받게 해 준 것이야.
④ 이인국이 친일 행위는 했지만 한국어를 늘 사용했음을 알 수 있어.
⑤ 종잇장을 찢는 행위에는 자신의 행적을 지우려는 의도가 담겨 있어.

개삐딴 리 ②

전개 2

마 자동차 속에서 이인국 박사는 들고 나온 석간을 펼쳤다.

매일 저녁때에 발행되는 신문

일면의 제목을 대강 훑고 난 그는 신문을 뒤집어 꺾어 삼면으로 눈을 옮겼다.

'북한 소련 유학생 서독으로 탈출' / 바둑돌 같은 굵은 활자의 제목. 왼편 전단을 차지한 외신 기사. 손바닥만 한 사진까지 곁들여 있다. 〈중략〉

외신: 외국으로부터 온 통신

그의 시각은 활자 속을 헤치고 머릿속에는 아들의 환상이 뒤엉켜 들이차 왔다. 아들을 모스크바로 유학시킨 것은 자기의 억지에서였던 것만 같았다. 〈중략〉 / 이인국 박사는 그때나 지금이나 자기의 처세 방법에 대하여 절대적인 자신을 가지고 있다.

바 "얘, 너 그 노어(露語) 공부를 열심히 해라." / "왜요?"

노서아어. '러시아어'를 뜻함

아들은 갑자기 튀어나오는 아버지의 말에 의아를 느끼면서 반문했다.

"야 원식아, 별수 없다. 왜정 때는 그래도 일본 말이 출세를 하게 했고 이제는 노어가 또 판을 치지 않니. 고기가 물을 떠나서 살 수 없는 바에야 그 물속에서 살 방도를 궁리해야지. 아무튼 그 노서아 말 꾸준히 해라."

왜정: 일본이 침략하여 강점하고 다스리던 정치
방도: 어떤 일을 하거나 문제를 풀어 가기 위한 방법과 도리

[A]
사 이인국 박사는 끝내 스텐코프 소좌의 배경으로 요직에 있는 당 간부의 추천을 받아 아들의 소련 유학을 결정짓고야 말았다.

요직: 중요한 직책이나 직위

"여보, 보통으로 삽시다. 거저 표 나지 않게 사는 것이 이런 세상에선 가장 편안할 것 같아요. 이제 겨우 죽을 고비를 면했는데 또 재까지 그 '높이 드는' 복판에 휘몰아 넣으면 어쩔라구……."

"가만있어요, 호랑이두 굴에 가야 잡는 법이오. 무슨 세상이 되든 할 대로 해 봅시다."

〈중략〉 / 아들의 출발을 앞두고, 걱정하는 마누라를 우격다짐으로 무마하고 그는 아들 유학을 관철하였다.

무마하고: 분쟁이나 사건 따위를 어물어물 덮어 버리고
우격다짐: 억지로 우겨서 남을 굴복시킴
관철하였다: 어려움을 뚫고 나아가 목적을 기어이 이루었다

아 그 다음 해에 사변이 터졌다. / 잘 있노라는 서신이 계속하여 왔지만 동란 후 후퇴할 때까지 소식은 두절된 대로였다. / 마누라의 죽음은 외아들을 사지로 보낸 것 같은 수심에도 그 원인이 있었다고 그는 생각하고 있다.

사지: 죽을 지경의 매우 위험하고 위태한 곳

자 이인국 박사는 신문 다치키리 속에 채워진 글자를 하나도 빼지 않고 다 훑어 내려갔다. / 그러나 아들의 이름에 연관되는 사연은 한마디도 없었다.

다치키리: 조각면. 흔히 '박스 기사'라고 함

'이 자식은 무얼 꾸물꾸물하느라고 이런 축에도 끼지 못한담……. 사태를 판별하고 임기응변의 선수를 쓸 줄 알아야지, 맹추같이…….' 〈중략〉

임기응변: 그때그때 처한 사태에 맞추어 즉각 그 자리에서 결정하거나 처리함

'어쩌면 가족이 월남한 것조차 모르고 주저하고 있는 것이나 아닐까. 아니 이제는 그쪽에도 소식이 가서 제게도 무언중의 압력이 퍼져 갈 터인데…… 역시 고지식한 놈이 아무래도 모자라…….'

차 자위대가 치안대로 바뀐 다음 날이다. 이인국 박사는 치안대에 연행되었다. 〈중략〉

자위대: 일본의 국방 조직
치안대: 해방 직후 삼팔선 이북에서 치안을 유지하기 위해 조직된 공산주의 계열의 단체

"쪽발이 끄나풀, 야 이 새끼야."

쪽발이 끄나풀: 일본인의 앞잡이 노릇을 하는 사람을 낮잡아 이르는 말임

고함 소리에 놀라 이인국 박사는 흠칫 머리를 들었다.

때도 묻지 않은 일본 병사 군복에 완장을 찬 젊은이가 쏘아보고 있다. 춘석이다.

완장: 신분이나 지위 따위를 나타내기 위하여 팔에 두르는 띠

이인국 박사는 다시 쳐다볼 힘도 없었다. 모든 사태는 짐작되었다.

독해쌤 속닥속닥

◆ 이인국의 친일 행적 때문에 그의 아들이 소련으로 유학 가기에는 신분 조건이 좋지 않았을 거예요. 그럼에도 그의 아들을 소련으로 유학 보낸 것에서 이인국의 뛰어난 처세술을 짐작해 볼 수 있답니다.

◆ (사)에서 이인국과 그의 아내는 아들의 소련 유학을 두고 입장 차이를 보입니다. 이인국은 소련이 주둔하는 상황에서 출세하려면 그들에게 신임을 얻어야 한다고 생각해 아들의 유학을 찬성합니다. 그러나 그의 아내는 아들이 출세하려다가 혹시 새로운 위험에 빠질 것 같아 유학을 가지 않고 평범하게 살기를 바랍니다. 이러한 입장 차이를 통해 이인국의 기회주의적인 모습이 잘 드러나고 있어요.

◆ 일제 강점기 때, 친일파로 살았던 이인국은 위중한 상태로 병원에 실려 왔던 춘석을 돌려보냈었죠. 이제는 상황이 바뀌어 춘석이 친일파 이인국의 죄를 심문하게 되었네요.

◆ 이인국 박사의 (회중)시계는 그가 일본 제국 대학을 졸업할 때 받은 영예로운 수상품이자 그의 분신입니다. 그런 점에서, 이인국은 시계를 빼앗긴다면 자기가 살아남을 가능성이 희박하다고 생각했을 거예요.

이제는 죽는구나, 그는 입속으로 뇌까렸다. / "왜놈의 밑바시, 이 개새끼야."
('밑바시': '음식 찌꺼기'를 가리키는 함경도 사투리)

일본 군용화가 그의 옆구리를 들이찬다.

(카) 시간이 얼마나 흘렀을까, 자기 앞자락에서 부스럭거리는 감촉과 금속성의 부닥거리는 소리를 듣고 어렴풋이 정신을 차렸다.

노란 털이 엉성한 손목이 시곗줄을 끄르고 있다. 그는 반사적으로 앞자락의 시계 주머니를 부둥켜 쥐면서 손의 임자를 힐끔 쳐다보았다. 〈중략〉 / "아니, 이것만은!"

그들의 대화는 서로 통하지 않는 대로 손아귀와 눈동자의 대결은 그대로 지속되고 있다. / 병사는 됫박만 한 손으로 이인국 박사의 손을 뿌리치면서 시계를 채어 냈다.

확인 문제

[01~02] 다음 설명이 맞으면 ○, 틀리면 ×표 하시오.

01 사건 전개상 (마)는 (바)~(아)와 비교할 때, 시간적 순서가 나중이다. (○, ×)

02 (사)에서 친일 행적이 있는 이인국 박사의 아들이 소련 유학을 떠날 수 있었던 것은 스텐코프 소좌의 추천을 받은 덕분이다. (○, ×)

[03~04] 다음 빈칸에 들어갈 알맞은 말을 쓰시오.

03 (바)에서 이인국 박사가 아들에게 '노어' 공부를 열심히 하라고 말한 이유는 [ㅅ][ㄹ]의 영향력이 커진 상황에 대처하여 살아남기 위함이다.

04 (카)로 보아, 이인국 박사의 소유물인 '[ㅅ][ㄱ]'는 그의 분신과도 같은 존재임을 알 수 있다.

인물·사건 + 서술

05 (마)~(카)를 시간의 순서에 따라 재배열할 때, 적절한 것은?

① (마) → (바), (사), (아) → (자) → (차), (카)
② (마) → (바), (사), (아) → (자), (차) → (카)
③ (바), (사), (아) → (차), (카) → (마), (자)
④ (차), (카) → (바), (사), (아) → (마), (자)
⑤ (차), (카) → (마), (자) → (바), (사), (아)

서술

06 윗글의 서술 시점에 대한 설명으로 적절한 것은?

① 주인공인 '나'가 사건과 심리, 주변 상황을 전달한다.
② 작품 속 등장인물이 사건을 객관적으로 관찰하여 전달한다.
③ 주변 인물이 서술자가 되어 주인공의 행동과 심리를 전달한다.
④ 서술자가 작품 밖 관찰자의 입장에서 사건을 객관적으로 전달한다.
⑤ 전지적 위치의 서술자가 비판적 거리를 두고 인물의 행동과 심리를 전달한다.

수능형 인물·사건 + 서술 + 주제

07 〈보기〉의 선생님의 질문에 대한 대답으로 가장 적절한 것은?

> **보기**
>
> 선생님: 「꺼삐딴 리」는 서술의 초점이 극명하게 주인공에게 맞춰진 인물 소설이에요. 서술자는 다양한 방식으로 이인국이라는 인물의 부정적 속성을 형상화하면서 이를 통해 독자에게 바람직한 삶의 방식을 성찰하게 하고 있죠. 자, 그러면 윗글에서 서술자가 [A]를 통해 형상화하려는 인물의 부정적 속성은 무엇일까요?

① 불안정하고 예민한 정서
② 극단적이고 폭력적인 말투
③ 운명에 순응하는 체념적인 태도
④ 과거에 집착하는 완고한 가치관
⑤ 자기중심적이고 출세 지향적인 성격

타 노어책을 읽으면서도 그의 청각은 늘 감방 속의 이야기를 놓치지 않고 있다. 그들이 예측하는 식대로의 중형으로 치른다면 자기의 죄상은 너무도 어마어마하다. 양곡 조합의 쌀을 몰래 팔아먹은 것이 칠 년, 양민을 강제로 보국대에 동원했다는 것이 십 년, 감정적인 즉결이 아니라 법에 의한 처단이라고 내대지만 이 난리 판국에 법이고 뭣이고 있을까, 마음에만 거슬리면 총살일 판인데…….

(죄상: 범죄의 구체적인 사실 / 보국대: 일제 강점기에, 우리나라 사람을 강제 노동에 동원하기 위하여 만든 노무대 / 즉결: 그 자리에서 곧 결정함. 또는 그런 결정에 따라 아무리를 지음)

'친일파, 민족 반역자, 반일 투사 치료 거부, 일제의 간첩 행위…….'

이건 너무도 어마어마한 죄상이다. 취조할 때 나열하던 그대로 한다면 고작해야 무기징역, 사형감일지도 모른다.

(취조: 범죄 사실을 밝히기 위하여 혐의자나 죄인을 조사함)

파 '그럼, 어쩐단 말이야, 식민지 백성이 별수 있었어. 날구뛴들 소용이 있었느냐 말이야, 어느 놈은 일본 놈한테 아첨을 안 했어. 주는 떡을 안 먹은 놈이 바보지. 흥, 다 그 놈이 그놈이었지.'

이인국 박사는 자기변명을 합리화하고 나면 가슴이 좀 후련해 왔다.

거기다 어저께의 최종 취조 장면에서 얻은 소련 고문관의 표정은 그에게 일루의 희망을 던져 주는 것이 있었다. 물론 그것이 억지의 자위일지도 모른다고 생각되었지만.

(일루: 한 오리의 실이라는 뜻으로, 몹시 미약하거나 불확실하게 유지되는 상태를 이르는 말 / 자위: 자기 마음을 스스로 위로함)

아마 스텐코프 소좌라고 했지. 그 혹부리 장교. 직업이 의사라고 했을 때, 독또오루 하고 고개를 기웃거리던 순간의 표정, 그것이 무슨 기적의 예시 같기만 했다.

> 이 작품의 처음 부분에는 이 시기를 무사히 넘기고 살아남은 이인국의 모습이 제시되어 있죠. 따라서 이인국과 스텐코프 사이에 어떤 사건이 생겨서 이인국이 감방에서 무사히 벗어나게 될 것임을 짐작할 수 있어요.

전개 2 | 이인국이 치안대에 잡혀가 감방에 갇힘

위기

중략 부분 줄거리_ 어느 날, 이인국이 갇혀 있던 감방에 환자가 생긴다. 이인국은 그의 증세를 보고 적리(이질)라는 전염병임을 알아차리고, 이를 교화소원에게 알린다. 얼마 후 환자는 격리되었지만, 이튿날부터 같은 증세의 환자가 계속 발생한다. 그러자 소련군은 이인국을 당분간 응급 치료실에서 일하게 한다. 그는 있는 힘을 다해 자기 담당의 환자를 치료했고, 마침내 소련 군의관에게 기술이 인정되어 병원에서 계속 근무하게 된다.

> 감방에 전염병이 퍼지게 된 일은 결국 이인국에게 기회가 되었어요. 이인국은 계속해서 느는 전염병 환자들을 온갖 정성을 다해 치료하며 그 능력을 인정받고, 결국 병원에서 계속 근무하게 되죠. 이인국의 처세에 또 한 번 놀라게 되는 부분입니다.

위기 | 감방에 전염병 환자가 생기자 이인국이 응급 치료실에서 일하게 됨

절정

하 그는 환자의 치료를 하면서도 늘 스텐코프의 왼쪽 뺨에 붙은 오리알만 한 혹을 생각하고 있었다. / 불구라면 불구로 볼 수 있는 그 혹을 가지고 고급 장교에까지 승진했다는 것은, 소위 말하는 당성(黨性)이 강하거나 그렇지 않으면 전공(戰功)이 특별했음에 틀림없다는 생각이 들었다.

(당성: 당원이 자신이 속한 당의 이익을 위하여 거의 무조건 가지는 충실한 마음과 행동 / 전공: 전투에서 세운 공로)

그것 하나만 물고 늘어지면 무엇인가 완전히 살아날 틈바귀가 생길 것만 같았다.

이인국 박사의 뜨내기 노어도 가끔 순시하는 스텐코프와 인사말을 주고받을 수 있을 정도로 진전되었다.

이 안에서의 모든 독서는 금지되었지만 노어 교본과 당사(黨史)만은 허용되었다.

(당사: 정당의 역사. 여기서는 소련 공산당의 역사를 의미함)

이인국 박사는 마치 생명의 열쇠나 되는 듯이 초보 노어책을 거의 암송하다시피 했다.

> 이인국은 감방에서 완전히 풀려날 기회를 노리며, 일단 스텐코프에게 호감을 얻기 위해 노어 교본으로 열심히 러시아어를 공부했어요. 이런 점에서 '노어 교본'은 이인국에게 생명의 열쇠와 다름없었답니다.

거 크리스마스를 전후하여 장교들의 주연이 베풀어지는 기회가 거듭되었다.

(주연: 술잔치)

얼근히 주기를 띤 스텐코프가 순시를 돌았다.

◆ (너)에서 마침내 이인국은 스텐코프의 혹 제거 수술을 성공적으로 끝냅니다. 지문에 제시되진 않았지만, 이인국은 수술을 실패할 경우 총살에 처한다는 서약서를 적은 뒤 수술에 임했어요. 그만큼 이 수술이 이인국에게는 목숨을 걸 정도로 중요했던 것입니다.

이인국 박사는 오늘의 이 기회를 놓치지 않겠다고 마음먹었다.

수일 전 소군 장교 한 사람이 급성 맹장염이 터져 복막염으로 번졌다.

그 환자의 실을 뽑는 옆에 온 스텐코프에게 이인국 박사는 말 절반 손짓 절반으로 혹을 수술하겠다는 의사를 표명했다. / 스텐코프는 '하라쇼'(‘아주 좋다’라는 뜻의 러시아어)를 연발했다.

너 수술일은 왔다. / 이인국 박사는 손에 익은 자기 병원의 의료 기재를 전부 운반하여 오게 했다. 〈중략〉 / 수술은 예상 이상의 단시간으로 끝났다.

위생복을 벗은 이인국 박사의 전신은 땀으로 흠뻑 젖었다.

완치되어 퇴원하는 날 스텐코프는 이인국 박사의 손을 부서져라 쥐면서 외쳤다.

"㉠꺼삐딴 리, 스바씨보(‘고맙습니다’를 뜻하는 러시아어)."

이인국 박사는 입을 헤벌리고 웃기만 했다. 마음의 감옥에서 해방된 것만 같았다.

확인 문제

[01~02] 다음 설명이 맞으면 ○, 틀리면 ×표 하시오.

01 (타)에서 이인국 박사는 자신의 죄상이 매우 무거움을 스스로 인식하고 있다. (○, ×)

02 감방에 갇힌 이인국 박사는 총살을 당할 수도 있다는 생각에 살아갈 희망을 잃었다. (○, ×)

[03~04] 다음 빈칸에 들어갈 알맞은 말을 쓰시오.

03 (파)에서 이인국 박사는 ㅅㅁㅈ ㅂㅅ이 별수 있었겠냐며, 친일 행적에 대한 자기변명을 합리화하고 있다.

04 (파)~(너)로 보아, 이인국 박사가 생각하는 '기적의 예시'는 스텐코프의 '오리알만 한 ㅎ'이다.

실력 문제

인물·사건

05 윗글에서 '이인국 박사'가 감방에서 풀려날 기회로 여긴 방법으로 가장 적절한 것은?

① 노어책을 암송하다시피 한 것
② 스텐코프의 혹을 제거해 준 것
③ 감방 동료들의 이야기를 놓치지 않은 것
④ 소련군 장교의 복막염 수술을 성공한 것
⑤ 노어와 당사를 공부하며 스텐코프와 친해진 것

인물·사건 + 주제

06 ㉠에 대한 설명으로 적절하지 않은 것은?

① 이인국 박사에 대한 호칭이다.
② 스텐코프가 이인국 박사를 치켜세우고 있는 표현이다.
③ 이인국 박사를 풍자하고자 하는 작가의 의도가 담겨 있다.
④ 이인국 박사를 대하는 스텐코프의 태도가 일관됨을 보여 준다.
⑤ 역사의 격변기마다 최고 권력에 붙어 살아가는 이인국 박사의 사고방식을 상징하는 말이다.

수능형 주제

07 〈보기〉의 밑줄 친 ⓐ~ⓔ 중, 윗글의 창작 의도에 해당하는 것은?

보기

국권 상실과 전쟁이라는 엄청난 비극을 체험한 작가들은 민족의 참혹한 현실과 그 속에서 살아가는 사람들의 모습을 제재로 하여 다양한 소설을 창작했다. 이와 같은 작품으로는 ⓐ전쟁으로 인한 극한 상황을 그린 작품, ⓑ남과 북의 갈등 혹은 이념의 대립을 비판하는 작품, ⓒ역사적 격동기의 기회주의적 삶을 풍자하는 작품 등이 있다. 또한 ⓓ전쟁으로 인해 고향을 떠나야 했던 사람들의 고통을 다룬 작품도 있으며, 한편으로는 ⓔ새로운 감성과 시각으로 현대인의 소외된 삶을 그리는 작품도 등장하기 시작했다.

① ⓐ ② ⓑ ③ ⓒ ④ ⓓ ⑤ ⓔ

독해쌤 속닥속닥

◆ 이인국은 간신히 자유의 몸이 된 상황임에도 회중시계를 되찾으려 해요. 이인국이 회중시계에 얼마나 집착하고 있는지를 짐작할 수 있답니다. 그리고 (러)의 내용을 바탕으로 이인국이 결국 이 시계를 돌려받았다는 사실을 알 수 있어요.

◆ 이인국이 찾아간 브라운의 관사에는 값진 문화재가 많았어요. 이인국은 그것들과 비교했을 때 자신이 가져온 선물이 특별하지 않은 것 같아 민망해할 뿐, 우리 문화재의 국외 유출을 막고 보호해야 한다는 생각은 전혀 하지 않아요. 이런 이인국의 태도에서 이기적이고 반민족적인 면모를 엿볼 수 있어요.

◆ (버)에서는 시대가 어떻게 바뀌든 자신은 그 상황에 적응하여 잘살 수 있다는 이인국의 생각이 나타나 있어요. 기회주의적인 자신의 삶의 태도에 대한 합리화가 드러나는 부분입니다.

더 다음 날 스텐코프는 이인국 박사를 자기 방으로 불렀다. 〈중략〉

"내일부터는 집에서 통근해도 좋소."

이인국 박사는 막혔던 둑이 터지는 것 같은 큰숨을 삼켜 가면서 내쉬었다.

이번에는 이인국 박사가 스텐코프의 손을 잡았다. / "스바씨보, 스바씨보."

"혹 나한테 무슨 부탁이 없소?" / 이인국 박사는 문득 ㉠시계가 머리에 떠올랐다.

그러면서도 곧이어 이 마당에 그런 이야기를 꺼낸다는 것은 오히려 꾀죄죄하게 보이지 않을까 하는 생각이 뒤따랐다. 그러나 아무래도 그 미련이 가셔지지 않았다.

이인국 박사는 비록 찾지 못하는 경우가 있더라도 솔직히 심중(마음의 속)을 털어놓으리라고 마음먹었다. 〈중략〉 / "안심하시오, 독또오루 리, 하하하."

스텐코프는 큰 웃음으로 넌지시 말끝을 막았다.

이인국 박사는 죽음의 직전에서 풀려나 집으로 향했다.

절정 | 스텐코프의 혹을 제거한 이인국이 처벌을 받지 않고 풀려남

결말

러 차가 브라운 씨의 관사 앞에 닿았다. / 성조기(星條旗)(미국의 국기)를 보면서 이인국 박사는 그날의 적기와 돌려 온 시계를 생각했다. 〈중략〉

맞은편 책상 위에는 작은 금동 불상(金銅佛像) 곁에 몇 개의 골동품이 진열되어 있다. 십이 폭 예서(隸書) 병풍 앞 탁자 위에 놓인 재떨이도 세월의 때 묻은 백자기다.

저것들도 다 누군가가 가져다준 것이 아닐까 하는 데 생각이 미치자 이인국 박사는 얼굴이 화끈해졌다. / 그는 자기가 들고 온 상감 진사(象嵌辰砂) 고려청자 화병에 눈길을 돌렸다. 사실 그것을 내놓는 데는 얼마간의 아쉬움이 없지 않았다. 국외로 내보낸다는 자책감 같은 것은 아예 생각해 본 일이 없는 그였다.

차라리 이인국 박사에게는 저렇게 많으니 무엇이 그리 소중하고 달갑게 여겨지겠느냐는 망설임이 더 앞섰다.

브라운 씨가 나오자 이인국 박사는 웃으며 선물을 내어놓았다. 포장을 풀고 난 브라운 씨는 만면(온 얼굴)에 미소를 띠며 기쁨을 참지 못하는 듯 생큐를 거듭 부르짖었다.

머 "그거, 국무성에서 통지 왔습니다."

이인국 박사는 뛸 듯이 기뻤으나 솟구치는 흥분을 억제하면서 천천히 손을 내밀어 악수를 청했다. / "생큐, 생큐." 〈중략〉

이인국 박사는 지성이면 감천이라구, 나의 처세법은 유에스에이에도 통하는구나 하는 기고만장한 기분이었다.

청자병을 몇 번이고 쓰다듬으면서 술잔을 거듭하는 브라운 씨도 몹시 즐거운 기분이었다. / "미국에 가서의 모든 일도 잘 부탁합니다."

버 대학을 갓 나와 임상 경험도 신통치 않은 것들이 미국에만 갔다 오면 별이라도 딴 듯이 날치는 꼴이 눈꼴사나웠다.

'어디 나두 댕겨오구 나면 보자!' 〈중략〉

[A] ‘흥, 그 사마귀 같은 일본 놈들 틈에서도 살았고, 닥싸귀 같은 로스케 속에서 살아났는데, 양키라고 다를까……. 혁명이 일겠으면 일구, 나라가 바뀌겠으면 바뀌구, 아직 이 이인국의 살 구멍은 막히지 않았다. 나보다 얼마든지 날뛰던 놈들도 있는데, 나쯤이야…….’ / 그는 허공을 향하여 마음껏 소리치고 싶었다.

- 닥싸귀: ‘도꼬마리’의 방언. 열매에 갈고리 같은 가시가 있어 다른 물체에 잘 붙음
- 양키: 미국 사람들을 낮잡아 이르는 말

◆ 이후 이인국의 삶은 어떠했을까요? 아마도 지금까지 그래 왔듯 앞으로도 상황에 빠르게 대처하며 어떤 식으로든 잘살지 않았을까요?

서 이인국 박사는 캘리포니아 특산 시가를 비스듬히 문 채 지나가는 택시를 불러 세웠다. / 그는 스프링이 튈 듯이 복스에 털썩 주저앉았다. / “반도 호텔로…….” / 차창을 거쳐 보이는 맑은 가을 하늘이 이인국 박사에게는 더욱 푸르고 드높게만 느껴졌다.

- 복스: 손질하여 부드럽게 만든 송아지 가죽

결말 | 6·25 전쟁 후 이인국이 브라운의 도움으로 미국행을 준비함

확인 문제

[01~02] 다음 설명이 맞으면 ○, 틀리면 ×표 하시오.

01 (더)에서 스텐코프의 혹을 제거한 이인국 박사는 그에 대한 대가로 자신을 풀어 줄 것을 부탁한다. (○, ×)

02 (러)~(머)로 보아, 이인국 박사가 마지막으로 지향하는 권력은 미국임을 알 수 있다. (○, ×)

[03~04] 다음 빈칸에 들어갈 알맞은 말을 쓰시오.

03 (러)~(머)에서 이인국 박사는 미국행을 성사시키기 위해 ‘ㄱㄹㅊㅈ 화병’을 브라운에게 바친다.

04 (버)에서 이인국 박사는 상황에 따라 빠르게 변신하며 살았던 자신의 ㄱㅎㅈㅇㅈ인 태도를 합리화하고 있다.

실력 문제

인물·사건

05 윗글의 내용과 일치하는 것은?

① 이인국은 처벌 없이 자유의 몸이 되었다.
② 브라운은 이인국의 선물이 탐탁지 않았다.
③ 이인국은 스텐코프에게 시계를 돌려받지 못했다.
④ 이인국은 브라운을 만난 뒤 미래에 대한 불안감을 느꼈다.
⑤ 이인국은 청자병을 내놓으며 조금의 아쉬움도 느끼지 않았다.

배경·소재

06 (러)~(버)를 통해 짐작할 수 있는 당시의 사회·문화적 배경을 〈보기〉에서 골라 바르게 묶은 것은?

> 보기
> ㄱ. 영어로만 의사소통을 할 수 있었다.
> ㄴ. 남한에서 사회적으로 미국의 영향력이 커졌다.
> ㄷ. 우리나라의 문화재가 국외로 많이 유출되었다.
> ㄹ. 권력자에게 아부하여 자신의 부와 권력을 키우려는 사람들이 등장했다.

① ㄱ, ㄴ ② ㄱ, ㄷ ③ ㄴ, ㄷ
④ ㄴ, ㄹ ⑤ ㄷ, ㄹ

인물·사건 + 어휘

07 [A]에 나타난 이인국의 모습과 관련 있는 속담은?

① 맑은 물에 고기 안 논다
② 닭 쫓던 개 지붕 쳐다본다
③ 간에 붙었다 쓸개에 붙었다 한다
④ 똥 묻은 개 겨 묻은 개 나무란다
⑤ 호랑이를 잡으려다 토끼를 잡는다

수능형 배경·소재

08 〈보기〉를 참고할 때, ㉠의 의미로 가장 적절한 것은?

> 보기
> 왕진 가방과 함께 삼팔선을 넘어온 피란 유물의 하나인 시계. 〈중략〉 시계는 목숨을 걸고 삶의 도피행을 같이한 유일품이요, 어찌 보면 인생의 반려이기도 한 것이다.

① 이인국의 철저한 시간 관념을 대변하는 소재
② 물건에 대한 이인국의 집착을 보여 주는 소재
③ 명예를 중시하는 이인국의 욕망이 담긴 소재
④ 이인국의 분신으로, 인생의 역정을 함께한 소재
⑤ 소련으로 유학 보낸 아들을 떠올리게 하는 소재

작품 전체

발단✲	전개✲	위기	절정✲	결말✲
일제 강점기가 끝나고 이인국은 광복을 맞이함	광복 후에 ❶ㅅ ㄹ ㄱ이 들어오고, 이인국은 치안대에 잡혀가 감방에 갇힘	감방에 전염병 환자가 생기자 이인국이 응급 치료실에서 일하게 됨	스텐코프의 ❷ㅎ을 제거한 이인국이 처벌을 받지 않고 풀려남	6·25 전쟁 후 이인국이 브라운의 도움으로 ❸ㅁ ㄱ행을 준비함

✲: 교재 수록 부분

작품 압축

■ 시대의 변화에 따른 '이인국'의 대응 방식과 삶의 태도

시기	공간	이인국의 대응 방식
일제 강점기	❹ㅂ ㅎ	모범적인 황국 신민으로 살며, 일제에 적극 협조해 부와 권력을 누림
해방 직후 · 소련군 주둔 시기	북한	• 친일 행적으로 치안대에 끌려가서도 자신에게 온 기회(스텐코프의 혹 제거)를 살려 처벌을 받지 않고 감방에서 풀려남 • ❺ㅅ ㄹ에 우호적인 태도를 보이며 부와 권력을 다시 얻으려 노력함
6·25 전쟁 중	북한 → 남한	1·4 후퇴 때 아내와 딸과 함께 북쪽에서 남쪽으로 내려옴
6·25 전쟁 후	남한	❻ㅁ ㄱ에 우호적인 태도를 보이며 부와 권력을 유지함

⇒

이인국의 삶의 태도

• 옳고 그름과 상관없이 자신의 이익과 생존만을 위해 행동함
• ❼ㄱ ㅎ주의자로, 상황에 따라 변신함

인물·사건 / 배경·소재 / 주제

■ 주요 소재의 의미와 역할

소재	의미와 역할
❽ㅎ ㅈ ㅅ ㄱ	• 일제 강점기에 이인국이 제국 대학을 졸업하며 받은 수상품으로, 반민족적 사고를 상징함 • 인생의 역정을 함께해 온 분신 같은 존재로, 과거 회상의 매개체임
노어 교본	감옥에 갇힌 이인국에게 생명의 열쇠와도 같은 물건으로, 기회주의적 삶의 태도를 드러냄
청자병	우리나라의 ❾ㅁ ㅎ ㅈ가 유출되던 당시 상황을 나타내며, 이인국의 이기적이고 반민족적인 태도를 드러냄

■ 작가의 창작 의도

'꺼삐딴 리'의 의미

• 영어 '캡틴(captain)'에 해당하는 러시아어 '까삐딴'은 광복 직후 북한에서 '우두머리'나 '최고'라는 뜻으로 쓰였음
• 이인국을 가리키는 '꺼삐딴 리'는 그의 기회주의적 행태를 ❿ㅍ ㅈ하는 제목이기도 함

⇓

작가의 창작 의도

• 자신의 이익과 생존만을 위해 사는 삶을 비판함
• 시대와 상황에 따라 빠르게 변신하는 기회주의자의 삶을 비판함

어휘력 테스트

1 다음 괄호 안에 들어갈 단어를 〈보기〉에서 골라 써 보자.

> 보기
> 섬광　　엄습　　우격다짐

(1) 미사일은 (　　　　　)을 한 번 번적하더니 폭발해 버렸다.

(2) 그는 동생에게 (　　　　　)하여 동생의 물건들을 모두 빼앗아 썼다.

(3) 그녀는 갑작스레 (　　　　　)하는 공포와 흥분으로 온몸이 와들와들 떨렸다.

2 다음 〈보기〉의 뜻을 참고하여 십자말풀이를 완성해 보자.

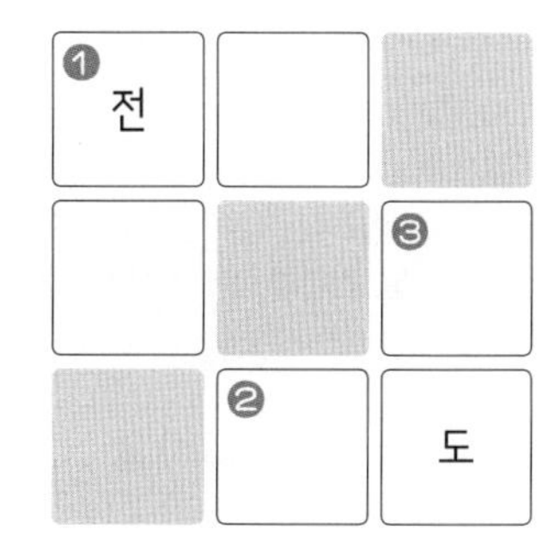

> 보기
> **가로**
> ❶ 몹시 무섭거나 두려워 몸이 벌벌 떨림
> ❷ 어떤 대상이나 세력을 쳐서 거꾸러뜨림
> **세로**
> ❶ 전투에서 세운 공로
> ❸ 어떤 일을 하거나 문제를 풀어 가기 위한 방법과 도리

독해쌤과 함께하는 감상 넓히기

기회주의적 인물, 또는 이와 반대되는 인물을 다룬 작품

이번에 감상한 「꺼삐딴 리」와 같이 기회주의적인 인물을 비판하며 풍자한 작품과, 이와는 반대로 자신의 신념을 지키며 사는 인물을 그린 작품들이 있어요. 과연 현대인들에게 필요한 삶의 태도는 무엇일지 생각하며 작품들을 더 감상해 볼까요?

치숙_채만식

일제 강점기에 사회주의 운동으로 옥살이를 하고 나와 무능력자가 된 아저씨와 그를 비판하는 조카를 통해, 식민지 지배하에 있던 우리 민족의 삶의 모습을 풍자한 소설입니다. 작가는 조카인 '나'의 시선을 통해 아저씨를 비판하고 있지만, 아저씨와의 대화를 통해 '나'가 사회적 인식이 결여된 채 일본에 순응하는 기회주의적 삶을 살고 있음을 드러내고 있습니다.

딸깍발이_이희승

궁핍한 생활을 하면서도 오로지 청렴결백과 지조, 앙큼한 자존심과 꼬장꼬장한 고지식을 생활신조로 삼았던 '딸깍발이'의 생활 태도와 자기 위주로만 사는 현대인의 생활 태도를 대비하여, 바르고 참된 삶이 무엇인지를 일깨워 주는 작품입니다.

모래톱 이야기 1 _ 김정한

모래톱은 '강가나 바닷가에 있는 모래 벌판'이라는 뜻이에요. 같은 의미의 '모래사장'은 눈앞에 낭만적인 풍경을 떠올리게 하는데, '모래톱'이라고 하면 어쩐지 삭막하고 쓸모없는 땅이라는 느낌이 들지는 않나요? 비옥한 땅이 아닌 척박한 땅, 모래톱. 이곳은 과연 어떤 이야기를 품고 있을지 작품을 감상해 볼까요?

독해쌤의 감상 질문

1. 인물·사건 • 이 작품에 등장하는 인물들의 특징은 무엇인가요?
   • '조마이섬'의 소유권 변천 과정을 통해 고발하려는 현실은 무엇인가요?
2. 서술 이 작품의 서술상 특징은 무엇인가요?
3. 주제 작가가 이 작품을 통해 전달하려는 주제는 무엇일까요?

발단

가 이십 년이 넘도록 내처(줄곧 한결같이) 붓을 꺾어(글을 짓는 일을 그만두어(=절필해)) 오던 내가 새삼 이런 글을 끼적거리게(글씨나 그림 따위를 아무렇게나 자꾸 쓰거나 그리게) 된 건 별안간 무슨 기발한 생각이 떠올라서가 아니다. 오랫동안 교원 노릇을 해 오던 탓으로 우연히 알게 된 한 소년과, 그의 젊은 홀어머니, 할아버지, 그리고 그들이 살아오던 낙동강 하류의 어떤 외진 모래톱— 이들에 관한 그 기막힌 사연들조차, 마치 지나가는 남의 땅 이야기나, 아득한 옛날이야기처럼 세상에서 버려져 있는 데 대해서까지는 차마 묵묵할 도리가 없었기 때문이다.

중략 부분 줄거리_ 건우는 '나'가 교편을 잡고 있던 K중학교에서 직접 담임했던 제자다. 낙동강 하류의 조마이섬에서 나룻배로 통학하던 건우에게 관심을 갖게 된 '나'는 어느 날, 건우의 집에 가정 방문을 간다.

발단 | 20년 넘게 절필했던 '나'는 부조리한 현실을 고발하기 위해 글을 씀

전개1

나 "어머니 혼자 힘으로 공부 시키기가 여간 힘들지 않으실 텐데……."

건우가 잠깐 자리를 비키는 것을 보고 나는 으레 하는 식으로 가정 사정부터 물어보았다. 할아버지와 아저씨와 그리고 재산 따위에 대해서.

—할아버지는 개깃배(고깃배)를 타시고, 재산이랄 끼사 머 있십니꺼. 선조 때부터 물려받은 밭뙈기들은 나라 땅이라 캤다가, 국회 의원 땅이라 캤다가……. 우리싸 머 압니꺼—이렇게 대략 건우 군의 글에서 알았을 정도의 얘기였고, 건우의 삼촌에 대해서는 웬일인지 일체 말이 없었다. 대신, 길이 먼 데다 나룻배까지 타야 되기 때문에 건우가 지각이 많아서 죄송스럽다는 얘기와, 아버지가 없으니 그런 점을 생각해서 잘 도와 달라는 부탁이 고작이었다.

다 사과 궤짝 같은 것에 종이를 발라 쓰는 책상 위에는 몇 권 안 되는 책들이 나란히 꽂혀 있었다. 그 가운데서 '섬 얘기'라고, 잉크로써 굵직하게 등마루에 씌어진 두툼한 책 한 권이 특별히 눈에 띄었다. / "섬 얘기? 저건 무슨 책이지?"

나는 건우를 돌아보고 물었다. / "암 것도 아입니더." 〈중략〉 / 건우는 마지못해 여기저길 뒤적거리다가 한 군데를 펴 주었다. 또박또박 깨알같이 박아 쓴 글씨였다.

라 ××× 여사는 어머니처럼 혼자 사시는 분이라 그런지 그분의 글에는 한결 감동되는 바가 있었다. 「내가 본 국도」 속의 한 구절—

"그래도 선거 때가 되면 소속 육지에서 똑딱선을 가지고 섬 백성을 모시러 오는 알뜰한 정당이 있어, 이들은 다만, 그 배로 실려 가서 실상 자기네 실생활과는 무연한(아무런 관계가 없는) 정치를

위하여 지정해 주는 기호 밑에 도장을 찍어 주고 그 배에 실려 돌아온다는 것입니다.

현대 문명의 혜택이라곤 아직 받아 보지 못한 그들의 생활 속에도 현대 문명인이 행사하는 선거란 상식이 깃들게 되고, 어느 정당이나 정치의 영향도 알뜰히 받아 보지 못한 그네들에게도 투표하는 임무만은 지워져야 하고 조국의 사랑이라곤 받아 본 일이 없이 헐벗고 배우지 못한 그들의 아들들이 먼저 조국을 수호해야 할 책임을 지고 훈련을 받고 총을 메고 군인이 되어 갔다는 것……."

우리 아버지도 응당 이러한 군인 중의 한 사람이었으리라. 그래서 언제 어디서 쓰러졌는지도 모르고, 따라서 국군 묘지에도 묻히지 못하고, 우리에겐 연금도 없고…….

확인 문제

[01~02] 다음 설명이 맞으면 ○, 틀리면 ×표 하시오.

01 '나'는 20년 동안 쉬지 않고 활발히 글을 써 오고 있는 사람이다. (○, ×)

02 (가)에서 '나'는 이 글을 쓰게 된 이유에 대해 구체적으로 밝히고 있다. (○, ×)

[03~04] 다음 빈칸에 들어갈 알맞은 말을 쓰시오.

03 건우가 살고 있는 모래톱은 ㄴㄷㄱ 하류에 위치해 있다.

04 건우 어머니가 사용하는 ㅅㅌㄹ는 향토적 분위기를 형성하며 농촌의 실상을 현장감 있게 전달한다.

실력 문제

서술

05 윗글에 대한 설명으로 적절하지 않은 것은?

① '나'는 과거를 회상하며 사건을 서술하고 있다.
② '나'가 교사였던 시절에 알게 된 이야기를 고발하고 있다.
③ 주인공인 '나'가 자신이 겪었던 이야기를 구체적으로 밝히고 있다.
④ 외부 이야기 속에 내부 이야기가 전개되는 액자식 구성을 취하고 있다.
⑤ 서술자인 '나'가 사건에 대해 관찰한 이야기를 객관적으로 전달하고 있다.

인물·사건

06 (라)에 대한 이해로 적절하지 않은 것은?

① 섬사람들은 가난했고 교육도 제대로 받지 못했다.
② 평소 섬사람들은 나라의 보호와 관심을 받지 못했다.
③ 선거 때가 되면 정당에서 배를 보내 섬사람들을 육지로 실어 날랐다.
④ 상식이 점차 깃들게 된 섬사람들은 자신이 원하는 정당에 투표를 했다.
⑤ 국가로부터 소외된 계층의 사람들이 제일 먼저 국가를 지켜야 할 책임을 지고 군인이 되었다.

수능형 / 인물·사건

07 '나'와 '건우 어머니'가 나눈 대화 내용으로 적절하지 않은 것은?

> '나': 건우 어머님, 가정 형편은 좀 어떠신가요?
> 건우 어머니: 재산이랄 것도 없습니더. 지금 살고 있는 땅이 우리 가족이 가진 전부라예. ……… ㉠
> '나': 그렇군요. 그럼 혹시 건우 할아버지와 아저씨는 무슨 일을 하시나요? ……… ㉡
> 건우 어머니: 할아버지는 고깃배를 타고 계십니더. ……… ㉢
> '나': 네. 건우가 쓴 글을 읽고 제가 어느 정도는 알고 있었습니다. ……… ㉣
> 건우 어머니: 그랬습니꺼? 건우가 지각도 잦고 여러모로 죄송합니더. 아버지도 없는 아이닝께네 아무쪼록 우리 아 잘 부탁드립니더. ……… ㉤

① ㉠ ② ㉡ ③ ㉢ ④ ㉣ ⑤ ㉤

모래톱 이야기 ②

독해쌤 속닥속닥

◆ 건우의 글을 통해 소유권을 빼앗긴 조마이섬 사람들의 이야기를 알게 된 '나'는 건우에게 언젠가 조마이섬 사람들이 땅 주인이 될 거라며 희망을 잃지 말라고 하죠. 결국 이 내용은 작가의 생각을 '나'의 목소리를 통해 드러낸 것이라고 볼 수 있어요.

◆ '송아지 빨갱이'는 윤춘삼 씨의 별명이에요. 청년단이라는 패거리가 마구 설칠 때, 남에게 배내(남의 가축을 길러서 가축이 다 자라거나 새끼를 낸 뒤에 주인과 나누어 가지는 제도)를 주었던 윤춘삼 씨의 송아지를 그들이 잡아먹은 게 분해, 배내 먹이던 사람에게 송아지를 물어내라고 화풀이를 한 일 때문에 붙은 별명이지요.

◆ 이 부분은 건우 할아버지로부터 조마이섬을 빼앗기게 된 이야기를 듣고, '나'가 을사 보호 조약 당시의 상황을 떠올린 내용입니다. 당시 일제가 벌인 조선 토지 사업에 대한 역사적 정보를 요약적으로 전달함으로써 독자의 이해를 돕는 역할을 하지요.

마 "건우야!" / 나는 노트 대신 건우의 손을 꽉 쥐었다.

"이 땅이 이곳 사람들의 땅이 아니랬지? 멀쩡한 남의 농토까지 함께 매립 허가를 얻은 어떤 유력자의 것이라고 하잖았어? 그러나 두고 봐. 언젠가는 너희들이 이 땅의 주인이 될 거야. 우선은 어떠한 괴로움이 있더라도, 억울하더라도 희망을 잃지 말고 꼭 참고 살아가야 해." / 어조가 어떻게 아까 그 노트를 읽을 때와 같은 것을 깨닫고 나는 잠깐 말을 끊었다. 건우는 내처 묵연해 있었다.

(매립: 우묵한 땅이나 하천, 바다 등을 돌이나 흙 따위로 채움 / 묵연해: 잠잠히 말이 없이)

전개 1 '나'는 가정 방문을 갔다가 조마이섬에 대한 이야기를 알게 됨

중략 부분 줄거리_ 가정 방문을 마치고 집으로 돌아오던 길에 우연히 과거에 인연이 있었던 윤춘삼과 건우 할아버지(갈밭새 영감)를 만난 '나'는 두 사람과 함께 주막에서 술을 마시게 된다.

전개 2

바 이번에는 건우 할아버지의 커다란 손이 연신 내 손을 덮쌌다.

"비록 개깃배를 타고 있지만 나도 과히 나쁜 놈은 아임데이. 내, 선생 이바구 다 듣고 있소. 이 송아지 빨갱이(섬에까지 그런 별명이 퍼졌던 모양이다)한테도 여러 분 들었고 우리 손잣놈한테도 듣고 있소. 정말정말 훌륭한 선생님이라고. 그까진 국회 의원이 다 먼교? 돈만 있음 ×라도 다 되는 기고, 되문 나라 땅이나 훑이고 팔아묵고 그런 놈들이 안 많던기요? 왜, 내 말이 어데 틀렸십니꺼?"

(연신: 잇따라 자꾸 / 이바구: '이야기'의 방언(경상도))

사 건우 할아버지와 윤춘삼 씨가 들려준 조마이섬 이야기는 어젠가 건우가 써 냈던 '섬 얘기'에 몇 가지 기막히는 일화가 붙은 것이었다. / "우리 조마이섬 사람들은 지 땅이 없는 사람들이오. 와 처음부터 없기싸 없었겠소마는 죄다 뺏기고 말았지요. 옛적부터 이 고장 사람들이 젖줄같이 믿어 오는 낙동강 물이 맨들어 준 우리 조마이섬은—"

건우 할아버지는 처음부터 개탄조로 나왔다. 선조로부터 물려받은 땅, 자기들 것이라고 믿어 오던 땅이 자기들이 겨우 철들락 말락 할 무렵에 별안간 왜놈의 동척 명의로 둔갑을 했더란 것이었다. 〈중략〉

1905년—을사년 겨울, 일본 군대의 포위 속에서 맺어진 '을사 보호 조약'이란 매국 조약을 계기로, 소위 '조선 토지 사업'이란 것이 전국적으로 실시되던 일, 그리고 이태 후인 정미년에 가서는 "한국 정부는 시정 개선에 관하여 통감의 지도를 수할 사"란 치욕적인 조목으로 시작된 '한일 신협약'에 따라, 더욱 그 사업을 강행하고 역둔토(驛屯土)의 대부분과 삼림 원야(森林原野)들을 모조리 국유로 편입시키는 등 교묘한 구실과 방법으로써 농민으로부터 빼앗은 뒤, 다시 불하하는 형식으로 동척과 일인 수중에 옮겨 놓던 그 해괴망측한 처사들이 문득 내 머리 속에도 떠올랐다. / ㉠"죽일 놈들."

(개탄조: 분하거나 못마땅해하는 말투나 말씨 / 동척: 1908년에 일본이 한국의 경제를 독점·착취하기 위하여 설립한 국책 회사 '동양 척식 주식회사'를 줄여 이르는 말 / 매국: 사사로운 이익을 위하여 나라의 주권이나 이권을 남의 나라에 팔아먹음 / 을사 보호 조약: 1905년 11월, 일본이 한국의 외교권을 빼앗기 위해 강제로 위협하여 체결한 조약 / 이태: 두 해 / 정미년: 1907년 / 역둔토: 역에 속한 논밭인 '역토'와 역에 주둔하는 군대의 자급자족을 위해 경작하는 토지인 '둔토'를 이르는 말 / 한일 신협약: 1907년 순종이 즉위할 때 통감 '이토 히로부미'의 방에서 일본과 맺은 조약 / 국유: 나라의 소유 / 불하하는: 국가 또는 공공 단체의 재산을 개인에게 팔아넘기는 / 처사: 일의 처리)

건우 할아버지는 그렇게 해서 다시 국회 의원, 다음은 하천 부지의 매립 허가를 얻은 유력자…… 이런 식으로 소유자가 둔갑되어 간 사연들을 죽 들먹거리더니,

"이 꼴이 되고 보니 선조 때부터 둑을 맨들고 물과 싸워 가며 살아온 우리들은 대관절 우찌 되는기요?"

[01~04] 다음 설명이 맞으면 ○, 틀리면 ×표 하시오.

01 '나'는 건우가 쓴 글을 통해 조마이섬의 상황을 알게 되었다. (○, ×)

02 '나'는 조마이섬 사람들이 섬의 소유권을 가지게 될 것을 기대하며, 미래에 대해 긍정적인 태도를 보이고 있다. (○, ×)

03 평소 건우 할아버지는 '나'에게 강한 불만을 지니고 있었다. (○, ×)

04 조마이섬 사람들은 처음부터 자기 땅을 갖지 못했고, 이후에는 다른 사람들에게 소유권이 넘어가 계속해서 땅을 차지할 수 없었다. (○, ×)

[05~06] 다음 빈칸에 들어갈 알맞은 말을 쓰시오.

05 건우 할아버지는 '나'에게 조마이섬의 내력을 들려주며, 권력자들에 대한 ㅂㄴ를 드러내고 있다.

06 1905년 을사년 겨울, 일본과 맺은 'ㅇㅅ ㅂㅎ ㅈㅇ'은 조마이섬 사람들이 땅을 빼앗기게 되는 계기가 되었다.

인물·사건

07 조마이섬의 소유권 변천 과정을 〈보기〉와 같이 정리했을 때, ⓐ에 들어갈 말로 적절한 것은?

보기

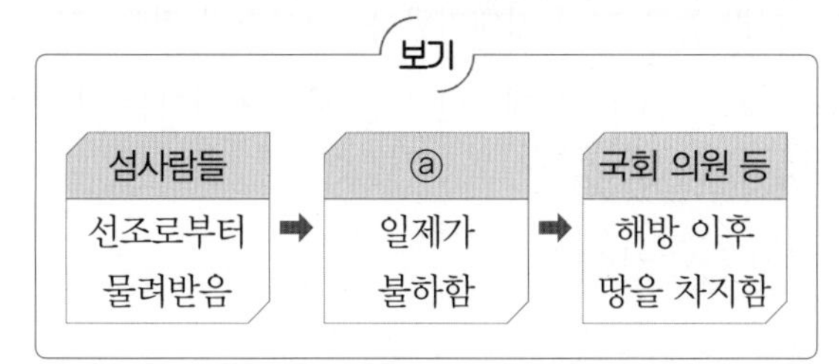

① 동척
② 청년단
③ 송아지 빨갱이
④ 모래톱 사람들
⑤ 매립 허가를 얻은 유력자

인물·사건

08 ㉠에 담겨 있는 인물의 심리로 적절한 것은?

① 빼앗긴 섬을 되찾겠다는 의지
② 섬을 빼앗아 간 사람들에 대한 분노
③ 섬을 떠나야만 하는 현실에 대한 슬픔
④ 섬을 지켜 내지 못한 자신들에 대한 후회
⑤ 섬을 빼앗기고도 무기력한 사람들에 대한 원망

수능형 인물·사건 + 배경·소재 + 서술

09 (사)를 〈보기〉와 같이 시나리오로 각색했다고 할 때, 고려했을 내용으로 적절하지 않은 것은?

보기

S#98. 강둑 위 (길게 펼쳐진 조마이섬 모습) E.L.S.*
건우 증조부: (손에 쥔 종이를 움켜쥐고 부르르 떨며) 대명천지에 이럴 수는 없는 기다!
소년(건우 할아버지): 인자 우리 땅이 아니라뇨. 조마이섬이 왜놈 땅이 됐다는 기 무신 말씀입니꺼?

S#99. 나루터 선술집, 저녁
건우 선생님: 그러니까 일제 때 토지 조사 사업 한답시고 국유지로 편입시켰다가, 그걸 다시 팔아먹었던 거군요?
건우 할아버지: (증오의 눈빛으로) 거서 끝이 아니라요. 아마 건우 애비 중학 졸업하던 땐가 해방 됐다꼬 만세 부르고 와 보니, 이번엔 국회 의원 손에 넘어갔다카이.
윤춘삼: 얼마 전부터는 하천 부지를 매립한다고…….
건우 할아버지: 오늘은 시커먼 놈들이 종이 쪼각을 들고 와서는 섬에서 나가는 기 좋을 끼라고 그랍디다. 내일은 결판을 낼 끼라고. 대명천지에 이럴 수는 없는 기다!

* E.L.S.: 아주 멀리서 넓은 지역을 조망하는 촬영 기법

① S#98에서 조마이섬의 지형적 특징을 보여 주기 위해 멀리서 섬을 조망하는 촬영 기법을 써야겠어.
② S#99에서 관객의 이해를 돕기 위해 인물의 대사로 역사적 사실에 대한 정보를 전달해야겠어.
③ S#99에서 관객의 긴장을 유발하기 위해 이후 벌어질 갈등 상황을 인물의 대사 속에 넣어야겠어.
④ S#98~99에서 인물 간의 갈등을 드러내기 위해 조마이섬 소유권 이전에 찬성하는 인물을 넣어야겠어.
⑤ S#98~99에서 억울한 상황이 되풀이됨을 강조하기 위해 서로 다른 인물에게 동일한 대사를 넣어야겠어.

모래톱 이야기 ③

독해쌤 속닥속닥

◆ 건우 할아버지가 말하는 '썩어 빠진 글'이란 현실적인 고뇌가 담겨 있지 않은 글을 말해요. 즉 현실과 동떨어진 내용이 담긴 문학 작품에 대한 비판적 시각이 드러나 있는 말이지요. 이는 지식인의 한 사람인 '나'에게 자기반성을 불러일으키게 됩니다.

아 건우 할아버지가 별안간 그 그로테스크한 얼굴을 내게로 돌렸다.
기괴한(외관이나 분위기가 이상하고 괴이한)

"우리 거무란 놈 말을 들으니 선생님은 글을 잘 씬다카데요? 우리 섬에 대한 글 한분 써 보이소. 멋지기! 재밌실 낌데이. 지발 그 썩어 빠진 글이랑 말고……."

"썩어 빠진 글이라뇨?" / 가끔 잡문 나부랭이를 써 오던 나는 지레 찌릿해졌다.
일정한 체계나 문장 형식에 구애받지 않고 되는대로 쓴 글

"와 그 신문 같은 데도 그런 기 수타(많이) 난다 카데요. ⓐ남은 보릿고개를 못 냉기서 솔가지에 모가지들을 매다는 판인데, ⓑ낙동강 물이 파아랗니 푸르니 어쩌니…… 하는 것들 말임더." 〈중략〉

"하기사 시인들이니칸에 훌륭하겠지요. 머리도 좋고……. 선생도 시인 아입니꺼. 그런데 와 ⓒ우리 농사꾼이나 뱃놈들의 이바구는 통 안 씨는기요? 추접다꼬? 글 베린다꼬 그라능기요?"

전개 2 '나'는 우연히 윤춘삼을 만나 건우 할아버지를 소개받고, 조마이섬의 내력과 그들의 삶을 알게 됨

중략 부분 줄거리_ 방학이 끝날 무렵, 건우로부터 수박을 드시러 오시라는 초대를 전해 들은 '나'는 처서쯤 건우네 집을 방문하려고 한다. 그런데 공교롭게도 처서 날 비가 내리기 시작하여 홍수가 나고, 걱정이 된 나는 조마이섬에서 가까운 하단 나루께로 가는 버스를 탄다.

위기

자 군데군데 시뻘건 뻘물이 개울을 이루고 있는 길을, 차는 철버덕철버덕 기어가듯 했다. 대티 고개서부터 내 눈은 벌써 김해 들을 더듬었다. / '저런……!'

건우네 집이 있는 조마이섬 일대는 어느덧 벌건 ㉠홍수에 잠겨 가고 있지 않은가! 수박이 문제가 아니다. 다시 흩날리기 시작하는 차창 밖의 빗속을 뚫고서, ⓓ내 시선은 잘 보이지도 않는 조마이섬 쪽으로 얼어붙었다. 동시에 '나룻배 통학생임더!' 하던 건우 군의 가냘픈 목소리가 갑자기 귀에 쟁쟁 되살아나는 것 같았다.

차 어느 산이라도 뒤엎었는지 황토로 물든 물굽이가 강이 차게 밀려 내렸다. 웬만한 모래톱이고 갈밭이고 남겨 두지 않았다. 닥치는 대로 뭉개고 삼킬 따름이었다. 그러고도 모자라는 듯 우르르 하는 강 울림 소리는 더욱 무엇을 노리는 것같이 으르렁댔다.

◆ 큰 홍수로 인해 조마이섬은 물에 잠겨 가고, 섬사람들이 정성스럽게 재배한 많은 농작물들은 안타깝게도 강물에 다 떠내려가 버립니다. 이는 엄청난 홍수로 인해 생존을 위협받고 무너져 가는 민중들의 삶을 나타낸다고 볼 수 있어요.

둑이 넘을 정도로 그악스럽게 밀려 내리는 것은 벌건 물굽이만이 아니었다. 얼마나 많은 들녘들을 휩쓸었는지, 보릿대랑 두엄 더미들이 무더기무더기로 흘러내리는가 하면, 수박이랑, 외, 호박 따위까지 끼리끼리 줄을 지어 떠내려왔다. 이상스런 것은 그러한 것들이 마치 서로 약속이라도 한 듯이 모두 강 한가운데로만 줄을 지어 지나가는 것이었다.
보기에 사납고 모진 데가 있게
'오이'의 준말

카 '건우네 집은 벌써 홍수에 잠기지나 않았을까?'

불안한, 그리고 불길한 예감이 자꾸 들기 시작했다.

"물이 이 정도로 불어나면 건너편 조마이섬께는 어찌 되지요?"

생면부지한 접낫패들에게 불쑥 묻기까지 하였다. / "조마이섬?"
접낫(자그마한 낫)을 들고 홍수에 떠내려가는 것을 건지려는 패거리
서로 한 번도 만난 적이 없어서 전혀 알지 못하는 사람

돼지 새끼를 안아 내겠다던 ⓔ키다리가 나를 흘끗 쳐다보더니,

"맹지면에서는 땅이 조금 높은 편이라카지만, 물이 이래 불으면 마찬가지지요. 만약 어제 그런 소동이 안 일어났이문 밤새 무슨 탈이 났을지도 모를 끼요."

"어제 무슨 일이라도 있었던가요?" / 나는 신경이 별안간 딴 곳으로 쏠렸다.

"있다 뿐이라요? 문딩이 쫓아낼 때보다는 덜했겠지만 매립(埋立)인강 먼강 한답시고 밀가리만 잔득 띠이 처먹고 그저 눈가림으로 해 놓은 둘(둑)을 섬사람들이 우 대들어서 막 파헤쳐 버리고, 본대대로 물길을 티 놨다 카드만요. 글 안 했으문……."

위기 | 처서 무렵, 홍수로 인해 조마이섬이 큰 피해를 입음

확인 문제

[01~02] 다음 설명이 맞으면 ○, 틀리면 ×표 하시오.

01 건우 할아버지는 '나'의 글을 '썩어 빠진 글'이라며 비판하고 있다. (○, ×)

02 홍수로 인해 무너진 두엄 더미들은 생존을 위협받고 무너져 가는 민중들의 삶의 모습을 나타낸다. (○, ×)

[03~05] 다음 빈칸에 들어갈 알맞은 말을 쓰시오.

03 (아)에서 건우 할아버지는 부조리한 현실을 [ㅇ][ㅁ] 하는 당대 지식인들을 비판하고 있다.

04 '나'는 [ㅎ][ㅅ]로 인하여 큰 피해를 입었을 조마이섬이 궁금하고 걱정되었다.

05 '나'는 물에 잠겨 가는 조마이섬을 바라보며 [ㄱ][ㅇ]의 목소리를 떠올리고 있다.

실력 문제

배경·소재

06 윗글에서 ㉠의 역할로 적절하지 않은 것은?

① 위기감과 긴장감을 고조시킨다.
② 작품의 주제를 드러내는 계기가 된다.
③ 조마이섬 사람들의 생존을 위협하는 자연재해이다.
④ 조마이섬 사람들과 유력자 사이의 갈등을 해소한다.
⑤ 조마이섬 사람들의 힘들고 비참한 삶을 더욱 부각한다.

인물·사건 + 배경·소재

07 ⓐ~ⓔ에 대한 설명으로 적절하지 않은 것은?

① ⓐ: 민중들의 비참한 삶의 현실을 나타내는 말이다.
② ⓑ: 민중들의 변함없는 생명력을 상징한다.
③ ⓒ: 건우 할아버지가 말하는 '썩어 빠진 글'과 대비되는 글이다.
④ ⓓ: 조마이섬을 걱정하는 '나'의 심리를 짐작할 수 있다.
⑤ ⓔ: 조마이섬에 대해 '나'에게 정보를 제공해 주는 역할을 한다.

수능형 / 주제

08 (아)의 '건우 할아버지'의 말을 듣고 '나'가 썼을 법한 글로 가장 적절한 것은?

① 매미 맵다 울고 쓰르라미 쓰다 우니 / 산나물이 매운가 술이 쓴가. / 우리는 산야에 묻혀 있느라 맵고 쓴 줄을 모르겠노라.
② 참새야 어디서 오가며 나느냐. / 일 년 농사는 아랑곳하지 않고, / 늙은 홀아비 홀로 갈고 맸는데, / 밭의 벼며 기장을 다 없애다니.
③ 산에 있는 버들을 골라 꺾어 보내노라, 임에게. / 주무시는 방의 창밖에 심어 두고 보소서. / 밤비에 새잎이 나거든 나를 본 것처럼 여기소서.
④ 십 년을 계획하여 초가삼간을 지어 내니 / 나 한 칸, 달 한 칸에, 청풍 한 칸 맡겨 두고 / 강과 산은 들여놓을 곳이 없으니 병풍처럼 둘러 두고 보리라.
⑤ 가을 강에 밤이 찾아오니 물결이 차갑구나. / 낚시를 드리워 놓으니 물고기가 물지 않는구나. / 욕심이 없는 달빛만 가득 싣고 빈 배를 저어 오는구나.

모래톱 이야기 ④

독해쌤 속닥속닥

◆ 건우네가 너무 걱정되었던 '나'는 결국 조마이섬으로 향해 길을 가던 중, 온통 물에 젖은 윤춘삼 씨를 만나 이야기를 나누게 됩니다. '절정' 부분은 이 이야기의 내용을 담고 있어요. 여기서 섬사람들이 둑을 허무는 행위는 자신들의 생존권을 지키기 위한 노력이자, 조마이섬을 차지하려고 하는 유력자의 부당한 권력에 대한 민중들의 저항이라고 볼 수 있어요.

◆ 윤춘삼은 '나'에게 어제 조마이섬에서 있었던 일을 전달하고 있어요. 이것은 '나'는 물론, 이 작품을 읽는 독자들에게 부조리한 실상을 증언하고 알리는 역할을 한답니다.

◆ '폭풍우는 끝났다.'는 자연재해로 인한 위협이 사라졌음을 말합니다. 그러나 한편으로는 사회적 요인에 의한 민중들의 생존 위협이 여전히 끝나지 않았음을 드러내는 것이지요.

절정

[A] **타** 기진맥진한 탓인지, 그는 내가 권하는 술잔도 들지 않고 하던 이야기만 계속했다.

바로 어제 있은 일이었다. 하단서 들은 대로 소위 배짱들이 만들어 둔 엉터리 둑을 허물어 버린 얘기였다. / ―ⓐ비는 연사흘 억수로 쏟아지지, 실하지도 않은 둑을 그대로 두었다가 물이 더 불었을 때 갑자기 터진다면 영락없이 온 섬이 떼죽음을 했을 텐데, 마침 배에서 돌아온 갈밭새 영감이 설두(앞장서서 일을 주선함)를 해서 미리 무너뜨렸기 때문에 다행히 인명에는 피해가 없었다는 것이다. 〈중략〉

윤춘삼 씨는 그제야 소주를 한 잔 훅 들이켜고 다음을 계속했다. 섬사람들이 한창 둑을 파헤치고 있을 무렵이었다 한다. 좀 더 똑똑히 말한다면, 조마이섬 서쪽 강둑길에 검정 지프차가 한 대 와 닿은 뒤라 한다. 웬 깡패같이 생긴 청년 두 명이 불쑥 현장에 나타나더니, 둑을 허물어뜨리는 광경을 보자, 이내 노발대발 방해를 하기 시작하더라고. ⓑ엉터리 둑을 막아 놓고 섬을 통째로 집어삼키려던 소위 유력자의 앞잡인지 뭔지는 모르되, 아무리 타일러도, "여보, 당신들도 보다시피 물이 안팎으로 이렇게 불어나는데 섬사람들은 어떻게 하란 말이오?" 해 봐도, 들어주긴커녕 그중 힘깨나 있어 보이는, 눈이 약간 치째진 친구가 되레 ⓒ갈밭새 영감의 괭이를 와락 뺏더니 물속으로 핑 집어 던졌다는 거다.

파 순간 화가 머리끝까지 치밀었을 갈밭새 영감도,

"이 개 같은 놈아, 사람의 목숨이 중하냐, 네놈들의 욕심이 중하냐?"

말도 채 끝내기 전에 덜렁 그자를 들어 물속에 태질(세게 메어치거나 내던지는 짓)을 해 버렸다는 것이다. 상대방은 '아이고' 소리도 못해 보고 탁류(흘러가는 흐린 물)에 휘말려 가고, 지레 달아난 녀석의 고자질에 의해선지 이내 경찰이 둘이나 달려왔더라고. / "내가 그랬소!"

갈밭새 영감은 서슴지 않고 두 손을 내밀었다는 거다. 다행히도 벌써 그때는 둑이 완전히 뭉개지고, 섬을 치덮던 탁류도 빙 에워 돌며 뭉그적뭉그적 빠져나가고 있었다는 것이다.

"정말 우리 ㉠조마이섬을 지키다시피 해 온 영감인데…… 살인죄라니 우짜문 좋겠능기요?" / 게까지 말하고 나를 쳐다보는 윤춘삼 씨의 벌건 눈에서는 어느덧 닭똥 같은 눈물이 뚝뚝 떨어지기 시작했다.

ⓓ법과 유력자의 배짱과 선량한 다수의 목숨…….

절정 | 엉터리 둑을 허물다가 갈밭새 영감이 살인죄를 저지르고 경찰에 잡혀감

결말

하 폭풍우는 끝났다. 육십 년래 처음이니 뭐니 하고 수다를 떨던 라디오와 신문들도 이젠 거기에 대해선 감쪽같이 말이 없었다. 그저 몇몇 일간 신문의 수해 구제 의연란에 다소의 금액과 옷가지들이 늘어 갈 뿐이었다. / 섬사람들의 애절한 하소연에도 불구하고 육십이 넘는 갈밭새 영감은 ⓔ결국 기약 없는 감옥살이로 넘어갔다.

그리고 구월, 새 학기가 되어도 건우 군은 학교에 나오지 않았다. 끝내 돌아오지 않았다. 그의 **일기장**에는 어떠한 글이 적힐는지.

황폐한 모래톱 ― 조마이섬을 군대가 정지(땅을 반반하고 고르게 만듦)를 하고 있다는 소문이 들렸다.

결말 | 폭풍우가 끝난 후, 조마이섬에 군대가 정지를 하고 있다는 소문이 들림

확인 문제

[01~03] 다음 설명이 맞으면 ○, 틀리면 ×표 하시오.

01 유력자들은 자신들의 이익을 위하여 조마이섬에 엉터리 둑을 만들었다. (○, ×)

02 건우 할아버지인 갈밭새 영감은 살인죄로 결국 감옥살이를 하게 되었다. (○, ×)

03 윤춘삼은 학교에 가지 못하게 된 건우의 처지가 안타까워 눈물을 흘렸다. (○, ×)

[04~05] 다음 빈칸에 들어갈 알맞은 말을 쓰시오.

04 조마이섬 사람들은 자신들의 생존이 위협받자 [ㄷ]을 무너뜨리며 저항했다.

05 이 작품은 건우가 [ㅎ][ㄱ]에 나오지 않고, 섬에는 군대가 정지를 한다는 비극적인 결말로 끝을 맺는다.

실력 문제

인물·사건

06 '갈밭새 영감'에 대한 이해로 적절하지 않은 것은?

① 권력자의 횡포에 굴하지 않고 당당히 맞섰어.
② 화가 나면 물불을 가리지 않고 덤비는 성격이군.
③ 사람을 죽인 자신의 잘못을 모르는 척 회피했어.
④ '살신성인(殺身成仁)'의 태도로 위기에 처한 섬을 구했어.
⑤ 조마이섬이 물에 잠기는 것을 막아 낸 것처럼 그동안 섬을 지켜 온 사람이야.

배경·소재

07 ㉠에 담긴 의미로 가장 적절한 것은?

① 세대 간의 가치관에 차이가 나타나는 공간
② 힘 있는 자와 없는 자의 갈등이 존재하는 공간
③ 사회의 관심으로 현실의 모순을 극복하는 공간
④ 자연의 아름다움을 간직하고 있는 이상적인 공간
⑤ 부조리한 현실에 저항하는 사람들이 자신의 지난 삶을 반성하는 공간

서술

08 [A]에 대한 설명으로 가장 적절한 것은?

① 작품 속 서술자가 공간의 이동에 따라 사건을 진행하고 있다.
② 작품 속 서술자가 등장인물의 심리를 중심으로 사건을 전개하고 있다.
③ 작품 속 서술자가 들은 내용을 전달하는 방식으로 사건을 제시하고 있다.
④ 작품 밖 서술자가 과거 회상을 통해 사건에 새로운 의미를 부여하고 있다.
⑤ 작품 밖 서술자가 사건에 대한 자신의 평가를 중심으로 이야기를 서술하고 있다.

인물·사건 + 배경·소재 + 주제

09 ⓐ~ⓔ에 대한 설명으로 적절하지 않은 것은?

① ⓐ: '비'는 섬사람들이 처한 위기 상황을 심화시키는 것이다.
② ⓑ: 유력자가 둑을 만든 의도를 짐작할 수 있다.
③ ⓒ: 깡패 같은 청년들이 섬사람들을 방해하려 함을 알 수 있다.
④ ⓓ: 유력자들에게 짓밟힌 민중들의 현실을 집약적으로 제시하고 있다.
⑤ ⓔ: 갈밭새 영감의 희생을 당연시해 온 섬사람들의 이기적인 면모를 확인할 수 있다.

수능형

인물·사건 + 주제

10 〈보기〉를 '건우'가 쓴 '일기장'의 일부라고 할 때, 그 내용으로 적절하지 않은 것은?

> 보기
>
> ①우리 할아버지가 깡패들과 싸우다가 기약 없는 감옥살이를 하는 것을 보니 법이 불공평하게 느껴진다. 부패한 권력자들은 더욱 잘살고 우리 섬사람들처럼 선량한 사람들은 점점 더 어려운 상황으로 내몰리게 되는 것에 화가 난다. ②우리는 살기 위해서 둑을 허문 것인데 왜 우리 할아버지가 벌을 받아야 하는지 모르겠다. ③할아버지가 얼마나 화가 났으면 그놈들을 보자마자 물속으로 던져 버렸을까……. 나는 앞으로 어떻게 살아야 할까? 이런 말도 안 되는 현실을 그대로 둔다면 바뀌는 것이 하나도 없겠지? ④비록 가정 형편이 더욱 어려워져서 학교를 다닐 수 없게 되었지만, ⑤'황폐한 모래톱'의 현실을 바꾸기 위해 나도 할아버지처럼 정의로운 삶을 살고 싶다.

작품 전체

발단★	전개★	위기★	절정★	결말★
20년 넘게 절필했던 '나'는 부조리한 현실을 고발하기 위해 글을 씀	'나'는 가정 방문을 갔다가 건우의 가정 형편과 조마이섬의 내력을 알게 됨	처서 무렵, ❶ ㅎ ㅅ로 인해 조마이섬이 큰 피해를 입음	엉터리 둑을 허물다가 갈밭새 영감이 살인죄를 저지르고 경찰에 잡혀감	폭풍우가 끝난 후, 조마이섬에 ❷ ㄱ ㄷ가 정지를 하고 있다는 소문이 들림

★: 교재 수록 부분

작품 압축

■ 등장인물의 특징

인물	특징
'나'	• 건우의 담임 선생님이자 작가임 • 사건의 관찰자로, 조마이섬의 부조리한 현실을 ❸ ㄱ ㅂ하는 역할을 함
건우	• K중학교 학생으로, '나'의 제자임 • 현실 인식이 뚜렷하고 순박함
갈밭새 영감	• 건우의 할아버지로, 어업에 종사함 • 유력자들의 횡포에 맞서 조마이섬을 지키려는 ❹ ㅇ ㅈ가 강한 인물임
윤춘삼	• 불의를 참지 못하는 강직함을 지님 • 조마이섬에서 일어났던 일을 '나'에게 전달하는 역할을 함

■ '조마이섬'의 소유권 변천 과정

시기	내용
일제 강점기 전	조마이섬 사람들이 선조로부터 물려받음
일제 강점기 이후	일제가 강제로 동척과 일본인들에게 불하함
❺ ㅎ ㅂ 이후	국회 의원, 유력자 등이 차지함

소유권 변천 과정을 통해 고발하려는 현실

부조리한 현실로 인해 섬사람들이 ❻ ㅅ ㅇ ㄱ 문제에서 소외됨

인물·사건 / 서술 / 주제

■ 서술상 특징

구분	내용
액자식 구성	'나'가 교사였던 시절 알게 된 일을 20년이 지난 후 ❼ ㅎ ㅅ하며 서술함
1인칭 관찰자 시점	'나'가 조마이섬에서 일어난 사건을 객관적으로 ❽ ㄱ ㅊ하여 서술함

⇓

• 전달하는 이야기의 신뢰성을 높임
• 부조리한 현실에 대한 고발 효과를 높임

■ 작품의 주제

홍수로 인한 물리적인 피해, 부당한 권력에 의한 소외와 억압 ⇔ ❾ ㄱ ㅂ ㅅ 영감을 선두로 한 조마이섬 사람들의 저항

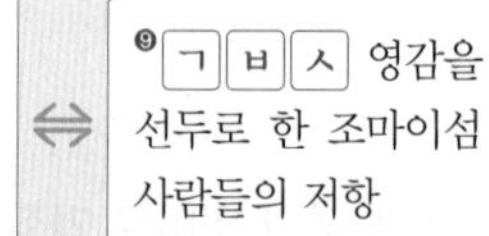

⇓

작품의 주제

소외된 사람들의 비참한 삶과 부조리한 현실에 대한 ❿ ㅈ ㅎ

어휘력 테스트

1 **제시된 뜻과 예문을 참고하여 다음 초성에 해당하는 단어를 괄호 안에 써 보자.**

(1) ㅌ ㄹ : 흘러가는 흐린 물. 또는 그런 흐름

예 강물이 엄청나게 불어나자 붉은 (   )가 굽이굽이 흘렀다.

(2) ㅊ ㅅ : 일을 처리함. 또는 그런 처리

예 첫인상만으로 사람을 판단하는 것은 경솔한 (   )이다.

(3) ㅁ ㅇ 하다: 잠잠히 말이 없다.

예 그는 단단히 화가 났는지 그저 (   )하게 앉아 있었다.

2 **다음 〈보기〉의 뜻을 참고하여 십자말풀이를 완성해 보자.**

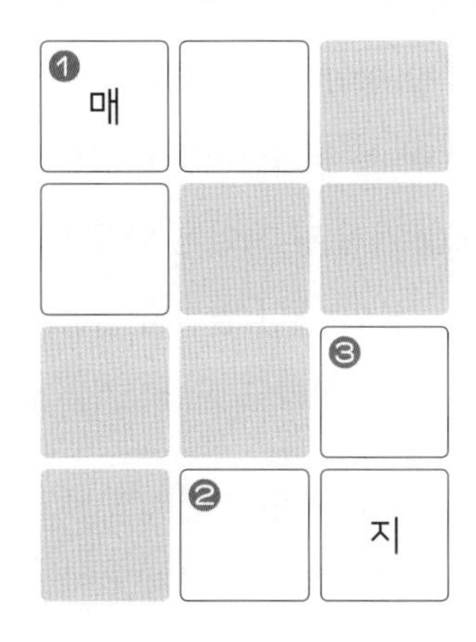

보기

가로

❶ 우묵한 땅이나 하천, 바다 등을 돌이나 흙 따위로 채움

❷ 땅을 반반하고 고르게 만듦. 또는 그런 일

세로

❶ 사사로운 이익을 위하여 나라의 주권이나 이권을 남의 나라에 팔아먹음

❸ 건물을 세우거나 도로를 만들기 위하여 마련한 땅

독해쌤과 함께하는 감상 넓히기

우리 사회의 모순을 고발한 작품

이번에 감상한 「모래톱 이야기」와 같이 권력자의 횡포에 맞서 사회의 모순(부조리한 현실)을 고발하고 있는 작품들이 많아요. 어느 시대에나 존재했던 권력의 횡포, 그리고 좀 더 나은 사회를 위한 작가들의 고민이 이처럼 다양한 작품 속에 담겨 있답니다. 이러한 작품들을 더 감상해 볼까요?

아우를 위하여_황석영

1950년대 6·25 전쟁 직후를 배경으로, 어른이 된 수남이 군에 간 동생에게 쓴 편지 형식의 소설입니다. 어린 시절, 힘으로 교실을 장악한 영래 패거리의 횡포와 부당함에 침묵하던 수남이 교생 선생님을 만나게 되면서 불의에 저항하고 정의롭게 변화하는 과정을 담고 있는 작품입니다.

우리들의 일그러진 영웅_이문열

1960년대 소도시의 한 초등학교에서 일어난 사건을 다룬 소설입니다. 교실의 권력자인 엄석대에게 항거하지만, 결국 현실에 순응하는 한병태의 모습을 통해 독재 사회의 문제점과 소시민의 나약한 모습을 비판하고 있는 작품입니다.

마지막 땅 ① _ 양귀자

여러분이 중요하게 여기는 가치는 무엇인가요? 혹시 가치관의 차이로 누군가와 갈등을 겪은 적은 없나요? 이 작품은 1980년대 서울 변두리 도시에서 진행된 도시화 과정에서, 개발의 대상이 되는 '땅'에 대한 인식 차이로 인물들이 겪는 갈등을 이야기하고 있어요. 등장인물들이 '땅'을 어떻게 생각하고 있는지 파악하며 작품을 감상해 볼까요?

독해쌤의 감상 질문

1. 인물·사건 '땅'을 둘러싼 등장인물들의 갈등은 무엇인가요?
2. 배경·소재 이 작품에 반영된 사회의 모습은 어떠한가요?
3. 서술 이 작품의 서술상 특징과 그 효과는 무엇인가요?
4. 주제 결말을 통해 작가가 말하고자 하는 바는 무엇인가요?

발단

가 근 열흘간이나 바람이 억세게 불어 댔다. 지독한 꽃샘바람 때문에 동네 길목마다 비닐봉지며 과자 껍질들이 어수선하게 흩어져 있어서 오가는 행인들의 눈살을 찌푸리게 만들었다. 때때로 청소부들이 쓰레기를 주워 모아 공터에서 불을 사르기도 했다. 그럴 때마다 불어오는 바람에 실려 검은 연기가 이리저리 휩쓸려 올라가고 미농지보다 얇은 그을음들이 나방 떼처럼 떠돌아다녔다.

미농지: 닥나무 껍질로 만든 썩 질기고 얇은 종이의 하나

나 원미동 23통 일대에서는 강 노인을 모르는 이가 없었다. 아니 강 노인이라고 부르기보다는 지주(地主)라고 칭해야 더 잘 알았고, 그 지주네 밭에서 일어나는 여름과 겨울의 난리판을 속속들이 겪지 않고서는 이 동네 사람이라고 말할 수 없는 형편이었다. 일 미터 팔십을 넘는 큰 키에 거대한 몸집을 가진 강 노인은 언제 보아도 막일꾼 차림새였다. 〈중략〉 씩씩한 걸음걸이하며 노상 걷어붙인 채인 팔뚝의 꿈틀거리는 힘줄 따위를 보노라면 노인의 나이가 이제 칠순을 코앞에 둔 것이라고 어림잡기는 좀체 어려웠다.

다 밭에 거름이 될 만하다 싶으면 그는 어떤 것이라도 낡고 더러운 망태기에 쓸어 담는 사람이었다. 결혼해서 따로 사는 아들이 둘이나 되지만 어느 놈 하나 생활비 보태 줄 자식은 없어서, 건재상과 이 층에 세 사는 이가 다달이 내미는 월세만 가지고 사는 형편이니만큼 강 노인 땅이 시가 몇 억짜리 덩치라 한들 그 땅에 고추 농사나 지어서는 수지가 안 맞는 지주였다. 문제는 그 비싼 땅에다가 강 노인은 한사코 푸성귀 따위나 가꾸겠다고 고집을 부리는 데 있었다. 〈중략〉 이제는 절대 땅을 팔지 않겠다는 강 노인 고집에 막혀, 시청으로 통하는 2차선 도로의 양편으로는 여전히 밭농사가 계속되는 중이었다.

건재상: 건축 재료를 파는 장사
수지: 거래 관계에서 얻는 이익
푸성귀: 사람이 가꾼 채소나 저절로 난 나물 등을 이름

발단 | 강 노인은 자신의 땅을 팔기를 거부하고 그 자리에 농사를 지음

중략 부분 줄거리_ 부동산 박 씨와, 동업자이자 그의 아내인 고흥댁은 강 노인을 만날 때마다 땅을 팔라고 온갖 회유를 한다. 그들은 강 노인이 농사짓고 있는 땅이 개발되어 동네의 땅값이 오르기를 간절히 바라고 있다.

전개

라 강 노인은 가타부타 말이 없고 이번엔 박 씨가 나섰다.

가타부타: 어떤 일에 대하여 옳다느니 그르다느니 함

"아직도 늦은 것은 아니고, 한 번 더 생각해 보세요. 여름마다 똥 냄새 풍겨 주는 밭으로 두고 있느니 평당 백만 원 이상으로 팔아넘기기가 그리 쉬운 일입니까. 이제는 참말이지 더 이상 땅값이 오를 수가 없게 돼 있다 이 말씀입니다. 아, 모르십니까. 팔팔 올

림픽 전에 북에서 쳐들어올 확률이 높다고 신문 방송에서 떠들어 쌓으니 이삼천짜리 집들도 매기가 뚝 끊겼다 이 말입니다."

상품을 사려는 분위기. 또는 살 사람들의 인기

"영감님도 욕심 그만 부리고 이만한 가격으로 임자 나섰을 때 후딱 팔아 치우시요. 영감님이 아무리 기다리셔도 인자 더 이상 오르기는 어렵다는디 왜 못 알아들으실까잉. 경국이 할머니도 팔아 치우자고 저 야단인디……."

고흥댁은 이제 강 노인 마누라까지 쳐들고 나선다.

확인 문제

[01~03] 다음 설명이 맞으면 ○, 틀리면 ×표 하시오.

01 이 작품의 배경인 원미동은 과거에 비해 땅값이 많이 상승했다. (○, ×)

02 서술자인 강 노인의 아내가 등장인물의 심리를 전달하고 있다. (○, ×)

03 박 씨 부부는 강 노인의 땅에 자신들도 농사를 짓고 싶어 한다. (○, ×)

[04~05] 다음 빈칸에 들어갈 알맞은 말을 쓰시오.

04 강 노인은 ㄴ ㅅ를 짓는 문제로 동네 사람들과 갈등하고 있다.

05 (나)에 서술된 강 노인의 외양 ㅁ ㅅ를 통해, 그가 소탈하고 당당한 성격임을 알 수 있다.

인물·사건 + 배경·소재 + 서술

06 윗글에 대한 설명으로 적절하지 않은 것은?

① 1980년대 원미동 사람들의 생활상이 나타난다.
② 역순행적 구성을 통해 갈등의 원인을 독자가 추측하게 한다.
③ '꽃샘바람'과 같은 소재를 통해 계절적 배경을 드러내고 있다.
④ 도시 개발에 대해 다른 생각을 지닌 사람들의 모습이 제시되어 있다.
⑤ 평범한 사람들의 일상적이고 소박한 삶을 사실적으로 보여 주고 있다.

서술

07 (라)에 나타난 '박 씨 부부'의 말하기 방식으로 적절하지 않은 것은?

① 박 씨와 그의 부인인 고흥댁이 번갈아 가며 말한다.
② 확실하지 않은 사실로 강 노인에게 불안감을 불러일으킨다.
③ 강 노인의 아내도 자신들과 같은 생각을 지녔음을 언급한다.
④ 강 노인에게 지금 땅을 팔아야 가장 큰 이익을 얻을 수 있음을 강조한다.
⑤ 땅값을 더욱 비싸게 받고 싶은 강 노인의 속마음을 제대로 간파하여 거론한다.

수능형 인물·사건 + 배경·소재

08 〈보기〉를 토대로 윗글을 이해한 내용으로 적절한 것은?

보기

1980년대 서울 시내에는 도시 개발의 결과로 대규모 아파트 단지가 조성되었고, 그 영향으로 서울 근교에도 신도시가 본격적으로 개발되기 시작했다. 이로써 가족과 지역 공동체의 경제적 기반이자 삶의 원천으로 인식되던 땅이 개발의 대상이자 돈을 벌 수 있는 이익 창출의 수단으로 변화하게 되었다.

① 박 씨는 '똥 냄새 풍겨 주는 밭'을 삶의 근원으로 인식하고 있어.
② 강 노인은 농사를 지어 큰 이익을 창출하기 위해 땅을 팔지 않으려 해.
③ 강 노인은 지역 공동체가 도시적 공간으로 변화하는 것을 탐탁지 않게 여겨.
④ 박 씨는 강 노인이 소유한 땅을 지역 공동체의 경제적 기반으로 인식하고 있어.
⑤ '나방 떼'는 도시 개발로 인해 삶의 터전을 잃고 떠도는 사람들을 빗대어 표현한 말이야.

마지막 땅 ②

독해쌤 속닥속닥

◆ 강 노인은 원미동 사람들을 '서울 것들', '서울 끄나풀들'이라고 부르며, 천하에 본데없는 막된 것들이라고 말합니다. 이는 땅의 진정한 가치를 모르는 사람들에 대한 강 노인의 부정적인 심정이 담겨 있는 표현이지요.

◆ (바)에서 강 노인은 땅에 농사를 짓는 문제로 동네 사람들과 갈등을 겪고 있어요. 동네 사람들은 여름에 인분 냄새를 풍기는 강 노인에 대한 불만으로, 겨울에 강 노인의 밭에 연탄재를 일부러 내다 버리지요.

◆ 강 노인이 올해 농사를 시작하기 전에 강 노인의 땅 문제를 어떻게든 해결하려는 동네 사람들은 반상회를 엽니다. 그리고 23통 6반 반장은 이 문제의 당사자인 강 노인에게 반상회에 꼭 참석하라고 당부하고 있어요.

마 땅값 따위에는 관계없이 땅을 팔지 않겠다는 의사 표현을 누차 했건만 박 씨의 말본새(말하는 태도나 모양새)는 언제나 저 모양이다. 서울 것들이란. 박 씨 내외가 복덕방 안으로 들어가 버린 뒤에야 그는 한마디 내뱉는다. 저들 내외가 원래 전라도 사람이라는 것을 모르지는 않으나 강 노인에게 있어 원미동 사람들은 어쨌거나 모두 **서울 끄나풀**(남의 앞잡이 노릇을 하는 사람을 낮잡아 이르는 말)들이었다.

도대체가 서울 것들은 밭에서 풍겨 나오는 ㉠두엄 냄새라면 질색 자망(사람의 모습이나 풍채)을 하고 손을 내젓는, 천하에 본데없는 막된 것들이라니까. 강 노인은 팽개쳐 두었던 괭이자루에 묻은 흙을 대충대충 털어 내고는 다시 밭을 일구기 시작했다. 겨울 동안 좀 쉬고 있는 밭에다가 ㉡망할 놈의 연탄재나 산같이 내다 버리는 못된 습성까지 떠올리면 더욱 괘씸하기 짝이 없는데, 그가 아는 서울 것들의 내력은 모조리 그런 것투성이였다. ㉢고추밭에 뿌리는 오줌에서부터 여름이 되어 김장 배추 갈기 전에 얹어 주는 푹 삭힌 인분에 이르기까지, 서울 끄나풀들의 극성 때문에 ㉣실컷 장만해 둔 밑거름조차 제대로 쓰지 못하고 부석부석한 땅에서 수확을 거두던 것이 요 몇 해 농사 실정이었다.

바 올봄에도 역시 트럭 한 대분 이상의 연탄재를 생돈(쓸데없는 곳에 공연히 쓰는 돈) 들여서 치워야 하는 손해를 입었다. 이 층 상가 주택이 아니면 단독 연립이니 하는 다세대 주택들이 즐비한 이 동네는 한 집에 적어도 네 가구 이상은 오밀조밀 모여 사는 게 보통이었다. 청소차가 하루는 쓰레기, 다음 날은 연탄재 하는 식으로 꼬박꼬박 다니고는 있지만 그게 말 그대로 시도 때도 없이 등장하는 바람에 연탄재쯤은 아무래도 손쉬운 쪽으로 처치하는 이들이 많았다. 그것도 그것이지만 여름내 더러운 인분 냄새 풍겨 주는 밭 꼬라지가 밉다고 부러 이곳에다 연탄재를 내던지는 동네 사람들의 속셈쯤은 강 노인도 짐작하고 있었다.

중략 부분 줄거리_ 다음 날 강 노인 내외가 밭에 썩은 두엄과 인분을 얹어 주고 들어오자, 밭 뒤 연립 주택에 사는 정미 엄마가 딸을 데리고 와 새 옷에 똥칠을 해 왔다며 따졌다. 강 노인의 마누라는 동네 사람들과 갈등만 일으키는 땅을 팔아서 자식 놈들 뒷바라지나 해 주라고 극성을 부렸다. 강 노인에게는 딸 하나와 아들 넷이 있는데, 해마다 기대한 만큼의 수확을 안겨 주는 땅 농사에 비하면 자식 농사는 너무 허망했다. 강 노인이 억척스레 늘려 놓은 땅이 서울 근교에 개발 바람이 불어닥치면서 조각조각 잘려 나갔고, 땅 판 돈을 고스란히 아들딸 밑에 쏟아부었으나 거두어들이는 게 없었다.

전개 강 노인은 땅을 팔라는 주변의 회유를 무시한 채 농사를 짓고, 이로 인해 동네 사람들과 갈등을 겪음

위기

사 "경국이 할아버지, 오늘 저희 집에서 반상회 있어요. 아무래도 오늘 저녁에는 정미 엄마가 가만있을 것 같지 않네요. 아까도 무궁화 연립에 사는 이들꺼정 몰려와서 한바탕 쏟아 놓고 갔어요. 경국이 할머니라도 꼭 참석하셔야 해요. 아셨죠?"

그녀는 23통 6반의 반장이다. 길 건너 5반장은 형제 슈퍼의 김 씨지만 우리 정육점의 임 씨가 ㉤똥 냄새 문제에는 노상 앞장을 서고 있는 중이었다. 임 씨에 비하면 6반장의 경우 강 노인한테만은 훨씬 우호적이다. 용민네 가게에 세 든 탓도 있지만 임 씨가 애초 미용실 자리를 욕심냈다가 강 노인에게 퇴박(마음에 들지 아니하여 물리치거나 거절함)을 당했던 까닭에 임 씨 스스로 강 노인에 대한 감정이 좋지 못하였다.

확인 문제

[01~04] 다음 설명이 맞으면 ○, 틀리면 ×표 하시오.

01 강 노인은 땅값을 더 올려 준다고 해도 땅을 팔 생각이 없다. (○, ×)

02 박 씨 부부는 서울에서 태어난 이후 계속 서울에서 살고 있다. (○, ×)

03 강 노인은 동네 사람들이 자신의 땅에 연탄재를 던지는 이유를 궁금해한다. (○, ×)

04 강 노인의 아내는 땅을 팔아서 자식들의 뒷바라지를 해 준 것을 후회하고 있다. (○, ×)

[05~07] 다음 빈칸에 들어갈 알맞은 말을 쓰시오.

05 강 노인은 땅 농사와 달리 ㅈㅅ 농사는 망쳤다고 생각한다.

06 강 노인의 땅은 여름에 ㅁㄱㄹ을 제대로 쓰지 못해 부석부석해졌다.

07 23통 6반 반장은 강 노인에게 ㅂㅅㅎ에 꼭 참석해 줄 것을 요구하고 있다.

실력 문제

배경·소재

08 윗글에 반영된 사회의 모습으로 적절하지 않은 것은?

① 이해관계에 따라 인간관계를 맺었다.
② 도시화로 인해 개발의 바람이 불었다.
③ 공동체적인 삶의 모습이 사라져 갔다.
④ 핵가족화로 인해 가족의 형태가 변화했다.
⑤ 자본을 중시하는 삶의 방식이 널리 퍼졌다.

배경·소재

09 ㉠~㉤ 중, 소재의 의미가 다른 것은?

① ㉠ ② ㉡ ③ ㉢ ④ ㉣ ⑤ ㉤

인물·사건

10 '강 노인'이 원미동 사람들을 '서울 끄나풀들'이라고 부르는 이유로 가장 적절한 것은?

① 처음 보는 사람들에게 본데없이 막 대하기 때문이다.
② 전통적인 주거 형태가 아닌 다세대 주택에 모여 살기 때문이다.
③ 땅의 소중함을 알지 못하고 땅값으로 이익을 얻으려고만 하기 때문이다.
④ 다른 사람의 행동이 마음에 들지 않는다고 반상회에서 불만을 말하기 때문이다.
⑤ 다른 사람의 옷에 똥을 묻히는 등의 손해를 입히고도 미안해하지 않기 때문이다.

인물·사건

11 '강 노인'과 동네 사람들이 갈등하는 이유를 정리한 내용으로 적절하지 않은 것은?

	강 노인	동네 사람들
①	전통적 가치를 중시함	물질적 가치를 중시함
②	개인주의적 삶을 지향함	공동체적 삶을 지향함
③	농사를 위해 땅을 지키고자 함	개발을 위해 땅을 팔고자 함
④	인분을 밑거름으로 쓰고 싶어 함	밭에서 나는 인분 냄새를 싫어함
⑤	연탄재를 자기 돈 들여 치워야 함	연탄재를 밭에 몰래 버림

수능형 인물·사건 + 배경·소재

12 이 작품을 영화로 만들려고 할 때, 〈보기〉에서 윗글의 내용을 제대로 반영한 것끼리 바르게 묶은 것은?

보기

ㄱ. 밭에 연탄재를 버리는 장면을 촬영하기 위해서는 연탄이 필요해.
ㄴ. 강 노인에게 따지러 온 정미 엄마는 몹시 화가 난 표정을 지어야 해.
ㄷ. 동네 분위기를 잘 나타내기 위해서는 실제 농촌에 가서 촬영하는 것이 좋겠어.
ㄹ. 강 노인은 복덕방에 들어가는 박 씨의 뒤에 대고 큰 소리로 "서울 것들!"이라고 외쳐야 해.
ㅁ. 밭에서 나는 인분 냄새를 맡은 동네 사람들을 연기하기 위해서는 얼굴을 찌푸리거나 코를 막는 등의 행동을 해야지.

① ㄱ, ㄴ, ㄷ ② ㄱ, ㄴ, ㅁ ③ ㄴ, ㄷ, ㄹ
④ ㄴ, ㄹ, ㅁ ⑤ ㄷ, ㄹ, ㅁ

마지막 땅 ③

아 집주인들이 더 극성을 부리는 데에도 까닭은 있었다. 강 노인네 땅덩이들이 팔려서 거기에 번듯한 건물들이 들어서야 이 거리가 완벽하게 채워지기 때문이었다. 게다가 그 땅들이 모두 도로변에 있고 보면, 아니 도로변의 땅에다가 인분 뿌리며 푸성귀나 갈아먹는대서야 동네 모양새가 영 말이 아닌 것이다. 동네 신수(용모와 풍채를 통틀어 이르는 말)가 훤해야 집값도 오를 터인데 모름지기 ㉠강 노인 밭이 저러고 있어서야 제값대로 보지 않는다는 불만들이 클 것임은 자명했다(뻔함. 설명이 필요 없을 만큼 명백함).

자 "서너 번 날라라." / "용민이 지금 서울 가는 길이요. 내가 져 나르리다."

뒤뜰에 파 놓은 펌프 쪽으로 걸어가다 뒤돌아보니 마누라가 아랫입술을 뚱 내밀고 안색이 좋지 않았다. / "서울? 뭣하러?"

"제 형이 보낸답디다. 처가 돈이라도 꾸어 오라고. 직공(공장에서 일하는 사람)들 월급도 몇 달째 거르고 있대요. 아, 그러기에 좀 도와주시구랴. 남도 아니고 당신 아들 둘이 벌여 놓은 일인데 넘보듯 하지 말고ⓐ……." / 그는 두 번 다시 ㉡마누라 쪽을 보지 않고 뒤꼍으로 가서 펌프 물을 뽑아 올린다. 밑 빠진 독에 물 붓기도 아니고 참말로 기가 막힐 노릇이었다. 쓸 줄만 알지 벌어들일 줄은 모르는 녀석들이 간덩이만 부어서 일만 크게 벌여 놓고 뒷감당은 모두 아비에게 떠넘기는 짓들이 오늘까지 계속이었다.

위기 동네 사람들은 강 노인을 압박하며 농사를 중단할 것을 요구함

절정

차 세상에 이런 법은 없었다. 이제 손가락만 한 고추 모종이 깔려 있는 밭에 여기저기 연탄재들이 나뒹굴고 있지 않은가. 겨울 빈 밭에 내다 버리는 것이야 그럴 수 있다 치더라도 목숨이 붙어 자라고 있는 밭에 연탄재를 내던진 것은 명백히 짐승의 처사였다. 반상회 끝의 독기 어린 동네 사람들이 저지른 것임은 대번에 알 수 있었지만 아무리 그렇다 하여도 이런 짓거리까지 해 댈 줄이야 짐작도 못 했던 강 노인이었다. 수십 덩어리의 연탄재 폭격을 당해 짓뭉개진 모종이 한 고랑만 해도 숱했다. 세상에 막된 인종들…….

카 "영감님네 땅을 내놓으셨다면서요? 그런데 뭘 그리 열심히 가꾸십니까. 이내 넘길 거라면서……." / "아니, 누가 그런 소릴 해?"

시뻘건 얼굴을 홱 돌리며 벽력같이(목소리가 매우 크고 우렁차게) 고함을 지르는 통에 ㉢김 씨가 움찔 뒤로 물러났다.

"어젯밤 반상회에서 댁의 며느님이 그러셨다는데요? 저도 우리 집 여편네한테 들은 소리라서." / 더 들어 볼 것도 없이 강 노인은 곧장 집으로 뛰어갔다. 벗겨진 신발을 짝짝이로 꿰어 차고서. 얼갈이배추와 열무들을 다듬고 있던 마누라가 노인의 허둥대는 기세에 토끼 눈을 뜨고 일어섰다.

"그렇게 말한 게 아니라, 우리 아버님 근력이 쇠하셔서 올해일랑은 더 이상 일을 못 하시니까 파실 모양이더라고 말했다는군요. ㉣경국이 어미도 동네 사람들 닦달에 그냥 해 본 소리겠지요." / "그냥?"

"밭에다 그 지경을 해 댄 걸 보면 오죽했겠수. 뭐, 틀린 말도 아니고. 땅 팔아서 아들 살리고 남는 돈은 은행에 넣어 이자나 받으면 우리 식구 신간(몸통)이사 편치 뭘 그러슈."

독해쌤 속닥속닥

◆ (아)에서 원미동 사람들이 강 노인의 농사를 반대하는 이유는 앞서 보았듯 거름 냄새 때문이기도 하지만, 강 노인의 농사가 집값 상승에 도움이 되지 않기 때문입니다. 동네가 개발되어서 집값이 상승하길 바라는 집주인들은 강 노인의 농사가 동네의 모양새를 해치고 개발에도 방해가 된다고 생각해 불만을 갖는 것이지요.

◆ 강 노인이 아내의 말을 못 들은 척한 이유는 무엇일까요? 강 노인은 자식의 딱한 처지를 걱정하는 아내의 마음을 이해하기는 하지만, 항상 섣부른 행동으로 떼돈만 날리는 자식들을 다시금 도와줘야 하는 상황이 마음에 내키지 않았기 때문일 거예요.

◆ 자기 땅을 내놓았다는 말을 다른 사람에게 들은 강 노인의 심정은 어떠했을까요? 아마도 땅에 대한 애착을 이해하지 못하는 가족들에 대한 서운함과, 자신의 허락도 없이 헛소문을 퍼뜨린 행위에 대한 분노를 느꼈을 거예요.

[01~04] 다음 설명이 맞으면 ○, 틀리면 ×표 하시오.

01 강 노인의 농사는 동네의 땅값 상승에 도움이 안 된다. (○, ×)

02 강 노인의 자식들은 월급쟁이로 열심히 일하며 살고 있다. (○, ×)

03 강 노인은 지금까지 경제적으로 자식들을 도와준 적이 없다. (○, ×)

04 경국이 엄마가 반상회에서 했던 말 때문에 강 노인이 땅을 판다는 헛소문이 퍼졌다. (○, ×)

[05~07] 다음 빈칸에 들어갈 알맞은 말을 쓰시오.

05 원미동에 세를 들어 사는 사람들보다는 ㅈㅈㅇ 들이 강 노인이 땅을 파는 것에 대해 더욱 관심을 보이고 있다.

06 강 노인의 ㅇㄴ는 자식들의 딱한 처지를 안타까워한다.

07 동네 사람들이 강 노인의 밭에 해코지를 하는 바람에 ㄱㅊ 모종의 대부분이 상해 버렸다.

서술

08 윗글에 대한 설명으로 적절하지 않은 것은?

① 강 노인의 입장과 생각을 중심으로 사건을 서술한다.
② 말줄임표(……)를 활용하여 독자의 궁금증을 유발한다.
③ 연탄재 폭격 등 땅을 둘러싼 인물들의 갈등을 제시한다.
④ 자본주의적 가치를 우선시하는 인물의 모습을 반어적으로 표현한다.
⑤ 강 노인과 아내의 대화를 통해 대상에 대한 가치관의 차이를 드러낸다.

인물·사건

09 윗글에 제시된 사건들을 〈보기〉와 같이 정리했을 때, 시간 순서대로 바르게 나열한 것은?

보기

ㄱ. 동네에서 강 노인의 밭 문제를 해결하기 위해 반상회를 열었다.
ㄴ. 강 노인의 아들이 돈을 빌리기 위해 서울에 있는 처가로 출발했다.
ㄷ. 강 노인이 며느리가 했던 말을 김 씨에게 듣고 이를 확인하기 위해 집으로 향했다.
ㄹ. 강 노인은 펌프질을 하면서 자식들을 도와주는 일을 '밑 빠진 독에 물 붓기'라고 생각한다.

① ㄱ – ㄴ – ㄷ – ㄹ
② ㄱ – ㄴ – ㄹ – ㄷ
③ ㄱ – ㄹ – ㄴ – ㄷ
④ ㄴ – ㄱ – ㄷ – ㄹ
⑤ ㄴ – ㄱ – ㄹ – ㄷ

인물·사건

10 문맥상 ⓐ에 생략되었을 말로 가장 적절한 것은?

① 반상회에 참석해 봐요.
② 땅을 파는 건 어떨까요?
③ 어려운 이웃도 도우면서 삽시다.
④ 농사일을 좀 쉬면서 건강을 회복해요.
⑤ 형제가 우애 있게 지내도록 도와주세요.

수능형 인물·사건

11 ㉠~㉣의 관계에 대한 설명으로 적절하지 않은 것은?

① ㉠은 땅에 대한 ㉡과 ㉣의 태도를 못마땅하게 생각한다.
② ㉡은 ㉠이 ㉣의 가족을 위해 적극적으로 나서기를 바라고 있다.
③ ㉡은 ㉠이 ㉣을 오해하지 않도록 반상회의 상황을 설명하고 있다.
④ ㉢은 ㉣에게 직접 들은 이야기의 내용을 ㉠에게 전하고 있다.
⑤ ㉣은 어제 열렸던 반상회에서 ㉠의 땅에 대한 이야기를 꺼냈다.

마지막 땅 ❹

독해쌤 속닥속닥

◆ (타)~(파)에서 동네 사람들이 강 노인의 자식들에게 돈을 쉽게 빌려준 이유는 자식들이 돈을 갚지 못하더라도 동네 지주인 강 노인이 이를 대신 갚아 줄 것이라고 믿었기 때문입니다. 강 노인이 땅을 판다는 소문은 결국, 자식들이 강 노인 몰래 동네 사람들에게 큰 빚을 지고 있었다는 사실을 드러내었죠.

타 반상회 소식이 알려지자마자 연립 주택에 산다는 은혜 엄마가 찾아와서 경국이 엄마가 지난달 꾸어 간 오십만 원을 돌려 달라고 하소연을 늘어놓기 시작한 것이다. 땅을 팔았다니 계약금을 받았을 터인즉 큰며느리 빚을 대신 갚아 줄 수 없겠느냐는 여자의 말에 강 노인의 주먹코가 더욱 빨개졌다. 지난겨울 서울에서 이사 와 동네 물정을 모르고 딸이 다니는 에바다 피아노 학원에서 알게 된 경국이 엄마에게 곗돈을, 그것도 두 번째 탄 것을 빌려줬다는 것이다.

파 땅을 팔았다는 소문이 번지면서 큰아들 용규에게 빚을 준 동네 사람들이 강 노인에게 몰려왔다. 은혜 엄마까지 꼭 여덟 명이었다. 그중에는 목동에서 살다 철거 보상금 받아 쥐고 이곳까지 흘러온 김영진이라는 날품팔이 사내도 끼여 있었다. ㉠<u>철거 보상금을 삼 부 이자로 놓아 주겠다는 고흥댁의 말만 믿고 돈을 건네준 사람이었다</u>. 그들은 한결같이 강 노인 땅을 믿고 빌려준 돈이니까 책임을 져야 한다고 우겨 대면서 땅을 판 적이 없다는 그의 말을 도무지 믿으려 하지 않았다.

◆ 강 노인에게 땅이란, 삶의 터전이자 인간과 함께 생명을 나누는 공간입니다. 즉 강 노인의 관점에서 인간은 땅에서 자라는 것들에게서 자양분을 얻는 존재인 것이죠. 따라서 강 노인에게 농사는 그 자체로 생명을 기르는 행위인 동시에, 땅의 생명으로부터 인간이 살기 위해 필요한 먹거리를 거두는 행위인 것입니다.

하 씨 뿌린 땅에서 거두어들이는 수확이 아닌 담에야 어찌 땅 팔아서 그 돈으로 쌀 사고 채소 사며 살 수 있을 것인가. 농사꾼 주제로는 평생 만져 볼 엄두도 못 내는 큰돈이 굴러 들어왔어도 쉽게 생긴 내력만큼 씀씀이도 허망하기 짝이 없었다. 그나마 이만큼이라도 마지막 땅 조각을 붙들고 있다는 위안이 강 노인에게는 큰 힘이 되었다. 이 고장에 서울 바람이 몰아닥쳐 요 모양으로 설익은 도시가 되지 않았더라면 아직껏 넓디넓은 땅을 가지고 있을 것이 틀림없는 스스로를 생각해 보면 더욱 울화가 치밀었는데 다 부질없는 노릇이었다.

빚쟁이들이 몰려오는 줄 <u>번연히</u> 알면서도 들여다보지 않고 모르는 척하고 있는 용규 내외를 생각하면 괘씸하기 짝이 없었지만 이제 강 노인이 거두어야 할 일만 남은 셈이었다.

(번연히: 어떤 일의 결과나 상태 등이 훤하게 들여다보이듯이 분명하게)

절정 | 강 노인이 땅을 팔았다는 소문을 듣고 동네 사람들이 며느리와 아들에게 빌려준 돈을 받으러 옴

결말

거 멀리서 보아야 아름답다 하여 ⓐ'<u>멀뫼</u>'라 불리던 산이었다. 젊었을 적 나무하러 숱하게 오르내려서 능선마다 그의 땀방울이 묻어 있기도 한 산이다. 그때가 언제인데, 참 질기게도 오래 산다는 생각이 들었다. 땅에서 뽑혀 나와 잠깐 만에 이파리들이 축 늘어져 버린 잡초를 새삼스레 들여다보다가 강 노인은 <u>시름없이</u> 밭을 둘러보았다.

(시름없이: 근심과 걱정으로 맥이 없이)

◆ 강 노인이 강남 부동산으로 향하던 발걸음을 되돌리는 장면을 통해 작가는 산업화와 도시화의 흐름 속에서 삶의 터전인 땅이 개발의 대상이자 이익 창출의 수단으로 전락하고 있는 세태를 비판하고, 인간과 공존하는 생명의 공간으로서의 땅의 소중한 가치를 강조하고 있어요.

너 그러고 보니 어제오늘 ⓑ<u>고추 모종</u>에 물을 주지 못한 게 생각났다. 아욱이야 그런대로 잘 자랐지만 마누라가 덤덤해하니 억센 겉잎이 밀고 올라오기 시작했다. 꽂아 놓은 개나리 가지에 움터 오던 노란 잎도 가뭄에 시달려 밥티처럼 오그라 붙었다. 햇살은 푸지게 내리쬐고, 아이들은 지물포 옆에 옹기종기 모여서 땅따먹기 놀이를 하고 있었다. 강 노인은 큼큼 헛기침을 해 가며 강남 부동산으로 걸어갔다. 그러다 이내 되돌아서서 집을 향해 바쁜 걸음을 옮긴다. 암만해도 물 한 통쯤은 져 날라서 우선 이것들 목이나 축여 줘야겠다는 생각이었다.

결말 | 강 노인은 땅을 팔려고 부동산으로 향하다가 밭에 물을 주기 위해 집으로 발걸음을 돌림

확인 문제

[01~04] 다음 설명이 맞으면 ○, 틀리면 ×표 하시오.

01 강 노인은 땅을 팔아 계약금을 받았다. (○, ×)

02 김영진은 날품팔이로 번 돈을 강 노인의 큰아들인 용규에게 빌려주었다. (○, ×)

03 강 노인이 팔지 않고 있는 마지막 땅 조각은 강 노인에게 큰 위안이 되었다. (○, ×)

04 강 노인은 땅을 팔아 자식들의 빚을 갚아 주기 위해서 강남 부동산으로 향했다. (○, ×)

[05~07] 다음 빈칸에 들어갈 알맞은 말을 쓰시오.

05 은혜 엄마는 경국이 엄마가 진 빚을 대신 갚아 달라며 [ㄱ][ㄴ][ㅇ]을 찾아왔다.

06 강 노인은 많은 땅을 소유하고 있었지만, 원미동에 서울 [ㅂ][ㄹ]이 불면서 땅을 팔게 되었다.

07 강 노인은 빚쟁이가 몰려와도 나 몰라라 하는 용규 내외를 보며 [ㄱ][ㅆ]한 생각이 들었다.

실력 문제

인물·사건

08 윗글의 내용과 일치하지 <u>않는</u> 것은?

① 강 노인은 땅을 생명을 기르는 공간이라고 생각한다.
② 용규 내외는 강 노인에게 빚을 대신 갚아 줄 것을 부탁하고 있다.
③ 강 노인의 아내는 땅에 대한 애착이 없어 농사에 별 관심이 없다.
④ 김영진은 도시화로 인해 서울에서 밀려 나와 원미동에서 살고 있다.
⑤ 동네 사람들이 용규에게 돈을 빌려줄 때 강 노인의 자식이라는 사실이 영향을 미쳤다.

배경·소재 + 주제

09 윗글의 제목인 '마지막 땅'의 의미로 가장 적절한 것은?

① 가족들과 행복한 삶을 누릴 수 있는 공간
② 큰돈을 벌 수 있는 수단이 되어 주는 기회의 공간
③ 자연 파괴로 인한 환경 오염의 심각성을 고발하는 공간
④ 삶의 터전인 동시에 인간과 자연이 더불어 살아가는 공간
⑤ 고향을 떠나 살아가는 강 노인에게 향수를 느끼게 해 주는 공간

서술

10 ㉠에 대한 설명으로 가장 적절한 것은?

① 강 노인이 과거를 회상하며 땅에 애착을 지니는 이유를 구체화한다.
② 과거의 사건을 요약적으로 제시함으로써 김영진의 행동의 이유를 제시한다.
③ 갈등을 해결할 수 있는 실마리를 제공하여 용규와 김영진의 화해를 암시한다.
④ 시대적 배경을 드러내는 구체적인 사건을 제시하여 용규가 처한 상황을 드러낸다.
⑤ 강 노인의 자식들이 일으킨 사건을 병렬적으로 제시하여 강 노인을 우회적으로 비판한다.

수능형 배경·소재

11 ⓐ, ⓑ에 대한 설명으로 가장 적절한 것은?

① ⓐ와 ⓑ는 산업화·도시화 이후에 찾아보기 힘든 대상이다.
② ⓐ와 ⓑ는 강 노인과 그의 가족들이 갈등하게 되는 계기이다.
③ ⓐ는 동네 사람들이 가꾸는 것이며, ⓑ는 강 노인이 가꾸는 것이다.
④ ⓐ와 관련한 과거의 경험은 현재에 강 노인이 ⓑ에 애착을 보이는 이유이다.
⑤ ⓐ는 강 노인에게 과거의 추억을 떠올리게 하며, ⓑ는 강 노인이 마음을 되돌리게 한다.

작품 전체

발단※	전개※	위기※	절정※	결말※
강 노인은 자신의 땅을 팔기를 거부하고 그 자리에 농사를 지음	강 노인은 땅을 팔라는 주변의 ❶ㅎㅇ를 무시한 채 농사를 짓고, 이로 인해 동네 사람들과 갈등을 겪음	동네 사람들은 강 노인을 압박하며 ❷ㄴㅅ를 중단할 것을 요구함	강 노인이 땅을 팔았다는 소문을 듣고 동네 사람들이 며느리와 아들에게 빌려준 돈을 받으러 옴	강 노인은 땅을 팔려고 ❸ㅂㄷㅅ으로 향하다가 밭에 물을 주기 위해 집으로 발걸음을 돌림

※: 교재 수록 부분

작품 압축

■ '땅'을 둘러싼 등장인물의 갈등

❹ㅈㅌ적·정신적 가치를 중시함

강 노인: 땅을 팔지 않고 계속 농사를 짓고 싶음

⇕

동네 사람들	강 노인의 가족
• ❺ㅇㅂ 냄새가 싫어 밭에 연탄재를 뿌림 • 땅에 건물을 짓고 싶음	땅을 판 돈으로 빚을 갚고 편안하게 살고 싶음

물질적·현실적 가치를 중시함

■ 작품에 반영된 사회의 모습

시대적 배경을 (1980년대) 드러내는 소재	• 연탄재 • ❻ㅍㅍ 올림픽 • 도로 주변 미화 사업

⇓

동네 사람들의 모습	작품 속 사회의 모습
• 밭에 ❼ㅇㅌㅈ를 던짐 • 땅에 건물이 들어서서 집값이 오르기를 바람 • 이익을 얻기 위해 강 노인의 가족에게 돈을 빌려줌	• 공동체적 모습이 사라짐 • ❽ㄷㅅㅎ로 인해 자본주의적 가치를 중시함 • 심리적 연대보다 이해관계로 인간관계를 맺음

인물·사건 / 배경·소재 / 서술 / 주제

■ 서술상 특징과 효과

서술상 특징	• 작품 밖 서술자가 등장인물의 생각과 심리를 서술함 • 특정 인물인 강 노인의 입장과 시각을 중심으로 이야기가 전개됨

⇓

효과	강 노인의 내면 ❾ㅅㄹ를 구체적으로 파악할 수 있음

■ 결말을 통해 알 수 있는 작품의 주제

결말	강 노인이 땅을 팔러 강남 부동산으로 가던 발걸음을 돌려, 고추 모종에 물을 주기 위해 집으로 향함

⇓

주제	• 자본주의적 도시화의 세태를 비판함 • 인간과 공존하는 ❿ㅅㅁ의 공간으로서 '땅'의 소중한 가치를 강조함

어휘력 테스트

1 다음 괄호 안에 들어갈 단어를 〈보기〉에서 골라 써 보자.

보기

자명 　 말본새 　 번연히

(1) 나를 놀리는 친구의 (　　　)이/가 마음에 들지 않았다.

(2) 실천하지 않으면 달라지는 게 없다는 것은 (　　　)한 일이다.

(3) 형은 자기가 잘못했다는 것을 (　　　) 알면서도 동생에게 사과하지 않았다.

2 다음 단어를 활용하기에 적절한 문장을 찾아 바르게 연결해 보자.

(1) 신수 • 　 • ㉠ 그는 이야기를 듣고도 (　　　) 말이 없었다.

(2) 끄나풀 • 　 • ㉡ 오랜만에 만난 그는 이전보다 (　　　)이/가 더 좋아 보였다.

(3) 가타부타 • 　 • ㉢ 영호는 경찰의 (　　　) 노릇을 하며 범인을 감시하고 있다.

독해쌤과 함께하는 감상 넓히기

연작 소설 『원미동 사람들』 속 다른 작품

이번에 감상한 「마지막 땅」은 총 11편의 단편으로 구성된 연작 소설 『원미동 사람들』 속 작품 중 하나예요. 원미동이라는 동네를 배경으로, 1980년대 소시민들의 삶을 생생하게 그려 내고 있는 『원미동 사람들』 속 다른 작품도 함께 감상해 볼까요?

원미동 시인_양귀자

어떤 사내에게 무차별적으로 폭행을 당하는 몽달 씨를 김 반장이 모른 척하는 모습을 어린 서술자인 '나'의 시선으로 그린 소설입니다. 개인에게 이유 없이 가해지는 폭력과 그것을 방관하는 이웃의 모습을 통해 당시 사회의 모순과 부조리를 비판하고 있는 작품입니다.

일용할 양식_양귀자

김포 상회를 운영하고 있는 경호네와 형제 슈퍼를 운영하고 있는 김 반장, 그리고 이 사이에 새로 가게를 낸 싱싱 청과물 사내 사이에서 벌어진 갈등을 다루고 있는 소설입니다. 더불어 사는 사회에서 지켜야 할 이해와 공존의 원리를 이야기하고 있는 작품입니다.

내가 그린 히말라야시다 그림 ① _ 성석제

여러분은 얼굴이 닮은 왕자와 거지가 우연히 옷을 바꿔 입어 보았다가 운명이 뒤바뀐다는 내용의 「왕자와 거지」 이야기를 알고 있나요? 이 작품에 등장하는 두 명의 주인공 역시 삶에 찾아온 기회의 순간에 벌어진 일로 서로의 운명이 엇갈리게 되었는데요. 두 사람 사이에 어떤 일이 있었는지 작품을 감상해 볼까요?

독해쌤의 감상 질문

1. 인물·사건 • '0'과 '1'의 서술자의 특징은 무엇인가요?
   • '0'과 '1'의 '나'는 각각 어떠한 갈등을 겪고 있나요?
2. 서술 작품의 서술자는 어떻게 바뀌고 있으며, 그 효과는 무엇인가요?
3. 주제 등장인물의 갈등 해결 과정을 통해 드러나는 주제는 무엇인가요?

독해쌤 속닥속닥

◆ '0'과 '1'의 '나'는 모두 성인이 된 현재의 시점에서 과거를 회상하고 있습니다. '0'의 '나'는 과거의 일을 마음에 둔 채 그 일로 인해 자신의 재능을 의심하며 살아오고 있고, '1'의 '나'는 유명 화가가 된 '0'의 '나'에 대한 부정적 인식을 드러내고 있어요.

발단

가 0 / 〈중략〉 나 혼자 내 재능을 의심하지. 나를 의심해 왔지. 그날 그 일이 있은 뒤부터. 혼자서만, 조용히, 아무도 모르게, 그 누구도, 나를 미술의 길에 들어서게 한 아버지도 모르게, 만난 이후 수십 년 동안 내가 그림을 그릴 때마다 격려하고 내가 벽에 막혀 서성거리거나 좌절할 때마다 나를 위로해 준 내 아내도 모르게. 내게 이런저런 상을 안겨 준 평론가들, 원로들, 스승들이라고 알 수 있었겠어? 나는 이런 내 마음속을 들키지 않으려고 무진 애를 썼지. 내가 타고난 재능을 한 번도 의심해 본 적이 없는 것처럼 말하고 다녔지. 고개를 쳐들고 상대의 눈을 쏘아보며.

(원로: 한 가지 일에 오래 종사하여 경험과 공로가 많은 사람 / 무진: 다함이 없을 만큼 매우)

나 "자네는 공부를 잘하더니만 결국 공부를 가르치는 선생님이 되었군. 양복과 자전거가 잘 어울려. 어디 사는가?" / 선생님이 근무하는 초등학교 근처에 산다고 말하고는 아버지에게 아직도 그림을 그리느냐고 물었어.

"어, 내 아들놈이 지금 열 살이야. 난 ㉠아버님의 유언 때문에 그림을 포기한 대신 장가는 일찍 갔다네. 그 애가 그림에 재능이 있는지는 모르겠지만, 내가 그래도 한때 그림을 좀 그렸던 사람으로서 재료는 좋은 걸 써야겠기에 우리 형편에는 좀 과분하지만 이리로 온 걸세." / 아버지는 화방에서 권하는 크레파스와 스케치북을 집어 들었어.

(과분하지만: 분수에 넘치지만)

다 1

난 그림을 좋아해. 오늘도 미술관에 나와서 전시된 그림을 보았어. 유명한 전시회가 열리는 미술관이나 박물관은 어쩌다 한 번 가지만 일주일에 한두 번은 화랑과 작은 미술관이 즐비한 거리를 돌아다니지. 걷고 또 걸으며 돌아다니다 눈과 다리가 아프면 찻집 '고갱과 고흐'로 가곤 해. / 여기서 따뜻한 커피를 마시면서 창문 밖으로 걸어가는 사람들의 옷차림과 얼굴빛과 하늘의 색깔을 비교해 보지. 사람의 배경이 되는 나무줄기의 빛깔과 나뭇잎을 흔드는 바람에서 무슨 느낌을 얻기도 해.

(화랑: 그림 따위의 미술품을 진열하여 전람하도록 만든 방 / 즐비한: 빗살처럼 줄지어 빽빽하게 늘어서 있는)

라 좋은 그림을 보고 있으면 시간 가는 줄 몰라. 화가는 가는 시간을 화폭에 담아서 잡아 놓고 다른 사람의 시간은 마냥 흘러가도 모른 척하는 사람일까? 그럴지도 몰라. 내가 아는 사람이라면, 그렇게 하고도 시치미를 뚝 떼고 "난 잘못한 거 없소." 할 인물이지. 그 사람, 백선규. 나와 같은 고향 출신이고, 같은 초등학교를 나왔는데 어릴 때부터 상이란 상은 다 받고 다니더니 자라서도 한국을 대표하는 화가가 됐어.

발단 | '0'과 '1'의 '나'는 초등학교 때의 어떤 사건으로 각자 다른 삶을 살게 됨

확인 문제

[01~04] 다음 설명이 맞으면 ○, 틀리면 ×표 하시오.

01 '0'의 아버지는 '나'가 미술을 하는 것을 반대했다. (○, ×)

02 '0'의 '나'는 화가로서 자신의 재능을 의심해 본 적이 없다. (○, ×)

03 '0'의 아버지는 가난한 형편이지만 아들에게 좋은 그림 재료를 사 주고 싶었다. (○, ×)

04 '1'의 '나'는 그림을 좋아하여 화랑과 작은 미술관이 있는 거리를 자주 찾는다. (○, ×)

[05~07] 다음 빈칸에 들어갈 알맞은 말을 쓰시오.

05 이 작품은 1인칭 [ㅈ][ㅇ][ㄱ] 시점이 교차하고 있다.

06 '0'의 아버지는 '0'의 할아버지가 남긴 [ㅇ][ㅇ] 때문에 화가가 되기를 포기했다.

07 '0'의 '나'와 '1'의 '나'는 같은 고향의 같은 [ㅊ][ㄷ]학교를 나온 동창 사이이다.

서술

08 윗글의 서술상 특징으로 적절하지 않은 것은?

① 주인공인 서술자 '나'가 자신의 심리를 직접 서술한다.
② '그날 그 일'과 관련한 독자의 궁금증과 호기심을 자극한다.
③ 어린 시절의 공통의 기억을 지닌 두 명의 서술자가 등장한다.
④ '0'과 '1'의 두 서술자가 대화를 나누며 상대방의 입장을 파악한다.
⑤ '0'의 서술자는 과거의 사건을, '1'의 서술자는 과거에 알던 인물을 떠올린다.

인물·사건

09 (가)~(라)를 통해 알 수 있는 '나'의 특징으로 적절한 것은?

① (가), (나)의 '나'는 재능보다 노력을 중시한다.
② (가), (나)의 '나'는 어린 시절 선생님을 꿈꾸었다.
③ (가), (나)의 '나'는 여러 상을 받는 등 그림 실력을 인정받고 있다.
④ (다), (라)의 '나'는 '0'의 서술자인 백선규를 기억해 내지 못하고 있다.
⑤ (다), (라)의 '나'는 그림을 좋아해서 전문적으로 그림을 비평하는 일을 하고 있다.

인물·사건

10 (다), (라)에서 알 수 있는, 그림에 대한 '나'의 태도로 가장 적절한 것은?

① 유명한 전시회나 박물관을 통해서만 예술을 향유한다.
② 여유 있게 그림을 즐기며 시간을 보내는 것에 만족한다.
③ 눈에 보이지 않는 바람 등을 세밀하게 표현한 그림을 즐긴다.
④ 얼굴빛이나 하늘의 색깔들을 그대로 화폭에 담는 것을 좋아한다.
⑤ '고갱', '고흐'와 같이 유명한 화가들의 그림만을 예술 작품으로 인정한다.

수능형

배경·소재 + 어휘

11 <보기>는 ㉠의 일부이다. 관용 표현을 활용하여 ⓐ를 바꿔 쓸 때 가장 적절한 것은?

> 보기
>
> "아들아, 네가 그림을 좋아하고 잘 그리는 것을 나도 알고 있단다. 하지만 내가 먼저 세상을 떠나면 네 어미와 동생들은 어떻게 살아갈지 걱정이 돼서 눈도 감지 못하겠구나. 그림을 그려도 ⓐ쌀이 나오지 않는다. 이런 부탁을 해서 미안하지만 더는 그림을 그리지 말고 가족들을 굶게 하지 않는 일에만 신경 썼으면 좋겠다."

① 등잔 밑이 어둡다.
② 가는 날이 장날이다.
③ 눈 가리고 아웅 한다.
④ 누이 좋고 매부 좋다.
⑤ 목구멍에 풀칠하기 힘들다.

내가 그린 히말라야시다 그림 ②

독해쌤 속닥속닥

◆ (마)에서 선생님은 4학년 이상만 나갈 수 있는 사생 대회에 3학년인 '나'(0)를 내보냈어요. 친구의 아들도 친구처럼 그림에 소질이 있을 것이라고 생각하여, '나'(0)에게 재능을 살릴 수 있는 기회를 주고 싶었기 때문이지요.

◆ (바)에서 선생님은 '나'(0)가 사생 대회에서 장원을 했다는 기쁜 소식을 친구인 '나'의 아버지에게 빨리 알려 주고 싶어서 멀리 있는 우리 집까지 찾아옵니다. 아버지는 아들이 장원을 했다는 말을 듣고도 쑥스럽게 웃고 마는데, 감정 표현이 서툴고 무뚝뚝한 아버지의 성격을 짐작할 수 있어요.

◆ (사)를 통해 '나'(1)는 풍족한 집안에서 원하는 것을 다 하면서 살아왔음을 알 수 있어요. 특히 '나'는 그림에 재능이 있었는데, 구시대적 사고방식을 지닌 아버지의 말을 듣고는 그림에 대한 의욕을 잃어버리게 되었죠.

전개

마 0 / 〈중략〉 그림 외에도 서예, 합창, 밴드, 글짓기까지 여러 분야가 있는데 그거야 어떻든 간에, ⓐ어디까지나 학예 대회는 4학년 이상만 나가는 대회였어. 그런데 선생님은 자신의 친구 아들이 자신의 친구처럼 그림에 대단한 소질이 있다고 믿었어. 친구는 재능을 살리지 못하고 농사를 짓고 있지만 그의 아들에게 최대한의 기회를 주어야겠다고 생각한 거야. 그런데 그 방법이라는 게 정상적인 게 아니었어. 4학년 담임 선생님 중에 자신과 친한 5반 선생님에게 말해서 그 반의 대표로 나를 내보내기로 한 거야. 물론 나는 대회에 나가서 내 이름을 쓸 수가 없지. 4학년 5반 대표 중 하나로 나가는 거니까. ⓑ하긴 대회장에 가서 보니까 이름을 쓸 필요도 없고 써서도 안 되었지. 혹시 심사 과정에 부정이 있을지도 몰라 대회에 참가하는 사람들에게 번호를 미리 주고 참가자는 자신의 작품 뒤에 이름 대신 그 번호를 적게 되어 있었던 거지. / 그거야 어떻든 상관없었어. 나한테 중요한 건 그 대회가 열리는 날이 축구 결승전을 하는 날이었다는 거야.

바 ⓒ이상한 일은 그날 저녁 무렵에 일어났어. 선생님이 자전거를 타고 읍에서 십 리쯤 떨어진 우리 집에 찾아온 거야. 가정 방문을 온 게 아니야. 선생님은 손에 술병을 들고 왔어. 선생님은 아버지를 만나서는 어깨에 손을 얹더니 이렇게 말했어.

"축하하네. 자네 아들이 사생 대회에서 장원을 했어. 열 살짜리가. 보라구. 겨우 열 살짜리가 저보다 몇 살 더 많은 아이들을 다 제치고 일 등을 했다 이 말이야. 그 애들 중에는 따로 그림을 과외로 배우는 애들도 있어. 자네 애는 이번에 크레파스를 처음 잡은 거라면서?" / 아버지는 땀 냄새가 푹푹 나는 옷을 젖히면서 친구의 손에서 살그머니 떨어졌어. 그러고는 쑥스럽게 웃는 듯했는데, 그게 내가 그 눈물을 흘린 사생 대회에서 장원한 것에 대한 반응의 전부였어.

(사생: 실물이나 경치를 있는 그대로 그리는 일 / 장원: 여럿이 겨루는 경기나 오락에서 첫째를 함)

전개 | '0'의 '나'는 3학년 때, 4학년 이상만 참가할 수 있는 사생 대회에 나가 장원을 함

위기

사 1

내 아버지는 읍에서 제일 큰 제재소를 운영했어. 그 시절은 한창 집을 많이 지을 때여서 제재소를 드나드는 차와 사람들로 문짝이 한 달에 한 번은 떨어져 나갈 지경이었지. 나는 고명딸이었어. 아버지는 오빠들이 정구를 친다고 하자 정구장을 집 안에 지어 줬지. 나는 피아노를 배웠는데 피아노가 싫다고 하니까 바이올린을 사다 줬어. ⓓ그런데 바이올린 선생님이 무슨 일로 못 오게 된 뒤로 나는 그림을 배우겠다고 했어. 아버지는 언제나 내가 원하는 대로 해 주었지.

(제재소: 베어 낸 나무로 재목을 만드는 곳 / 고명딸: 아들 많은 집의 외동딸 / 정구: 테니스의 옛 이름)

읍내에서 유일한 사립 중학교에서 미술을 가르치는 선생님이 집으로 와서 나에게 그림을 가르쳐 주었어. 선생님은 내가 그림에 재능이 뛰어나다고 계속 공부를 시키면 훌륭한 화가가 될 수 있을 거라고 했어. 비싼 과외비를 받으니까 그냥 해 본 말인지도 몰라. 그 말을 들은 아버지는 ㉠"딸내미가 이쁘게 커서 시집만 잘 가면 됐지 뭐, 그림 그려서 돈 벌 것도 아니고 결혼해서 식구들 먹여 살릴 것도 아닌데 힘들게 공부할 거 뭐 있나."라고 했대. ⓔ그 말을 전해 듣고 나는 그렇게 열심히 할 생각이 없어졌어.

확인 문제

[01~04] 다음 설명이 맞으면 ○, 틀리면 ×표 하시오.

01 '0'의 '나'는 사생 대회에 나가서 그림의 뒷면에 4학년의 이름을 썼다. (○, ×)

02 '0'의 '나'가 기대하던 축구 결승전은 사생 대회와 같은 날에 열렸다. (○, ×)

03 '1'의 '나'는 어린 시절에 정구, 피아노, 바이올린, 그림 등을 배웠다. (○, ×)

04 미술 선생님은 아버지의 부탁을 받고 '1'의 '나'에게 그림에 소질이 있다고 말했다. (○, ×)

[05~07] 다음 빈칸에 들어갈 알맞은 말을 쓰시오.

05 '0'의 '나'는 10살 때 4학년 이상만 나가는 [ㅅ][ㅅ] 대회에 나갔다.

06 '1'의 아버지는 읍내에서 제일 큰 [ㅈ][ㅈ][ㅅ]를 운영하고 있었다.

07 '1'의 '나'는 비싼 [ㄱ][ㅇ][ㅂ]를 내고 그림을 따로 배우고 있었다.

인물·사건

08 **(마)~(바)의 '선생님'에 대해 보일 수 있는 반응으로 적절하지 <u>않은</u> 것은?**

① 대회를 통해 '나'의 재능을 더욱 확신했겠군.
② 친구의 아들이 장원을 한 것에 대해 진심으로 기뻐했어.
③ 양심을 속이면서까지 제자를 대회에 내보냈어야 했을까?
④ 선생님의 생각처럼 '나'는 아버지의 재능을 물려받았을지도 몰라.
⑤ '0'의 '나'와 '1'의 '나' 중, 누가 더 실력이 뛰어난지 확인하려고 '0'의 '나'를 대회에 내보냈구나.

인물·사건

09 **윗글에 나타난 인물들의 심리로 적절하지 <u>않은</u> 것은?**

① '0'의 '나': 나에게는 사생 대회보다 축구 결승전이 더 중요했어.
② '1'의 '나': 그림을 더 배우고 싶었는데 아버지의 눈치가 보였어.
③ '0'의 아버지: 크게 내색하지 못했지만 장원을 한 아들이 대견해.
④ '1'의 아버지: 내 자식들이 원하는 것은 무엇이든지 들어주고 싶어.
⑤ '0'의 선생님: 그림을 배운 적도 없는 '0'이 장원을 했다니 정말 대단해.

서술

10 **ⓐ~ⓔ 중, 〈보기〉의 설명에 해당하는 것은?**

> 보기
> • 독자의 흥미와 호기심을 유발함
> • 앞으로 일어날 중심 사건을 암시함
> • 앞으로 일어날 일의 전제가 되어 필연성을 부여함

① ⓐ ② ⓑ ③ ⓒ ④ ⓓ ⑤ ⓔ

수능형 배경·소재

11 **〈보기〉의 관점에서 ㉠의 '아버지'의 말을 해석한 내용으로 가장 적절한 것은?**

> 보기
> 문학 작품은 작품의 배경이 되는 시대의 사회·문화적 상황으로부터 영향을 받고, 그 시대를 살아가는 사람들의 삶의 모습을 표현한다. 따라서 특정한 시대의 사회·문화적 상황이 작품 속에 반영된다.

① 사람을 가정 형편이나 겉모습으로 판단해서는 안 돼.
② 딸이 공부에 재미를 붙일 수도 있는데 앞일을 어떻게 장담해?
③ 당시는 여성들의 사회적 활동이 활발하지 않았던 시대였나 봐.
④ 아버지의 말을 직접 인용해서 들려주니까 생생한 느낌이 들어.
⑤ 우리 아빠라면 내가 원하는 것을 들어 본 후에 미래에 대해 말씀하셨을 것 같아.

내가 그린 히말라야시다 그림 ③

아 사생 대회는 토요일 오전에 우리 학교에서 열렸어. 우리가 다니는 초등학교가 군에서 가장 오래된 학교라서 그랬던 것 같아. 건물도 오래됐고 나무도 커서 그림 그릴 게 많았는지도 몰라. 우리 학교 다니는 애들한테 유리한 것 같긴 했지.

우리는 주최 측이 확인 도장을 찍어서 준 도화지를 한 장씩 받아서 그림을 그리기 위해 여기저기로 흩어졌지. 그런데 ㉠내 뒤에서 그림을 그리던 녀석, 옷도 지저분하고 검정 고무신을 신은 데다 간장 냄새가 나던 녀석이 기억에 오래 남았어. 그 냄새며 꼴이 싫어서 자리를 옮기려고 했지만 이미 노란색 크레파스로 그 앞의 나무와 갈색 나무 교사의 밑그림을 그린 뒤라서 그럴 수도 없었어. 참 그 냄새, 머리가 아프도록 지독했어. 그건 한마디로 하면 가난의 냄새였어.

교사: 학교의 건물

자 0 / 〈중략〉 지금 생각하면 참 우스워. 상으로 그림 도구를 받아서 그림을 제대로 잘 그릴 생각을 하다니. 그땐 전혀 우습지 않았어. 좀 긴장이 됐지. 차상, 차하도 돼. 크레파스하고 스케치북이 상품으로 나오긴 하니까 모자라는 대로 어떻게 되겠지. 그냥 특선이나 입선은 곤란하지. 공책이나 연필밖에 안 주니까. 상장 뒷면에 그림을 그릴 수도 없고.

㉡나는 아버지가 사 준 크레파스를 들고 학교로 갔어. 한 해 전과는 다르게 크레파스 뚜껑이 달아나 버려서 습자지를 덮고 고무줄로 동여맸지. 한 해 전처럼 그림을 그려서 제출할 도화지를 받아 들고 뒷면에 미리 부여받은 내 번호를 적었지. 나는 124번이었어. 잊어버릴 수가 없는 번호야. 그 몇 해 전에 무장간첩들이 남한으로 내려왔는데 무장간첩을 훈련시킨 부대 이름이 124군 부대라서 그런 게 아냐. 하여튼 나는 도화지 뒤 네모난 보랏빛 칸에 검정색으로 번호를 124라고 분명히 적었어.

습자지: 글씨 쓰기를 연습할 때 쓰는 얇은 종이
무장간첩: 전투에 필요한 장비를 갖춘 간첩
124군 부대: 1968년 청와대를 습격하기 위해 수도권에 침입했던 북한 부대

차 내 앞에는 언제부터인가 여자아이가 두 명 앉아 있었어. 〈중략〉 자주색 원피스에 검정 에나멜 구두를 신고 있었고 머리에 푸른 구슬 리본을 매고 있는데 무척 얼굴이 희고 예뻤지. 나하고 한 반이었다고 해도 나 같은 촌뜨기에게는 말을 걸지도 않았겠지.

촌뜨기: '촌사람'을 낮잡아 이르는 말

그 여자애와 나는 비슷한 점이 하나도 없었어. 크레파스부터 한 번도 쓰지 않은 새것, 한 번만 더 쓰면 더 쓸 수 없도록 닳은 것이라는 차이가 있었어. 처음부터 다른 길에서 출발해서 가다가 우연히 두어 시간 동안 같은 장소에서 비슷한 그림을 그리게 되겠지만 앞으로 영원히 만날 일이 없을 것 같은 사람이야. 그 여자아이도 그걸 의식하고 있는 것 같았어. 나를 한 번 힐끗 넘겨다보고는 코를 찡그리더니 더 이상 눈길을 주지 않았어. 자리를 뜰 것 같았는데 계속 그리기는 하더군. 나를 의식하기 전에 밑그림을 그렸던 게 아까웠겠지.

카 이상하게 축구가 재미가 없었어. 자꾸 눈이 심사를 하고 있을 교실로 향하는 거야. 내가 쉽게 골을 집어넣을 수 있는 기회에서 엉뚱한 데 눈을 주니까 아이들이 정신을 어디다 파느냐고 화를 냈지. 나는 미안하다고 했고, 그러면서도 아, 이제 나한테 축구보다 더 중요한 게 생겼구나 하는 생각이 드는 거야. 사실 그건 크레파스나 스케치북 같은 상품이 아니야. 그건 내가 가지고 있는 재능, 아버지에게 물려받은 천부적인, 천재적인 재능을 명백히 확인받고 싶다는 충동이었어.

천부적인: 태어날 때부터 지닌 것

독해쌤 속닥속닥

◆ (아)에는 '나'(1)와 '녀석'(0)의 첫 만남이 제시되어 있어요. 그리고 '나'의 눈에 비친 '녀석'의 인상을 상세히 묘사하고 있죠. '나'는 옷이 지저분하고 검정 고무신을 신은 데다 머리 아플 정도로 지독한 냄새가 나던 '녀석'이 기억에 오래 남았다고 했어요.

◆ (자)에서 '나'(0)는 사생 대회에서 부여받은 124번을 잊을 수 없는 번호라고 말하는데, 이를 통해 앞으로 이 번호와 관련하여 특별한 사건이 일어날 것임을 암시하고 있어요. 일종의 복선의 역할을 하는 것이지요.

◆ (카)에서, 그림보다 축구를 좋아했던 '나'는 1년이 지난 지금 아버지에게서 물려받은 그림에 대한 재능을 확인하고 싶다는 충동 때문에, 축구에 재미를 느끼지 못하고 사생 대회의 심사 결과에 신경을 쓰고 있어요.

확인 문제

[01~04] 다음 설명이 맞으면 ○, 틀리면 ×표 하시오.

01 '0'의 '나'와 '1'의 '나'는 같은 사생 대회에 참가했다. (○, ×)

02 '0'의 '나'는 장원이 될 수 없다면, 특선이나 입선이라도 차지하고 싶었다. (○, ×)

03 4학년이 된 '0'의 '나'는 3학년 때 썼던 크레파스를 계속 사용했다. (○, ×)

04 '0'의 '나'는 사생 대회에서 크레파스와 스케치북을 상으로 받게 되었다. (○, ×)

[05~07] 다음 빈칸에 들어갈 알맞은 말을 쓰시오.

05 '1'의 '나'는 자신의 뒤에서 그림을 그리던 ㄱㅈ 냄새가 나던 녀석이 기억에 오래 남았다.

06 '0'의 '나'는 사생 대회의 ㅅㅅ 결과가 궁금해서 자꾸 눈이 교실로 향하였다.

07 '0'의 '나'는 아버지께 물려받은 그림에 대한 ㅈㄴ을 확인하고 싶었다.

인물·사건

08 윗글의 ㉠과 ㉡의 상황으로 적절하지 않은 것은?

① ㉠은 ㉡의 인상이 싫어서 자리를 옮겨 그림을 그렸다.
② ㉡은 ㉠이 자신과는 다른 부류의 사람이라고 생각했다.
③ ㉡은 ㉠이 자신을 싫어한다는 것을 눈치로 알게 되었다.
④ 그림 도구를 통해 ㉠과 ㉡의 상반된 가정 형편을 알 수 있다.
⑤ ㉠과 ㉡은 모두 주최 측에서 나누어 준 도화지에 그림을 그렸다.

인물·사건

09 (자)에서 '나'가 자신의 번호를 기억하고 있는 이유로 가장 적절한 것은?

① 평소에 가장 좋아하던 번호라서
② '1'의 '나'와 같은 번호를 부여받아서
③ 도화지 뒷면에 '124'번이라고 적혀 있어서
④ 번호와 관련된 특별한 일이 자신에게 일어나서
⑤ 몇 해 전에 내려온 무장간첩의 수와 관련된 번호라서

인물·사건

10 다음은 '나(0)'의 태도 변화를 표로 나타낸 것이다. ⓐ에 들어갈 내용으로 가장 적절한 것은?

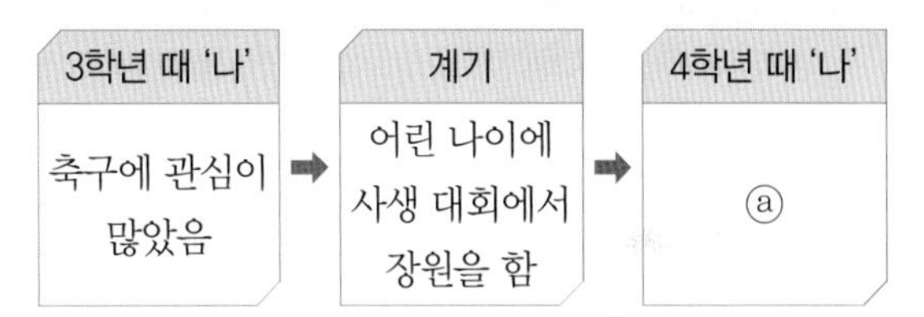

① 친구들과 축구를 하게 됨
② 축구보다 그림을 좋아하게 됨
③ 새 크레파스를 들고 학교에 가게 됨
④ '1'의 '나'와 비슷한 그림을 그리게 됨
⑤ 아버지에게 천부적인 재능을 물려받게 됨

수능형 서술

11 <보기>의 질문에 대한 대답으로 가장 적절한 것은?

> 보기
> 이 작품은 '0'과 '1'의 '나'를 주인공으로 한 1인칭 주인공 시점이 번갈아 나타나는 서술 방식을 취하고 있다. 이 작품이 '0'과 '1'의 서술자 중에서 어느 한 서술자의 시선으로만 이야기를 서술했다면, 지금과 어떤 차이가 있을까?

① 주인공의 생각과 심리를 객관적으로 전달할 수 있다.
② 서술자 한 명의 고백적인 내면의 소리에 집중할 수 있다.
③ 여러 인물의 심리를 비교하며 읽는 재미가 더욱 커질 수 있다.
④ 주인공이 관찰하는 인물의 심리만 직접적으로 제시할 수 있다.
⑤ 같은 상황에 처해 있는 두 인물의 관점을 비교하며 감상할 수 있다.

독해쌤 속닥속닥

◆ (타)에서 '나'(1)는 단 한 번 상을 받을 뻔한 과거의 기억을 회상하고 있어요. 바로 '0'의 서술자, 백선규가 장원을 했던 그림이 사실은 자신이 그렸던 그림이었던 거죠. '나'는 이 모든 사실을 알고 있었음에도, 귀찮기도 하고 백선규가 좌절감을 느끼게 될 것 같아 잘못을 바로잡지 않았습니다.

타 1 / 〈중략〉 그렇지만 단 한 번 상을 받을 뻔한 적은 있지. 스스로의 실수 때문에 못 받은 거니까 누구를 원망할 수도 없지만. 그 실수를 인정하고 내가 받을 상이 남에게 간 것을 바로잡을 수 있었을까. 〈중략〉 / 왜 안 했을까. 그때 나를 스쳐 가던 그 아이, 그 아이의 표정 때문인지도 몰라. 땟국물이 흐르던 목덜미, 전신에서 풍겨 나던 뭔가 찌든 듯한 그 냄새, 그 너절한(허름하고 지저분한) 인상이 내 실수와 잘못된 과정을 바로잡는 게 너절하고 귀찮은 일이라는 생각을 갖게 했을 거야. 어쩌면 그 결과 한 아이가 가지게 될지도 모르는 씻지 못할 좌절감이 내게도 약간 느껴졌는지도 모르지. 상관없어. 나는 그런 상하고는 담을 쌓고 살아도 행복해. 그런 스트레스를 받는 것 자체가 싫어. 왜 내가 그렇게 살아야 하는데?

위기 | '0'과 '1'의 '나'는 4학년 때 같은 사생 대회에 참가함

◆ (파)에서 장원작이 자신의 그림이 아님을 알게 된 '나'(0)는 큰 충격에 빠집니다. 그리고 (하)에서 '나'는 사생 대회에서 마주쳤던, 장원작을 그린 그 여자아이를 강당에서 지나치며 눈을 감습니다. 그 아이가 받아야 할 상을 자신이 대신 받았다는 부끄러움과 죄책감 때문이지요.

절정

파 0 / 〈중략〉 그런데, 그런데, 그런데, 그런데 그 그림은 내가 그린 그림이 아니었어. 풍경은 내가 그린 것과 비슷했지만 절대로, 절대로 내가 그린 그림이 아니야. 아버지가 사 준 내 오래된 크레파스에는 진작에 떨어지고 없는 회색이 히말라야시다(개잎갈나무. 소나뭇과의 상록 침엽 교목) 가지 끝 앞부분에 살짝 칠해진 그림이었어. 나는 가슴이 후들후들 떨려서 두 손으로 가슴을 가렸어. 사방을 둘러봤지만 아무도 없었어. 〈중략〉 네모진 칸 안에 쓰인 숫자는 분명히 124였어. 124, 북한에서 무장간첩을 훈련시킨 그 124군 부대의 124. 그렇지만 그건 내 글씨가 아니었어.

하 나는 가슴이 찢어질 것 같은 통증을 느끼면서 강당을 걸어 나왔어. 열 걸음쯤 떼었을 때 강당 문으로 어떤 여자아이가 걸어 들어왔어. 자주색 원피스를 입고 있었어. 검정 에나멜 구두를 신고 있었지. 나는 그 여자아이를 지나칠 때 눈을 감았어. 눈을 감은 채 열 걸음쯤 걸어가서 다시 눈을 떴어. / 내가 주 선생님을 찾아가서 말해야 했을까. 이건 내 그림이 아니라고. 다른 사람이 그린 그림이라고. 〈중략〉 실수를 바로잡아 달라고. 나는 그렇게 하지 못했어. 주 선생님의 품에 안겨 울지만 않았더라도 찾아갈 수 있었어.

절정 | '0'의 '나'는 장원 상을 받지만, 장원작이 자신의 그림이 아니라는 사실을 밝히지 못함

◆ (거)에서 '나'(0)는 그 뒤부터 자신의 재능을 의심하면서 자신이 가진 능력의 전부, 그 이상을 쏟아붓는 최선의 노력을 하게 되었다고 고백합니다. 그 결과 유명한 화가가 된 것이지요.

결말

거 그 뒤부터 나는 늘 나를 의심하면서 살았어. 누군가 나보다 뛰어난 재능을 가지고 있고 누군가 나와 똑같은 대상을 두고 훨씬 더 뛰어난 작품을 그렸고, 앞으로도 더 뛰어난 작품을 그릴 수 있다는 생각을 벗어나 본 적이 없어. 그러니까 어떤 작품이라도, 그게 포스터물감으로 그리는 반공(공산주의에 반대함) 포스터라도 내가 가진 능력 전부를, 그 이상을 쏟아부어야 했지. 언제나, 어디서나. 그 결과가 오늘의 나일까.

너 1 / 어라, 저기 걸어가는 저 사람, 백선규 같네. 저 사람 도대체 무슨 생각을 저렇게 골똘하게 하고 있을까. 인사를 해 볼까? 안녕하세요, 라고 해야 하나? 그냥 안녕이라고? 그러고 나서 고향, 연도, 초등학교를 말하면 알아볼까? 아이, 귀찮아. 그런 걸 하면 뭘 해. 우리는 가는 길이 다른데. 나는 그림을 좋아하고 저 사람은 자신의 그림을 열심히 그리면 그만이지.

결말 | 성인이 된 '0'과 '1'의 '나'는 각자의 삶을 살아감

확인 문제

[01~05] 다음 설명이 맞으면 ○, 틀리면 ×표 하시오.

01 '1'의 '나'가 그린 그림으로 '0'의 '나'가 상을 받았다. (○, ×)

02 '1'의 '나'는 상을 받지 못했으나, 그것에 연연하지 않는다. (○, ×)

03 '1'의 '나'는 회색 크레파스를 사용하지 않고 그림을 그렸다. (○, ×)

04 '1'의 '나'는 백선규처럼 유명한 화가가 되는 것을 꿈꾸고 있다. (○, ×)

05 '1'의 '나'는 성인이 된 후 우연히 만난 '0'의 '나'에게 반갑게 인사하였다. (○, ×)

[06~08] 다음 빈칸에 들어갈 알맞은 말을 쓰시오.

06 '0'의 '나'와 '1'의 '나'는 사생 대회에서 모두 [ㅎ][ㅁ][ㄹ][ㅇ][ㅅ][ㄷ] 그림을 그렸다.

07 '0'의 '나'와 '1'의 '나'는 사생 대회 입상작을 전시한 학교 [ㄱ][ㄷ]에서 마주쳤다.

08 (파)에서 '[ㄱ][ㄹ][ㄷ]', '절대로'를 반복함으로써 '0'의 '나'가 받은 심리적 충격을 강조하고 있다.

실력 문제

인물·사건 + 주제

09 (타)~(너)에 대한 감상으로 적절하지 않은 것은?

① (타): '1'의 '나'는 실수를 한 자신을 원망하고 있어.
② (파): 생각지도 못한 사건의 반전이 흥미로웠어.
③ (하): '0'의 '나'는 사실을 밝히지 못한 것에 대해 부끄러움을 느끼고 있어.
④ (거): 자신의 재능을 의심하며 최선을 다한 '0'의 '나'의 태도는 본받을 만해.
⑤ (너): '1'의 '나'는 귀찮은 일을 싫어하는 성격이야.

인물·사건

10 윗글을 토대로 할 때, 심사 결과가 뒤바뀐 이유로 적절한 것은?

① '1'의 '나'가 '0'의 '나'의 글씨를 흉내 내어 썼다.
② '0'의 '나'가 도화지의 뒷면에 번호를 잘못 썼다.
③ '1'의 '나'가 번호를 착각해 도화지의 뒷면에 '0'의 번호를 썼다.
④ '0'의 '나'가 번호를 적어야 할 칸이 아닌 다른 곳에 번호를 썼다.
⑤ 주최 측이 실수로 '0'의 '나'와 '1'의 '나'에게 똑같은 번호를 부여했다.

인물·사건

11 (하)에 나타난 갈등과 가장 유사한 갈등을 겪고 있는 사람은?

① 갑자기 내린 집중 호우로 인해 삶의 터전을 빼앗긴 사람들
② 층간 소음 문제 때문에 크게 싸운 아래층 여자와 위층 여자
③ 능력은 뛰어나지만 경기가 좋지 않아 취업이 되지 않는 취준생
④ 사소한 말다툼으로 말을 하지 않는 같은 반 친구인 민서와 예지
⑤ 시험 기간에 공부를 할 것인지 게임을 할 것인지 고민하는 정수

수능형 서술

12 (너)를 〈보기〉와 같이 바꾸었을 때의 차이점으로 적절한 것은?

> 보기
>
> 여자는 길을 가다가 저편에서 걸어가는 백선규를 우연히 보았다. 같은 고향 출신에 초등학교 동창이지만 여자는 백선규에게 인사를 건네지 않았다. 이내 여자와 백선규는 점점 멀어져 갔다.

① 독자가 친근감을 느낀다.
② 독자의 상상력이 더욱 확대된다.
③ 등장인물 사이의 갈등이 강조된다.
④ 백선규의 입장에서 사건을 서술한다.
⑤ 여자와 백선규의 심리가 구체적으로 드러난다.

작품 전체

발단✵	전개✵	위기✵	절정✵	결말✵
'0'과 '1'의 '나'는 초등학교 때의 어떤 사건으로 각자 다른 삶을 살게 됨 ⇒	'0'의 '나'는 3학년 때, 4학년 이상만 참가할 수 있는 사생 대회에 나가 ❶ㅈㅇ을 함 ⇒	'0'과 '1'의 '나'는 4학년 때 같은 사생 대회에 참가함 ⇒	'0'의 '나'는 장원 상을 받지만, 장원작이 자신의 그림이 아니라는 사실을 밝히지 못함 ⇒	❷ㅅㅇ이 된 '0'과 '1'의 '나'는 각자의 삶을 살아감

✵: 교재 수록 부분

작품 압축

두 서술자의 특징

'0'의 서술자	• 농부의 아들로 가난한 가정 환경에서 자라남 • 아버지가 화가의 꿈을 펼칠 기회를 줌 • 자기 성찰적이며 끊임없이 노력함 • 한국을 대표하는 ❸ㅎㄱ가 됨
'1'의 서술자	• 큰 제재소의 고명딸로 부유한 가정 환경에서 자라남 • 여자는 예쁘게 커서 시집만 잘 가면 된다는 아버지의 말을 듣고 그림에 대한 의욕을 잃음 • 경쟁과 귀찮은 일을 싫어하고, 배려심이 있으며 자신의 삶에 ❹ㅁㅈ함 • 취미로 그림을 감상하며 여유 있게 삶

두 서술자의 내적 갈등

① '0'의 '나'의 내적 갈등

사실을 밝혀야 함	⇔	사실을 밝힐 수 없음
장원작을 그린 여자아이에게 부끄러움과 ❺ㅈㅊㄱ이 듦	⇔	자신에게 기대를 걸었던 사람들을 실망시킬 수 없음

② '1'의 '나'의 내적 갈등

사실을 밝혀야 함	⇔	사실을 밝힐 수 없음
참가 번호를 잘못 적은 실수를 밝히고 자신의 상을 되찾아오고 싶음	⇔	상을 받은 아이가 느낄 ❻ㅈㅈㄱ이 마음에 걸리고, 실수를 바로잡는 과정이 귀찮음

인물·사건 / 서술 / 주제

1인칭 주인공 시점의 교차

특징	'0'과 '1'의 두 ❼ㅅㅅㅈ가 같은 사건에 대해 각자의 입장과 생각을 서술함

⇓

효과	• 이야기의 초점과 분위기가 바뀜 • 두 인물의 심리를 비교해 볼 수 있음 • 두 인물의 관점이 드러나 사건을 다각적으로 깊이 있게 이해할 수 있음

'그 일'이 '0'의 '나'에게 미친 영향과 주제

'그 일'이 '0'의 '나'에게 미친 영향	자신의 재능을 ❽ㅇㅅ하며, 그림을 그릴 때마다 자신의 능력을 최대한 발휘하여 유명한 화가가 됨

⇓

주제	성장 과정에서 어떤 ❾ㅅㅌ을 했느냐에 따라 인생이 달라질 수 있음

어휘력 테스트

1 제시된 뜻과 예문을 참고하여 다음 초성에 해당하는 단어를 괄호 안에 써 보자.

(1) ㄱ ㅂ 하다: 분수에 넘쳐 있다.

예 그는 (   )한 칭찬에 볼이 빨개졌다.

(2) ㄱ ㅁ ㄸ : 아들 많은 집의 외동딸

예 그 집의 막내는 (   )이라 오빠들 틈에서 귀여움을 독차지했다.

(3) ㅈ ㅂ 하다: 빗살처럼 줄지어 빽빽하게 늘어서 있다.

예 예전에 그곳은 너른 벌판이었지만, 지금은 고층 아파트들이 (   )하게 들어섰다.

2 다음 〈보기〉의 뜻을 참고하여 십자말풀이를 완성해 보자.

❶	❷ 부	
■		■
❸	■	■
❹ 원		■

보기

가로
❶ 태어날 때부터 지닌 것
❹ 한 가지 일에 오래 종사하여 경험과 공로가 많은 사람

세로
❷ 올바르지 아니하거나 옳지 못함
❸ 여럿이 겨루는 경기나 오락에서 첫째를 함. 또는 그런 사람

독해쌤과 함께하는 감상 넓히기

주인공의 갈등과 성장의 모습을 담은 작품

이번에 감상한 「내가 그린 히말라야시다 그림」에는 성인이 된 '0'과 '1'의 두 서술자가 초등학교 시절에 선택의 갈림길에서 내적으로 갈등하고 이에 대처했던 과거의 경험을 각각 회상하고 있어요. 특히 '0'은 갈등을 통해 성장한 모습을 보여 주었죠. 이처럼 주인공의 갈등과 성장의 모습을 담은 작품들을 더 감상해 볼까요?

완득이_ 김려령

동남아 출신 어머니와 키가 작아 놀림받는 아버지를 둔 외톨이 완득이의 이야기를 그린 소설입니다. 완득이가 담임 선생님 '똥주'를 만나면서 친구를 사귀고, 킥복싱 대회도 나가고, 부모님의 사랑도 깨달으며 성장해 가는 이야기를 솔직하고 담백하게 그려 낸 작품입니다.

그 많던 싱아는 누가 다 먹었을까_ 박완서

어린 시절 박적골에서 자란 '나'가 서울 생활을 시작하면서 겪게 되는 이야기를 그린 소설입니다. '나'는 고등학생이 되면서 자의식을 지닌 인물로 거듭나 전쟁 속에서 시대를 증언하는 모습을 보여 주는데, 이를 통해 식민지와 전쟁의 비극을 거친 한 인간의 정신적, 육체적 성장을 그려 낸 작품입니다.

춘향전 1 _작자 미상

이 작품은 조선 시대에 신분 계급이 달랐던 두 남녀의 사랑과 갈등을 그린 판소리계 소설이에요. 양반인 이몽룡과 기생의 딸인 성춘향은 신분을 초월한 사랑을 완성하는 과정 속에서 여러 가지 갈등 상황을 겪게 되는데요. 이를 통해 알 수 있는 조선 후기의 평민 의식을 파악하며 작품을 감상해 볼까요?

독해쌤의 감상 질문

1. 인물·사건 이 작품에 나타난 갈등은 무엇인가요?
2. 배경·소재 '이몽룡'이 지은 '한시'의 역할은 무엇인가요?
3. 서술 이 작품에 나타난 판소리계 소설의 서술상 특징은 무엇인가요?
4. 주제 이 작품의 표면적 주제와 이면적 주제는 각각 무엇인가요?

독해쌤 속닥속닥

◆ (라)에서 '사람이 위아래를 ~ 허물이 적으니'는 어떤 글이나 말 또는 사건 등에 대해 서술자가 직접 그 내용에 개입하여 논하고 비평하는 '편집자적 논평'이 나타난 부분입니다. 편집자적 논평은 판소리계 소설의 특징 중 하나예요.

앞부분 줄거리_ 남원 부사의 아들 이몽룡은 광한루에서 그네를 타는 퇴기 월매의 딸 성춘향을 보고 첫눈에 반한다. 이몽룡은 자신이 부리는 방자에게 성춘향을 데려오라고 시킨다. 방자는 성춘향에게 다가가 이몽룡의 뜻을 전한다.

(퇴기: 지금은 기생이 아니지만 전에 기생 노릇을 하던 여자)

발단 1

가 춘향이 대답하되,

"네 말이 당연하나 오늘이 단옷날이라. 비단 나뿐이랴. 다른 집 처자들도 여기 와서 그네를 탔을 뿐 아니라, 설혹 내 말을 했을지라도 내가 지금 기생이 아니니 예사 처녀를 함부로 부를 리도 없고 부른다 해도 갈 리도 없다. 당초에 네가 말을 잘못 들은 바라."

방자 별수 없이 광한루로 돌아와 도련님께 여쭈오니 도련님 그 말 듣고,

"기특한 사람이로다. 말인즉 옳도다. 다시 가 말을 하되 이리이리하여라."

방자 그 전갈을 가지고 춘향에게 건너가니, 그 사이에 제집으로 돌아갔다.

(전갈: 사람을 시켜 말을 전하거나 안부를 물음. 또는 전하는 말이나 안부)

나 춘향 어미 썩 나앉아 정신없이 말을 하되,

"꿈이라 하는 것이 모두 허사는 아니로다. 간밤에 꿈을 꾸니 난데없이 연못에 잠긴 청룡 하나 보이기에 무슨 좋은 일이 있을까 하였더니 우연한 일 아니로다. 또한 들으니 사또 자제 도련님 이름이 몽룡이라 하니 '꿈 몽(夢) 자, 용 룡(龍) 자' 신통하게 맞추었다. 그나저나 양반이 부르시는데 아니 갈 수 있겠느냐. 잠깐 다녀오라."

(허사: 보람을 얻지 못하고 쓸데없이 한 노력)

춘향이가 그제야 못 이기는 모습으로 겨우 일어나 광한루 건너갈 제, ㉠대명전(大明殿) 대들보의 명매기걸음으로, 양지(陽地) 마당의 씨암탉걸음으로, 흰모래 바다의 금자라 걸음으로, 달 같은 태도 꽃다운 용모로 천천히 건너간다.

(명매기걸음: 맵시 있게 아장거리며 걷는 걸음 / 씨암탉걸음: 아기작아기작 가만히 걷는 걸음)

다 "하늘이 정하신 연분으로 우리 둘이 만났으니 변치 않는 즐거움을 이뤄 보자."

춘향이 거동 보소. 고운 눈썹 찡그리며 붉은 입술 반쯤 열고 가는 목소리 겨우 열어 고운 음성으로 여쭈오되, / "충신은 두 임금을 섬기지 않고 열녀는 지아비를 바꾸지 않는다고 옛글에 일렀으니, 도련님은 귀공자요 소녀는 천한 계집이라. 한번 정을 맡긴 연후에 바로 버리시면 일편단심 이내 마음, 독수공방 홀로 누워 우는 한(恨)은 이내 신세 내 아니면 누구일꼬? 그런 분부 마옵소서."

(일편단심: 진심에서 우러나오는 변치 아니하는 마음 / 독수공방: 아내가 남편 없이 혼자 지내는 것 / 신세: 주로 불행한 일과 관련된 한 개인의 처지와 형편)

발단 1 이몽룡이 성춘향에게 반해 백년가약을 맺으려고 함

발단 2

라 "너 왜 우느냐? 내가 남원에서 평생 살 줄로 알았더냐? 내직(內職)으로 승진하였으니 섭섭하게 생각 말고 오늘부터 짐을 급히 꾸려 내일 오전 중에 떠나거라."

(내직: 조선 시대에, 서울에 있던 여러 관아의 벼슬을 통틀어 이르던 말)

이 도령이 겨우 대답하고 물러나와 안채로 들어간다. 사람이 위아래를 막론하고 누구나 어머니에게는 허물이 적으니, ㉡이 도령이 울며 어머니에게 춘향의 일을 청하다가 꾸중만 실컷 듣고 나온다. 춘향 집으로 향하는데 설움은 기가 막히나 길에서 울 수 없어 참고 견디려니 속에서 두부장 끓듯 하더니 춘향 문전에 당도하니 모든 슬픔이 통째 건더기째 보자기째 왈칵 쏟아진다.

확인 문제

[01~03] 다음 설명이 맞으면 ○, 틀리면 ×표 하시오.

01 방자는 이몽룡과 성춘향 사이에서 전달자의 역할을 한다. (○, ×)

02 이몽룡은 자신의 부름을 거절한 성춘향의 반응에 언짢아한다. (○, ×)

03 춘향 어미는 성춘향이 이몽룡을 만나러 가는 것에 반대한다. (○, ×)

[04~06] 다음 빈칸에 들어갈 알맞은 말을 쓰시오.

04 이 작품은 [ㅇ][ㄱ]적 이념을 바탕으로 쓰였다.

05 춘향 어미가 꿈에서 본 '[ㅊ][ㄹ]'은 이몽룡을 가리킨다.

06 이몽룡의 아버지가 [ㄴ][ㅈ]으로 승진하여 그의 가족들이 남원을 떠나게 되었다.

실력 문제

인물·사건

07 '성춘향'이 '이몽룡'의 부름을 거절한 이유로 가장 적절한 것은?

① 혼인을 약속한 사람이 이미 정해져 있어서
② 양반집 도련님과 어울릴 수 없는 신분이어서
③ 부모의 허락 없이 이성을 만나고 싶지 않아서
④ 유독 자신만을 부르는 것이 이해가 되지 않아서
⑤ 예사 처녀를 함부로 부르는 것이 도리에 어긋나서

인물·사건 + 배경·소재 + 서술

08 (가)~(라)에 대한 설명으로 적절하지 않은 것은?

① (가): 양반들은 아랫사람에게 전갈을 보내 간접적으로 소통하였음을 알 수 있다.
② (나): 춘향 어미의 꿈은 성춘향과 이몽룡이 이별하는 계기가 된다.
③ (다): 성춘향은 옛글을 인용하여 지조와 절개의 중요성을 강조한다.
④ (라): 성춘향의 집 앞에서 슬피 우는 이몽룡의 모습은 독자의 웃음을 유발한다.
⑤ (라): 이몽룡과 어머니의 관계를 서술자가 개입하여 독자에게 직접 전달하고 있다.

인물·사건

09 다음 중 등장인물에 대한 설명으로 적절한 것은?

① 이몽룡의 아버지: 이몽룡에게 성춘향과 이별할 것을 권했다.
② 이몽룡의 어머니: 성춘향과 이몽룡의 만남이 운명이라고 생각한다.
③ 춘향 어미: 신분 상승을 위해 성춘향을 이몽룡과 이어 주려 한다.
④ 이몽룡: 성춘향과의 이별을 적극적으로 거부하는 태도를 보인다.
⑤ 성춘향: 신분의 차이 때문에 양반의 부름에 무조건 따라야 한다고 생각한다.

서술

10 ㉠에 나타난 '성춘향'의 특징으로 적절한 것은?

① 천한 신분
② 빼어난 얼굴
③ 지조와 절개
④ 차분한 목소리
⑤ 아름다운 걸음걸이

인물·사건

11 ㉡에서 '이몽룡'이 느꼈을 마음으로 가장 적절한 것은?

① 서운함
② 미안함
③ 두려움
④ 동정심
⑤ 태연함

춘향전 ❷

독해쌤 속닥속닥

◆ 이몽룡은 성춘향을 찾아가 이별 소식을 알리는데요. 이별에 대한 이몽룡과 성춘향의 태도가 사뭇 다르게 나타나고 있어요. (마)에서 이몽룡은 성춘향이 말릴 정도로 하염없이 눈물만 쏟고, 성춘향은 (바)에서와 같이 갈 거면 자신을 죽이고 가라며 적극적이고 저항적인 태도를 보입니다. 이를 통해 두 인물의 성격을 짐작해 볼 수 있어요.

◆ (아)에서 성춘향은 새로 부임한 사또인 변학도의 수청을 거부하여 곤장을 맞게 되었는데, 사람들이 모여 이를 구경하고 있어요. 매를 맞으면서까지 수청을 거부하는 성춘향의 태도와, 변학도의 부당함에 분통을 터뜨리는 백성들의 모습은 당대 조선 후기 민중들의 의식을 담고 있답니다.

마 "애고, 이게 웬일이오. 안으로 들어가시더니 꾸중을 들으셨소. 길에 오시다가 무슨 분함 당하셨소. 서울에서 무슨 소식 왔다더니 조부모 상(喪)을 당하셨소. 점잖으신 도련님이 이것이 웬일이오." / 춘향이 이 도령 목을 담쑥 안고 치맛자락을 걷어잡고 옥안(玉顔)에 흐르는 눈물 이리 씻고 저리 씻으며, / "울지 마오. 울지 마오."

울음이라는 것이 말리는 사람이 있으면 더 울게 되는 것이니, 이 도령 기가 막혀 더욱 섧게 운다. 춘향이 화를 내어,

"여보, 도련님. 우는 입 보기 싫소. 그만 울고 까닭이나 말하시오."

바 서로 피차 기가 막혀 애틋한 그리움에 이별 못 떠나는지라. 도련님 모시고 갈 후배사령(벼슬아치가 다닐 때에 따라다니던 사령)이 나올 적에 헐떡헐떡 들어오며,

"도련님 어서 행차하옵소서. 안에서 야단났소! 사또께옵서 도련님 어디 가셨느냐 하옵기에 소인이 여쭙기를, '놀던 친구 작별차로 문밖에 잠깐 나가 계시노라.' 하였사오니 어서 행차하옵소서." / "말 대령하였느냐?" / "마침 말 대령하였소."

백마는 떠나자고 길게 울고 미인은 이별을 애석히 여겨 옷깃을 잡아끄는구나. 말은 가자고 네 굽을 치는데, 춘향은 마루 아래 툭 떨어져 도련님 다리를 부여잡고,

"날 죽이고 가면 가지, 살리고는 못 가고 못 가느니!"

발단 2 | 한양으로 떠나게 된 이몽룡이 성춘향과 이별함

전개

사 "오늘부터 몸 단장 정히(맑고 깨끗하게) 하고 수청(守廳)(아녀자나 기생이 높은 벼슬아치에게 몸을 바쳐 시중을 들던 일)으로 거행하라." / "사또 분부 황송하나 일부종사(一夫從事)(한 남편만을 섬김) 바라오니 분부 시행 못 하겠소." / 사또 웃어 왈,

"아름답도다! 아름답도다! 계집이로다. 네가 진정 열녀로다. 네 정절 굳은 마음 어찌 그리 어여쁘냐. 당연한 말이로다. 그러나 이 도령은 경성(京城) 사대부의 자제로서 명문귀족 사위가 되었으니 일시 사랑으로 잠깐 노류장화(路柳墻花)(아무나 쉽게 꺾을 수 있는 길가의 버들과 담 밑의 꽃이라는 뜻으로, 창녀나 기생을 비유적으로 이르는 말)하던 너를 일분 생각하겠느냐. 너는 근본 정절 있어 오로지 한 사람에게만 절개를 지키다가 홍안(젊어서 혈색이 좋은 얼굴)이 지는 해 되고 백발이 어지러이 늘어지면 무정한 세월이 흐르는 물 같다고 탄식할 제 불쌍코 가련한 게 너 아니면 뉘가 그랴. 네 아무리 수절한들 열녀 포양(褒揚)(칭찬하여 장려함) 누가 하랴."

아 곤장(예전에, 죄인의 볼기를 치던 형구들) 태장 치는 데는 사령이 서서 하나 둘 세건마는 형장부터는 법으로 정해 놓은 곤장이라. ㉠ <u>형리와 통인이 닭싸움하는 모양으로 마주 엎뎌서 하나 치면 하나 긋고 둘 치면 둘 긋고 무식하고 돈 없는 놈 술집 바람벽에 술값 긋듯 그어 놓으니 한 일자(日字)가 되었구나.</u> / 춘향이는 저절로 설움 겨워 맞으면서 우는데

"일편단심(一片丹心) 굳은 마음 일부종사(一夫從事) 뜻이오니 일개 형벌 치옵신들 일년이 다 못 가서 일각(一刻)(아주 짧은 순간)인들 변하리까."

이때 남원부 한량이며 남녀노소 없이 모여 구경할 제 좌우의 한량들이,

"모질구나 모질구나. 우리 골 원님이 모질구나. 저런 형벌이 왜 있으며 저런 매질이 왜 있을까. 집장사령(장형을 집행하는 일을 맡아 하던 사령) 놈 눈 익혀 두어라. 삼문(三門) 밖 나오면 급살(갑자기 닥쳐오는 불운)을 주리라."

전개 | 성춘향은 새로 부임한 사또인 변학도의 수청을 거절하여 곤장을 맞음

[01~03] 다음 설명이 맞으면 ○, 틀리면 ×표 하시오.

01 이몽룡은 성춘향과 이별을 해야 하는 상황에서 조부모의 상까지 당해 더욱 슬퍼하고 있다. (○, ×)

02 울지 말라고 달래는 성춘향의 말에 이몽룡은 바로 눈물을 그쳤다. (○, ×)

03 새로 부임한 사또는 성춘향에게 수청을 들 것을 요구하였지만, 성춘향이 이를 거부하자 곤장을 맞게 하였다. (○, ×)

[04~06] 다음 빈칸에 들어갈 알맞은 말을 쓰시오.

04 후배사령은 이몽룡의 아버지에게 이몽룡이 [ㅊ][ㄱ]를 만나고 있다고 거짓말을 했다.

05 (바)에서 이별을 재촉하는 듯 굽을 치는 [ㅁ]과 이몽룡을 붙잡는 성춘향의 태도가 대조된다.

06 성춘향이 곤장을 맞는 것을 구경하던 한량들은 변사또에게 직접 화풀이하지 못하고 [ㅈ][ㅈ][ㅅ][ㄹ]에게 분노를 표현했다.

서술 + 주제

07 윗글에 대한 설명으로 적절하지 않은 것은?

① 오랜 세월 동안 여러 사람에 의해 만들어진 이야기이다.
② 판소리가 소설로 정착되면서 운문적인 요소가 사라졌다.
③ 시간의 순서에 따라 사건이 전개되는 평면적 구성이 나타난다.
④ 판소리계 소설의 특징인 해학적이고 풍자적인 표현이 나타난다.
⑤ 신분을 초월한 남녀의 사랑을 바탕으로 다양한 주제 의식을 드러낸다.

인물·사건

08 윗글을 통해 알 수 있는 '성춘향'의 성격으로 적절한 것은?

① 통명스럽고 충동적이다.
② 적극적이며 저항적이다.
③ 현실적이고 체념이 빠르다.
④ 작은 일에도 쉽게 화를 낸다.
⑤ 자신의 잘못을 인정하지 않는다.

서술

09 ㉠의 표현상 특징으로 적절한 것은?

① 반어적 표현으로 여성의 정절 의식을 강조한다.
② 과장의 방법으로 등장인물의 갈등을 심화시킨다.
③ 구체적인 배경 묘사로 앞으로 일어날 사건을 암시한다.
④ 유사한 문장 구조의 반복으로 독자의 안타까움을 불러일으킨다.
⑤ 비유적 표현으로 비극적인 상황에서 웃음을 유발하여 긴장감을 완화시킨다.

수능형 인물·사건

10 윗글에서 <보기>의 밑줄 친 부분에 해당하는 내용으로 가장 적절한 것은?

보기

이 작품은 양반층의 언어와 서민층의 언어가 동시에 나타난다. 이는 양반층의 취향에 맞는 내용과 서민층의 취향에 맞는 내용을 두루 지니고 있었기 때문으로, 조선 후기 당시 무려 120여 종의 이본*이 존재할 정도로 큰 인기를 얻었다.

* 이본: 문학 작품 등에서 기본적인 내용은 같지만 부분적으로 차이가 있는 책

① 이몽룡을 양반 계층으로 설정한 것
② 마을 사람들이 성춘향의 형벌에 반감을 느끼도록 설정한 것
③ 성춘향이 한자어를 사용해서 자신의 지조를 나타내도록 설정한 것
④ 새로 부임한 사또가 성춘향을 불쌍하고 가련하게 여기도록 설정한 것
⑤ 성춘향이 절개를 지키기 위해 새로 부임한 사또의 수청을 거절하도록 설정한 것

춘향전 ③

중략 부분 줄거리_ 이몽룡은 한양으로 간 뒤, 과거에 장원 급제하여 전라도 어사또가 되어 남원으로 내려온다. 내려오는 도중 농부의 말을 듣고, 남원의 사또가 횡포를 일삼고 있다는 사실과 옥중에 있는 성춘향의 사정을 알게 된다. 이몽룡은 성춘향의 집에 도착해서는 걸인의 행색으로 춘향 어미 월매와 향단을 속이고, 옥중에 있는 성춘향을 만나서도 끝내 자신의 신분을 감추며 걸인 행세를 한다.

위기

자 "여보 서방님, 내일 잔치 끝에 춘향을 올리라 명령이 나 나를 잡아 올리거든 남 보지 않게 따라와서 어디 몸을 숨겼다가, 잔약한(가냘프고 약한) 이내 몸에 한번 형장 맞게 되면 하릴없이 죽을 테니 좌우 나졸 달려들어 나를 끌어 내치거든 향단에게 끌어 업혀 집으로 돌아와서 처음 만나 연분 맺던 부용당을 소쇄하고(비로 먼지를 쓸고 물을 뿌리고) 나를 들어 눕힌 후에 약을 써 정성으로 구완하다가(아픈 사람이나 아이 낳은 사람을 간호하다가) 아주 영영 죽거들랑 사자 밥 초혼할(사람이 죽었을 때에, 그 혼을 소리쳐 부르는 일) 제 서방님 육성으로 원 없이 불러 주고."

위기 어사가 되어 돌아온 이몽룡은 자신의 신분을 감춘 채 옥에 갇힌 성춘향을 만남

절정 1

차 이렇듯 요란할 제, 군대에서 쓰는 깃발과 물건이며 육각(六角)(북, 장구, 해금, 피리, 태평소 둘로 이루어진 악기 편성)의 합주 소리가 반공(땅으로부터 그리 높지 아니한 허공)에 떠 있고, 녹의홍상(綠衣紅裳)(연두저고리와 다홍치마. 곱게 차려 입은 젊은 여자의 옷차림) 기생들은 백수나삼(白手羅衫)(하얀 손과, 가벼운 비단으로 만든 적삼) 높이 들어 춤을 추고, 지야자 두덩실 하는 소리 ⓐ 어사또 마음이 심란하구나.

"여봐라, 사령들아. 너희 원님께 여쭈어라. 먼 데 있는 걸인이 좋은 잔치에 당하였으니 주효(酒肴)(술과 안주) 좀 얻어먹자고 여쭈어라."

ⓑ 저 사령 거동 보소.

"어느 양반이관대, 우리 안전(案前)님 걸인 혼금(閽禁)(잡인의 출입을 금하니)하니 그런 말은 내도 마오."

ⓒ 등 밀쳐 내니 어찌 아니 명관(名官)인가. 운봉이 그 거동을 보고 본관(고을의 수령)에게 청하는 말이

"저 걸인의 의관은 남루하나(옷 따위가 낡아 해지고 차림새가 너저분하나) 양반의 후예인 듯하니, 말석(모임에서 가장 지위가 낮은 사람이나 아랫사람이 앉는 자리)에 앉히고 술잔이나 먹여 보냄이 어떠하뇨?"

본관 하는 말이

"운봉 소견대로 하오마는……."

하니 '마는' 소리 ⓓ 뒷맛이 사납것다. 어사 속으로, '오냐, 도적질은 내가 하마. 오라는(죄인을 묶을 때에 쓰던 붉은 줄) 네가 져라.'

카 어사또 들어가 단좌(端坐)(단정하게 앉아서)하여 좌우를 살펴보니, 당상(堂上)(대청 위)의 모든 수령 다담(다과)을 앞에 놓고 진양조 양양(洋洋)(우렁차고 씩씩하게 널리 퍼질)할 제 ⓔ 어사또 상을 보니 어찌 아니 통분하랴. 모 떨어진 개상판(개다리소반)에 닥채(닥나무로 만든 젓가락) 저붐, 콩나물, 깍두기, 막걸리 한 사발 놓았구나. 상을 발길로 탁 차 던지며 운봉의 갈비를 직신(지그시 힘을 주어 자꾸 누름),

㉠ "갈비 한 대 먹고 지고."

"다라도 잡수시오."

하고 운봉이 하는 말이

"이러한 잔치에 풍류로만 놀아서는 맛이 적사오니 차운(次韻)(남이 지은 시의 운자를 따서 시를 짓는 것) 한 수씩 하여 보면 어떠하오?"

"그 말이 옳다."

◆ '사자 밥 초혼할 제'는 사람이 죽으면 저승사자를 위해 밥을 차리고 죽은 이의 혼을 소리쳐 부르던 일을 말합니다. 이 초혼을 이몽룡의 육성으로 원 없이 불러 달라는 성춘향의 부탁은 죽어서도 이몽룡과 함께 하고 싶다는 의미로 이해할 수 있어요.

◆ 편집자적 논평과 함께, '언어유희'는 판소리계 소설의 특징 중 하나입니다. '갈비를 직신. / "갈비 한 대 먹고 지고."'는 신체 부위인 '갈비'와 음식인 '갈비', 즉 소리는 같으나 뜻이 다른 단어인 동음이의어를 활용한 언어유희에 해당해요.

확인 문제

[01~03] 다음 설명이 맞으면 ○, 틀리면 ×표 하시오.

01 성춘향은 죽어서도 이몽룡과 함께 하고 싶어 한다. (○, ×)

02 이몽룡은 본관의 화려한 생일잔치를 보고 마음이 들떴다. (○, ×)

03 이몽룡의 잔칫상은 다른 수령들의 잔칫상과 다르게 초라했다. (○, ×)

[04~06] 다음 빈칸에 들어갈 알맞은 말을 쓰시오.

04 본관은 [ㅇ][ㅂ]의 뜻을 받아들여 이몽룡을 잔치에 참석하게 했다.

05 운봉은 본관의 생일잔치에서 [ㅊ][ㅇ] 한 수씩을 짓자고 제안했다.

06 (카)에서 '[ㄱ][ㅂ]'는 신체 일부 또는 음식에 속하는 것으로, 동음이의어를 활용한 언어유희에 해당한다.

실력 문제

배경·소재

07 윗글을 통해 짐작할 수 있는 당대 시대 상황을 〈보기〉에서 골라 바르게 묶은 것은?

보기

ㄱ. 사치스러운 지배층과 달리 백성들의 삶은 힘들었다.
ㄴ. 중앙 관리가 부패한 지방 관리를 벌하는 제도가 있었다.
ㄷ. 신분에 관계없이 남녀의 의지에 따라 자유롭게 연애할 수 있었다.
ㄹ. 물건을 한꺼번에 사 두었다가 물건값이 오르면 파는 매점매석을 통해 부를 축적했다.

① ㄱ, ㄴ ② ㄱ, ㄷ ③ ㄴ, ㄷ
④ ㄴ, ㄹ ⑤ ㄷ, ㄹ

서술

08 ㉠의 표현 방법과 가장 유사한 것은?

① 코앞의 물건도 못 찾다니 눈 뜬 장님이로군.
② 밥 더미가 거짓말 좀 보태면 남산 더미만 하던 것이었다.
③ 이부(二夫)가 아니라 오얏 이 자 쓰는 이부(李夫)를 말씀이오.
④ 갓을 뒤집어 쓰고는 "여보아라, 어느 놈이 갓 구멍을 막았구나."
⑤ 나와 무슨 원수로서 사흘 나흘 예사 굶겨, 뱃가죽이 등에 붙고, 갈빗대가 따로 나서

서술

09 ⓐ~ⓔ 중, 〈보기〉의 설명에 해당하지 않는 것은?

보기

판소리에서는 노래를 하는 사람인 창자(唱者)가 창(唱)을 하다가 청중에게 직접 사건을 보충 설명하거나 평가하기도 하였다. 이러한 판소리의 특성은 판소리계 소설에서도 이어졌는데, 서술자가 작품 속에 직접 개입하여 진행 중인 사건이나 인물의 말과 행동 등에 대하여 자신의 의견이나 생각을 밝히는 것으로 나타난다.

① ⓐ ② ⓑ ③ ⓒ ④ ⓓ ⑤ ⓔ

수능형 인물·사건

10 윗글을 연극 무대에 올리기 위해 나눈 의견으로 적절하지 않은 것은?

① 본관 변학도는 심술궂은 모습으로 분장해야 해.
② 본관의 생일잔치에 초대받은 수령들은 흥청망청 노는 모습을 연출해야 해.
③ 성춘향은 기득권의 횡포에 저항하는 인물이므로 의지적인 모습을 보여야 해.
④ 이몽룡은 자신의 신분을 숨긴 채 본관의 생일잔치에서 능청스러운 모습을 보여야 해.
⑤ 운봉은 이몽룡과 본관을 연결해 주는 인물로, 지배 계층에 대한 비판 의식이 드러나도록 연기해야 해.

춘향전 ④

타 운봉이 반겨 듣고 필연(筆硯)을 내어 주니 좌중(座中)이 다 못하여 글 두 귀[句]를 지었으되, 백성의 사정과 형편을 생각하고 본관의 정체(政體)를 생각하여 지었것다.

붓과 벼루

"금준미주(金樽美酒)는 천인혈(千人血)이요, 옥반가효(玉盤佳肴)는 만성고(萬姓膏)라. 촉루낙시(燭漏落時) 민루낙(民漏落)이요, 가성고처(歌聲高處) 원성고(怨聲高)라."

이 글 뜻은, "금동이의 아름다운 술은 일만 백성의 피요, 옥소반의 아름다운 안주는 일만 백성의 기름이라. 촛불 눈물 떨어질 때 백성 눈물 떨어지고, 노랫소리 높은 곳에 원망 소리 높았더라."

옥으로 만든 작은 밥상

이렇듯이 지었으되, 본관은 몰라보고 운봉이 이 글을 보며 내념(內念)에

마음속의 생각

'아뿔싸, 일이 났다.'

절정 1 어사또가 본관의 생일잔치에 참여하여 한시를 짓고, 운봉은 어사또의 정체를 눈치챔

절정 2

파 "암행어사 출두야!" / 외는 소리, 강산이 무너지고 천지가 뒤눕는 듯. 초목금수(草木禽獸)인들 아니 떨랴. 〈중략〉

풀과 나무, 날짐승과 길짐승을 통틀어 이르는 말

모든 수령 도망할 제 거동 보소. 인궤(印櫃) 잃고 과줄 들고, 병부(兵符) 잃고 송편 들고, 탕건(宕巾) 잃고 용수 쓰고, 갓 잃고 소반(小盤) 쓰고, 칼집 쥐고 오줌 누기. 부서지니 거문고요, 깨지느니 북, 장구라. 본관이 똥을 싸고 멍석 구멍 생쥐 눈 뜨듯 하고 내아(內衙)로 들어가서

도장을 넣어 두는 상자 / 꿀과 기름을 섞은 밀가루 반죽을 판에 박아서 모양을 낸 후 기름에 지진 과자 / 군대를 동원할 때 쓰던 나무패 / 갓 아래 받쳐 쓰던 관 / 바구니 / 조선 시대에, 지방 관아에 있던 안채

"어 추워라, 문 들어온다, 바람 닫아라. 물 마른다, 목 들여라."

관청색은 상을 잃고 문짝 이고 내달으니, 서리, 역졸 달려들어 후닥딱

지방 관청의 주방 책임자

"애고, 나 죽네!" / 이때 수의 사또 분부하되,

"이 골은 대감이 좌정하시던 골이라. 훤화(喧譁)를 금하고 객사(客舍)로 사처(徙處)하라."

다른 곳에서 온 관원이 묵는 곳 / 시끄럽게 지껄이며 떠듦 / 장소를 옮김

좌정(坐定) 후에 / "본관은 봉고파직(封庫罷職)하라."

어사나 감사가 못된 짓을 많이 한 고을의 원을 파면하고 관가의 창고를 봉하여 잠금

하 어사또 분부하되, / "얼굴 들어 나를 보라."

하시니, 춘향이 고개 들어 대상(臺上)을 살펴보니 걸객(乞客)으로 왔던 낭군, 어사또로 뚜렷이 앉았구나. 반 웃음 반 울음에

높은 대의 위

"얼씨구나 좋을씨고. 어사 낭군 좋을씨고. 남원 읍내 ㉠추절(秋節) 들어 떨어지게 되었더니, 객사에 봄이 들어 ㉡이화 춘풍(李花春風) 날 살린다. 꿈이냐 생시냐, 꿈을 깰까 염려로다." / 한참 이리 즐길 적에 춘향 모 들어와서 가엾이 즐겨하는 말을 어찌 다 설화(屑話)하랴. 춘향의 높은 절개 광채 있게 되었으니 어찌 아니 좋을쏜가?

말로 풀어 설명함

절정 2 본관 변학도는 봉고파직을 당하고, 성춘향과 이몽룡이 감격적인 재회를 맞이함

결말

거 어사또 남원 공사(公事) 닦은 후에 춘향 모녀와 향단이를 서울로 치행(治行)할 제, 위의(威儀) 찬란하니 세상 사람들이 누가 아니 칭찬하랴. 이때, 춘향이 남원을 하직할 새, 영귀(榮貴)하게 되었건만 고향을 이별하니 일희일비(一喜一悲)가 아니 되랴.

공적인 일 / 길을 떠날 준비를 할 / 위엄이 있고 엄숙한 태도나 차림새 / 지체가 높고 귀하게 / 한편으로는 기쁘고 한편으로는 슬픔

결말 옥에서 풀려난 성춘향이 이몽룡을 따라 서울로 올라가고, 두 사람은 행복한 여생을 보냄

독해쌤 속닥속닥

◆ 본관의 생일잔치에 참석한 이몽룡은 지배층의 부패로 인해 고통받는 백성들의 삶을 안타까워해요. 이런 이몽룡의 심정은 그가 지은 한시를 통해 잘 드러납니다.

◆ (파)에서는 드디어 암행어사, 즉 이몽룡이 출두하자 생일잔치는 아수라장이 되었어요. 암행어사의 출두로 두려워하는 본관과, 허둥대며 도망가기 바쁜 수령들의 모습이 우스꽝스럽게 해학적으로 표현되어 있죠. 한편, 정사를 돌보지 않고 향락을 즐기는 데에만 관심 있던 본관이 봉고파직을 당하는 장면은 당대 독자들에게 통쾌감을 주었을 거예요.

◆ '이화 춘풍'은 오얏 꽃에 부는 봄바람, 즉 따뜻한 봄바람을 의미하는데, 이몽룡의 성이 '이(李)'인 것과 관련하여 이몽룡을 가리킨다고 볼 수 있어요. 또한 '이(李)'를 이몽룡으로, '춘(春)'을 성춘향으로 본다면 이몽룡과 성춘향의 재회를 의미하는 것으로도 해석할 수 있죠.

◆ 이 작품은 탐관오리를 징벌한 이몽룡이 성춘향과 함께 서울로 떠나는 것으로 끝나요. 이를 통해 대체로 주인공이 행복한 운명을 맞는 것으로 끝나는 고전 소설의 특징을 파악할 수 있답니다.

확인 문제

[01~04] 다음 설명이 맞으면 ○, 틀리면 ×표 하시오.

01 이몽룡은 정체를 숨기기 위해 본관에게 아부하는 시를 지었다. (○, ×)

02 어사 출두 후에 잔치에 참여한 수령들은 허둥대며 도망쳤다. (○, ×)

03 성춘향은 이몽룡과 재회했지만 끝내 어사또인 것을 알아차리지 못했다. (○, ×)

04 '결말' 부분에서 성춘향은 고향인 남원을 떠나며 크게 기뻐한다. (○, ×)

[05~08] 다음 빈칸에 들어갈 알맞은 말을 쓰시오.

05 이몽룡은 본관에게 [ㅂ][ㄱ][ㅍ][ㅈ]의 징벌을 내린다.

06 이 작품의 두 주인공은 갈등을 해소하고 [ㅎ][ㅂ]한 결말을 맞게 된다.

07 이몽룡과 변학도의 갈등은 인물과 [ㅇ][ㅁ] 사이의 갈등에 해당한다.

08 갈등 구조를 고려할 때, 신분적 제약에서 벗어나 이몽룡과의 재회를 맞이한 성춘향은 인물과 [ㅅ][ㅎ]의 갈등이 해소된 것으로 볼 수 있다.

실력 문제

배경·소재

09 (타)에서 한시의 기능으로 적절하지 <u>않은</u> 것은?

① 작품에 긴장된 분위기를 조성한다.
② 암행어사가 출두하는 이유에 해당한다.
③ 새로운 사건이 전개될 것임을 예고한다.
④ 부패한 탐관오리에 대한 비판 의식이 나타난다.
⑤ 호화롭고 사치스럽게 살고 싶은 백성들의 마음을 대변한다.

인물·사건

10 '운봉'에 대한 설명으로 적절한 것은?

① 본관보다 어리석다.
② 학식과 견해가 이몽룡보다 낫다.
③ 어려운 상황을 웃음으로 넘길 줄 안다.
④ 눈치가 빠르고 상황 판단력이 뛰어나다.
⑤ 자신의 지위를 이용하여 권위를 행사한다.

서술

11 (파)에 나타난 표현 방법의 특징으로 적절하지 <u>않은</u> 것은?

① 열거와 대구를 통해 장면을 극대화하였다.
② 판소리계 소설의 확장적 문체가 활용되었다.
③ 허둥대는 관리들의 모습을 객관적으로 묘사하였다.
④ 단어의 위치를 바꿈으로써 인물의 심리를 해학적으로 표현하였다.
⑤ 비유적 표현을 사용하여 인물들의 행동을 생동감 있게 표현하였다.

배경·소재

12 ㉠과 ㉡에 대한 설명으로 적절하지 <u>않은</u> 것은?

① ㉠과 ㉡은 중의적 표현이다.
② ㉠의 사전적 의미는 가을이다.
③ ㉠은 본관에 맞서는 성춘향을 가리킨다.
④ ㉡은 따뜻한 봄바람을 의미한다.
⑤ ㉡은 성춘향을 구해 줄 이몽룡을 의미한다.

수능형 주제

13 윗글을 읽고 나눈 학생들의 대화 내용으로 적절하지 <u>않은</u> 것은?

① 이 작품은 주요 인물들 간의 갈등을 통해 주제 의식을 드러내고 있어.
② 지조와 절개를 지키는 성춘향의 모습은 유교적 가치관이 반영된 거야.
③ 여주인공의 고난과 시련은 당시 가부장적인 사회였던 남존여비 사상을 비판한 거야.
④ 신분을 초월한 이몽룡과 성춘향의 변함없는 사랑은 자유연애 사상을 보여 주고 있어.
⑤ 탐관오리의 횡포를 징벌하는 이몽룡의 모습은 당대 사회의 개혁 의지를 담았다고 할 수 있어.

작품 전체

발단✲	전개✲	위기✲	절정✲	결말✲
이몽룡은 성춘향에게 반해 백년가약을 맺으나, 아버지를 따라 ❶ㅎㅇ으로 떠나게 됨	성춘향은 새로 부임한 사또인 변학도의 수청을 거절하여 곤장을 맞고 옥에 갇힘	❷ㅇㅅ가 되어 돌아온 이몽룡은 자신의 신분을 감춘 채 옥에 갇힌 성춘향을 만남	변학도의 생일 잔치에 찾아간 이몽룡이 암행어사로 출두하고, 변학도는 봉고파직됨	옥에서 풀려난 성춘향은 이몽룡을 따라 서울로 올라가고, 두 사람은 행복한 여생을 보냄

발단 ⇒ 전개 ⇒ 위기 ⇒ 절정 ⇒ 결말

✲: 교재 수록 부분

작품 압축

■ 작품에 나타난 갈등 양상

성춘향 신분적 제약에서 벗어나 사랑을 이루고자 함	⇔	**사회** 출생에 따른 신분적 제약이 있음
성춘향 이몽룡에 대한 지조와 ❸ㅈㄱ를 지키고자 함	⇔	**변학도** 권력을 이용해 성춘향에게 ❹ㅅㅊ을 요구함
❺ㅇㅁㄹ 탐관오리를 징벌함	⇔	**변학도** 백성들에게 횡포를 부림

■ '이몽룡'이 지은 '한시'의 역할

의미	가혹한 수탈로 백성들을 고통받게 하는 탐관오리의 ❻ㅎㅍ를 고발함
기능	• 어사 ❼ㅊㄷ라는 새로운 사건을 암시함 • 사건을 극적으로 전환시켜 긴장감을 고조함 • 현실 상황을 비판·풍자하여 주제를 형상화함

⇓

양반이나 백성들이 다를 것이 없다는 인간 존중 사상과 평등 사상이 반영됨

인물·사건 / 배경·소재 / 서술 / 주제

■ 판소리계 소설의 서술상 특징

- 판소리 사설의 문체와 말투가 드러남
- 열거, 대구 등을 통해 특정 장면을 극대화함
- 서술자가 작품 속에 개입하는 ❽ㅍㅈㅈ적 논평이 나타남
- 서민들의 삶의 애환과 당대 사회의 비판 의식을 ❾ㅎㅎ과 풍자로 드러냄
- 한자 성어와 같은 양반층의 언어와, 비속어와 같은 서민층의 언어가 어우러져 나타남

■ 작품의 표면적 주제와 이면적 주제

표면적 주제	여성의 굳은 지조와 정절
이면적 주제	• 신분적 제약을 벗어난 인간 해방, 신분 상승의 추구 • ❿ㅌㄱㅇㄹ에 대한 비판과 저항 • 자유로운 남녀 간의 사랑

⇓

주제가 두 가지의 다른 내용으로 나타나는 이유는 양반층과 서민층의 요구가 모두 반영된 결과임

어휘력 테스트

1 다음 괄호 안에 들어갈 단어를 〈보기〉에서 골라 써 보자.

보기

남루　　심란　　지조

(1) 거리에 앉아 있는 젊은이의 행색이 (　　　　)해 보였다.

(2) 그는 굳은 (　　　　)을/를 지녀 어떤 유혹에도 흔들리지 않았다.

(3) 그 일을 생각하면 할수록 나는 머리만 어지럽고 마음이 (　　　　)하다.

2 다음 〈보기〉의 뜻을 참고하여 십자말풀이를 완성해 보자.

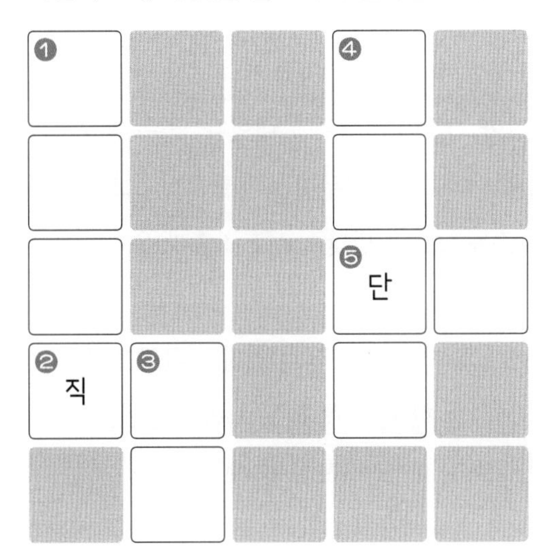

보기

가로

❷ 지그시 힘을 주어 자꾸 누름

❺ 단정하게 앉음

세로

❶ 못된 짓을 많이 한 고을의 원을 파면하고 관가의 창고를 봉하여 잠금

❸ 주로 불행한 일과 관련된 한 개인의 처지와 형편

❹ 진심에서 우러나오는 변치 아니하는 마음을 이르는 말

독해쌤과 함께하는 감상 넓히기

연인의 변함없는 사랑을 담은 작품

이번에 감상한 「춘향전」과 같이 연인의 변함없는 사랑을 담은 작품들은 예로부터 많이 있었어요. 그중 「도미 설화」는 「춘향전」에 영향을 주었던 백제 설화이고, 「숙향전」은 초현실적인 사랑 이야기를 담고 있지요. 두 작품에 나타난 여인들의 모습과 성춘향을 비교하면서 함께 감상해 볼까요?

도미 설화_작자 미상

임금의 위협에 굴하지 않고 남편을 위해 절개를 지켜 낸 도미 부인을 칭송한 백제 설화입니다. 절대 권력을 대표하는 임금에게 맞서 인간의 존엄한 가치를 지키고자 한 민중의 삶을 드러낸 작품입니다.

숙향전_작자 미상

천상계의 인물인 주인공이 지상계로 내려와 온갖 시련을 극복하고 사랑을 성취한 후, 다시 천상계로 복귀한다는 내용의 애정 소설입니다. 비현실적인 사건 전개와 영웅의 일대기 구조가 잘 나타나 있는 작품입니다.

양반전 1 _박지원

여러분이 되고 싶고, 닮고 싶은 사람은 누구인가요? 요즘은 열심히 노력하면 무엇이든 할 수 있고 될 수 있는 시대라고들 하죠. 하지만 이 작품 속 시대에는 신분 제도라는 것이 있어서, 신분에 따라 할 수 있는 것이 달랐어요. 작품 속의 '부자'는 왜 양반이 되려 했고, '양반'은 왜 신분을 팔았는지 살펴보며 작품을 감상해 볼까요?

독해쌤의 감상 질문

1. 인물·사건 '양반', '부자', '군수'의 특징과 역할은 무엇인가요?
2. 배경·소재 이 작품에 나타난 당시의 사회 모습은 어떠한가요?
3. 주제 · 양반 증서의 내용과 의미는 무엇인가요?
   · 양반에 대한 풍자가 드러난 부분은 어디이며, 그 의도는 무엇인가요?

발단

가 양반이란 선비를 높여 부르는 말인데, 강원도 정선 고을에 한 양반이 살았다. 어질고 글 읽기를 좋아했으므로 군수가 새로 부임하면 반드시 몸소 그의 집에 가서 인사를 했다. 그러나 집이 가난해서 해마다 관청의 환곡을 빌려 먹다 보니 그것이 쌓여서 그 빚이 일천 섬에 이르렀다. 관찰사가 고을을 돌면서 정사를 살피다가 환곡 출납을 조사해 보고 크게 노했다.

(환곡: 조선 시대에 곡식을 저장하였다가 봄에 백성들에게 꾸어 주고, 가을에 이자를 붙여 거두던 곡식)
(섬: 곡식, 가루, 액체 등의 부피를 세는 단위. 약 180리터임)
(출납: 돈이나 물품을 내어 주거나 받아들임)

나 "어떤 놈의 양반이 군량미를 이렇게 축냈단 말인가?"

(군량미: 군대의 양식으로 쓰는 쌀)

하면서 양반을 잡아 가두라고 명령을 내렸다. 군수는 그 양반이 가난하여 갚을 길이 없음을 알고 안타깝게 여겨 차마 가두지는 못했으나 그도 역시 어찌할 길이 없었다. 양반이 어떻게 해야 할 줄을 모르고 밤낮으로 훌쩍훌쩍 울기만 하고 있으니 그의 아내가 역정을 냈다.

(역정: 몹시 언짢거나 못마땅하여서 내는 성)

"당신은 평소에 그렇게도 글을 잘 읽었지만 환곡을 갚는 데에는 아무런 쓸모가 없구려. 쯧쯧, 양반이라니! ㉠한 푼도 못 되는 그놈의 양반!"

발단 | 무능한 양반이 환곡을 갚지 못해 곤란한 처지에 놓임

전개

다 그때 마침 그 마을에 사는 부자가 이런 소문을 듣고 식구들과 의논을 했다.

[A] "양반은 아무리 가난해도 늘 높고 귀하며 우리는 아무리 잘살아도 늘 낮고 천하다. 감히 말도 타지 못할 뿐 아니라 양반을 보면 움츠려 숨도 제대로 못 쉬고 뜰아래 엎드려 절해야 하며, 코를 땅에 박고 무릎으로 기어가야 한다. 우리는 이와 같이 욕을 보며 사는 신세이다. 지금 저 양반이 환곡을 갚을 길이 없어 어려움을 이만저만 겪는 것이 아닌 모양이다. 아무래도 양반의 신분을 지키기 어려울 듯하다. 그러니 우리가 그 양반을 사서 가져 보자."

(욕: 부끄럽고 치욕적이고 불명예스러운 일)

라 부자가 양반의 집 대문 앞에 나아가 그 환곡을 갚아 주겠다고 청하니 양반이 반가워하며 그렇게 하라고 했다. 그래서 부자는 당장에 그 환곡을 관청에 바쳤다. 군수가 크게 놀라 웬일인가 하며 그 양반을 위로도 할 겸 어떻게 해서 환곡을 갚게 되었는지 알아보고 싶어 찾아갔다. 그런데 그 양반이 벙거지를 쓰고, 잠방이를 입고, 길에 엎드려 '소인', '소인' 하면서 감히 쳐다보지도 못하는 것이 아닌가! 군수가 깜짝 놀라 내려가 부축해 일으키며 물었다.

(벙거지: 모자)
(잠방이: 가랑이가 무릎까지 내려오도록 짧게 만든 홑바지)
(소인: 신분이 낮은 사람이 자기보다 신분이 높은 사람을 상대하여 자기를 낮추어 이르던 일인칭 대명사)

"그대는 어째서 이런 짓을 하시오?"

양반이 더욱더 벌벌 떨며 머리를 조아리고 땅에 엎드리며 대답했다.

"황송하옵니다. 소인 놈이 제 몸을 낮게 하려는 것이 아니라 환곡을 갚느라고 이미 제 양반을 팔았습니다. 이제부터는 우리 마을 부자가 양반입니다. 소인이 어찌 감히 지난날 쓰던 이름을 함부로 쓰면서 스스로 높은 척하오리까?"

확인 문제

[01~02] 다음 설명이 맞으면 ○, 틀리면 ×표 하시오.

01 양반은 어질고 글 읽기를 좋아했으며, 가진 것도 많아 새로 부임한 군수는 그의 집으로 반드시 인사를 갔다. (○, ×)

02 같은 마을에 사는 부자는 신분은 높지만 하는 행동이 어리숙한 양반을 못마땅하게 여겼다. (○, ×)

[03~05] 다음 빈칸에 들어갈 알맞은 말을 쓰시오.

03 양반의 아내는 "ㅎ ㅍ도 못 되는 그놈의 양반!"이라며 경제적으로 무능한 남편을 비판했다.

04 부자는 양반이 갚지 못한 ㅎㄱ을 대신 갚아 주고, 그 대가로 양반의 ㅅㅂ을 샀다.

05 군수가 환곡 갚은 일을 알고 찾아오자, 양반은 자신을 'ㅅㅇ'이라고 칭하면서 군수를 감히 쳐다보지도 못했다.

실력 문제

인물·사건

06 윗글의 '양반'에 대한 설명으로 적절하지 않은 것은?

① 성품이 어질고 글 읽기를 좋아하였다.
② 집이 가난해서 관청에서 곡식을 빌려 먹었다.
③ 갚지 못한 빚이 많아 잡혀갈 처지에 이르렀다.
④ 마을 부자를 찾아가 환곡을 갚아 달라 청하고, 대신 양반 신분을 살 것을 제안했다.
⑤ 환곡을 갚았다는 소식에 군수가 놀라서 찾아오자, 이제 양반이 아니라며 머리를 조아렸다.

배경·소재

07 윗글에서 짐작할 수 있는 당시의 사회상으로 적절하지 않은 것은?

① 양반 신분을 사고팔기도 했다.
② 많은 부를 축적한 평민들이 있었다.
③ 신분 질서의 동요가 일어나고 있었다.
④ 양반들의 권위가 무너져 가고 있었다.
⑤ 부유한 평민 계층은 양반 이상의 존중을 받았다.

인물·사건

08 (나)의 '아내'에 대한 평가로 적절하지 않은 것은?

① 실용적인 사고를 지녔군.
② 현실적인 생활 능력을 중시하는군.
③ 학문이 깊지 못하면 쓸모가 없다고 생각해.
④ 남편에 대해 비판적인 태도를 보이고 있어.
⑤ 양반에 대한 작가 의식을 대변하는 인물이야.

인물·사건 + 주제

09 ㉠을 통해 풍자하려는 '양반'의 모습으로 적절한 것은?

① 위선적인 모습
② 재물을 탐하는 모습
③ 백성을 괴롭히는 모습
④ 허례허식에 집착하는 모습
⑤ 경제적으로 무능력한 모습

수능형

인물·사건 + 어휘

10 [A]의 상황을 두고 〈보기〉와 같이 이야기할 때, 빈칸에 들어갈 한자 성어로 가장 적절한 것은?

보기

"평생 양반에게 괄시를 받고 살았던 부자의 (　　　　)이 느껴지는군."

① 안분지족(安分知足) ② 교언영색(巧言令色)
③ 자화자찬(自畫自讚) ④ 각골통한(刻骨痛恨)
⑤ 수구초심(首丘初心)

양반전 ②

독해쌤 속닥속닥

◆ (마)에서 군수는 양반의 환곡을 대신 갚아 주고 양반 신분을 산 부자를 '참으로 양반'이라고 칭찬하며, 양반 증서를 만들어 주겠다고 말합니다. 하지만 그 이면에는 부자의 속물근성을 비판하는 작가의 비판 의식이 담겨 있습니다.

마 군수가 놀라워하며 말했다.

"㉠군자로다, 부자여! ㉡양반이로다, 부자여! 부자로서 ㉢인색하지 않았으니 ㉣옳음이요, 남의 어려움을 돌보았으니 어짊이요, 낮은 것을 싫어하고 높은 것을 바랐으니 ㉤슬기로움이로다. 이런 사람이야말로 참으로 양반이 아니겠는가! 아무리 그렇기는 하지만 사사로이 사고팔았을 뿐 아무런 증서도 만들지 않았으니 이는 소송의 빌미가 될 것이다. 그러므로 고을 백성을 불러 모아 그들을 증인으로 세우고 증서를 만들어 누구나 믿을 수 있도록 해야겠다. 군수인 나도 당연히 손수 수결을 할 것이다."

군수는 관아로 돌아와 고을 안의 선비와 농사꾼, 장인바치와 장사치들을 모조리 불러다 모이게 했다. 부자는 향소의 오른쪽에 앉히고, 양반은 공형의 아래에 세우고, 다음과 같이 증서를 만들었다.

- 빌미: 재앙이나 탈 따위가 생기는 원인
- 수결: 예전에, 자기의 성명이나 직함 아래에 도장 대신에 자필로 글자를 직접 쓰던 일. 또는 그 글자
- 장인바치: 손으로 물건을 만드는 일을 업으로 하는 사람을 낮잡아 이르는 말
- 향소: 조선 시대에, 고을 수령을 보좌하던 자문 기관
- 공형: 조선 시대에, 각 고을의 벼슬아치 아래서 일을 보던 사람

전개 | 부자가 양반의 환곡을 갚아 주고 양반 신분을 삼

◆ (바)에서 군수는 양반을 위해 짐짓 엄숙한 태도로 양반 증서를 작성해 줍니다. 그 내용은 양반으로서 지켜야 할 의무와 규범이 중심이 되죠. 그러나 사실은 양반의 체면과 허례허식에 얽매인 행실과 덕목만 과장되어 길게 나열되어 있습니다. 즉 작가는 군수가 작성한 문서를 통해, 양반의 태도를 풍자하는 것입니다.

절정 1

바 "건륭 10년(1745, 영조 21년) 9월 어느 날, 아래 문서는 양반을 값에 쳐서 팔아 환곡을 갚기 위한 것으로써 그 값은 일천 섬이다.

- 건륭: 중국 청나라 고종 때의 연호(1736~1795)

양반은 이름이 여러 가지다. 글만 읽는 양반은 선비라 하고, 벼슬하는 양반은 대부라 하고, 덕이 있는 양반은 군자라 한다. 무관이면 서쪽으로 줄을 서고 문관이면 동쪽으로 줄을 서는 까닭에 이것을 양반이라 한다. 그대는 어느 쪽이든 마음대로 좇을 수가 있다.

더러운 일을 끊어 버리고, 옛사람을 우러르며, 뜻을 아름답게 지니고, 오경이면 일어나 유황에다 불붙여 기름등잔을 켜고, 눈은 코끝을 내려다보며, 발꿈치를 괴고 앉아, 얼음 위에 박 밀 듯이 『동래박의』를 줄줄 외워야 한다. 주림을 참고, 추위를 견디고, 가난 타령을 하지 말며, 어금니를 마주치고, 머리 뒤를 손가락으로 퉁기며, 침을 입안에 머금고 가볍게 양치질하듯 한 뒤 삼키며, 옷소매로 휘양을 닦아 먼지를 털어 털 무늬를 일으키며, 세수할 적엔 주먹으로 벼르듯이 하지 말고, 냄새 없게 이를 잘 닦고, 길게 빼는 소리로 종을 부르며, 느린 걸음으로 신발을 끌 듯이 걸어야 한다. 『고문진보』와 『당시품휘』를 깨알같이 베껴 쓰되 한 줄에 백 자씩 쓴다. 손에 돈을 쥐지 말고, 쌀값도 묻지 말고, 날이 더워도 맨발로 다니지 말고, 맨상투로 밥상을 받지 말고, 밥보다 먼저 국을 먹지 말고, 소리 내어 마시지 말고, 젓가락 방아를 찧지 말고, 생파를 먹지 말고, 술 마신 뒤 수염을 빨지 말고, 담배 피울 때 턱이 비틀어지도록 빨지 말고, 성이 나도 그릇을 차지 말고, 아이들에게 주먹질을 하지 말고, 종을 심하게 나무라지 말고, 마소를 꾸짖을 때 그것을 판 주인까지 싸잡아 욕하지 말고, 병이 나도 무당을 부르지 말고, 제사

- 오경: 새벽 3~5시 사이
- 얼음 위에 박 밀 듯이: 말이나 글을 거침없이 줄줄 내리읽거나 내리외는 모양을 비유적으로 이르는 말(속담)
- 동래박의: 중국 남송(南宋)의 여조겸이 쓴 책으로, 과거 시험에 도움이 된다고 하여 중국과 조선에서 널리 읽힘
- 휘양: 추울 때 머리에 쓰던 모자의 하나
- 고문진보: 주나라에서 송나라에 이르는 동안의 한시(漢詩)와 문장들을 수집하여 분류한 책
- 당시품휘: 중국 명나라의 고병(高棅)이 편찬한 당시(唐詩) 선집

에 중을 불러 재(齋)를 올리지 말고, 화롯불에 손을 쬐지 말고, 말할 때 이를 드러내 침을 튀기지 말고, 소를 잡지 말고, 도박을 하지 말라. 여기 적힌 모든 행실에서 양반에게 어긋난 것이 있으면 증서를 가지고 관청에 와서 바로잡을 것이니라. 고을 주인 정선 군수가 수결하고, 좌수와 별감이 증인으로 서명한다.”

재(齋): 부처에게 드리는 공양
별감: 조선 시대에, 조사, 감독 등을 위하여 지방에 보낸 임시 벼슬
좌수: 조선 시대에, 지방의 자치 기구인 향청의 우두머리

확인 문제

[01~02] 다음 설명이 맞으면 ○, 틀리면 ×표 하시오.

01 (마)에서 군수는 부자를 칭찬하며 치켜세우는데, 이는 부자를 높이 평가하는 작가의 태도가 반영된 것이다. (○, ×)

02 (바)로 보아, 군수가 작성한 증서는 양반이 된 부자에게 가치 있고 유익한 문서이다. (○, ×)

[03~04] 다음 빈칸에 들어갈 알맞은 말을 쓰시오.

03 (마)에서 군수는 양반이 된 부자에 대해 ‘군자’, ‘양반’, ‘옳음’, ‘ㅇㅈ’, ‘슬기로움’이라고 칭하며 칭찬한다.

04 (바)에서 군수는 글만 읽는 양반은 ‘선비’, 벼슬하는 양반은 ‘대부’, 덕이 있는 양반은 ‘ㄱㅈ’라고 한다고 말한다.

인물·사건

05 윗글의 내용과 일치하지 않는 것은?

① 양반과 부자 간에 거래된 양반 증서의 가격은 환곡 일천 섬이다.
② 양반 증서로 보아, 양반이라면 손에 돈을 쥐어서는 안 되며 쌀값도 묻지 말아야 한다.
③ 군수는 부자가 부당한 일을 겪을 경우 양반 증서를 가지고 관청에 오도록 당부한다.
④ 무관은 서쪽으로 줄을 서고 문관은 동쪽으로 줄을 서는 데서 양반이라는 말이 유래되었다.
⑤ 군수는 낮은 것을 싫어하고 높은 것을 바라는 부자를 칭찬하며 양반 증서를 만들어 준다.

인물·사건

06 (마)로 보아, ‘군수’가 양반 증서를 만들려는 이유로 가장 적절한 것은?

① 신분을 사고파는 혼란한 상황을 바로잡기 위해서이다.
② 부자가 참으로 양반임을 세상에 널리 알리기 위해서이다.
③ 자신이 허락하지 않은 신분 거래는 인정할 수 없기 때문이다.
④ 나중에 둘 사이에 소송과 같은 빌미가 생기지 않도록 하기 위해서이다.
⑤ 비록 양반의 신분을 팔았지만, 본래의 신분대로 양반을 배려하여 대접해 주기 위해서이다.

배경·소재

07 ㉠~㉤ 중, 가리키는 대상이 다른 것은?

① ㉠ ② ㉡ ③ ㉢ ④ ㉣ ⑤ ㉤

수능형 주제

08 (바)에 나타난 양반 증서의 내용과 이를 통해 드러내고자 하는 작가의 비판 의식을 〈보기〉와 같이 정리할 때, 빈칸에 들어갈 내용으로 가장 적절한 것은?

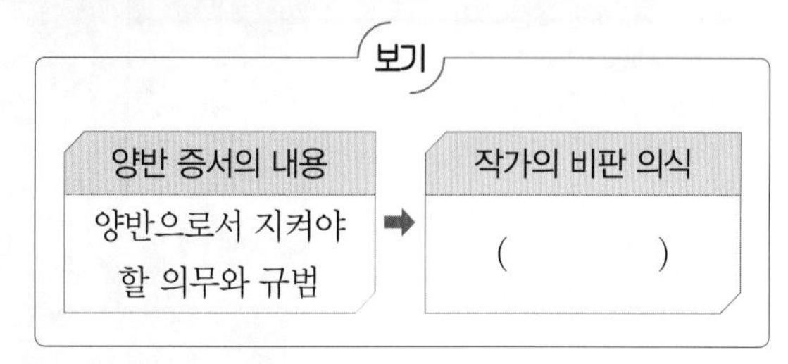

① 신분 제도의 모순 비판
② 양반의 부정부패에 대한 비판
③ 체면과 허례허식에 얽매인 양반의 모습 비판
④ 자기 분수에 맞지 않는 삶에 집착하는 태도 비판
⑤ 양반의 권위가 점차 훼손되어 가는 세태에 대한 비판

독해쌤 속닥속닥

◆ 부자는 군수에게 양반 증서를 수정해 줄 것을 요구합니다. 양반이 되어 이익을 누리고 싶었지만, 작성된 증서에는 지켜야 할 의무만 있을 뿐, 이익이 되는 것은 하나도 없기 때문이죠. 양반 신분을 사는 데 큰돈을 쓰고, 평생 천대받고 살았던 부자로서는 속은 느낌이 든 것입니다.

◆ 결국 군수는 양반 증서를 수정해 주지만, 2차 양반 증서에 제시된 양반의 특권이란 권력을 이용하여 부당하게 재물을 축적하고, 무위도식하며, 백성들에게 횡포를 부리는 부도덕한 것들입니다. 이와 같이 작가는 양반 증서를 만드는 군수의 입을 빌려 양반을 풍자하고 비판하고 있어요.

◆ (자)에서 양반은 부자의 입을 통해 '도적놈'에 비유되죠. 양반에 대한 작가의 비판과 풍자가 절정에 이른 것입니다. 또한 작가는 결국 양반이 되기를 포기하는 부자를 통해, 경제력만으로 신분 상승을 탐하는 부자(평민층)의 망상도 일깨우고 있어요. 즉 신분 제도가 동요하던 조선 후기에, 경제력만으로 신분 제도를 넘어서려는 평민 계층에 대한 비판도 함께 하고 있는 것입니다.

사 이에 통인이 여기저기 도장을 찍는데 그 소리가 엄고 치는 것 같았으며, 모양은 북두칠성과 삼성이 가로세로 늘어선 것과 같았다. 호장이 증서를 다 읽자 부자는 어처구니가 없어 한참 멍하게 있다가 말했다.

(통인: 관가에서 잔심부름을 하던 사람 / 엄고: 임금이 행차할 때 치던 큰북 / 삼성: 오리온자리 중앙에 나란히 있는 세 개의 큰 별 / 호장: 조선 시대에, 관아의 관리 밑에서 일을 보던 사람들의 우두머리)

"양반이라는 것이 겨우 이것뿐이란 말입니까? 제가 듣기로 양반은 신선 같다던데 정말 이와 같다면 ㉠저는 너무도 엄청나게 속은 셈입니다. 바라건대 좀 더 이익이 될 수 있도록 고쳐 주십시오."

절정 1 군수가 부자에게 양반으로서 지켜야 할 의무와 규범을 담은 증서를 작성해 줌

절정 2

아 마침내 증서를 이렇게 고쳐 만들었다.

"하느님이 백성을 내니, 그 백성은 넷이다. 네 가지 백성 가운데는 선비가 가장 귀한 것이고, 거기서도 양반이라 불리면 이익이 엄청나다. 농사, 장사 아니 하고, 문사 대강 공부하여 크게 되면 문과 급제, 작게 되면 진사로세. ㉡문과 급제 홍패라면 온갖 물건 구비되니 이게 바로 돈 전대요, 서른에야 진사 되어 첫 벼슬에 발 디뎌도 이름난 음관 되어 높은 자리로 섬겨진다. ㉢일산 덕에 귀가 희고 설렁 줄에 배 처지며, 방 안에 널린 귀걸이 예쁜 기생 몫이 되고 뜨락에 흘린 곡식 두루미 모이로다. 궁한 선비 시골 살면 나름대로 횡포 부려 ㉣이웃 소로 밭을 갈고 일꾼 뺏어 김을 맨들 누가 나를 거역하리. 네놈 코에 잿물 붓고 상투 잡아 도리질하고 귀밑 나룻 다 뽑아도 감히 원망 못하니라."

(설렁: 사람을 부를 때 줄을 잡아당겨 소리를 내는 방울 / 음관: 과거를 거치지 않고 조상의 공덕으로 하는 벼슬아치 / 일산: 큰 양산 / 횡포: 제멋대로 굴며 매우 난폭함 / 도리질하고: 머리를 좌우로 흔들고)

절정 2 부자의 요구로 군수가 양반의 특권을 담아 양반 증서를 수정함

결말

자 부자가 증서 내용을 듣고 있다가 혀를 내두르며 말했다.

"그만두시오! 그만두시오! 참으로 맹랑한 일입니다! ㉤장차 나더러 도적놈이 되라는 말입니까?"

(맹랑한: 생각하던 바와 달리 허망한)

그러고는 머리를 흔들며 뛰쳐나가서 죽을 때까지 다시는 양반의 일을 입에 담지 않았다.

결말 부자는 양반을 도적놈이라고 생각하며 스스로 양반 되기를 포기함

확인 문제

[01~04] 다음 설명이 맞으면 ○, 틀리면 ×표 하시오.

01 이 작품에는 신분 제도가 몰락해 가던 조선 후기의 사회상이 잘 드러난다. (○, ×)

02 이 작품은 양반 계층의 무능과 위선적인 태도를 비판하려는 목적에서 창작되었다. (○, ×)

03 작가는 군수가 작성한 양반 증서의 내용을 통해 부자를 신랄하게 비판하고 풍자한다. (○, ×)

04 양반 증서를 작성하는 군수의 모습으로 볼 때, 군수는 부자가 양반이 되는 것을 은근히 방해하는 인물이라 할 수 있다. (○, ×)

[05~06] 다음 빈칸에 들어갈 알맞은 말을 쓰시오.

05 1, 2차의 [ㅇ][ㅂ] [ㅈ][ㅅ]를 통해 당시 양반 계층의 허례허식과 부도덕성을 알 수 있다.

06 결말 부분에서 부자는 '[ㄷ][ㅈ][ㄴ]'이 될 수 없다는 생각으로 양반이 되는 것을 포기한다.

실력 문제

인물·사건

07 윗글에 나타난 '군수'에 대한 설명으로 가장 적절한 것은?

① 양반이 아닌 일반 백성들을 괴롭히는 탐관오리의 전형이다.
② 무능한 양반보다는 경제력이 있는 평민 계층을 더욱 높이 평가한다.
③ 과장되고 우스꽝스러운 말과 행동으로 재미를 주는 풍자의 대상이다.
④ 당시 양반의 입장에서, 돈으로 신분을 사려는 평민 부자들을 옹호하는 역할을 한다.
⑤ 부자를 위해 양반 증서를 작성하고 수정하지만, 결국 부자가 양반이 되는 것을 포기하게 만든다.

인물·사건 + 서술

08 ㉠~㉤에 대한 설명으로 적절하지 <u>않은</u> 것은?

① ㉠: 큰돈을 들여 양반 신분을 샀지만, 자신에게 이익이 되는 것이 하나도 없기 때문이다.
② ㉡: 양반으로서 벼슬까지 하게 되면, 쉽고 부당하게 재물을 축적할 수 있음이 드러난다.
③ ㉢: 무위도식(無爲徒食)하는 양반의 모습이 나타난다.
④ ㉣: 양반 신분을 내세워 평민들을 괴롭히며 횡포를 부리는 부도덕한 모습이 나타난다.
⑤ ㉤: 단지 재물로 고귀한 양반 신분을 사려고 했던 부자를 '도적놈'에 빗대 일깨웠기 때문이다.

수능형 주제

09 〈보기〉를 바탕으로 판단할 때, 윗글의 작가가 고려했을 생각으로 가장 적절한 것은?

보기

"선비란 것은 하늘이 내린 벼슬이며, 선비[士]의 마음[心]은 곧 지(志) 자가 되는 것이다. 그러면 그 뜻이란 어떠한 것인가. 첫째, 권세와 이익을 꾀하지 말 것이니, 선비는 몸이 비록 높아지더라도 선비에서 떠나지 않아야 할 것이며, 몸이 비록 곤궁하더라도 선비의 본분을 잃어서는 아니 될 것이다. 지금 소위 선비들은 명분과 절의를 닦는 것에는 힘쓰지 않고 부질없이 문벌(門閥)만을 이득의 기회로 여겨 그의 대대로 내려오는 덕을 팔고 사게 되니, 이야말로 저 장사치에 비해서 무엇이 낫겠는가. 이에 나는 이 「양반전」을 써 보았노라."

– 박지원, 『방경각외전』

① 신분 제도의 모순을 적나라하게 파헤쳐 비판하고 평민들의 근대 의식을 고취해야 해.
② 관리는 백성들의 어려움을 먼저 생각해야 해. 같은 양반의 편에서 양반만 두둔해서는 안 되지.
③ 양반은 경제적으로 무능해서는 안 돼. 경제적 능력이 없다면 의지가 약해져 결국 뜻을 바로 세울 수 없어.
④ 양반의 위세를 내세워 사리사욕을 탐해서는 안 되지. 진정한 양반으로 거듭나기 위해서는 먼저 몸과 마음을 닦아야 해.
⑤ 나라의 근본은 백성이므로, 공허한 관념과 명분에 얽매인 고루한 의식을 버리고 진실로 백성을 사랑하는 인물이 등용되어야 해.

작품 전체

발단✲	전개✲	절정 1✲	절정 2✲	결말✲
무능한 양반이 ❶ [ㅎ][ㄱ]을 갚지 못해 곤란한 처지에 놓임	부자가 양반의 환곡을 갚아 주고, ❷ [ㅇ][ㅂ] 신분을 삼	군수가 부자에게 양반으로서 지켜야 할 의무와 규범을 담은 증서를 작성해 줌	부자의 요구로, 군수가 양반의 특권을 담아 양반 증서를 수정함	부자는 양반을 ❸ [ㄷ][ㅈ][ㄴ]이라고 생각하며 스스로 양반 되기를 포기함

발단 ⇒ 전개 ⇒ 절정 1 ⇒ 절정 2 ⇒ 결말

✲: 교재 수록 부분

작품 압축

■ 등장인물의 특징 및 역할

군수(신분 매매의 매개자)
- 양반 증서를 만듦(양반의 이중성을 대표함)
- 부자가 ❹ [ㅇ][ㅂ]이 되는 것을 은근히 방해함
- 작가 의식을 대변하는 인물임

양반(신분을 파는 자)
- 가장 신랄한 풍자의 대상임
- 경제적으로 무능력함
- 양반 신분을 팔아 환곡을 갚음

⇔ 신분이 바뀜

부자(신분을 사는 자)
- 부를 통해 신분 상승을 꾀함
- 선량하며 가식이 없음
- 양반 ❺ [ㅈ][ㅅ]를 보고 양반이 되기를 포기함

■ 작품에 나타난 조선 후기의 시대상

작품에 나타난 사회 모습
- 양반이 자신의 신분을 팔아 환곡을 갚음
- 평민인 부자가 부를 축적하여 양반 신분을 사게 됨

⇓

조선 후기의 시대상
- 양반에 대한 경제적인 압박이 심해지고 있었음
- 경제적으로 무능력한 양반은 권위가 떨어졌음
- 평민도 부를 축적할 수 있었음
- 돈으로 ❻ [ㅅ][ㅂ]을 사고파는 경우가 있었음
- 엄격했던 신분 제도가 점차 붕괴되고 있었음

인물·사건 | 배경·소재 | 주제

■ 양반 증서의 내용과 의미

1차 양반 증서	2차 양반 증서
양반으로서 지켜야 할 ❼ [ㅇ][ㅁ]와 규범을 제시함 → 체면과 ❽ [ㅎ][ㄹ][ㅎ][ㅅ]을 중시하는 양반의 모습을 비판함	양반으로서 누릴 수 있는 특권을 제시함 → 신분과 지위를 이용한 재물 취득, 무위도식, 백성에 대한 수탈과 횡포 등 부도덕한 양반의 모습을 비판함

■ 양반에 대한 풍자가 드러난 부분

"한 푼도 못 되는 그놈의 양반!"	"장차 나더러 ❾ [ㄷ][ㅈ][ㄴ]이 되라는 말입니까?"
글 읽기에만 열중할 뿐, 경제적으로 무능력한 양반을 풍자함	자신의 이익을 위해서는 부도덕한 일도 서슴지 않고, 백성을 괴롭히는 양반의 악행을 풍자함

⇓

작가의 주제 의식

조선 후기, 양반 계층의 ❿ [ㅁ][ㄴ][ㄹ]함과 위선적인 태도를 비판함

어휘력 테스트

1 다음 괄호 안에 들어갈 단어를 〈보기〉에서 골라 써 보자.

보기

역정　　빌미　　횡포

(1) 어머니는 고향에 내려오지 않는 가족들에게 (　　　　)을/를 내셨다.

(2) 당시 백성들에 대한 양반들의 수탈과 (　　　　)은/는 민란의 불씨가 되었다.

(3) 전반 30분에 일어난 그의 패스 실수는 결국 실점의 (　　　　)이/가 되고 말았다.

2 다음 〈보기〉의 뜻을 참고하여 십자말풀이를 완성해 보자.

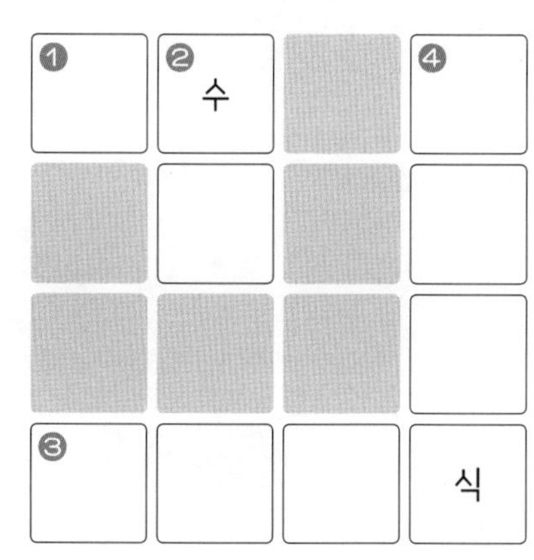

보기

가로

❶ 자기 신분에 맞는 한도

❸ 형편에 맞지 않게 겉만 번드르르하게 꾸밈. 또는 그런 예절이나 법식

세로

❷ 예전에, 자기의 성명이나 직함 아래에 도장 대신에 자필로 글자를 직접 쓰던 일

❹ 하는 일 없이 놀고먹음

독해쌤과 함께하는 감상 넓히기

양반들의 위선을 비판한 박지원의 작품

이번에 감상한 「양반전」과 같이 무위도식하면서 허욕에 찬 양반들의 위선적인 태도를 비판하는 박지원의 또 다른 작품들이 있습니다. 제시된 작품에서 작가가 양반들의 위선을 어떻게 비판하는지 살펴보며 작품들을 더 감상해 볼까요?

호질_박지원

조선 정조 때 박지원이 지은 한문 소설입니다. 「호질」이라는 제목처럼 의인화된 범을 내세워, 존경받는 도학자인 북곽 선생과 수절 과부인 동리자의 위선적인 행동을 신랄하게 꾸짖는 내용입니다. 당시 지배 계층인 양반들의 도덕관념을 풍자하고 위선적인 삶의 태도를 비판하는 작품입니다.

예덕선생전_박지원

똥을 져 나르는 것을 업으로 삼는 '엄행수'(예덕 선생)라는 인물을 통하여 양반과 관리들의 위선적인 생활을 이야기하고 있는 한문 소설입니다. 더럽고 미천한 일을 하지만 향기로운 삶을 사는 엄행수의 삶을 긍정적으로 인식하고, 당시의 차별적인 신분 질서와 양반들에 대한 비판과 풍자를 담고 있는 작품입니다.

극/수필

작품명	학업 성취도	전국 연합	수능, 모평	중등 교과서	고등 교과서
[실전 01] 들판에서	○			○	
[실전 02] 집으로	○	○		○	
[실전 03] 파초	○	○	○	○	
[실전 04] 실수				○	
[실전 05] 이옥설		○		○	○

'극' 감상 스킬

극 역시 소설과 마찬가지로, **'누가/무엇을'**은 인물과 사건에 대한 것이고 **'어떻게'**는 주제를 드러내기 위해 작가가 고민한 방법들, 즉 배경이나 소재 등을 파악하는 거야. 여기서는 극의 특성인 형상화 방식을 파악하는 것도 포함되어 있지. **'왜'**는 작가가 이 요소들을 등장시키고 고민한 이유에 해당하는, 즉 독자에게 전달하고 싶은 바인 주제를 파악하는 것이지. 그렇다면 극 속에서 '누가/무엇을', '어떻게', '왜'는 구체적으로 어떻게 파악할 수 있을까? 아래 제시된 '극' 감상 스킬을 살펴보자.

'누가/무엇을'	❶ 인물·사건	[사건 / 인물의 처지, 상황] • 사건에 나타난 인물의 처지와 상황을 파악하라.	[인물의 심리, 태도] • 인물의 말과 행동을 통해 인물의 심리와 태도를 파악하라.	[갈등 양상] • 인물 간의 갈등 양상과 그 해결 과정을 파악하라.

\+

어떻게	❷ 배경·소재	[배경의 의미와 기능] • 시간과 공간, 시대적 상황이 나타난 부분을 찾아 작품의 배경과 그 기능을 파악하라.	[소재의 의미와 기능] • 사건 전개나 주제에 영향을 미치는 소재를 찾아 그 의미와 기능을 파악하라.
	+		
	❸ 형상화 방식	**[형상화 방식]** • 제시된 부분을 연극이나 영화로 형상화하기 위한 방법을 파악하라.	**[형상화 방식의 효과]** • 형상화 방식으로 얻을 수 있는 효과를 파악하라.

⇓

왜	❹ 주제	**[창작 의도, 주제]** • '인물·사건', '배경·소재', '형상화 방식'을 통해 파악한 내용을 종합하여 작품의 창작 의도 및 주제를 파악하라.

스킬 태그

형상화 방식

형상화 방식이란 희곡이나 시나리오를 바탕으로 연극을 공연하거나 영상을 촬영할 때, 배우의 연기나 의상, 소품, 무대 장치, 음향 및 조명, 촬영 및 편집 기법 등으로 장면을 만들어 내는 것을 말한다.

✔ 희곡과 시나리오는 형상화 방식에서도 차이가 있다. 희곡은 무대 상연을 전제로 하므로, 시간적·공간적 배경이나 등장인물의 수 등에 제약이 있다. 반면 시나리오는 희곡에 비해 이러한 제약이 적다.

✔ 형상화 방식의 적절성은 다음을 기준으로 파악해 보자.

– 촬영 편집: 주로 카메라 촬영이나 이후 편집에 관련된 연출을 살펴보는 것으로, 촬영 용어가 적절한지, 상황에 따른 카메라의 움직임은 적절한지 등을 파악함

– 연기: 인물의 대사나 행동, 표정 등에 관련된 연출을 살펴보는 것으로, 배우들의 연기가 상황에 맞는 적절한 것인지 파악함

– 무대 장치, 효과: 인물의 복장, 무대 조명, 각종 소품에 관련된 연출을 살펴보는 것으로, 인물의 복장과 소품이 인물의 특성에 맞게 사용되었는지, 무대 조명과 배경 음악, 효과음 등이 작품의 내용과 분위기에 맞게 쓰였는지 등을 파악함

형상화 방식의 효과

극에 쓰이는 다양한 형상화 방식은 관객에게 작품의 내용과 주제를 보다 생동감 있게, 효과적으로 전달하기 위해 쓰인다.

‘수필’ 감상 스킬

수필은 글쓴이의 경험이 담긴 글로, 다른 갈래와는 달리 글쓴이의 개성과 관점이 잘 드러나. 수필 속의 **‘누가/무엇을’**은 글쓴이에 대한 것이고, **‘어떻게’**는 글쓴이의 가치관을 효과적으로 드러내기 위해 고민한 방법들, 즉 표현상의 특징 등을 파악하는 거야. **‘왜’**는 글쓴이가 독자에게 전달하고 싶은 바인 창작 의도와 주제를 파악하는 것이지. 그렇다면 수필 속에서 ‘누가/무엇을’, ‘어떻게’, ‘왜’는 구체적으로 어떻게 파악할 수 있을까? 아래 제시된 ‘수필’ 감상 스킬을 살펴보자.

‘누가/무엇을’	❶ 글쓴이	[글쓴이의 경험] • 글쓴이가 경험한 대상이나 상황을 파악하라.	[글쓴이의 관점, 태도] • 글쓴이가 대상과 상황에 대해 어떤 관점 및 태도를 보이고 있는지 파악하라.
		+	
어떻게	❷ 표현	[표현상의 특징] • 글쓴이의 가치관을 효과적으로 드러내기 위한 전개 방식, 문체, 수사법(비유법, 강조법, 변화법) 등 표현상의 특징을 찾아라.	[표현상의 효과] • 표현상의 특징이 작품에서 지니는 효과를 파악하라.
		⇓	
왜	❸ 주제	[창작 의도, 주제] • ‘글쓴이의 경험’, ‘글쓴이의 관점, 태도’, ‘표현’을 종합하여 ‘글쓴이의 깨달음’, 즉 작품의 주제를 파악하라.	

스킬 태그

글쓴이의 관점, 태도

수필은 글쓴이가 일상생활, 자연 등에서 경험하거나 생각한 내용을 자유로운 형식으로 표현한 산문 형식의 글이다. 따라서 다른 갈래에 비해 글쓴이의 관점이나 태도가 보다 직접적으로 드러난다는 특징이 있다. 글쓴이의 관점은 글쓴이가 대상이나 상황에 대해 지니고 있는 시각이나 입장을, 글쓴이의 태도는 글쓴이가 대상이나 상황에 대해 보이는 반응을 말한다. 수필에 드러난 글쓴이의 관점 및 태도를 통해 글쓴이의 가치관이나 세계관 등을 짐작할 수 있다.

✓ 주요 대상(소재)에 대해 글쓴이의 태도로 자주 언급되는 용어는 다음과 같다. 글쓴이의 태도를 알아보기 위해서는 아래의 용어들을 참고하여 글쓴이의 태도를 판단해 보자.

- 예찬적: 자연, 대상의 품격, 숭고한 사랑 등
- 비판적: 물질 만능주의, 비인간적 태도 등
- 풍자적: 현실 세태, 시대에 어울리지 않는 인물의 모습 등
- 성찰적: 자기 자신, 현대(인)의 삶 등
- 회고적: 유년 시절에 대한 추억, 선조들에 대한 흠모 등

글쓴이의 문체

수필은 글쓴이의 경험을 솔직하고 자유롭게 쓴 글이기 때문에 글쓴이 고유의 특성이 잘 드러난다. 특히 문체는 작품의 개성을 드러내는 데 중요한 역할을 한다. 한자어나 고유어 중 어떤 것을 중심으로 쓰느냐, 간결하고 함축적이냐, 아니면 장황하고 설명적이냐 등에 따라 글의 느낌이 달라진다.

✓ 문체의 종류로는 다음과 같은 것들이 있다. 아래의 용어들을 참고하여 글쓴이의 문체를 판단해 보자.

- 간결체: 짧고 간결한 문장으로 내용을 명쾌하게 표현하는 문체
- 만연체: 많은 어구를 이용하여 반복 · 부연 · 수식 · 설명함으로써 문장을 장황하게 표현하는 문체
- 우유체: 문장을 부드럽고 순하게 표현하는 문체
- 강건체: 강직하고 거세며 남성적인 힘이 있는 문체
- 화려체: 문장이 매우 찬란하고 화려하며 음악적 가락을 띠고 있어 선명한 인상을 주는 문체
- 건조체: 문장 서술에서, 비유나 수사가 없거나 적은 문체

들판에서 ① _이강백

여러분은 누군가의 이간질로 형제나 친구와 갈등을 겪어 본 적이 있나요? 이 작품은 평화롭고 아름다운 들판에서 그림을 그리던 형과 아우가 측량 기사의 교묘한 이간질로 서로 총까지 겨누며 갈등을 겪게 되는 이야기예요. 과연 형제는 우애를 회복하고 다시 평화로운 들판을 되찾을 수 있을지 작품을 감상해 볼까요?

독해쌤의 감상 질문

1. 인물·사건 등장인물의 특징은 무엇인가요?
2. 배경·소재 • 현실 상황과 관련지어 소재들이 상징하는 의미는 무엇인가요?
   • 사건의 전개는 날씨의 변화와 어떤 관련이 있나요?
3. 주제 형제가 '벽'을 허무는 행동이 의미하는 바는 무엇인가요?

독해쌤 속닥속닥

◆ 평화롭고 아름다운 들판에서 우애 깊게 살아가는 형제 앞에 측량 기사와 조수가 등장하여 땅에 말뚝을 박고 밧줄을 칩니다. 형제는 이것을 꽤 의식하는 모습인데요, 이러한 모습으로 볼 때, 측량 기사와 조수의 등장은 새로운 사건과 갈등을 예고한다고 할 수 있어요.

해설

가 등장인물: 형, 아우, 측량 기사, 조수들, 사람들 / 장소: 들판

무대 뒤쪽에 들판의 풍경을 그린 커다란 걸개그림이 걸려 있다. 샛노란 민들레꽃, 빨간 양철 지붕의 집, 한가롭게 풀을 뜯는 젖소들이 동화책의 아름다운 그림을 연상시킨다.

걸개그림: 건물의 벽 따위에 걸 수 있도록 꾸며 만든 그림

해설 | 연극이 시작되기 전, 등장인물과 장소, 무대에 대한 소개

발단

나 막이 오른다. 형과 아우, 들판에서 그림을 그리고 있다. 형은 무대의 오른쪽에서, 아우는 왼쪽에서 수채화를 그린다. 둘 다 즐거운 표정으로, 휘파람을 불거나 노래를 부른다. 〈중략〉

형: 야, 멋진데! 아주 멋지게 그렸어! / 아우: 경치가 좋으니까 그림이 잘 그려져요.

형: 넌 정말 솜씨가 훌륭해! / 아우: 형님 솜씨가 더 훌륭하죠.

다 형과 아우, 열심히 그림을 그린다. 측량 기사와 두 명의 조수가 등장한다. 측량 기사는 측량기를 세워 놓고 조준경을 들여다보면서 조수들에게 손짓으로 신호를 보낸다. 측량 기사 앞쪽에는 한 명의 조수가 눈금이 그려진 표지봉을 들고 서 있다. 측량 기사의 뒤쪽에서는 측량이 끝난 지점마다 다른 조수가 말뚝을 박고 밧줄을 맨다.

조준경: 조준을 쉽고 정확하게 할 수 있도록 총포의 몸통 위에 붙이는, 원통으로 둘러싼 렌즈
표지봉: 사물의 위치를 표시하는 도구

형: (성난 모습으로) 여봐요! 여봐요! / 측량 기사 : (태연하게) 우리 말씀이신가요?

형과 아우: (측량 기사에게 다가간다.) 당신들, 지금 뭘 하고 있는 겁니까?

라 측량 기사: 네, 오늘 날씨가 화창해서 조수들을 데리고 야외 실습을 나왔어요.(눈을 가늘게 뜨고 들판을 둘러보며) 그냥 버려 두기에는 아까운 땅이군요. 공장 부지로 개발해서 팔거나 주택지로 나눠 팔면 큰돈을 벌겠어요! ㉠<u>그런데 왜 이렇게 화를 내시죠? 우릴 보자마자 고함을 지르고 삿대질까지 하시니 너무 심한 것 아닙니까?</u>

형: (아우에게) 우리가 너무 심했나? / 아우: 글쎄요…….

측량 기사: 내 조수들이 측량 경험이 없거든요. 그래서 실습을 나온 건데, 아무 설명도 없이 말뚝을 박아 대니까 화가 나셨나 보죠?

발단 | 평화로운 들판에 측량 기사가 나타나 말뚝을 박고 밧줄을 침

전개

마 측량 기사와 조수들, 작업을 진행하면서 퇴장한다. 형과 아우 사이를 나누어 놓은 일직선의 밧줄이 허리 높이만큼 매어져 있다. 형과 아우는 그림을 그리면서도 신경이 쓰이는지 말뚝과 밧줄을 힐끗힐끗 바라본다.

아우: 형님, 너무 걱정하지 마세요. 측량 실습을 끝내면 그들이 치운다고 했으니까요.

형: 그들이 잊고서 그냥 가면 어떻게 하지?

아우: 우리가 치우면 되잖아요?

형: 그렇구나. 난 괜히 염려했다. 그런데 지붕 그릴 빨간색 물감 좀 빌려주겠니?

아우: 그럼요. 이리 와서 가져가세요.

확인 문제

[01~04] 다음 설명이 맞으면 ○, 틀리면 ×표 하시오.

01 이 작품의 공간적 배경은 '들판'이다. (○, ×)

02 형보다 아우가 그림을 더 잘 그린다. (○, ×)

03 화창한 날씨는 갈등이 없는 평화로운 분위기와 잘 어울린다. (○, ×)

04 (라)에서 측량 기사는 형제의 재산을 지켜 주고 싶어 하는 마음을 드러낸다. (○, ×)

[05~07] 다음 빈칸에 들어갈 알맞은 말을 쓰시오.

05 이 작품은 무대에서 상연할 것을 목적으로 한 [ㅎ][ㄱ]이다.

06 측량 기사는 표면적으로는 측량 [ㅅ][ㅅ]을 목적으로 형제의 땅에 찾아왔다.

07 (마)에서 측량 기사가 설치한 [ㅁ][ㄸ]과 밧줄은 형과 아우가 있는 공간인 들판을 나누어 놓았다.

실력 문제

형상화 방식

08 이와 같은 글의 특징으로 적절하지 <u>않은</u> 것은?

① 사건을 현재형으로 표현한다.
② 시간적·공간적 제약을 받는다.
③ 등장인물의 수에 제약을 받지 않는다.
④ 주로 대사와 행동을 통해 사건이 전개된다.
⑤ 인물 간의 대립과 갈등을 중심으로 이야기가 전개된다.

인물·사건

09 윗글에 등장하는 인물들의 특징으로 적절하지 <u>않은</u> 것은?

① 형은 소극적인 성격이지만, 아우는 대범한 성격이다.
② 측량 기사와 조수들은 형제의 평화로운 들판을 훼손했다.
③ 형과 아우는 주동 인물, 측량 기사와 조수들은 반동 인물이다.
④ 측량 기사와 조수들은 형제의 갈등을 불러일으키는 계기를 만든다.
⑤ 형과 아우는 측량 기사의 속셈을 알아차리는 눈치가 빠른 인물이다.

인물·사건 + 어휘

10 ㉠에 드러난 '측량 기사'의 태도와 어울리는 한자 성어로 가장 적절한 것은?

① 동상이몽(同床異夢)
② 좌정관천(坐井觀天)
③ 새옹지마(塞翁之馬)
④ 적반하장(賊反荷杖)
⑤ 역지사지(易地思之)

수능형 배경·소재 + 주제

11 〈보기〉를 토대로 '들판'에 대해 이해한 내용이 가장 적절한 것은?

> 보기
>
> 문학 작품은 그 사회의 모습을 반영한다. 이 작품 또한 측량 기사의 태도 및 형제 사이의 대립과 갈등을 통해 우리 사회의 문제점을 표현하고 있다.

① 형제의 우애를 돋보이게 해.
② 분단된 우리 국토를 의미해.
③ 형과 아우에게 삶의 공간이야.
④ 한가롭고 여유로운 분위기가 느껴져.
⑤ 커다란 걸개그림을 이용하여 표현했어.

중략 부분 줄거리_ 형과 아우는 측량 기사가 쳐 놓은 밧줄을 보며 어렸을 때 했던 줄넘기 놀이를 떠올린다. 형제는 밧줄을 사이에 두고 가위바위보를 해서 이긴 사람이 줄을 넘어가는 놀이를 하는데, 아우는 세 번이나 형을 이기고 의기양양(뜻한 바를 이루어 만족한 마음이 얼굴에 나타난 모양)해하며 형은 아우의 모습을 보며 자존심이 상한다.

바 형: 너는 나보다 늦게 낸다! 내가 가위를 내면 너는 기다렸다가 바위를 내놓고, 내가 보를 내면 너는 그걸 본 다음 가위를 내놓잖아? / 아우: 아뇨! 난 형님과 동시에 냈어요!

형: 난 그림이나 그려야겠다. (뒤돌아서서 자신의 그림 앞으로 걸어가며) ㉠다시는 너하고는 놀이 안 해! / 아우: 형님, 나에게 지더니만 심통(마땅치 않게 여기는 나쁜 마음)이 났군요?

형: 너는 날 속이고 이겼어! / 아우: 아뇨! 형님이 지금 화를 내는 건 내가 이겼기 때문이에요. ㉡형님은 언제나 이겨야 하고, 동생인 나는 항상 져야 한다! 그게 바로 형님의 고정관념이죠! / 형: 미리 경고해 두겠는데, 내 허락 없이는 이쪽으로 넘어오지 마라!

아우: 그럼 형님도 내 땅에 넘어오지 마요!

사 측량 기사: (동생에게 넘어가서 묻는다.) ㉢어떻게 할까요? 당신 형님은 말뚝과 밧줄을 그냥 두라는데요?

아우: 밧줄은 약해요. 더 튼튼한 건 없어요? / 측량 기사: 더 튼튼한 거라면…….

아우: 젖소들이 넘어가지 못할 만큼 튼튼한 것이 필요해요.

측량 기사: 그거야 철조망도 있고, 높다란 벽도 있죠.

형: (아우를 향하여 꾸짖는다.) 너, 지금 무슨 짓을 하려는 거냐?

아우: 형님은 내 일에 상관하지 마세요! (측량 기사에게) 철조망보다는 벽이 좋겠어요. (손을 머리 위로 높이 들어 올리며) 이 정도 높은 벽을 쌓아 올리면 아무것도 넘어오지 못하겠죠! 〈중략〉

형과 아우, 각자 그림을 그리던 곳으로 돌아가 그림을 그린다. 맑았던 하늘이 흐려지고, 바람이 세게 불어온다.

아 측량 기사: 여러분은 저 벽이 얼마나 훌륭한 관광 명소인지 모르시는군요!

사람들: 관광 명소라뇨? / 측량 기사: 여러분이 이곳에 호텔을 세우면 큰돈을 벌 겁니다. 이처럼 아름다운 들판에서 벽을 쌓아 놓고 싸우는 어리석은 형제의 싸움을 보려고 수많은 관광객이 몰려올 테니까요. / 사람들: 설마, 그럴 리가…….

측량 기사: 아뇨, 틀림없이 몰려옵니다. ㉣싸움이 더욱더 치열해지면서 저 벽은 온 세상에 널리 알려질 것입니다. 여러분, 지금 분양할 때 사 두세요.

전개 | 형제가 측량 기사의 이간질에 넘어가 서로 대립하고 갈등함

절정

자 측량 기사: 이게 뭔지 알아요? / 아우: 총인데요.

측량 기사: 아주 성능이 좋은 총이죠. 당신은 이 총으로 벽을 지켜야 합니다.

아우: 벽을 지켜요? / 측량 기사: (아우의 손에 총을 쥐어 주며) ㉤ 지금은 외상으로 드릴 테니, 대금(물건의 값으로 치르는 돈)은 나중에 땅으로 주세요.

독해쌤 속닥속닥

◆ 형제는 밧줄을 사이에 두고 줄넘기 놀이를 하다가 다툼을 벌입니다. 이를 통해 지기 싫어하는 형의 권위적이고 독선적인 사고 방식과 동생이라서 형에게 항상 져 왔다는 동생의 피해 의식이 밖으로 드러나며 서로 대립하게 되지요. 이로 보아, 형제의 싸움은 사소한 것에서 시작되었고, 그 원인은 외부인 측량 기사에게만 있었던 것이 아니라 형제 내부에도 이미 존재하고 있었음을 알 수 있어요.

◆ 밧줄이 그어져 있을 땐 그래도 형제가 서로의 공간을 오가며 대화를 나눌 수 있었어요. 하지만 아우가 세우려고 하는 '벽'은 의사소통마저 불가능한 단절을 가져오죠. 이는 형과 아우의 갈등이 더욱 심화되었음을 나타내는 것입니다.

◆ 이 작품은 우리 민족의 현실과 연관 지어 해석할 수 있습니다. 측량 기사는 형제의 땅 위에 세워진 벽을 '관광 명소'라고, 형제의 갈등을 '어리석은 형제의 싸움'이라고 말하는데요. 이를 통해 작가가 남북으로 나뉘어 대치하고 있는 우리의 현실에 대해 비판적인 시선을 드러내고 있다는 것을 알 수 있습니다.

조수들: (가방에서 총알을 꺼내 놓으며) 여기 총알이 있어요.

측량 기사: 당신의 안전을 위해서 아낌없이 쏘세요!

ⓐ측량 기사와 조수들, 웃으며 퇴장한다. 벽의 오른쪽에서 형이 전망대 위로 올라간다. 탐조등이 켜지면서 강렬한 불빛이 벽 너머를 비춘다.

확인 문제

[01~04] 다음 설명이 맞으면 ○, 틀리면 ×표 하시오.

01 줄넘기 놀이로 가위바위보를 할 때, 아우는 형을 계속해서 이겼다. (○, ×)

02 (바)에서 아우는 형이 자신을 속여서 화가 났다. (○, ×)

03 '벽'은 '밧줄'보다 형제의 대립과 갈등을 더 심화시키는 소재이다. (○, ×)

04 (사)에는 형제와 측량 기사의 외적 갈등이 나타나 있다. (○, ×)

[05~07] 다음 빈칸에 들어갈 알맞은 말을 쓰시오.

05 (사)에서 아우는 [ㅈ][ㅅ]들을 자기 소유로 하려 한다.

06 (아)의 '관광 명소'는 분단된 우리 조국의 현실을 [ㅂ][ㅇ]적으로 표현한 것이다.

07 (자)의 '[ㅊ]'은 형제의 갈등을 최고조에 이르게 하며 긴장감을 유발하는 소재이다.

실력 문제

배경·소재 + 주제

08 '줄넘기 놀이'를 통해 작가가 궁극적으로 전달하려는 의미로 가장 적절한 것은?

① 형제간에도 정직과 신뢰가 필요하다.
② 형제간 갈등의 원인이 내부에도 존재했다.
③ 형제는 다투고 화해하면서 서로 돈독해진다.
④ 과거의 기억이 현재에도 영향을 미칠 수 있다.
⑤ 고정 관념을 버리고 융통성 있게 대처해야 한다.

인물·사건

09 ㉠~㉤에 나타난 등장인물의 특징으로 적절하지 않은 것은?

① ㉠: 아우에게 지기 싫어하는 독선적인 성격이다.
② ㉡: 형에 대한 피해 의식을 지니고 있다.
③ ㉢: 현실을 객관적으로 전달하려고 노력한다.
④ ㉣: 형제간에 싸움을 부추겨 잇속을 챙기고자 한다.
⑤ ㉤: 아우의 땅을 빼앗으려는 측량 기사의 계략이 숨어 있다.

인물·사건

10 ⓐ에서 '웃음'의 의미로 가장 적절한 것은?

① 대상을 희화화하는 해학적인 웃음
② 불안감을 감추려는 가식적인 웃음
③ 사회의 모순을 비판할 때의 쓴웃음
④ 허탈함을 감추려고 억지로 웃는 웃음
⑤ 계략에 넘어가는 상대방에 대한 비웃음

수능형 인물·사건 + 배경·소재

11 <보기>를 고려하여 윗글을 감상할 때, 인물과 소재의 상징적 의미로 적절하지 않은 것은?

보기

1945년 우리나라는 제2차 세계 대전이 종결됨에 따라 일본으로부터 해방된다. 하지만 북위 38도선을 경계로 남한에는 미군이, 북한에는 소련군이 주둔하게 됨에 따라 국토의 분단이라는 비극적인 운명을 맞이하게 되었다. 이후 남한과 북한에 각각의 정부가 수립되었고, 결국 6·25 전쟁이 일어나게 되었다.

① 벽: 휴전선
② 총: 군사적 대립
③ 형과 아우: 우리 민족
④ 측량 기사와 조수들: 북한
⑤ 전망대: 민족 간의 의심과 불신

들판에서 ③

독해쌤 속닥속닥

◆ 이 작품에서는 사건 진행 과정에 따라 날씨도 함께 변화해요. (차)에서는 형과 아우의 갈등이 최고조에 달해 서로를 향해 위협사격을 하자, 하늘에서 번개가 치고 천둥소리가 울려요. 또한 이렇게 험악해진 날씨 변화는 형제간의 갈등이 깊어지면서 조성되는 극도의 위기감을 드러내기도 한답니다.

차 조수들, 가죽 가방을 열고 장총의 분해품을 꺼낸다. 그리고 재빠르게 조립해서 형의 손에 쥐어 준다.

조수 1: 손이 떨려서 총을 잡지 못하는데요?

측량 기사: 꼭 쥐어 드려. 그리고 방아쇠 당기는 법을 가르쳐 드리라고.

조수 2: (형에게) 잘 보세요. 총 쏘는 건 간단해요.

조수 2, 형이 쥐고 있는 장총의 방아쇠를 당긴다. 요란한 총소리가 울려 퍼진다. 벽 너머의 아우, 그 소리에 놀라 몸을 움츠리더니 허공을 향해 위협사격을 한다. 놀란 형 역시 반사적으로 총을 쏘아 댄다. ⓐ<u>하늘에서 번개가 치고 천둥소리가 울린다.</u>

절정 | 측량 기사의 계략에 속은 형제가 총격전을 벌이며 극단적으로 대립함

하강

카 측량 기사, 퇴장한다. ⓑ<u>번개가 치고 천둥이 울리면서 비가 쏟아진다.</u> 형과 아우, 비를 맞으며 벽을 지킨다. 긴장한 모습으로 경계하면서 벽 앞을 오고 간다. 그러다 차츰차츰 걸음이 느려지더니, 벽을 사이에 두고 멈춰 선다.

◆ 비를 맞으며 벽을 지키던 형제의 걸음이 느려지는 것은 마음속의 갈등이 행동으로 나타난 것입니다. '비'는 형제가 스스로의 행동을 반성하게 되는 계기를 제공하고, 앞으로 형제가 서로 화해하게 될 것임을 넌지시 암시하죠.

형: 어쩌다가 이런 꼴이 된 걸까! 아름답던 들판은 거의 다 빼앗기고, 나 혼자 벽 앞에 있어.

아우: 내가 왜 이렇게 됐지? 비를 맞으며 벽을 지키고 있다니…….

형: 저 요란한 천둥소리! 부모님께서 날 꾸짖는 거야!

아우: 빗물이 눈물처럼 느껴져!

타 형: 들판에는 아직도 ㉠<u>민들레꽃</u>이 피어 있군! (총을 내려놓고 허리를 숙여 발 밑의 민들레꽃을 바라본다.) 우리가 언제나 다정히 지내기로 맹세했던 이 꽃…….

◆ 앞에서 생략된 내용이지만, 형제는 갈등을 겪기 전, 민들레꽃을 주고받으며 언제나 사이좋게 지내기로 맹세를 했었어요. 이렇듯 형제간의 우애의 증표였던 '민들레꽃'은 형제간의 우애를 다시 회복하게 하는 역할을 하지요. 즉 갈등 해결의 실마리가 되고 있어요.

아우: 형님과 내가 믿을 수 있는 건 무엇일까? 그것이 단 하나라도 남아 있다면 좋을 텐데……. 그렇구나, 민들레꽃이 남아 있어! (총을 내던지고, 민들레꽃을 꺾어 든다.) 이 꽃을 보니까 그 시절이 그립다. 형님과 함께 행복하게 지냈던 시절이 그리워…….

형: 벽 너머 저쪽에도 민들레꽃은 피어 있겠지…….

아우: 형님이 보고 싶어!

형: 동생 얼굴이 보고 싶구나!

하강 | 형제가 자신들의 행동을 반성하고 민들레꽃을 보며 서로를 그리워함

대단원

파 형과 아우, 그들 사이를 가로막은 벽을 안타까운 표정으로 바라본다. ⓒ<u>비가 그치면서 구름 사이로 한 줄기 햇빛이 비친다.</u> 〈중략〉 / 형과 아우, 민들레꽃을 여러 송이 꺾는다. 그리고 벽으로 다가가서 민들레꽃을 벽 너머로 서로 던져 준다. 형은 아우가 던져 준 꽃들을 주워 들고 <u>반색하고,</u>(매우 반가워하고) 아우는 형이 던진 꽃들을 주워 들고 기뻐한다. 서로 벽을 두드리며 외친다.

아우: 형님, 내 말 들려요?

형: 들린다, 들려! 너도 내 말 들리냐?

아우: 들려요! / 형: 우리, 벽을 허물기로 하자!

아우: 네, 그래요. 우리 함께 빨리 허물어요!

무대 조명, 서서히 꺼진다. 다만, 무대 뒤쪽의 들판 풍경을 그린 걸개그림만이 환하게 밝다. 막이 내린다.

대단원 민들레꽃을 벽 너머로 던져서 서로의 마음을 확인한 형제가 벽을 허묾

확인 문제

[01~04] 다음 설명이 맞으면 ○, 틀리면 ×표 하시오.

01 (차)에서 조수는 불안해하는 형에게 총을 쏘는 법을 알려 준다. (○, ×)

02 (차)에서 형제가 서로에게 총을 쏘면서 갈등이 최고조에 이르고 있다. (○, ×)

03 (카)에서 형제는 서로의 눈물을 보며 자신들의 잘못을 반성하게 되었다. (○, ×)

04 (파)에서 형제는 서로에게 민들레꽃을 던지며 화해하고자 하는 마음을 전한다. (○, ×)

[05~06] 다음 빈칸에 들어갈 알맞은 말을 쓰시오.

05 이 작품에서 ㄴㅆ의 변화는 사건의 전개와 밀접한 관련이 있다.

06 (파)에서 환한 걸개그림은 형제가 아름다운 ㄷㅍ을 되찾았음을 보여 준다.

실력 문제

주제

07 윗글을 현실 상황과 관련지을 때, '벽'을 허무는 행위의 의미로 적절하지 않은 것은?

① 분단 극복에 대한 염원
② 불평등한 사회에 대한 고발
③ 민족 통일에 대한 강한 의지
④ 우리 민족의 공동체 의식 회복
⑤ 외세의 개입과 간섭에 대한 저항

배경·소재

08 ㉠의 의미와 역할로 적절하지 않은 것은?

① 형제간 우애의 증표이다.
② 형제간의 신뢰를 회복하게 한다.
③ 부모님과의 기억을 회상하게 한다.
④ 형제간의 갈등 해소의 실마리를 제공한다.
⑤ 형제가 우애 있게 지내던 시절을 그리워하게 한다.

인물·사건 + 배경·소재

09 ⓐ~ⓒ에 따른 사건의 양상으로 적절한 것은?

① ⓐ는 인물의 비극적인 운명을 암시한다.
② ⓐ는 화해를 고민하는 형과 아우의 내적 갈등을 드러낸다.
③ ⓑ는 새로운 인물이 등장할 것임을 암시한다.
④ ⓑ는 갈등 상황의 변화를 예고하며 화해의 분위기를 조성한다.
⑤ ⓒ는 갈등이 최고조에 이르러 형제가 격하게 대립할 것임을 암시한다.

수능형 형상화 방식

10 윗글을 영화로 만든다고 할 때, 〈보기〉에서 감독이 계획한 내용으로 적절한 것끼리 묶인 것은?

보기

ㄱ. 하늘에서 번개가 칠 때 천둥소리는 효과음으로 처리해야겠어.
ㄴ. 부모님이 형을 호되게 꾸짖는 장면을 중간에 삽입해야겠어.
ㄷ. 형과 아우가 민들레꽃을 볼 때 민들레꽃을 크게 확대하여 촬영해야겠어.
ㄹ. "벽을 허물자."라는 대사를 형과 아우 모두 지친 목소리로 하도록 해야겠어.
ㅁ. 평화로운 들판의 모습을 보여 주다가 화면이 점점 어두워지는 것으로 영화를 마무리해야겠어.

① ㄱ, ㄴ, ㄷ ② ㄱ, ㄴ, ㅁ ③ ㄱ, ㄷ, ㅁ
④ ㄴ, ㄷ, ㄹ ⑤ ㄷ, ㄹ, ㅁ

작품 전체

발단	전개	절정	하강	대단원
평화로운 들판에 측량 기사가 나타나 말뚝을 박고 밧줄을 침	형제가 측량 기사의 이간질에 넘어가 서로 대립하고 갈등함	측량 기사의 계략에 속은 형제가 총격전을 벌이며 극단적으로 대립함	형제가 자신들의 행동을 반성하고 ❶[ㅁ][ㄷ][ㄹ][ㄲ]을 보며 서로를 그리워함	민들레꽃을 벽 너머로 던져서 서로의 마음을 확인한 형제가 ❷[ㅂ]을 허묾

발단 ⇒ 전개 ⇒ 절정 ⇒ 하강 ⇒ 대단원 (모두 교재 수록 부분)

✲: 교재 수록 부분

작품 압축

■ 소재의 상징적 의미

소재	의미	구분
밧줄, 말뚝	형제의 대립, 국토의 분단	갈등 관련
벽	형제의 단절, 휴전선	
전망대	형제간의 의심과 불신	
총	형제간 갈등의 최고조, 무력 충돌	
❸[ㅂ]	후회와 반성의 계기, 내적 갈등의 유발	화해 관련
민들레꽃	❹[ㅇ][ㅇ]의 증표, 갈등 해소의 실마리	
형제	우리 민족(남과 북)	현실 관련
❺[ㄷ][ㅍ]	우리 국토	
측량 기사	외세(외부 세력)	

■ 날씨에 따른 사건의 전개

날씨	사건	구성
맑음	형제가 평화롭게 그림을 그림	발단
구름, 바람	형제가 측량 기사의 계략에 빠져 갈등함	전개
천둥, 번개	형제의 갈등이 최고조에 이름	절정
천둥, 번개, 비	형제가 잘못을 반성함	❻[ㅎ][ㄱ]
❼[ㅎ][ㅂ]	형제가 우애를 회복함	대단원

배경·소재 / 인물·사건 / 주제

■ 등장인물의 특징

인물	특징	유형
형	• 소극적이며 권위적임 • 체면을 중시함	주동 인물, 입체적 인물
아우	• 적극적이고 대범함 • 형에 대한 ❽[ㅍ][ㅎ] 의식이 있음	
측량 기사	• 교활하고 ❾[ㄱ][ㅅ]적임 • 능청스럽고 뻔뻔함	반동 인물, 평면적 인물

■ 작품의 주제

'벽'을 허무는 행동의 의미

- 형제간의 갈등 해소
- 우리 민족의 동질성 회복과 ❿[ㅌ][ㅇ]에의 염원

⇓

주제

- 형제가 마음의 벽을 허물고 우애를 회복함
- 남북 분단의 현실과 극복 의지

어휘력 테스트

1 **다음 괄호 안에 들어갈 단어를 〈보기〉에서 골라 써 보자.**

> 보기
> 측량 명소 심통

(1) 새로 만들어진 공원이 동네 ( )이/가 되었다.

(2) 잠에서 깬 아이가 ( )을/를 부리며 계속 운다.

(3) 부모님의 사랑은 무엇으로도 ( )이/가 어려울 만큼 크다.

2 **다음 단어를 활용하기에 적절한 문장을 찾아 바르게 연결해 보자.**

(1) 염려하다 • • ㉠ 뒷일을 ( ) 말고 현재에 최선을 다하자.

(2) 반색하다 • • ㉡ 선수들은 결승전을 앞두고 ( ) 신경전을 벌였다.

(3) 치열하다 • • ㉢ 시골에 계신 할머니께서는 오랜만에 만난 손자를 ( ) 맞아 주셨다.

독해쌤과 함께하는 감상 넓히기

남북 분단의 현실과 통일에 대한 염원을 담은 작품

이번에 감상한 「들판에서」를 우리의 분단 현실에 비추어 보면 형제는 우리 민족(남과 북)을, 형제의 화해는 민족의 통일을 상징하죠. 이와 같이 우리 민족의 안타까운 분단 현실과 이에 대한 극복을 염원하는 내용을 담은 문학 작품이 많답니다. 이러한 작품들을 더 감상해 볼까요?

봄은_신동엽

자주적 통일에 대한 염원과 확신을 노래한 시입니다. 민족의 통일을 상징하는 '봄'과 분단의 고통과 군사적 대립을 상징하는 '겨울'의 대립적인 이미지를 통해 시상을 전개하며 분단의 현실을 극복하기 위해 주체적이고 자주적인 태도가 필요함을 강조하고 있는 작품입니다.

공동 경비 구역 JSA_박찬욱 외 각색

남한군과 북한군이 대치하는 공동 경비 구역인 'JSA'를 배경으로 남한과 북한 병사의 우정을 그리고 있는 시나리오입니다. 민족의 갈등은 우리가 원한 것이 아니었으며, 남한과 북한의 이념적인 갈등이 휴머니즘으로 극복될 수 있음을 보여 주고 있는 작품입니다.

집으로 ① _이정향

앞부분 줄거리_ 서울에서 엄마와 살던 7살 상우는 엄마의 사업 실패로 가정 형편이 어려워지자 잠시 시골 외할머니 댁에 맡겨진다. 상우는 말도 못 하고 글도 못 읽는 할머니와 산골 외딴집에서 사는 일이 무척이나 따분하다. 상우는 전자오락기의 건전지를 사려고 할머니를 조르지만 할머니는 돈이 없다. 이에 화가 난 상우는 할머니에게 온갖 심통을 부린다. 프라이드치킨을 먹고 싶어 하는 상우를 위해 할머니는 비를 맞으며 장에 나가 닭을 사 온다. 기대하던 프라이드치킨이 아니라 백숙이 상에 나오자 상우는 투정을 부리다 잠이 들지만, 한밤중에 일어나 백숙을 맛있게 먹는다. 이튿날 감기 몸살에 걸려 끙끙 앓는 할머니 대신 밥상을 차리면서 상우는 할머니의 고단함을 알게 된다.

하강

가 S#54 거리 가게 / 모퉁이에 숨어서 할머니를 보고 있는 상우. 창피하고 난감하고 슬픈 표정이다. 길 건너편에선 할머니가 보따리를 풀고 앉아 나물과 채소를 팔고 있다. 젊은 엄마들 사이에 끼어서 손님을 향해 손짓을 하는 할머니. 더 집어 가는 손님을 막지 못하고 손해 보듯 팔고 있다. ㉠상우는 할머니 때문에 슬프고 화가 난다.

나 S#55 신발 가게

신발 가게 주인 내가 잘 골랐재. 맞춤 모냥 딱 맞네. 모냥이나 색깔이나 이게 제일이여. 어따, 발이 훤―하니께 인물까정 사네. / 상우는 까닭 모를, 혼자만 알 듯한 눈물을 뚝 떨군다.

다 S#56 중국 음식점 / 허름한 중국집. 그래도 손님은 많다. 상우는 자장면을 허겁지겁 먹고 있고, 할머니는 양파 한 점을 오물거리며 간간이 엽차를 마신다. 자기만 먹는 게 신경 쓰인 상우가 할머니를 보면, 할머니는 '어여 먹어. 난 배 안 고파.'라는 손짓을 해 보인다.

(엽차: 잎을 따서 만든 차. 또는 그것을 달이거나 우려낸 물)

(시간 경과)

계산대 앞. 허리춤에서 꼬깃꼬깃한 천 원짜리 몇 장을 꺼내 간신히 계산을 하는 할머니. 전 재산인 듯한 분위기. 상우, 그 광경을 유심히 본다.

라 S#57 전파상 앞 / 전파상 앞을 지나다 '밧데리'라는 글자를 보고 멈춰 서는 상우. 한참을 바라본다. 할머니가 다가오자 상우는 별일 아니라는 듯 다시 길을 간다.

마 S#61 동네 정류장 / 상우, 광주리를 깔고 앉아 턱을 괴고 있다. 한참을 기다린 듯. 버스 여러 대가 지나가지만 할머니는 내리지 않는다. 이젠 아무도 내리지 않고 떠난다. 혐오하던 먼지를 뒤집어쓰면서도 계속 기다리는 상우. 한참 후 일어선다. 광주리를 머리에 쓰고 집으로 간다.

(광주리: 대, 싸리, 버들 따위를 재료로 하여 바닥은 둥글고 촘촘하게, 위쪽은 성기게 엮어 만든 그릇)
(혐오하던: 싫어하고 미워하던)

바 S#63 동네 정류장(해 질 녘)

상우, 정류장까지 또 와 버렸다. 버스 한 대가 금방 도착하고 내리는 사람 없이 떠난다. 그런데 저 멀리 버스가 온 방향에서 할머니가 걸어오고 있는 게 아닌가. 그 보따리를 힘들게 들

여러분은 할머니, 할아버지에 대한 추억이 있나요? 혹은 서로 다른 환경에서 살아온 탓에 시골 할머니, 할아버지와 어색했던 적은 없었나요? 이 작품은 도시에서 살다 온 일곱 살 소년과 평생 시골에서만 사신 말 못하는 할머니가 함께 사는 모습을 보여 주고 있어요. 어색한 두 사람은 어떻게 가까워질까요? 작품을 함께 감상해 볼까요?

독해쌤의 감상 질문

1. 인물·사건 • '할머니'에 대한 '상우'의 태도는 어떻게 변하고 있나요?
   • '할머니'를 대하는 '상우'의 변화된 모습은 무엇인가요?
2. 형상화 방식 이 작품의 형상화 방식에는 무엇이 있나요?
3. 주제 '할머니'를 위한 '상우'의 행동에서 발견할 수 있는 이 작품의 주제는 무엇인가요?

독해쌤 속닥속닥

◆ S#56, 57에는 상우의 변화된 모습이 나타나요. 고생해서 나물과 채소를 판 할머니가 신발을 사 주고, 또 자신에게만 자장면을 사 준 뒤, 꼬깃꼬깃한 돈을 내는 모습을 보고, 넉넉지 않은 사정임에도 할머니가 자신에게 마음을 썼음을 이해한 거죠. 그래서 상우는 전자 오락기에 넣을 건전지를 사고 싶은 마음을 할머니에게 내색하지 않아요.

◆ S#63에는 더욱 변화된 상우의 모습이 나타나 있어요. 오래도록 기다린 할머니가 버스를 타지 않고 걸어오자, 상우는 할머니에 대한 미안함과 할머니의 사랑을 느끼고 아껴 두었던 초코파이를 할머니의 보따리에 넣어 두죠.

고서. 왜 버스를 안 타고 걸어오는지 의아한 상우. 무척 피곤해 보이는 할머니의 땀에 전 얼굴을 보자 상우는 짐작이 간다. 울고 싶어진다…….

의아한: 의심스럽고 이상한

할머니 '왜 나와 있어? 집에 있지.'

상우는 미안한 마음에 심통을 부린다. 할머니는 예의 그 '미안.'이라는 뜻의 수화를 하는데 이번에는 상우가 짜증을 안 낸다. 대신 할머니의 보따리를 화난 듯이 낚아채고 성큼성큼 앞서 걷는다. 걷다가 생각난 듯 주머니의 초코파이를 꺼내 보따리에 살짝 넣어 둔다.

하강 | 할머니와 장에 다녀온 뒤로, 상우가 할머니의 마음을 어렴풋이 깨달아 감

[01~02] 다음 설명이 맞으면 ○, 틀리면 ×표 하시오.

01 이 작품은 일반적인 경우와 비교할 때, 지시문보다는 대사를 중심으로 하여 사건을 전달한다. (○, ×)

02 S#56에서 할머니가 상우에게만 자장면을 사 준 이유는 배가 고프지 않아 먹기 싫었기 때문이다. (○, ×)

[03~04] 다음 빈칸에 들어갈 알맞은 말을 쓰시오.

03 이 작품은 영화를 만들기 위하여 쓴 각본인 [ㅅ][ㄴ][ㄹ][ㅇ]로, 장면이나 그 순서, 배우의 행동이나 대사 등을 상세하게 표현한다.

04 S#63에서 상우는 할머니에 대한 미안함과 사랑의 표현으로 '[ㅊ][ㅋ][ㅍ][ㅇ]'를 할머니의 보따리에 넣어 둔다.

실력 문제

형상화 방식

05 이와 같은 글에 대한 설명으로 적절하지 않은 것은?

① 장면 전환이 자유롭다.
② 장면(scene)을 기본 단위로 한다.
③ 촬영을 위한 특수 용어들이 사용된다.
④ 시간과 공간, 등장인물의 수에 제약이 많다.
⑤ 인물의 대사와 행동을 통해 사건이 전개된다.

인물·사건

06 '할머니'에 대한 '상우'의 태도가 변했음을 알 수 있는 부분에 해당하는 것은? (정답 2개)

① 할머니가 사 준 새 신발을 신고 다니는 모습
② 할머니가 사 준 자장면을 허겁지겁 먹는 모습
③ 버스 정류장에 다시 나와 할머니를 기다리는 모습
④ 전파상 앞에 멈춰 섰다가 할머니가 다가오자 별일 아니라는 듯 다시 길을 가는 모습
⑤ 할머니가 꼬깃꼬깃한 천 원짜리 몇 장을 꺼내 간신히 계산하는 것을 유심히 보는 모습

배경·소재

07 '할머니'에 대한 '상우'의 미안함과 사랑을 나타내는 소재로 적절한 것은?

① 자장면 ② 광주리
③ 초코파이 ④ 새 신발
⑤ 버스 정류장

인물·사건

08 ㉠의 이유로 적절하지 않은 것은?

① 할머니가 고생하는 모습을 봐서
② 숨어 있을 뿐 어떻게 해야 할지 몰라 난감해서
③ 할머니가 나물과 채소를 손해 보듯 팔고 있어서
④ 할머니가 전자 오락기에 넣을 건전지를 사 줄 수 없을 것 같아서
⑤ 할머니가 길에서 장사하는 모습이 창피해 숨어 있는 자신이 못마땅해서

집으로 ②

대단원 **사** S#83 방(밤)

상우, 스케치북을 펼쳐 놓고 할머니에게 글자를 가르치고 있다. '아프다', '보고 싶다'라는 단어가 상우의 솜씨로 큼지막하게 쓰여 있다. 할머니, 상우가 써 준 글자를 따라 써 보지만 눈도 잘 안 보이고 게다가 까막눈이 아니던가……. 글자 모양이 영 아니다.
글을 읽을 줄 모르는 무식한 사람

상우 (자기가 쓴 글을 짚으며) 이건 '아프다', 요건 '보고 싶다.' 써 봐, 다시.

할머니, 미안한 표정으로 애써 보지만 이상한 선만 그어진다.

상우 에이, 참! 그것도 하나 못 해? (화를 내지만 예전의 상우랑은 다르다.)

할머니, 다시 노력해 보지만…….

상우 할머니 말 못 하니까 전화도 못 하는데 편지도 못 쓰면 어떡해……!

할머니, 면목이 없다는 듯 노력해 본다. 애처롭다.
남을 대할 만한 체면 / 가엽고 불쌍하여 마음이 슬프다

상우 (그 모습을 보다가) 할머니, 많이 아프면 그냥 아무것도 쓰지 말고 보내. 그럼 상우가 할머니가 보낸 건 줄 알고 금방 달려올게. 응? 알았지? (울먹울먹하더니 줄줄 운다.)

할머니, 노력해도 안 된다는 걸 아는지라 연필을 꼭 쥔 채로 고개만 주억거리며 눈물을 참는다. 잠시 우는 시간…….
고개를 앞뒤로 천천히 끄덕거리며

(시간 경과) / 할머니는 자고 있고, 상우는 구석에서 등을 돌리고 무엇엔가 열중. 바늘에다 실을 꿰고 있다. 적당한 길이로 실을 끊는다. 반짇고리의 모든 바늘에 실을 꿰어 놓았다.
바늘, 실, 골무, 헝겊 등의 바느질 도구를 담는 그릇

아 S#84 마당(깊은 밤) / 밖에서 본 방. 불이 꺼졌다가 다시 켜진다.

S#85 방 / 상우, 이번엔 크레파스 통을 연다.

S#86 마당 / 창호지 문으로 보이는 실루엣. 흐릿한 불빛 아래 ㉠상우가 바닥에다 대고 무언가를 그리고 있다. 밤이 깊어 가도록…….

자 S#87 동네 정류장(낮)

엄마, 상우, 할머니가 서 있다. 상우는 올 때와는 달리 단출한 짐이다. ㉡많이 운 얼굴이다.
일이나 차림차림이 간편한
버스가 온다. 상우, 타기 전에 할머니에게 무언가를 소중하게 건네고 ㉢홱 돌아 타 버린다.

차창에 작은 키로 붙어서 상우를 보려고 애쓰는 할머니. 상우, ㉣할머니를 외면하고 고개를 떨구고 있다. 쏟아지는 눈물을 참는 듯. 차가 움직이기 시작하자 할머니를 보려고 뒷좌석으로 달려간다. ㉤멀어져 가는 할머니를 놓치지 않으려는 다급함으로 '미안.' 수화를 보낸다. 눈물이 글썽글썽. 할머니, 아쉬움에 차를 쫓지만 금세 멀어진다. 그래도 계속 따라간다. 이미 차는 꽁지도 안 보이는데……. 할머니, 드디어 멈춰 선다. 미동도 않고 버스가 사라진 길만 보고 있다. 한참을 보다가 상우가 주고 간 것들을 펴 본다. 상우가 아꼈던 로봇 그림엽서들이다. 뒤집어 보면 다섯 장 모두에 주소와 상우 이름이 큰 글씨로 쓰여 있다. 보내는 사람 칸에 '할머니', 우표 칸엔 '상우한테 바드세요.', 사연 칸엔 할머니가 누워 있는 그림과 할머니 얼굴 그림이 한 장마다 번갈아 그려져 있고 그 밑엔 '아프다', '보고 싶다.'라고 쓰여 있다. 모두 다섯 장.
약간 움직임

독해쌤 속닥속닥

◆ S#83에서 상우는 자신이 떠난 후에 할머니가 겪게 될 어려움을 생각하여 도움을 주려 하고 있어요. 글자를 모르는 할머니에게 '아프다', '보고 싶다'라는 뜻을 전할 수 있도록 글자를 가르치고, 눈이 어두운 할머니를 위해 바늘에 실을 꿰어 놓지요. 이렇듯 이기적이며 철이 없던 상우는 할머니에게 마음을 열고 할머니에 대한 사랑과 배려를 보여 주고 있답니다.

◆ S#87에서는 상우가 떠나기 전날 밤에 열심히 만들어 둔 것이 로봇 그림엽서임을 보여 주고 있어요. 말을 못해서 전화를 할 수 없고, 글을 못 읽어서 편지도 쓸 수 없는 할머니를 걱정하는 상우가 만든 '로봇 그림엽서'는 할머니에 대한 상우의 사랑과 배려가 담긴 소재라고 할 수 있겠죠?

◆ 할머니가 집을 향해 가는 모습을 담담하게 보여 줌으로써 보는 사람으로 하여금 여운을 느끼게 하고 있어요.

'아프다', '보고 싶다.', '아프다', '보고 싶다.' 그리고 '보고 싶다.'……. 엽서를 한 장 한 장 넘기던 할머니는 거친 손으로 눈물을 닦는다.

할머니가 집을 향하여 걸어가는 모습이 멀리서 보인다. 마치 아무 일도 없었다는 듯 차곡차곡 걸어가는 뒷모습…….

대단원 상우는 혼자 남을 할머니를 걱정하며, 자신이 아끼던 로봇 그림엽서를 주고 떠남

[01~02] 다음 설명이 맞으면 ○, 틀리면 ×표 하시오.

01 S#83에서 장난기가 발동한 상우는 할머니에게 일부러 잘못된 글자를 가르쳐 주고 있다. (○, ×)

02 할머니를 두고 떠나야 하는 상우가 가장 걱정하는 것은 할머니가 상우를 보고 싶을 때, 그리고 몸이 아플 때 연락할 수 있는 방법이다. (○, ×)

[03~04] 다음 빈칸에 들어갈 알맞은 말을 쓰시오.

03 이 작품은 외할머니와 손자 상우 간에 싹튼 가슴 따뜻한 [ㅅ][ㄹ]을 그리고 있다.

04 S#87에서 상우가 떠나며 할머니에게 건넨 '로봇 [ㄱ][ㄹ][ㅇ][ㅅ]'는 할머니에 대한 상우의 진심 어린 배려와 사랑을 의미한다.

인물·사건 + 배경·소재

05 '할머니'에 대한 '상우'의 마음이 드러난 모습으로 적절하지 않은 것은?

① 할머니에게 글자를 가르친다.
② 글을 모르는 할머니를 위해 밤새 그림엽서를 만들어 둔다.
③ 할머니에게 자신이 가장 아끼던 로봇을 고쳐서 선물로 주고 간다.
④ 할머니에게 많이 아프면 아무것도 쓰지 말고 편지를 보내라고 일러둔다.
⑤ 눈이 어두운 할머니를 위해 반짇고리의 모든 바늘에다 실을 꿰어 놓는다.

인물·사건

06 ㉠~㉤의 행동에 담긴 의미로 적절하지 않은 것은?

① ㉠: 혼자 남을 할머니를 걱정하는 마음이 담겨 있다.
② ㉡: 할머니와의 헤어짐을 슬퍼하는 마음이 담겨 있다.
③ ㉢: 그림엽서를 건네는 자신의 행동을 쑥스러워하는 마음이 담겨 있다.
④ ㉣: 자신을 붙잡지 않는 할머니를 원망하는 마음이 담겨 있다.
⑤ ㉤: 그동안 할머니를 무시하고 투정을 부렸던 것에 대해 사과하는 마음이 담겨 있다.

수능형 형상화 방식

07 <보기>는 윗글을 영화화하기 위한 촬영 및 편집 계획이다. 그 내용으로 적절하지 않은 것은?

보기

• S#83에서 상우의 진심을 보여 주기 위해 겉으로는 화를 내는 표정을 짓지만, 속으로는 안타까워하는 감정이 느껴지게 연기하도록 해야겠어. …… ㉮
• S#83에서 관객들이 할머니와 상우의 감정에 공감할 수 있도록, 할머니가 눈물을 참는 부분부터 슬픈 배경 음악을 삽입해야겠어. …… ㉯
• S#84, 85에서 상우가 무엇을 하고 있는지 확실히 보여 주기 위해, 크레파스로 로봇 그림엽서에 그림을 그리는 장면과 그림 내용을 삽입해야겠어. …… ㉰
• S#86에서 할머니를 위해 상우가 무언가를 열심히 그리고 있는 실루엣을, 흐릿하지만 따뜻한 느낌이 드는 조명을 써서 표현해야겠어. …… ㉱
• S#87에서 관객들에게 여운을 주기 위해 할머니의 뒷모습이 담긴 마지막 장면을 서서히 어두워지게 편집해야겠어. …… ㉲

① ㉮ ② ㉯ ③ ㉰ ④ ㉱ ⑤ ㉲

작품 전체

발단	전개	절정	하강✲	대단원✲
서울에서 엄마와 살던 일곱 살 상우가 시골 외할머니 댁에 맡겨짐	상우는 오락기의 건전지를 사려고 할머니를 조르나, 할머니가 돈이 없자 심통을 부림	치킨이 먹고 싶은 상우를 위해 할머니는 장에 다녀와 ❶ㅂㅅ을 해 준 뒤, 몸살에 걸림	할머니와 장에 다녀온 뒤로, 상우가 할머니의 마음을 어렴풋이 깨달아 감	상우는 혼자 남을 할머니를 걱정하며, 자신이 아끼던 로봇 그림엽서를 주고 떠남

✲: 교재 수록 부분

작품 압축

■ '할머니'에 대한 '상우'의 태도 변화

'발단~하강'에서 상우의 태도

- 시골에 오게 된 것이 짜증나고, 할머니가 싫음
- 자신이 원하는 것을 얻지 못하거나 할 수 없으면, 할머니에게 ❷ㅅㅌ을 부리거나 화를 냄

⇓ 할머니의 사랑을 깨달음

'대단원'에서 상우의 태도

- 할머니가 걱정되며 헤어지고 싶지 않음
- 할머니를 위해 자신이 할 수 있는 배려의 행동을 함

■ '할머니'를 대하는 '상우'의 변화된 모습

S#61	싫어하던 먼지를 뒤집어쓰면서도 버스 정류장에서 할머니를 기다림
S#63	버스비가 없어 걸어온 할머니의 보따리에 아끼던 초코파이를 넣어 둠
S#83	• 할머니에게 글자를 가르쳐 주려 함 • 모든 바늘에 실을 꿰어 놓음
S#84 ~ S#87	아끼던 그림엽서에 '❸ㅇㅍㄷ', '보고 십(싶)다.'라고 쓰고, 그림을 그려 할머니에게 줌

인물·사건 / 형상화 방식 / 주제

■ 작품의 갈래적 특징 및 형상화 방식

시나리오의 특징

- 등장인물의 ❹ㄷㅅ와 행동을 통해 사건을 현재형으로 보여 줌
- 해설, 대사, 지시문으로 구성되며, 장면(scene)을 기본 단위로 함
- 시간과 공간, 등장인물의 수에 제약이 거의 없음
- 영화 촬영을 목적으로 하기 때문에 특수 용어가 쓰임

⇓

- 등장인물의 특성상 대사보다는 ❺ㅈㅅㅁ의 비중이 높음
- 할머니에 대한 상우의 심리 변화가 대사와 행동을 통해 효과적으로 드러남

■ '상우'의 행동에 담긴 의미와 작품의 주제

할머니를 떠나기 전, 상우의 행동

- 할머니에게 글자를 가르쳐 주려 함
- 반짇고리의 모든 ❻ㅂㄴ에 실을 꿰어 놓음
- 글을 모르는 할머니를 위해 그림엽서를 만듦

⇓

상우의 행동에 담긴 의미

- 혼자 남을 할머니를 ❼ㄱㅈ하는 마음
- 할머니에 대한 진심 어린 배려와 사랑

작품의 주제

희생적인 외할머니와 철부지 손자의 가슴 따뜻한 ❽ㅅㄹ 

어휘력 테스트

1 **다음 단어를 활용하기에 적절한 문장을 찾아 바르게 연결해 보자.**

(1) 의아하다 •　　• ㉠ 등산을 갈 때는 (　　　　) 차림이 제격이다.

(2) 난감하다 •　　• ㉡ 나는 미희처럼 부지런한 아이가 지각을 한 사실이 (　　　　) 점심시간에 그 이유를 물어보았다.

(3) 단출하다 •　　• ㉢ 수지와 싸운 뒤로, 함께 하는 동아리 모임에 나가야 할지, 나가지 말아야 할지 (　　　　) 상황이었다.

2 **다음 〈보기〉의 뜻을 참고하여 십자말풀이를 완성해 보자.**

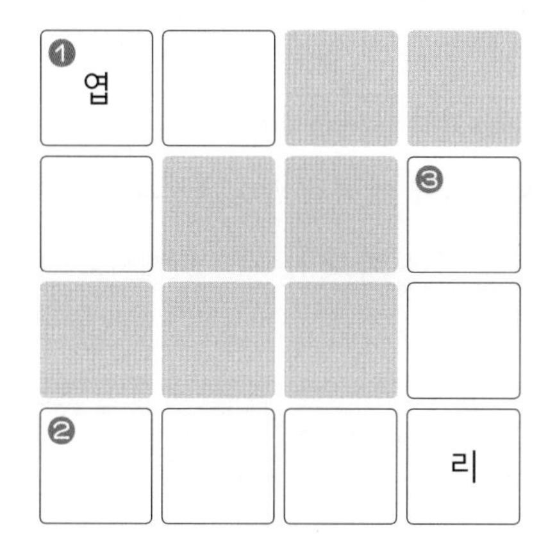

보기

가로

❶ 규격을 한정하고 우편 요금을 냈다는 표시로 증표(證標)를 인쇄한 편지 용지
예 그림○○, 사진○○, 우편○○

❷ 바늘, 실, 골무 등의 바느질 도구를 담는 그릇

세로

❶ 잎을 따서 만든 차

❸ 대, 싸리, 버들 따위를 재료로 하여 바닥은 둥글고 촘촘하게, 위쪽은 성기게 엮어 만든 그릇

독해쌤과 함께하는 감상 넓히기

'할머니'를 소재로 한 작품

이번에 감상한 「집으로」와 같이 '할머니'를 소재로 한 작품들이 많이 있어요. 다양한 작품들 속에서 할머니는 세대 차이에서 비롯된 삶의 방식의 차이로 갈등을 겪기도 하고, 손주에게 따뜻한 사랑을 아낌없이 주기도 하지요. 이처럼 '할머니'를 소재로 하고 있는 작품들을 더 감상해 볼까요?

할머니를 따라간 메주_오승희

오랫동안 도시에서 살아온 엄마와 도시의 생활이 익숙하지 않은 할머니 간의 가치관 차이로 인한 갈등을 다룬 소설입니다. 전통적인 삶의 방식을 고수하려는 할머니와 편리한 생활에 익숙한 엄마 사이의 갈등과, 그 갈등을 해결하려는 어린 '나'의 모습을 잘 그려 낸 작품입니다.

외할머니의 뒤안 툇마루_서정주

외할머니네 집 툇마루에 얽힌 어린 시절을 추억하며 그리워하고 있는 화자의 심정이 담겨 있는 시입니다. 어머니께 꾸중을 들은 날 외할머니네 집 뒤안의 툇마루를 찾아와, 외할머니가 따다 주신 오디 열매를 먹으며 위로를 받던 추억을 통해 할머니의 따뜻한 사랑을 그려 낸 작품입니다.

파초 _ 이태준

혹시 여러분은 집에서 식물을 키워 본 적이 있나요? 정성을 다해 키운 식물이 부쩍 자랐을 때 어떤 마음이 들었나요? 이 작품은 글쓴이가 파초를 정성껏 키우면서 느꼈던 애정과, 파초와 관련하여 앞집 사람과 겪었던 일화를 이야기하고 있어요. 파초를 대하는 글쓴이의 태도에 집중하며 작품을 감상해 볼까요?

독해쌤의 감상 질문

1. 글쓴이 • '파초'를 통해 드러나는 글쓴이의 가치관은 어떠한가요?
   • 글쓴이가 '앞집 사람'을 통해 비판하는 현대인의 모습은 무엇인가요?
2. 표현 '파초'가 지닌 멋을 효과적으로 드러낸 표현 방법은 무엇인가요?
3. 주제 이 작품을 통해 글쓴이가 전달하려는 바는 무엇인가요?

전반부

가 작년 봄에 이웃에서 파초 한 그루를 사 왔다. 얻어 온 것도 두어 뿌리 있었지만 모두 어미 뿌리에서 새로 찢어 낸 것들로 앉아서나 들여다볼 만한 키들이요 '요게 언제 자라서 키 큰 내가 들어선 만치 그늘이 지나!' 생각할 때는 저윽 한심하였다. 그래 지나다닐 때마다 눈을 빼앗기던 이웃집 큰 파초를 그예 사 오고야 만 것이다. / 워낙 크기도 했지만 파초는 소 선지가 제일 좋은 거름이란 말을 듣고 선지는 물론이고 생선 씻은 물, 깻묵 물 같은 것을 틈틈이 주었더니 작년 당년으로 성북동에선 제일 큰 파초가 되었고 올봄에는 새끼를 다섯이나 뜯어내었다. 그런 것이 올여름에도 그냥 그 기운으로 장차게 자라 지금은 아마 제일 높은 가지는 열두 자도 훨씬 더 넘을 만치 지붕과 함께 솟아서 퍼런 공중에 드리웠다.

(저윽: 꽤 어지간한 정도로 / 눈을 빼앗기던: 마음에 들었던 / 그예: 마지막에 가서는 기어이 / 선지: 짐승을 잡아서 받은 피 / 당년: 그해 / 장차게: 곧고도 길게 / 열두 자: 약 363.6cm)

나 ㉠파초는 언제 보아도 좋은 화초다. 폭염 아래서도 그의 푸르고 싱그러운 그늘은, 눈을 씻어 줌이 물보다 더 서늘한 것이며 비 오는 날 다른 화초들은 입을 다문 듯 우울할 때 파초만은 은은히 빗방울을 퉁기어 주렴(珠簾) 안에 누웠으되 듣는 이의 마음 위에까지 비를 뿌리고도 남는다. 가슴에 비가 뿌리되 옷은 젖지 않는 그 서늘함, 파초를 가꾸는 이 비를 기다림이 여기 있을 것이다.

(주렴: 구슬 따위를 꿰어 만든 발)

전반부 | 파초를 정성으로 키우고 파초를 통해 큰 즐거움을 얻는 '나'

후반부

다 오늘 앞집 사람이 일찍 찾아와 보자 하였다. 나가니

"거 저 파초 파십시오." / 한다. / "팔다니요?"

"저거 이전 팔아 버리셔야 합니다. 저렇게 꽃이 나온 건 다 큰 표구요, 내년엔 영락없이 죽습니다. 그건 제가 많이 당해 본 걸입쇼." / 한다.

(표구: 표시)

라 "그까짓 인제 둬 달 더 보자구 그냥 두세요? 지금 팔면 파초가 세가 나 저렇게 큰 건 오 원도 더 받습니다……. 누가 마침 큰 걸 하나 구한다니, 그까짓 슬쩍 팔아 버리시죠."

(둬 달: 두어 달 / 세가 나: 시세가 올라)

㉡생각하면 고마운 일이다. 이왕 죽을 것을 가지고 돈이라도 한 오 원 만들어 쓰라는 말이다.

㉢그러나 나는 마음이 얼른 쏠리지 않는다. / "그까짓 거 팔아 뭘 하우."

"아, 오 원쯤 받으셔서 미닫이에 비 뿌리지 않게 챙이나 해 다시죠."

(챙: 햇볕을 가리거나 비가 들이치는 것을 막기 위하여 처마 끝에 덧붙이는 좁은 지붕)

그는 내가 서재를 짓고 챙을 해 달지 않는다고 자기 일처럼 성화하던 사람이다.

나는 챙을 하면 파초에 비 맞는 소리가 안 들린다고 몇 번 설명하였으나 그는 종시 객쩍은 소리로밖에 안 듣는 모양이었다.

(객쩍은: 행동이나 말, 생각이 쓸데없고 싱거운)

마 소를 길러 일을 시키고 늙으면 팔고 사 간 사람이 잡으면 그 고기를 사다 먹고 하는 우리의 습관이라 이제 죽을 운명의 파초니 ㉣오 원이라도 받고 팔아 준다는 사람이 그 혼자 드러나게 모진 사람은 아니다. 그러나 ㉤무심코 바람에 너울거리는 파초를 보고 그 눈으로 그 사람의 눈을 볼 때 나는 내 눈이 뜨거웠다.

후반부 파초에 대한 애정을 지녀 함부로 파초를 팔지 않는 '나'

[01~03] 다음 설명이 맞으면 ○, 틀리면 ×표 하시오.

01 앞집 사람은 파초를 키웠던 경험이 있다. (○, ×)

02 '나'는 마음에 들었던 파초를 앞집 사람에게 얻어 왔다. (○, ×)

03 '나'는 자신이 키우는 파초가 죽지 않을 것이라고 확신하고 있다. (○, ×)

[04~05] 다음 빈칸에 들어갈 알맞은 말을 쓰시오.

04 '나'는 폭염 아래서도 푸르고 싱그러운 ㄱㄴ을 주는 파초를 보며 즐거워한다.

05 앞집 사람은 곧 죽을 '파초'보다 비를 막아 주는 'ㅊ'의 물질적 가치를 중시한다.

글쓴이

06 윗글에 나타난 글쓴이의 경험에 해당하지 않는 것은?

① 좋은 거름을 주며 파초를 정성껏 키웠다.
② 오 원 이상을 받고 파초를 팔고 싶어 한다.
③ 비가 오는 날에 파초에 빗방울 떨어지는 소리를 즐긴다.
④ 봄에 그동안 키운 큰 파초의 새끼를 뜯어내 번식시켰다.
⑤ 서재에 챙을 달지 않고 지내 앞집 사람의 성화를 들었다.

표현

07 윗글의 특징으로 적절하지 않은 것은?

① 대화를 직접 인용하여 현장감을 부여한다.
② 경험을 통해 얻은 깨달음을 진솔하게 고백한다.
③ 파초를 통해 얻은 정보를 객관적으로 전달한다.
④ 파초가 비를 맞는 장면을 자세히 서술하여 대상에 대한 애정을 드러낸다.
⑤ 대상을 대하는 두 사람의 태도를 대조하여 주제를 효과적으로 드러낸다.

글쓴이 + 표현

08 ㉠~㉤에 드러난 글쓴이의 태도를 잘못 이해한 것은?

① ㉠: 파초에 대한 글쓴이의 평가를 직접적으로 제시한다.
② ㉡: 상대의 제안을 선의로 받아들여 상대에 대한 직설적인 비판을 피한다.
③ ㉢: 물질적인 측면을 중시하는 태도에 대한 반감을 드러낸다.
④ ㉣: 모진 사람이 많아지는 세태에 대한 경각심을 불러일으킨다.
⑤ ㉤: 곧 죽을지도 모르는 파초에 대한 연민과 안타까움을 드러낸다.

수능형 글쓴이 + 주제

09 윗글과 〈보기〉의 화자의 공통점으로 가장 적절한 것은?

보기

더우면 꽃 피고 추우면 잎 지거늘
솔아, 너는 어찌 눈서리를 모르느냐.
깊은 땅속에 뿌리 곧은 줄을 그것으로 아노라.
– 윤선도, 「오우가」

① 대상을 거리를 두고 관찰한다.
② 성실하고 근면한 삶의 태도를 지향한다.
③ 현실을 떠나 자연에서 살아가고 싶어 한다.
④ 자연물에 대한 깊은 관심과 애정을 보여 준다.
⑤ 계절의 변화를 통해 인생의 허무함을 드러낸다.

작품 전체

전반부		후반부
'나'는 ❶ㅈㅅ을 다해 파초를 가꾸면서 파초의 멋을 알게 되고, 파초를 키우면서 큰 즐거움을 얻게 됨	⇒	앞집 사람이 '나'에게 파초를 팔아 ❷ㅊ을 해 달라고 권했지만, '나'는 애정을 지닌 대상을 팔 수 없어 앞집 사람의 제안을 거절함

✻: 교재 수록 부분

작품 압축

'파초'를 통해 드러나는 글쓴이의 가치관

파초에 정성을 다하는 모습을 통해 글쓴이의 성실한 태도와 파초의 매력을 즐기는 문인다운 모습이 드러난다. 그리고 이런 파초를 대하는 글쓴이의 태도를 통해 남을 속이지 않고 정신적 가치를 중요하게 생각하는 글쓴이의 가치관이 드러난다.

성실함	소 선지, 생선 씻은 물, 깻묵 물 등의 거름을 주며 파초를 정성껏 키움
문인의 풍류	파초의 서늘한 그늘과 파초에 떨어지는 ❸ㅂㅂㅇ 소리를 즐김

⇓

가치관	• 사람을 속이지 않는 정직함 • 교감하는 대상을 대하는 바른 태도 • 파초를 물질적 가치 이상으로 생각함

글쓴이가 비판하는 현대인의 모습

'나'는 정성을 다해 키운 파초를 경제적 이득과 비교할 수 없는 정신적 가치로 생각한다. 이런 '나'와 달리 앞집 사람은 당장 본인에게 별 소용되지 않는 것은 적절히 팔아 이득을 얻고자 한다. 이런 앞집 사람의 모습을 통해 글쓴이는 대상을 물질적 가치로만 생각하는 현대인의 모습을 비판하고 있다.

'나'		앞집 사람
파초를 정신적 가치로 생각함	⇔	파초를 물질적·경제적 가치로 생각함

아끼던 대상을 ❹ㅁㅈ적 가치로만 대하는 현대인들을 모진 사람이라고 비판함

글쓴이 / 표현 / 주제

표현상의 특징과 효과

• 일상에서 흔히 ❺ㄱㅎ할 수 있는 일을 소재로 삼음
• 파초를 구입하고 키운 과정을 자세하게 서술함
• 폭염과 비 오는 날에 즐기는 파초의 매력을 자세히 표현하여 대상에 대한 애정을 드러냄
• '나'와 앞집 사람의 ❻ㄷㅎ를 직접 인용하여 사실성과 현장감을 부여함

⇓

파초가 지닌 멋을 효과적으로 드러냄

작품의 주제

전반부		후반부
온갖 정성으로 파초를 크고 멋지게 키워 파초의 ❼ㅁ을 느낌	+	애정으로 키운 대상은 경제적으로 이익이 되어도 함부로 팔 수 없음

⇓

주제

파초에 대한 애정과 ❽ㅈㅅ적 가치의 중요성

어휘력 테스트

1 제시된 뜻과 예문을 참고하여 다음 초성에 해당하는 단어를 괄호 안에 써 보자.

(1) ㅈ ㄹ : 구슬 따위를 꿰어 만든 발

예 창문을 열자 (   )이 바람에 찰랑거렸다.

(2) ㅊ : 햇볕을 가리거나 비가 들이치는 것을 막기 위하여 처마 끝에 덧붙이는 좁은 지붕

예 이 집은 처마에 (   )을 덧달아서 비가 들이치지 않는다.

(3) ㅍ ㅇ : 매우 심한 더위

예 세계 곳곳에서 섭씨 40도를 넘는 (   )이 연일 계속되었다.

2 다음 단어를 활용하기에 적절한 문장을 찾아 바르게 연결해 보자.

(1) 모질다 • • ㉠ 가을이 되었는지 이제 제법 날이 (   ).

(2) 객쩍다 • • ㉡ 동생과 나는 심심해지면 (   ) 장난을 치곤 했다.

(3) 서늘하다 • • ㉢ 친구와 싸우다가 마음에도 없는 (   ) 소리를 내뱉었다.

독해쌤과 함께하는 감상 넓히기

자연물에 대한 애정을 담은 작품

이번에 감상한 「파초」에서 글쓴이는 '파초'에게 정성을 다하며 파초의 매력을 즐기는 모습을 보여 줍니다. 또한 '파초'를 자신과의 교감이 이루어진 대상으로 보고, 이에 대한 애정을 작품 속에 담아내었죠. 이와 같이 자연물을 소재로 하여 그에 대한 글쓴이의 애정을 담아 창작된 작품들을 더 감상해 볼까요?

풍란_이병기

글쓴이가 '난(蘭)'과 수십 년을 함께한 경험을 고백한 수필입니다. 난이 지닌 기품과 향을 담담하게 서술하며, 고결함을 상징하는 난의 모습을 통해 정신적 삶의 소중함을 일깨우고 있는 작품입니다.

매화_김용준

글쓴이 자신만의 독특한 관점으로 '매화'를 감상하며 바람직한 삶의 태도를 발견해 내고 있는 수필입니다. 매화의 모양새, 향기 등을 마치 예술품을 대하듯 진지하고 경건하게 감상하는 글쓴이의 태도를 통해 매화의 정신적 가치를 잘 드러내고 있는 작품입니다.

실수 1 _ 나희덕

여러분은 일상생활 속에서 실수를 자주 하나요? 혹시 친구나 동생이 자신에게 실수를 하면 어떻게 반응하나요? 이 작품의 글쓴이는 스스로 실수가 잦은 인물이라고 고백합니다. 하지만 실수에도 긍정적 의미가 있음을 깨달았다고 하네요. 과연 어떤 이야기일지 작품을 감상해 볼까요?.

독해쌤의 감상 질문

1. 글쓴이 • 글쓴이가 한 '실수'는 무엇인가요?
   • '실수'에 대한 글쓴이의 관점은 어떠한가요?
2. 표현 글쓴이가 깨달음을 전달하기 위해 사용하고 있는 표현 방법은 무엇인가요?
3. 주제 글쓴이가 '실수'와 관련하여 성찰하고 깨달은 점은 무엇인가요?

독해쌤 속닥속닥

◆ (가)에서는 옛날 중국에 살았던 곽휘원이라는 인물의 실수담을 일화로 제시하고 있어요. 그리고 (나)에서는 글쓴이가 과거 어느 암자에서 저지른 일상의 실수에 얽힌 일화를 제시하고 있죠. 이 두 일화 속 실수의 공통점은 모두 뜻하지 않게 긍정적인 효과를 불러왔다는 것입니다. 곽휘원의 실수는 아내에게 기쁨을 주었고, 글쓴이의 실수는 스님에게 잊고 있던 추억을 선물해 준 것이죠.

처음

가 옛날 중국의 곽휘원(郭暉遠)이란 사람이 떨어져 살고 있는 아내에게 편지를 보냈는데, 그 편지를 받은 아내의 답 시는 이러했다.

> 벽사창에 기대어 당신의 글월을 받으니 / 처음부터 끝까지 흰 종이뿐이옵니다.
> (벽사창: 짙푸른 빛깔의 비단을 바른 창)
> 아마도 당신께서 이 몸을 그리워하심이
>
> 차라리 말 아니하려는 뜻임을 전하고자 하신 듯하여이다.

이 답 시를 받고 어리둥절해진 곽휘원이 그제야 주위를 둘러보니, 아내에게 쓴 의례적(형식이나 격식만을 갖춘)인 문안 편지는 책상 위에 그대로 있는 게 아닌가. 아마도 그 옆에 있던 흰 종이를 편지인 줄 알고 잘못 넣어 보낸 것인 듯했다. 백지로 된 편지를 전해 받은 아내는 처음엔 무슨 영문인가 싶었지만, 꿈보다 해몽(꿈에 나타난 일을 풀어서 좋고 나쁨을 판단함)이 좋다고, 자신에 대한 그리움이 말로 다할 수 없음에 대한 고백으로 그 여백(종이 따위에, 글씨를 쓰거나 그림을 그리고 남은 빈 자리)을 읽어 내었다. 남편의 실수가 오히려 아내에게 깊고 그윽한 기쁨을 안겨 준 것이다. 이렇게 실수는 때로 삶을 신선한 충격과 행복한 오해로 이끌곤 한다.

처음 | 아내에게 편지 대신 흰 종이를 보낸 곽휘원의 실수

중간

나 실수라면 나 역시 일가견(어떤 문제에 대해 독자적인 경지나 체계를 이룬 견해)이 있는 사람이다. ㉠언젠가 비구니(출가한 여자 승려)들이 사는 암자에서 하룻밤을 묵은 적이 있다. 다음 날 아침 부스스해진 머리를 정돈하려고 하는데, 빗이 마땅히 눈에 띄지 않았다. ㉡원래 여행할 때 빗이나 화장품을 찬찬히 챙겨 가지고 다니는 성격이 아닌 데다 그날은 아예 가방조차 가지고 있지 않았다. 그러던 중에 마침 노스님 한 분이 나오시기에 나는 아무 생각도 없이 이렇게 여쭈었다.

"스님, 빗 좀 빌릴 수 있을까요?" / ㉢스님은 갑자기 당황한 얼굴로 나를 바라보셨다. 그제서야 파르라니 깎은 스님의 머리가 유난히 빛을 내며 내 눈에 들어왔다. 나는 거기가 비구니들만 사는 곳이라는 사실을 깜박 잊고 엉뚱한 주문을 한 것이었다. 본의 아니게 노스님을 놀린 것처럼 되어 버려서 어쩔 줄 모르고 서 있는 나에게, 스님은 웃으시면서 저쪽 구석에 가방이 하나 있을 텐데 그 속에 빗이 있을지 모른다고 하셨다.

방 한구석에 놓인 체크무늬 여행 가방을 찾아 막 열려고 하다 보니 그 가방 위에는 먼지가 소복하게 쌓여 있었다. 적어도 5, 6년은 손을 대지 않은 것처럼 보이는 그 가방은 아마도 누군가 산으로 들어오면서 챙겨 들고 온 속세(불가에서 일반 사회를 이르는 말(세속))의 짐이었음이 틀림없었다. 가방 속에는 과연 허름한 옷가지들과 빗이 한 개 들어 있었다.

나는 그 빗으로 머리를 빗으면서 ㉣자꾸만 웃음이 나오는 걸 참을 수가 없었다. 절에서

◆ 글쓴이가 스님에게 한 실수를 떠올리며 자꾸만 웃는 것은 그 엉뚱하고 사소한 실수가 긍정적인 효과를 가져다주었다고 여겼기 때문일 거예요.

빗을 찾은 나의 엉뚱함도 우물가에서 숭늉 찾는 격이려니와, 빗이라는 말 한마디에 그토록 당황하고 어리둥절해하던 노스님의 표정이 자꾸 생각나서였다. 그러나 그 순간 나는 보았다. 시간을 거슬러 올라가 검은 머리칼이 있던, 빗을 썼던 그 까마득한 시절을 더듬고 있는 그분의 눈빛을. 20년 또는 30년, 마치 물길을 거슬러 올라가는 연어 떼처럼 참으로 오랜 시간이 그 눈빛 위로 스쳐 지나가는 듯했다. / 그 순식간에 이루어진 회상(지난 일을 돌이켜 생각함)의 끄트머리에는 그리움인지 무상함(모든 것이 덧없음)인지 모를 묘한 미소가 반짝하고 빛났다. 나의 실수 한마디가 산사의 생활에 익숙해져 있던 ㉤그분의 잠든 시간을 흔들어 깨운 셈이다. 그걸로 작은 보시(자비심으로 남에게 재물이나 불법을 베풂)는 한 셈이라고 오히려 스스로를 위로해 보기까지 했다.

[01~02] 다음 설명이 맞으면 ○, 틀리면 ×표 하시오.

01 이 작품은 실수의 의미와 가치에 대해 논리적이고 타당한 근거를 들어서 쓴 중수필이다. (○, ×)

02 글쓴이는 실수와 관련된 일화를 바탕으로, 실수의 긍정적 효과를 새로운 관점에서 참신하게 제시하고 있다. (○, ×)

[03~04] 다음 빈칸에 들어갈 알맞은 말을 쓰시오.

03 (가)에서 곽휘원은 실수로 아내에게 'ㅎ ㅈㅇ'를 넣어 편지를 보냈다가, 뜻밖의 답 시를 받았다.

04 (나)에서 글쓴이는 암자에서 묵은 다음 날 아침, 스님에게 'ㅂ'을 빌려 달라는 실수를 저질렀다.

표현 + 주제

05 윗글에서 인용한 일화의 효과로 적절하지 않은 것은?

① 독자의 흥미와 재미를 유발한다.
② 실수가 부정적인 것만은 아님을 보여 준다.
③ 실수의 의외성에 대해 생각해 보는 기회를 준다.
④ 글쓴이가 전달하고자 하는 주제와 자연스럽게 연결된다.
⑤ 비록 실수를 했어도 결과가 좋으면 가치가 있다는 깨달음을 전달해 준다.

표현

06 윗글에 나타나는 글쓴이의 생각을 뒷받침하는 방법으로 적절하지 않은 것은?

① 한시나 속담을 인용한다.
② 묘사, 비유, 역설적 표현 등을 활용한다.
③ 구체적인 근거를 바탕으로 주장을 내세운다.
④ 글쓴이가 실제로 실수했던 경험을 제시한다.
⑤ 글쓴이의 성격, 가치관이 드러나는 진솔한 표현을 사용한다.

글쓴이 + 표현

07 ㉠~㉤에 대한 설명으로 적절하지 않은 것은?

① ㉠: 과거의 일을 회상하고 있음을 알 수 있다.
② ㉡: 글쓴이의 덜렁거리는 성격을 엿볼 수 있다.
③ ㉢: 스님인 자신에게 빗을 빌리려 했기 때문이다.
④ ㉣: 글쓴이의 실수에 당황하던 스님이 생각났기 때문이다.
⑤ ㉤: 실수를 한 글쓴이가 스님의 잠을 깨웠다는 것을 의미한다.

수능형 글쓴이 + 표현

08 '아내'를 중심으로 (가)를 감상한 반응 중 적절하지 않은 것은?

① 상엽: 백지를 펼쳐 보고 처음엔 당황했을 거야.
② 신희: 하지만 실수가 아니라 의도가 있을 거라고 생각했겠지.
③ 준헌: 남편에 대한 그리움을 말로 다할 수 없어 한시에 담아 표현했군.
④ 윤화: 의도하지 않았지만, 남편의 실수가 아내에게 신선한 충격과 기쁨을 준 거야.
⑤ 초희: '행복한 오해'라는 말처럼, 실수에도 긍정적인 면이 있다는 걸 새롭게 알게 됐어.

실수 ②

독해쌤 속닥속닥

◆ 이 작품에 나타난 글쓴이의 성격은 우선, 꼼꼼하지 않고 좀 덜렁거리는 편이에요. 또 한번 어디에 집중하면 강하게 몰입되어 다른 일에는 신경을 잘 못 써요. 이런 성격 탓에 글쓴이는 일상 속에서 번번이 실수를 저지르곤 한답니다. 이처럼 실수가 많으면 다른 사람들의 불평도 자주 듣겠죠? 그럼 글쓴이는 이렇게 말하고 싶을 거예요. "실수에도 장점은 많답니다!" 라고 말이죠.

◆ (라)에서 글쓴이는 '어처구니없는 실수', '악의가 섞이지 않은 실수'를 자주 하는 사람은 상상에 빠지기 좋아하고, 또 상식으로부터 자유로워지려는 사람이라고 합니다. 바로 글쓴이 같은 사람이죠. 각박한 세상에서 주변에 이런 모습의 친구가 있다면, 뜻하지 않게 웃으면서 잠시 숨을 돌릴 수 있지 않을까요? 이런 관점에서 글쓴이는 결국 실수의 진정한 의미는 '삶과 정신의 여백', 즉 살면서 잠깐 숨을 돌릴 수 있는 마음의 여유라고 말하고 있어요.

다 이처럼 악의(나쁜 마음 또는 좋지 않은 뜻)가 섞이지 않은 실수는 봐줄 만한 구석이 있다. 그래서인지 내가 번번이 저지르는 실수는 나를 곤경에 빠뜨리거나 어떤 관계를 불화로 이끌기보다는 의외의 수확이나 즐거움을 가져다줄 때가 많았다. 겉으로는 비교적 차분하고 꼼꼼해 보이는 인상이어서 나에게 긴장을 하던 상대방도 이내 나의 모자란 구석을 발견하고는 긴장을 푸는 때가 많았다.

또 실수로 인해 웃음을 터뜨리다 보면 어색한 분위기가 가시고 초면에 쉽게 마음을 트게 되기도 했다. 그렇다고 이런 효과 때문에 상습적(좋지 않은 일을 버릇처럼 하는 것)으로 실수를 반복하는 것은 아니지만, 한번 어디에 정신을 집중하면 나머지 일에 대해서 거의 백지상태가 되는 버릇은 쉽사리 고쳐지지 않는다. 특히 풀리지 않는 글을 붙잡고 있거나 어떤 생각거리에 매달려 있는 동안 내가 생활에서 저지르는 사소한 실수들은 내 스스로도 어처구니가 없을 지경이다.

중간 | 스님에게 빗을 빌려 달라고 한 글쓴이의 실수

끝

라 그러면 실수의 '어처구니없음'은 어디서 오는 것일까. 원래 어처구니란 엄청나게 큰 사람이나 큰 물건을 가리키는 뜻에서 비롯되었는데, 그것이 부정어와 함께 굳어지면서 어이없다는 뜻으로 쓰게 되었다. 크다는 뜻 자체는 약화되고 그것이 크든 작든 우리가 가지고 있는 상상이나 상식을 벗어난 경우를 지칭하게 된 것이다. 그러니 상상에 빠지기 좋아하고 상식으로부터 자유로워지려는 사람에게 어처구니없는 실수가 그림자처럼 따라다니는 것은 아주 자연스러운 일이다.

마 결국 실수는 삶과 정신의 여백에 해당한다. 그 여백마저 없다면 이 각박한(인정이 없고 삭막한) 세상에서 어떻게 숨을 돌리며 살 수 있겠는가. 그리고 발 빠르게 돌아가는 세상에 어떻게 휩쓸려 가지 않고 남아 있을 수 있겠는가. 어쩌면 사람을 키우는 것은 능력이 아니라 실수의 힘일지도 모른다.

바 그러나 날이 갈수록 실수가 용납되는 땅은 점점 좁아지고 있다. 사소한 실수조차 짜증과 비난의 대상이 되기가 십상(열에 여덟이나 아홉 정도로 거의 예외가 없음)이다. 남의 실수를 웃으면서 눈감아 주거나 그 실수가 나오는 내면의 풍경을 헤아려 주는 사람을 만나기도 어려워져 간다. 나 역시 스스로는 수많은 실수를 저지르고 살면서도 다른 사람의 실수에 대해서는 조급하게 굴거나 너그럽게 받아 주지 못한 때가 적지 않았던 것 같다.

◆ 이 작품은 자기 고백적인 특성이 뚜렷해요. 글쓴이의 실수담을 솔직히 이야기하고, 다른 사람의 실수에 너그럽지 못했던 자신에 대한 반성도 하고 있으니까요. 이런 진솔하고 고백적인 글을 통해 결국 '실수의 진정한 의미와 가치'를 말하고 싶었겠죠?

사 도대체 정신을 어디에 두고 사느냐는 말을 들을 때면 그 말에 무안해져 눈물이 핑 돌기도 하지만, 내 속의 어처구니는 머리를 디밀고 이렇게 소리치는 것이다. 정신과 마음은 내려놓고 살아야 한다고. 어디로 가는 줄도 모르고 뛰어가는 자신을 하루에도 몇 번씩 세워 두고 '우두커니' 있는 시간, 그 '우두커니' 속에 사는 '어처구니'를 많이 만들어 내면서 살아야 한다고. 바로 그 실수가 곽휘원의 아내로 하여금 백지의 편지를 꽉 찬 그리움으로 읽어 내도록 했으며, 산사의 노스님으로 하여금 기억의 어둠 속에서 ㉠빗 하나를 건져 내도록 해 주었다고 말이다.

우두커니: 넋이 나간 듯이 가만히 한자리에 서 있거나 앉아 있는 모양

끝 실수의 진정한 의미와 가치

[01~02] 다음 설명이 맞으면 ○, 틀리면 ×표 하시오.

01 글쓴이가 번번이 저지르는 실수는 대부분 글쓴이를 곤경에 빠뜨리거나 불화의 원인이 되었다. (○, ×)

02 글쓴이는 집중하는 일에 강하게 몰입하는 성격이라서, 생활 속에서 사소한 실수들을 많이 저질렀다. (○, ×)

[03~04] 다음 빈칸에 들어갈 알맞은 말을 쓰시오.

03 'ㅇㅊㄱㄴㅇㅇ'은 일이 너무 뜻밖이어서 기가 막힘(어이없음)을 의미하는 말이다.

04 글쓴이는 '실수'란 진정한 의미에서 결국 '삶과 정신의 ㅇㅂ'이라고 생각한다.

글쓴이

05 윗글에 나타난 글쓴이의 생각과 일치하지 않는 것은?

① 실수는 종종 상대방의 긴장을 풀어 준다.
② 실수는 의외의 수확을 가져다줄 때가 많았다.
③ 악의적이지 않은 실수라도 부정적인 면은 있다.
④ 실수는 어색한 분위기를 없애고 초면에 쉽게 마음을 트게 해 준다.
⑤ 상상에 빠지기 좋아하는 자유로운 사람은 어처구니없는 실수를 자주 한다.

표현

06 문맥상 ㉠의 의미로 가장 적절한 것은?

① 오래된 가방 속에 있던 물건
② 암자의 스님에게 실수했던 글쓴이의 기억
③ 산사의 노스님이 떠올린 젊은 시절의 추억
④ 글쓴이의 실수 덕분에 되찾게 된 스님의 옛 소지품
⑤ 암자에서 자고 일어난 글쓴이가 머리를 빗을 때 사용했던 용품

수능형 글쓴이 + 주제

07 <보기>는 글쓴이가 얻은 깨달음과 성찰을 정리한 것이다. 제시된 깨달음을 바탕으로 할 때, Ⓐ에 들어갈 내용으로 적절하지 않은 것은?

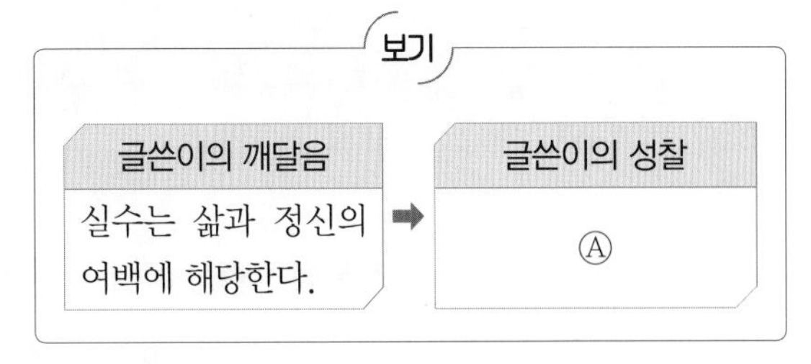

① 마음의 여유를 갖고 실수를 너그럽게 받아들여야 한다.
② 사소한 실수조차 비난의 대상이 될 수 있음을 알아야 한다.
③ 발 빠르게 돌아가는 세상에서 숨을 돌릴 틈은 있어야 한다.
④ 각박한 세상일수록 오히려 정신과 마음은 내려놓고 살아야 한다.
⑤ 우두커니 속에 사는 어처구니를 많이 만들어 내면서 살아야 한다.

작품 전체

처음	중간	끝
아내에게 편지 대신 흰 ❶ㅈㅇ를 보낸 곽휘원의 실수	스님에게 빗을 빌려 달라고 한 글쓴이의 실수	❷ㅅㅅ의 진정한 의미와 가치

✡: 교재 수록 부분

작품 압축

두 일화에 나타난 '실수'와 공통점

곽휘원의 일화	글쓴이의 일화
떨어져 사는 아내에게 문안 편지 대신 흰 종이를 보낸 실수가, 아내에게 의외의 ❸ㄱㅃ을 줌	스님에게 빗을 빌려 달라고 한 자신의 실수가, 산사의 생활에 익숙해져 있던 스님의 잠든 시간을 깨움

⇓

아내에게 끼친 영향	스님에게 끼친 영향
뜻하지 않은 실수가 아내의 삶을 신선한 충격과 행복한 오해로 이끌어 줌	자신의 실수가 스님에게 잊고 있던 ❹ㅊㅇ을 선물하게 되었다고 여김

두 일화의 공통점

작은 실수가 예상 밖의 긍정적인 결과를 불러옴

글쓴이의 성격 및 '실수'의 긍정적 효과

글쓴이의 성격

- 꼼꼼하지 않고 덜렁거리는 편임
- 집중하는 대상에 강하게 몰입하는 면이 있음
- 어떤 일이나 생각에 집중할 동안에는 사소한 실수를 자주 하는 편임

⇓ 사소한 실수가 잦음

글쓴이가 저지르는 실수의 긍정적 효과

- 의외의 ❺ㅅㅎ이나 즐거움을 가져다줌
- 글쓴이의 실수로 상대방이 긴장을 푸는 때가 많음
- 어색한 분위기가 가시고 초면에 쉽게 마음을 트게 됨

❻ㅇㅇ적이지 않은 실수는 긍정적인 면이 있음

글쓴이
표현 | 주제

작품의 표현상 특징

작품의 표현상 특징

- 실수와 관련된 일화를 통해 재미와 감동을 줌
- 묘사, 비유, 역설적 표현 등을 효과적으로 활용함
- 한시, ❼ㅅㄷ, 관용 표현 등을 인용하여 문장의 의미를 풍부하게 함
- 고정관념에서 벗어나, 부정적 대상으로 여기는 실수를 새로운 시각으로 바라봄
- 글쓴이의 성격이나 가치관이 드러나는 진솔한 표현, 개성적이고 참신한 표현을 사용함

글쓴이의 성찰과 깨달음

오늘날의 세태와 글쓴이의 성찰

- 발 빠르게 돌아가는 각박한 세상임
- 사소한 실수조차 짜증과 비난의 대상이 됨
- 수많은 실수를 하고 살면서도, 다른 사람의 실수는 너그럽게 받아 주지 못했음

글쓴이의 깨달음(작품의 주제)

- 실수는 삶과 정신의 ❽ㅇㅂ이 됨
- 정신과 마음은 내려놓고 살아야 함을 깨달음
- 여유를 갖고 실수를 너그럽게 받아들여야 함

• 정답과 해설 62쪽

어휘력 테스트

1 다음 단어를 활용하기에 적절한 문장을 찾아 바르게 연결해 보자.

(1) 의례적 • • ㉠ 그 아이는 만날 때마다 (   )으로 약속 시간을 어겼다.

(2) 상습적 • • ㉡ 그 여배우는 자신에 대한 (   )인 소문으로 인해 많은 상처를 받아야 했다.

(3) 악의적 • • ㉢ 두 사람은 같은 학교에 다니는 사이였지만, 만나면 (   )으로 인사만 하고 지나칠 뿐이었다.

2 다음 〈보기〉의 뜻을 참고하여 십자말풀이를 완성해 보자.

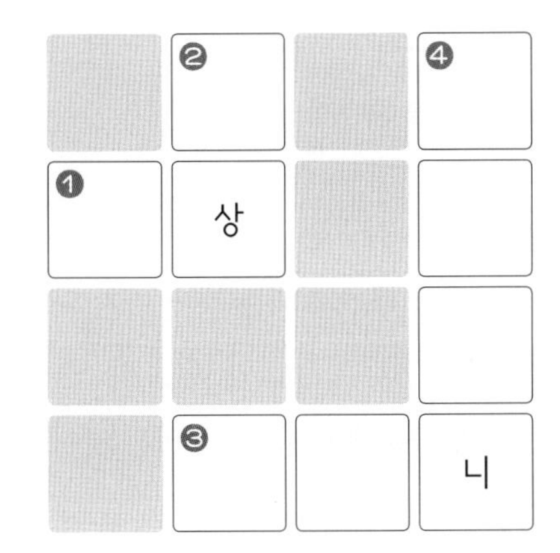

보기

가로

❶ 열에 여덟이나 아홉 정도로 거의 예외가 없음

❸ 출가한 여자 승려. 여승

세로

❷ 지난 일을 돌이켜 생각함. 또는 그런 생각

❹ 엄청나게 큰 사람이나 사물

독해쌤과 함께하는 감상 넓히기

일상의 경험에서 얻은 깨달음을 바탕으로 한 작품

이번에 감상한 「실수」와 같이 일상의 경험에서 얻은 깨달음을 참신하고 따뜻하게 표현한 작품들이 많이 있어요. 글쓴이가 어떤 경험을 했고, 이를 통해 깨달은 점은 무엇인지, 나아가 그 속에 담긴 글쓴이의 삶의 태도와 가치관은 어떠한지 등을 살펴보며 작품들을 더 감상해 볼까요?

괜찮아_장영희

소아마비를 앓은 글쓴이가 어릴 적 만났던 깨엿 장수 아저씨로부터 들었던 '괜찮아'라는 말에 담긴 의미와 가치를 진솔하게 전달하는 수필입니다. 용기, 용서, 격려, 나눔, 부축의 의미인 '괜찮아'라는 말의 힘과, 다른 사람을 배려하는 일의 소중함을 따뜻하게 전달하고 있는 작품입니다.

전쟁의 잔혹함과 인정의 아름다움_박동규

박목월 시인의 아들이기도 한 글쓴이가 6·25 전쟁 당시의 어린 시절에 인민군 소년병과 만나 나누었던 우정을 회상한 수필입니다. 전쟁의 잔혹한 현실 속에서도 글쓴이와 아이들이 무섭기만 했던 인민군 병사와 '한패'가 되어 우정을 나누었던 일을 따뜻하게 그려 내고 있는 작품입니다.

이옥설 _ 이규보

'이옥(理屋)'은 '집을 수리한다.'라는 뜻임

여러분은 학교나 집과 같은 생활 공간에서 우연히 겪게 된 경험을 통해 깨달음을 얻은 적이 있나요? 글쓴이는 아주 오래전에 살았던 인물인데, 집의 행랑채를 수리했던 경험으로부터 삶의 이치를 깨닫고, 이를 독자에게 전달하고 있습니다. 글쓴이가 어떤 깨달음을 얻었는지 작품을 감상해 볼까요?

독해쌤의 감상 질문

1. 글쓴이 이 작품에 나타난 글쓴이의 경험은 무엇인가요?
2. 표현 • 제목 '이옥설(理屋說)'의 의미는 무엇일까요?
   • 이 작품의 구성 및 전개 방식은 어떠한가요?
3. 주제 글쓴이가 행랑채를 수리한 경험을 통해 깨달은 점은 무엇인가요?

독해쌤 속닥속닥

◆ 이 작품의 글쓴이는 퇴락한 행랑채를 수리했던 경험을 제시하고, 이 경험으로부터 깨달은 이치를 전달하고 있습니다. 이처럼 이치에 따라서 사물을 해석하고, 자신의 의견을 서술하는 한문 문체를 '설(說)'이라고 합니다. 이와 같은 글은 보통 사물을 이치에 맞게 해석하는 부분과 자신의 시각으로 의견이나 깨달음을 설명하는 부분으로 나누어져 있어요. 짧은 글이지만, 세상과 삶에 대한 깊이 있는 통찰을 보여 줍니다.

경험

가 행랑채가 퇴락하여 지탱할 수 없게끔 된 것이 세 칸이었다. 나는 마지못하여 이를 모두 수리하였다. 그런데 그중의 두 칸은 비가 샌 지 오래되었으나, 나는 그것을 알면서도 이럴까 저럴까 망설이다가 손을 대지 못했던 것이고, 나머지 한 칸은 비를 한 번 맞고 샜던 것이라 서둘러 기와를 갈았던 것이다. 이번에 수리하려고 보니 비가 샌 지 오래된 것은 그 서까래, 추녀, 기둥, 들보가 모두 썩어서 못 쓰게 되었던 까닭으로 수리비가 엄청나게 들었고, 한 번밖에 비가 새지 않았던 한 칸의 재목들은 온전하여 다시 쓸 수 있었기 때문에 그 비용이 많이 들지 않았다.

- 행랑채: 대문간 곁에 있는 집채
- 퇴락하여: 낡아서 무너지고 떨어져
- 추녀: 네모지고 끝이 번쩍 들린, 처마의 네 귀에 있는 큰 서까래. 또는 그 부분의 처마
- 들보: 마룻대에서 도리(서까래를 받치기 위하여 기둥 위에 건너지르는 나무) 또는 보에 걸쳐 지른 나무
- 재목: 목조의 건축물·기구 따위를 만드는 데 쓰는 나무

경험 | 행랑채가 퇴락하여 수리했던 경험을 이야기함

깨달음

나 나는 이에 느낀 것이 있었다. 사람의 경우도 마찬가지라는 사실을. 잘못을 알고서도 바로 고치지 않으면 곧 그 자신이 나쁘게 되는 것이 마치 나무가 썩어서 못 쓰게 되는 것과 같다. 잘못을 알고 고치기를 꺼리지 않으면 해(害)를 받지 않고 다시 착한 사람이 될 수 있으니, 저 집의 재목처럼 말끔하게 다시 쓸 수 있는 것이다.

다 그뿐만 아니라 나라의 정치도 이와 같다. 백성을 좀먹는 무리들을 내버려 두었다가는 백성들이 도탄에 빠지고 나라가 위태롭게 된다. 그런 뒤에 급히 바로잡으려 해도 이미 썩어 버린 재목처럼 때는 늦은 것이다. 어찌 삼가지 않겠는가?

- 도탄: 진구렁에 빠지고 숯불에 탄다는 뜻으로, 몹시 곤궁하여 고통스러운 지경을 이르는 말
- 삼가지: 몸가짐이나 언행을 조심하지

깨달음 | 잘못은 빨리 고쳐야 한다는 깨달음을 얻고, 이를 정치에 적용함

[01~03] 다음 설명이 맞으면 ○, 틀리면 ×표 하시오.

01 이 작품은 경험적, 교훈적 성격의 고전 수필로, 한문 문체의 하나인 '설(說)'에 해당한다. (○, ×)

02 이 작품은 세 개의 문단으로 이루어져 있으며, 처음 문단에서는 글쓴이의 깨달음을, 뒤의 두 문단에서는 글쓴이가 경험한 사실을 제시하고 있다. (○, ×)

03 이 작품의 제목에서 '이옥(理屋)'은 '집을 수리한다.'라는 뜻이고, '설(說)'은 사물의 이치를 풀이하고 의견을 덧붙여 서술하는 갈래라는 뜻이다. (○, ×)

[04~06] 다음 빈칸에 들어갈 알맞은 말을 쓰시오.

04 이 작품의 글쓴이는 [ㅎ][ㄹ][ㅊ]를 수리하며 얻은 깨달음을 정치에까지 확장하여 적용하고 있다.

05 글쓴이는 집에 빨리 [ㅅ][ㄹ]해야 하는 곳이 있는 줄 알면서도 망설이며 계속 미뤄 왔다.

06 (다)에서 글쓴이는 백성을 좀먹는 무리들을 내버려 두었다가 나라가 위태로워서야 급히 바로잡으려 하는 것은, 이미 썩어 버린 [ㅈ][ㅁ]처럼 때늦은 것이라고 말한다.

표현

07 윗글에 대한 설명으로 적절하지 <u>않은</u> 것은?

① 교훈적인 성격의 한문 고전 수필이다.
② 인물에 대한 풍자를 통해 재미와 교훈을 준다.
③ 설의적 표현으로 글을 마무리하며 주제를 강조한다.
④ 행랑채를 수리한 경험으로부터 얻은 깨달음을 전달한다.
⑤ '설(說)'의 하나로, 글쓴이의 경험을 먼저 제시하고, 그에 대한 의견을 서술하는 구성을 취한다.

글쓴이

08 윗글의 내용과 일치하지 <u>않는</u> 것은?

① 글쓴이는 마지못해 행랑채를 모두 수리하였다.
② 글쓴이의 집에는 퇴락한 행랑채가 한 칸 있었다.
③ 한 번 비가 샌 재목은 빨리 고치면 다시 쓸 수 있다.
④ 글쓴이는 탐관오리를 제때 바로잡아야 정치가 바로 선다고 생각한다.
⑤ 글쓴이는 사람도 잘못을 알고 바로 고치면 다시 착한 사람이 될 수 있다고 믿는다.

주제 + 어휘

09 글쓴이가 경계하고 있는 생각과 의미가 통하는 속담으로 가장 적절한 것은?

① 쇠귀에 경 읽기
② 등잔 밑이 어둡다
③ 가랑비에 옷 젖는 줄 모른다
④ 호미로 막을 것을 가래로 막는다
⑤ 콩 심은 데 콩 나고 팥 심은 데 팥 난다

수능형 표현

10 〈보기〉를 참고하여 윗글을 이해할 때, 그 내용이 적절하지 <u>않은</u> 것은?

보기

설(說)은 사물의 이치를 풀이하고 자신의 의견을 덧붙여 서술하는 한문 문체의 한 갈래이다. 설은 직관적 통찰과 깨달음의 과정을 담고 있는데, 이는 사물의 유사점에 근거해서 다른 속성도 유사할 것이라고 추론하는 유추의 과정일 수 있다.

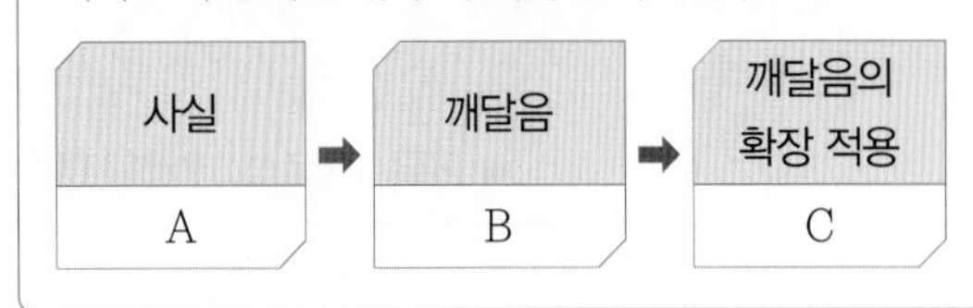

① A에는 행랑채를 수리한 경험이 구체적으로 제시되어 있다.
② B는 A와 사람과의 유사점을 근거로 하여 추론한 내용이다.
③ B의 깨달음은 C에서 다시 나라의 정치라는 영역으로 확대되어 적용되고 있다.
④ A → B → C로 유추의 과정을 거치며, 글쓴이의 인식은 사회적 차원으로 확장되고 있다.
⑤ C에서 글쓴이는 B에서 언급한 부패한 정치를 개혁해야 한다는 주장을 거듭 강조하고 있다.

작품 전체

경험	깨달음 1	깨달음 2
❶ㅎㄹㅊ가 퇴락하여 수리했던 경험을 이야기함	잘못은 빨리 고쳐야 한다는 깨달음을 얻음	잘못은 빨리 고쳐야 한다는 깨달음을 ❷ㅈㅊ에 적용함

✲: 교재 수록 부분

작품 압축

작품에 나타난 글쓴이의 경험

글쓴이('나')의 경험

수리해야 함을 알면서도 미루다가 마지못해 퇴락한 행랑채 세 칸을 수리함

- 비가 샌 지 오래된 두 칸은 서까래, 추녀, 기둥, 들보가 모두 못 쓰게 되어 ❸ㅅㄹㅂ가 엄청나게 들었음
- 처음 비가 샐 때 서둘러 기와를 갈았던 한 칸의 재목들은 온전하여 다시 쓸 수 있었으므로 비용이 적게 들었음

⇓

글쓴이의 깨달음

행랑채를 수리하며 겪은 경험으로부터, 잘못을 알았을 때 바로 고쳐야 한다는 사실을 깨달음

작품의 주제

경험	퇴락한 행랑채를 수리함

+

행랑채를 수리하고 얻은 깨달음

❹ㅅㄹ의 경우	• 잘못을 알고서도 바로 고치지 않으면 그 자신이 나쁘게 됨 • 잘못을 알고 바로 고치면 다시 착한 사람이 될 수 있음
나라의 ❺ㅈㅊ의 경우	• 백성을 좀먹는 무리들(탐관오리)을 내버려 두면 나라가 위태로워짐 • 늦기 전에 잘못을 바로잡아야 정치가 바로 섬

⇓

주제	❻ㅈㅁ을 알고 그것을 고쳐 나가는 자세의 중요성

글쓴이 · 주제 · 표현

제목 '이옥설(理屋說)'의 의미

이옥(理屋)	설(說)
'이(理: 다스릴 리)'는 무엇을 '고치다'라는 뜻이고, '옥(屋: 집 옥)'은 '집'이란 뜻이므로, '이옥'은 '집을 수리한다.'라는 의미임	'❼ㄱㅎ + 의견(깨달음)'의 구성으로, 이치에 따라 사물을 풀이하고 의견을 덧붙여 서술하는 한문 문체의 한 갈래임

⇓

제목의 의미

집(행랑채)을 수리하며 겪은 경험과 그로부터 얻은 ❽ㄲㄷㅇ을 밝힌 글

작품의 구성 및 전개 방식

구성 방식	'경험한 내용 + 깨달음(의견)'의 구성 방식을 취함
전개 방식	'집 → 사람 → 나라의 정치'로 연관 지어 논지를 확대해 나감 → 구체적 경험으로부터 깨달은 점을 ❾ㅇㅊ의 방법을 통해 다른 상황에 적용 및 확장하면서 내용을 전개함

• 정답과 해설 63쪽

어휘력 테스트

1 다음 괄호 안에 들어갈 단어를 〈보기〉에서 골라 써 보자.

보기

도탄 유추 재목

(1) 우리는 사람의 행동에서 그의 마음을 ( )해 낼 수 있다.

(2) 오동나무는 거문고를 만드는 데 쓰이는 ( )(으)로 적합하다.

(3) 그 사건을 계기로 ( )에 빠진 시민들은 결국 거리로 밀물처럼 쏟아져 나왔다.

2 다음 단어를 활용하기에 적절한 문장을 찾아 바르게 연결해 보자.

(1) 삼가다 •	• ㉠ 나를 버팀목처럼 ( ) 있는 것은 어머니와 아버지의 믿음이었다.
(2) 좀먹다 •	• ㉡ 친구에게 상처가 될 수 있기 때문에, 되도록 그 이야기는 ( ) 게 좋을 것 같았다.
(3) 지탱하다 •	• ㉢ 탐관오리들의 부정부패가 갈수록 심해져 나라를 ( ) 있는 것이 당대의 현실이었다.

독해쌤과 함께하는 감상 넓히기

'설(說)'의 형식으로 창작된 이규보의 작품

이번에 감상한 「이옥설」과 같이 글쓴이의 경험으로부터 얻은 삶의 깨달음을 전달하는 '설(說)'의 형식으로 창작된 작품들이 많이 있습니다. 특히 당대의 명문장가였던 이규보는 '설'의 형식으로 작품을 많이 창작하였는데요. 다른 작품에서 이규보는 어떤 경험과 깨달음을 전하고 있는지 작품들을 더 감상해 볼까요?

경설_이규보

먼지가 끼어서 흐린 거울을 보고 있는 거사의 태도에서 얻은 깨달음을 전하고 있는 설(說)입니다. 손님이 질문하고 거사가 대답하는 형식을 통해 세상에는 완벽한 사람보다 흠이 있는 사람이 많다는 것을 이야기하면서 결점에 대한 포용과 유연한 태도가 필요하다는 교훈을 전달하고 있는 작품입니다.

슬견설_이규보

개[犬]와 이[虱]의 죽음에 대한 시각 차이를 보이는 글쓴이와 손님 간의 대화를 통해, 편견에 사로잡혀 개와 이의 죽음을 동등하게 바라보지 못하는 손님의 관점을 비판하고 있는 설(說)입니다. 글쓴이의 통찰을 통해 선입견을 버리고 사물의 본질을 제대로 보아야 한다는 교훈을 전달하고 있는 작품입니다.

memo

memo

memo

중등
수능 독해

국어 문학 독해

1 기본

정답과 해설

책 속의 가접 별책 (특허 제 0557442호)

'정답과 해설'은 본책에서 쉽게 분리할 수 있도록 제작되었으므로
유통 과정에서 분리될 수 있으나 파본이 아닌 정상제품입니다.

visang

우리는 남다른 상상과 혁신으로
교육 문화의 새로운 전형을 만들어
모든 이의 행복한 경험과 성장에 기여한다

중등

수능 독해

정답과 해설

1. 시

실전 01 먼 후일 _김소월

본문 014~015쪽

갈래 자유시, 서정시
성격 서정적, 애상적, 민요적
주제 떠난 임을 잊지 못하는 애틋함과 임에 대한 그리움
특징 • 3음보의 민요적 율격을 지님
• 반어적 표현을 사용하여 화자의 정서를 강조함
• 미래 상황을 가정하고 대답하는 방식의 문장 구조 '~면 ~ 잊었노라.'가 반복됨

확인 문제
01 ○ 02 ○ 03 × 04 × 05 ○
06 잊었노라 07 면, 가정

실력 문제
08 ④ 09 ③ 10 ① 11 ⑤

01 이 작품의 화자는 '나'('그때에 내 말이 잊었노라.')로 작품 속에 직접 드러나 있다.

02 이 작품은 민요와 같은 3음보의 율격을 지니고 있다.

03 이 작품의 화자는 이별한 당신을 잊지 못하고 여전히 그리워하고 있으며, 반어적 표현을 통해 당신에 대한 애틋한 그리움을 더욱 강조하고 있다.

04 이 작품의 화자는 먼 훗날 당신을 만날 상황을 가정하여, 먼 훗날 당신이 '찾으시면', '잊었노라.'라고 하였을 뿐, 당신과 다시 만났던 순간의 정서를 드러내고 있지는 않다.

05 이 작품에서는 '~면 ~ 잊었노라.', 또는 '~ 잊었노라.'의 반어적 진술을 반복하며 시상을 전개하고, 이를 통해 주제를 효과적으로 강조하고 있다.

06 이 작품에서는 반어적 표현인 '잊었노라.'를 반복하여 당신을 잊지 못하는 화자의 애틋하고 간절한 심정을 강조하고 있다.

07 1~3연에서는 연결 어미 '-면'을 사용하여 먼 훗날 당신과 만났을 미래의 상황을 가정하고 있다.

08 화자·대상

이 작품의 화자는 당신을 잊지 못하는 애틋한 마음을 솔직히 드러내지 않고, 그 속마음과는 반대로 '잊었노라.'라며 반어적으로 표현하고 있다.

오답 풀이 ❶ 이 작품의 화자는 사랑하는 당신과 이별한 처지이다.
❷, ❸ 화자는 미래의 어느 날 당신과 만날 것을 가정하며 시상을 전개하고 있을 뿐, 실제로 화자와 당신이 만난 것은 아니다. 따라서 당신의 행동은 가정일 뿐이며, 당신의 속마음도 알 수 없다.
❺ 화자는 먼 훗날 당신을 만날 상황을 가정하고, 이를 통해 결국 미래의 그날까지도 여전히 당신을 잊지 못할 것임을 드러내고 있다. 따라서 화자가 당신을 원망하고 있다는 설명은 적절하지 않다.

알아두기 **시적 상황 및 화자의 태도**

구분	내용
시적 상황	사랑하는 당신과 이별함
화자의 태도	먼 훗날 당신과 만났을 때를 가정하고, 그때에 당신을 '잊었노라.'라고 말할 것임을 밝힘 → 당신과 이별한 상황에서도 떠난 당신을 잊지 못하고 그리워함

09 표현

이 작품은 3음보의 민요적 율격을 지닌다. 이 작품의 각 행은 '먼 훗날∨당신이∨찾으시면'과 같이 세 번 끊어 읽을 수 있는데, 이는 민요 「아리랑」을 '아리랑∨아리랑∨아라리요.'와 같이 3음보로 나누어 낭송(노래)하는 것과 같다.

오답 풀이 ❶, ❹ '잊었노라.'라는 반어적 표현을 반복하며 화자의 그리움을 강조하고 운율을 형성하고 있다.
❷ '~면 ~ 잊었노라.'의 문장 구조가 반복된다.
❺ 화자는 미래의 먼 훗날 당신과 만날 상황을 가정하고 있다.

알아두기 **운율 형성 요소**

구분	내용
같은 음보의 반복	먼 훗날∨당신이∨찾으시면 그때에∨내 말이∨'잊었노라.' → 3음보의 민요적 율격을 지님
같은 시어 및 문장 구조의 반복	• 시어 '잊었노라.'를 반복하여 운율을 형성함 • 1~3연에서 '~면 ~ 잊었노라.'의 문장 구조를 반복하여 운율을 형성함

10 시어(구)

이 작품에서 '먼 훗날'은 당신을 그리워하는 화자가 당신과 만날 상황을 가정한 미래의 어느 날일 뿐, 이미 떠나 버린 당신과 화자가 미래에 재회를 약속한 것은 아니다.

오답 풀이 ❷ 이 작품에서 '잊었노라.'는 2연에서 '무척 그리다가 잊었노라.', 3연에서 '믿기지 않아서 잊었노라.', 4연에서 '먼 훗날 그때에 '잊었노라.''와 같이 시상 전개에 따라 당신에 대한 화자의 정서를 점층적으로 강조하고 있다.
❸ 화자는 자신이 당신에게 '잊었노라.'라고 말을 했을 때, 당신이 속으로 나무랄 것이라는 반응을 가정하고 있다.
❹ 줄곧 당신을 잊지 않고 그리워했던 화자의 본심이 드러난다.
❺ 결코 잊을 수 없는 당신에 대한 화자의 그리움을 반어적으로 표현하여 효과적으로 강조하고 있다.

11 화자·대상 + 표현 + 주제

이 작품의 화자는 현재 당신과 이별한 처지로, 여전히 당신을 그리워하며 이별한 현재의 상황을 인정하지 못하고 있다. 그러한 까닭에 화자는 미래의 '먼 후일'이라는 시간을 가정하고, 그런 미래에도 잊을 수 없는 당신에 대한 마음을 반어적 표현인 '잊었노라.'와 결합하며 당신과의 이별을 받아들이고 싶지 않은 마음과 당신에 대한 화자의 애틋한 그리움을 강조하고 있다.

오답 풀이 ❶ '그때'는 미래의 '먼 훗날'을 의미한다.
❷ '먼 훗날 당신이 찾으시면'과 같이 화자는 현재가 아닌 미래에 당신을 만날 상황을 가정하고 있다.
❸ 화자가 '먼 훗날 그때에 '잊었노라.''라고 말한 것은 먼 훗날까지도 당신을 잊지 못할 것임을 표현한 것이다.
❹ 화자는 미래의 먼 훗날 당신과 만날 상황을 가정하고 있는 것이지, 화자와 당신이 서로 만날 것을 약속한 것은 아니다. 당신은 화자를 떠난 상황이다.

+ 독해 체크 본문 016쪽

❶ 당신 ❷ 그리움 ❸ 이별 ❹ 잊었노라 ❺ 가정
❻ 강조 ❼ 반어 ❽ 민요 ❾ 면

+ 어휘 체크 본문 017쪽

1 (1) ㉡ (2) ㉠ (3) ㉢
2 〈가로〉 ❶ 반어법 ❷ 운율
〈세로〉 ❶ 반복법 ❸ 율격

본문 018~019쪽

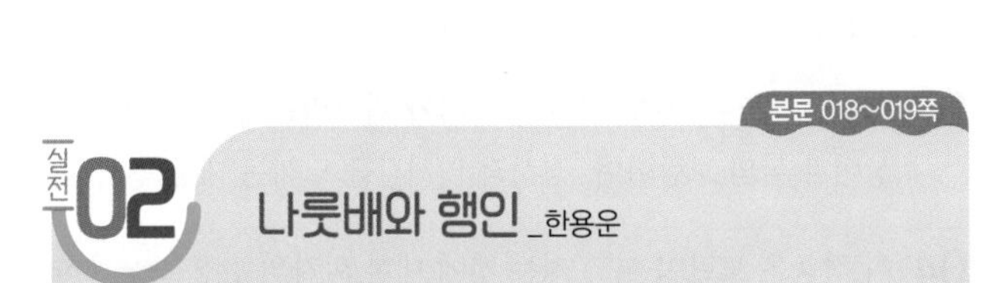

실전 02 나룻배와 행인 _한용운

갈래 자유시, 서정시
성격 상징적, 명상적
주제 인내와 희생을 통한 참된 사랑의 실천
특징
- 비유적 표현을 통해 '나'와 당신의 관계를 효과적으로 드러냄
- 경어체와 부드러운 어조를 통해 당신에 대한 화자의 헌신적인 태도를 드러냄
- 수미상관 방식을 통해 구조적 안정감을 주고, 운율을 살리며 주제를 강조함

확인 문제
01 ○ 02 × 03 ○ 04 × 05 ○
06 행인, 나룻배 07 바람

실력 문제
08 ④ 09 ② 10 ② 11 ⑤

01 이 작품의 화자는 경어체 및 경어체의 종결 어미 '-ㅂ니다'를 사용한 부드러운 어조를 통해, 당신에 대한 희생적이고 헌신적인 태도를 드러내고 있다.

02 2연의 '당신은 흙발로 나를 짓밟습니다.'에서 당신이 화자인 '나'의 소중함을 모르고 있음을 알 수 있다.

알아두기 **'나'와 당신의 관계와 태도**

'나'(나룻배)	당신을 안고 물을 건넘
	희생 헌신 ↓↑ 무심 무정
당신(행인)	'나'를 짓밟고 돌아보지 않음

03 이 작품의 1연과 4연은 동일하다. 이와 같이 시의 처음과 끝에 같거나 매우 유사한 구절을 반복하여 배치하는 표현 방법을 '수미상관'이라고 한다.

04 3연의 3행에서 '나'는 '그러나 당신이 언제든지 오실 줄만은 알아요.'라고 말하고 있다. 이를 통해 무심하고 무정한 당신이지만, '나'는 당신이 반드시 돌아올 것임을 믿고 기다리고 있음을 알 수 있다.

05 이 작품에서 화자인 '나'는 물만 건너면 무심하게 가 버리는 당신에게 희생적이고 헌신적인 태도를 보이고 있으며, 당신이 돌아올 것을 확신하며 기다리고 있다.

06 이 작품에서는 화자인 '나'를 '나룻배'에 비유하고, 당신을 '행인'에 비유하여 '나'와 당신의 관계를 효과적으로 드러내고 있다.

07 이 작품에서 '급한 여울', '바람', '눈비'는 '나'가 당신을 안고 물을 건너거나 당신을 기다릴 때에 겪는 어려움, 시련이나 고난, 역경 등을 의미한다.

08 표현

이 작품의 2연에서는 무심하고 무정한 당신에 대한 '나'의 무조건적인 희생을 강조하고 있지만, 반어적 표현은 쓰이지 않았다.

오답 풀이 ❶ 경어체의 종결 어미 '-ㅂ니다'의 반복을 통해 운율을 형성하고 있다.
❷ 경어체를 사용한 고백적 어조를 통해 화자의 헌신적인 태도를 드러내고 있다.
❸, ❺ 수미상관의 구성 방식을 취하고 있는 1, 4연에서는 은유법과 대구법을 사용해 '나'와 당신의 관계를 나타내고 있다.

09 화자·대상

이 작품에서 '나'는 자신을 '나룻배'에, 당신을 '행인'에 비유하여 '당신'에 대한 희생적·헌신적 태도를 드러내고 있으며, 당신이 다시 돌아올 것이라는 믿음을 지니고 당신을 기다리고 있다. '나'는 당신의 무정함과 무심함을 알고 있지만, 원망이나 서러운 마음을 드러내고 있지는 않다.

알아두기 **화자의 특성 및 태도**

화자 = '나' = 나룻배

⇓

화자의 특성 및 태도

- 부드러운 어조를 지님
- 사물인 '나룻배'에 자신을 비유함
- 당신에 대해 절대적인 믿음을 지님
- 당신에 대해 헌신적·희생적인 태도를 보임

10 시어(구) + 어휘

㉠에는 당신이 반드시 돌아올 것이라는 화자의 절대적인 믿음이 드러난다. 이와 유사한 의미를 지닌 한자 성어는 '떠난 사람은 반드시 돌아오게 된다.'라는 뜻의 '거자필반(去者必返)'이다.

오답 풀이 ❶ 인생의 길흉화복은 변화가 많아서 예측하기가 어렵다는 말이다.

❸ 재앙과 근심, 걱정이 바뀌어 오히려 복이 된다는 말이다.

❹ 쓴 것이 다하면 단 것이 온다는 뜻으로, 고생 끝에 즐거움이 옴을 이르는 말이다.

❺ 우공이 산을 옮긴다는 뜻으로, 어떤 일이든 끊임없이 노력하면 반드시 이루어짐을 이르는 말이다.

11 화자·대상

3연으로 보아, 화자인 '나'는 물만 건너면 돌아보지도 않고 가버리는 당신이 언젠가는 반드시 돌아올 것이라는 절대적인 믿음을 가지고 당신을 기다리고 있다. 따라서 ⑤에서 '나'가 외롭고 불안한 마음으로 당신을 기다리고 있다는 감상은 적절하지 않다.

오답 풀이 ❶ 이 작품에서 '나'로 직접 드러나 있는 화자는 '나룻배'로 비유되어 희생적·헌신적 태도를 보이고 있는데, 이는 시인의 분신이라고도 할 수 있다.

❷ 1연에서는 '나는 나룻배 / 당신은 행인.'이라며 '나'와 당신의 관계를 설정하고 있다.

❸ 2연에서 당신은 '나'를 흙발로 짓밟는 등 '나'에게 무정한 태도를 보이지만, '나'는 깊으나 옅으나 급한 여울을 건너가는 등 당신을 위해 어떤 어려운 상황도 이겨 내려는 모습을 보이고 있다.

❹ 3연에서 '나'는 바람을 쐬고 눈비를 맞으면서도 당신을 기다리는 헌신적인 태도를 보이는데, 이를 통해 당신이 '나'에게 절대적이며 소중한 대상임을 알 수 있다.

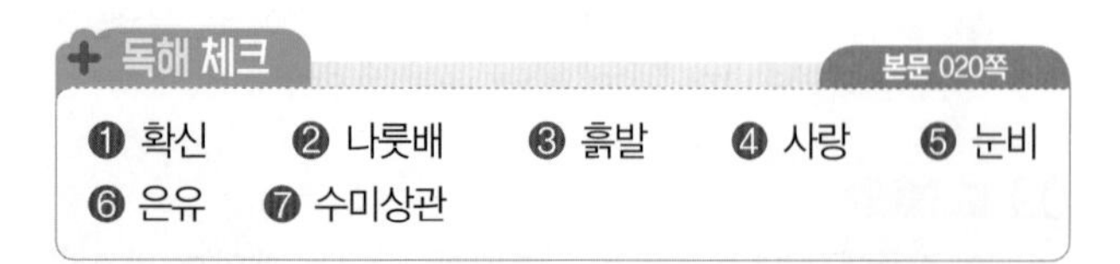

+ 독해 체크 본문 020쪽

❶ 확신 ❷ 나룻배 ❸ 흙발 ❹ 사랑 ❺ 눈비 ❻ 은유 ❼ 수미상관

+ 어휘 체크 본문 021쪽

1 (1) 여울 (2) 행인 (3) 나룻배

2 (1) ㉢ (2) ㉠ (3) ㉡

본문 022~023쪽

실전 03 모란이 피기까지는 _김영랑

갈래 자유시, 서정시, 순수시

성격 유미적, 탐미적, 낭만적, 상징적

주제 • 모란이 피고 지는 것에 대한 감흥
• 모란에 대한 기다림(소망에 대한 바람과 기다림)

특징 • 수미상관의 구조를 통해 주제를 강조하고, 운율을 형성함
• 역설과 도치를 통해 아름다움에 대한 도취와 그것의 덧없음에 대한 슬픔을 보여 줌
• 세련된 시어와 부드러운 어조 등을 통해 섬세하고 아름다운 문학적 표현을 구현함

확인 문제

01 × 02 ○ 03 ○ 04 ○ 05 수미상관
06 삼백예순 날 07 도치법

실력 문제

08 ⑤ 09 ① 10 ① 11 ③

01 이 작품은 연 구분이 없는 1연 12행으로 이루어져 있다.

02 울림소리란 발음할 때 목청이 떨려 울리는 소리를 말한다. 국어의 모든 모음이 이에 속하며, 자음으로는 'ㄴ', 'ㄹ', 'ㅁ', 'ㅇ'이 있다. 이와 같은 울림소리를 연달아 사용하면 물이 흐르는 듯한 부드러운 느낌을 줄 수 있다.

03 이 작품의 화자에게 '모란'은 화자가 기다리는 순수한 미적 대상이자 삶의 보람이며, 정서적 일체감을 느끼는 대상이다.

04 이 작품은 모란이 피고 지는 것에 대한 화자의 감흥을 노래하고 있다. 화자에게 있어서 모란이 피고 지는 것은 삶의 모든 보람(소망)이 이루어졌다가 무너지는 것과 같다.

05 이 작품의 1~2행과 11~12행은 수미상관의 구조를 취하고 있다. 수미상관이란 시의 처음과 끝에 같거나 유사한 구절을 반복하여 배치하는 기법을 말한다.

06 '삼백예순 날'은 화자가 모란을 기다리는 날들을 강조하여 표현한 것으로, 화자의 슬픔과 정감의 깊이를 드러낸다.

07 이 작품의 마지막 행에는 '나는 아직 찬란한 슬픔의 봄을 기둘리고 있을 테요'라는 문장의 어순을 바꾸어, '나는 아직 기둘리고 있을 테요 찬란한 슬픔의 봄을'로 표현한 도치법이 사용되었다.

08 화자·대상 + 표현 + 주제

이 작품은 화자의 삶의 보람이자 기쁨인 '모란'에 대한 기다림의 정서와, '모란'이 피고 지는 것에 대한 감흥을 표현한 시이다. '모란'의 피고 짐을 삶의 보람(소망)과 연관 지어 확장 해석할 수는 있지만, 당시 민중들의 울분과 연결 짓는 것은 적절하지 않다.

오답 풀이 ❶ 시의 음악성과 세련된 표현이 두드러지게 나타나며, 화자는 '모란'으로 상징되는 아름다움을 위해 삼백예순 날의 기다림과 고통을 기꺼이 감수하겠다는 자세를 보이고 있다. 따라서 이 작품은 유미적, 탐미적 성격이 강하다고 할 수 있다.
❷ 이 작품은 모란이 피고 지는 과정을 통해 소망하는 것에 대한 기다림과 바람을 노래하고 있다.
❸ '모란이 지고 말면 그뿐 내 한 해는 다 가고 말아 / 삼백예순 날 하냥 섭섭해 우옵네다'에서 과장법을, '나는 아직 기둘리고 있을 테요 찬란한 슬픔의 봄을'에서 도치법을 사용해 모란에 대한 화자의 심정을 강조하고 있다.
❹ 잘 다듬어진 시어를 사용하고 '뚝뚝'으로 모란이 낙화하는 모습을 감각적으로 묘사함으로써, 모란이 피고 지는 것에 대한 감흥이라는 주제를 효과적으로 표현하고 있다.

09 표현

이 작품은 수미상관의 구조나 울림소리의 사용 등을 통해 운율을 형성하고 있으나, 시행 배열의 간결함과 규칙성은 드러나지 않는다.

오답 풀이 ❷ 수미상관의 구조를 지니고 있다.
❸ 'ㄴ, ㄹ, ㅁ, ㅇ'과 같은 울림소리를 많이 사용하고 있다.
❹ 시어 '모란', '-ㄹ 테요'의 반복을 통해 부드러운 어감을 형성하고 있다.
❺ 짧은 시행과 긴 시행의 교차로 두 시행씩 한 단락을 이루게 하여 호흡의 속도를 조절하고 있다.

10 표현

이 작품에서 '봄'은 모란이 피는 기쁨을 만끽할 수 있는 계절이지만, 모란이 지는 슬픔을 감내해야 하는 시기이기도 하다. 따라서 ㉠은 화자가 느끼는 이와 같은 모순된 감정을 함축한 역설적 표현이다. ①의 '정작으로 고와서 서러워라.'에서도 너무나 고와서 오히려 서럽게 느껴진다는 의미로 역설적 표현이 사용되었다.

오답 풀이 ❷ '먼 훗날 그때에 '잊었노라.''와 같이 반어법으로 당신에 대한 화자의 그리움을 표현하였다.
❸ '죽어도 아니 눈물 흘리우리다.'와 같이 반어법으로 이별의 슬픔을 표현하였다.
❹ '두개골은 깨어져 산산조각이 나도'와 같이 과장법으로 '그날(조국 광복)'에 대한 열망을 표현하였다.
❺ '햇발같이', '샘물같이'와 같이 직유법으로 맑고 순수한 세계의 이미지를 표현하였다.

알아두기 **'찬란한 슬픔의 봄'에 쓰인 역설적 표현**

찬란한 봄		슬픔의 봄
봄은 화자의 소망이자 보람인 모란이 찬란하게 피어나는 기쁨의 계절임	⇐ 모순된 감정 ⇒	봄은 모란이 질 것이라는 예감 때문에, 또한 끝내 모란이 지고 말 것이기 때문에 슬픔의 계절임

11 화자·대상

이 작품에서 '모란'은 화자가 추구하는 아름다움의 대상이자 삶의 보람(소망)인 존재이다. 따라서 화자는 모란이 지는 것을 삶의 모든 보람과 소망이 무너지는 것처럼 인식하고 있다. 그러므로 ⓒ에 들어갈 화자의 정서는 '슬픔, 상실감, 서러움' 등의 부정적인 정서가 적절하다. '기쁨'은 모란이 피어났을 때의 정서이다.

+ 독해 체크 본문 024쪽

❶ 모란 ❷ 상실감 ❸ 기다림 ❹ 봄 ❺ 보람 ❻ 기쁨 ❼ 슬픔 ❽ 수미상관

+ 어휘 체크 본문 025쪽

1 (1) 비로소 (2) 감흥 (3) 자취
2 (1) ㉡ (2) ㉠ (3) ㉢

본문 026~027쪽

실전 04 청포도 _이육사

갈래 자유시, 서정시
성격 상징적, 감각적
주제 • 조국 광복에 대한 염원
• 풍요롭고 평화로운 세계에 대한 소망
특징 • 푸른색과 흰색의 선명한 색채 대비를 통해 주제를 형상화함
• 상징적 소재를 사용하여 평화롭고 풍요로운 삶에 대한 소망을 드러냄
• 각 연을 2행으로 배열하여 구조적 안정감을 주고, 음성 상징어를 감각적으로 사용함

확인 문제
01 ○ 02 × 03 × 04 ○ 05 의태어 06 광복 07 하이얀

실력 문제
08 ④ 09 ①, ④ 10 ③

01 이 작품은 화자의 희망이나 동경을 상징하는 시어인 '청포도', '하늘', '푸른 바다', '청포'의 푸른색과, 순수함과 정성을 상징하는 시어인 '흰 돛단배', '은쟁반', '하이얀 모시 수건'의 흰색의 선명한 색채 대비를 통해 풍요롭고 평화로운 세계에 대한 소망이라는 주제를 효과적으로 형상화하고 있다.

알아두기 **시어의 색채 대비**

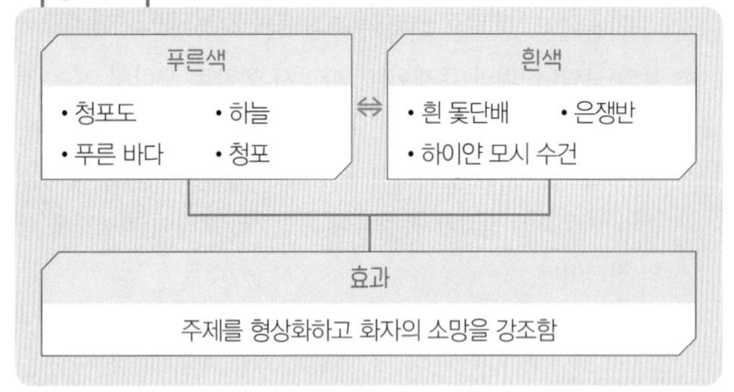

02 3연에서 '푸른 바다'는 화자의 희망이나 동경과 연결된 시어로, 화자가 기다리는 희망과 소망이 담긴 세계로 이해할 수 있다.

03 6연에서 '은쟁반'과 '하이얀 모시 수건'은 손님을 간절히 기다리는 화자의 정성을 상징하는 시어이다.

알아두기 **화자의 태도**

이 작품의 화자는 손님이 온다고 굳게 믿으며 기다리고 있고, 그가 올 것에 대비해 '은쟁반'과 '하이얀 모시 수건'을 준비하고 있다.

04 이 작품에서 '내가 바라는 손님'은 화자가 반드시 올 것이라고 믿으며 기다리는 대상으로, 시련과 고난이 끝나고 찾아올 '평화로운 세계' 또는 '조국의 광복'을 의미한다.

05 '주저리주저리'와 '알알이'는 음성 상징어에 해당한다. 음성 상징어란 소리와 의미의 관계가 필연적인 것으로 여겨지는 단어로, '멍멍'과 같은 의성어와 '엉금엉금'과 같은 의태어가 있다. 이 작품에 쓰인 '주저리주저리'와 '알알이'는 그중 의태어에 해당한다.

06 이 작품은 일제 강점기 말(1939년)에 발표되었다. 이와 같은 창작 배경과 독립지사이기도 했던 작가의 삶을 고려할 때, 화자가 기다리는 손님은 '조국의 광복'으로 해석할 수 있다.

07 시어 '하이얀'은 '하얀'의 시적 허용에 해당한다.

08 화자·대상 + 표현

이 작품의 화자는 풍요롭고 평화로운 세계, 또는 조국의 광복으로 해석할 수 있는 '손님'이 찾아올 것이라는 확신을 갖고, 정성을 다해 손님을 맞이할 준비를 하고자 한다. 따라서 ④는 적절하지 않다.

오답 풀이 ❶ '주저리주저리', '알알이'와 같은 의태어가 쓰였다.
❷ 이 작품에는 '청포도', '손님'과 같은 상징적 시어들이 쓰였다.
❸ 푸른색과 흰색의 선명한 색채 대비를 통해 풍요롭고 평화로운 세계에 대한 소망이라는 주제를 효과적으로 형상화하고 있다.
❺ 이 작품은 각 연을 2행씩 배열하는 구조를 통해 안정감을 느끼게 하고 있다.

알아두기 **표현상 특징**

색채 대비	푸른색과 흰색의 선명한 색채 대비가 나타남
상징	풍요롭고 평화로운 고향의 정서를 '청포도'로, 조국의 광복을 '손님'으로 상징하여 표현함
음성 상징어	'주저리주저리', '알알이'와 같은 의태어를 통해 풍요로운 삶을 형상화함
의인법	'푸른 바다가 가슴을 열고'에서 풍요로운 삶의 모습을 의인화하여 표현함
시적 허용	'하이얀 모시 수건'에서 흰색의 색채 감각을 높이기 위해 시적 허용을 사용함

09 시어(구)

이 작품에서 '내가 바라는 손님'은 화자가 정성을 다해 간절히 기다리고 있는 대상으로, 고달픈 몸으로 청포를 입고 찾아올 손님이다. 이는 풍요롭고 평화로운 세계를 상징하며, 창작 배경이나 작가의 삶을 고려할 경우 조국의 광복을 상징한다고 볼 수도 있다.

10 표현

〈보기〉의 밑그림에서 ㉰는 '내가 바라는 손님', 즉 '청포'를 입고 온다는 손님의 모습이다. 이 작품에서 '청포'는 '청포도, 하늘, 푸른 바다'와 함께 '푸른색'의 이미지를 지닌 소재로, 풍요롭고 평화로운 고향 마을의 이미지를 형상화하고, 나아가 조국 광복에 대한 희망을 상징한다. 따라서 청포를 입고 찾아오는 '손님'은 밝고 희망적인 느낌으로 표현해야 한다.

오답 풀이 ❶ '푸른 바다'는 푸른색 계열의 시어이며 '희망과 소망의 세계'를 상징하므로, 밝고 평화로운 느낌이 들도록 표현하는 것이 적절하다.
❷ '흰 돛단배'는 흰색 계열의 시어이며 '희망', '꿈'을 상징하므로, 푸른색 계열의 시어인 '하늘', '바다'와의 색채 대비를 통해 선명하고 희망적인 느낌이 들도록 표현하는 것이 적절하다.
❹ '청포도'는 푸른색 계열의 시어이며 화자의 '희망'이나 '평화롭고 풍요로운 세계'를 상징하므로, 싱그럽고 풍성한 느낌이 들도록 표현하는 것이 적절하다.
❺ '은쟁반'은 흰색 계열의 시어이며 화자의 '정성'을 상징하므로, 깨끗하고 정성 어린 느낌이 들도록 표현하는 것이 적절하다.

+ 독해 체크 본문 028쪽

❶ 고향 ❷ 소망 ❸ 손님 ❹ 조국 ❺ 확신 ❻ 풍요 ❼ 정성 ❽ 청포도 ❾ 은쟁반 ❿ 일제 강점기

+ 어휘 체크 본문 029쪽

1 (1) 함뿍 (2) 알알이 (3) 주저리주저리
2 〈가로〉 ❶ 청포 ❷ 모시
〈세로〉 ❶ 청포도 ❸ 시절

본문 030~031쪽

실전 05 길 _윤동주

갈래 자유시, 서정시
성격 고백적, 상징적, 의지적
주제 참된 자아를 찾기 위한 노력
특징
- 일상적인 표현과 고백적 어조를 통해 주제를 드러냄
- 상징적 소재를 사용하여 화자의 내면세계를 형상화함
- 경어체의 종결 어미 '-ㅂ니다'를 반복하여 운율을 형성하고 고백적 태도를 드러냄

확인 문제

01 ○ 02 ○ 03 × 04 ○ 05 길
06 돌담, 쇠문 07 하늘

실력 문제

08 ④ 09 ⑤ 10 ④ 11 ②

01 이 작품에 쓰인 시어는 특별한 것이 아닌 일상적인 표현이다. 화자는 이와 같은 일상적인 표현과 경어체의 종결 어미 '-ㅂ니다'를 사용한 고백적 어조를 통해 자신의 내면세계를 깊이 성찰하고 있다.

02 이 작품에서는 높임 표현인 경어체의 종결 어미 '-ㅂ니다'를 활용한 서술어를 반복하여 고백적이고 간절한 화자의 태도를 드러내고 있다.

03 이 작품의 1연에서 화자는 '무얼 어디다 잃었는지 몰라'라고 말하고 있다. 따라서 막연하게 무엇인가 상실했다는 것은 깨달았지만, 그것이 무엇인지 명확히 이해하지는 못하는 상황이다. 화자는 이를 해결하기 위해 주머니를 더듬으며 길로 나서고 있다.

04 6연에서 화자는 '풀 한 포기 없는 이 길을 걷는 것', 즉 자신이 시련과 고통의 과정을 지속하는 이유가 '담 저쪽에 내가 남아 있는 까닭'이라고 고백하고 있다. 이 작품에서 '담'은 화자의 현실의 자아와 참된 자아 사이를 가로막는 장애물로, 담 저쪽에 남아 있는 자아는 화자가 추구하는 참된 자아에 해당한다고 볼 수 있다.

05 1연에서 화자는 무엇인가 상실했음을 깨닫고, 이를 탐색하고 찾기 위해 '길'로 들어선다. 따라서 '길'은 화자가 자아를 탐색하기 위해 선택한 공간이자 과정으로 볼 수 있다.

06 이 작품에서 '돌담'과 '쇠문'은 화자와 참된 자아의 만남을 가로막는 대상으로, 참된 자아가 있는 화자의 내면과 단절을 가져오는 장애물이다.

07 '하늘'은 자아 성찰의 매개체로서, 화자의 성찰과 반성을 이끌어 내고 새로운 의지를 갖도록 화자를 이끌어 주는 대상이다.

08 시어(구) + 주제

이 작품에서 '길'은 화자의 자기 탐색과 성찰의 공간이자 과정으로서 설정된 장소이다. 화자는 이와 같은 '길'을 걷는 행위를 통해서 자신이 잃어버린 참된 자아(본질적 자아)와 자신이 지향하는 삶의 자세를 되찾고자 한다. ④와 같이 화자의 내면세계와의 단절을 가져오는 대상은 '돌담', '쇠문'이다.

오답 풀이 ❶ '길'은 돌담을 끼고 끝없이 연달아 이어져 있다.
❷, ❸ '길'은 참된 자아를 찾기 위해 화자가 선택한 공간이고, 화자는 길을 걸으면서 자신의 내면세계를 탐색하여 잃어버린 참된 자아를 찾는 과정을 겪고 있으므로, '길'은 참된 자아, 본질적 자아를 찾기 위한 공간이자 과정이다.
❺ '풀 한 포기 없는' 시련과 고난의 '길'은 곧 화자가 살아가고 있는 어둡고 암울한 현실 그 자체로 볼 수도 있다.

알아두기 '길'을 걷는 과정의 상징적 의미

상실을 인식함	→	길을 나섬	→	'길'의 상징적 의미
참된 자아를 잃어버린 상황		담 저쪽의 참된 자아를 만나기 위해 길을 걸음		자아를 탐색하는 장소

화자가 잃어버린 것은 담 저쪽에 있는 참된 자아로, '길'은 현재의 부끄러운 자아를 극복하고 참된 자아를 찾는 탐색의 장소이다. 화자는 '길'을 걷는 여정을 통해 참된 자아를 회복함으로써 암담한 현실 상황을 극복하려는 의지를 드러내고 있다.

09 시어(구)

5연의 '하늘'은 화자에게 자아 성찰의 계기를 마련해 주는 매개체임과 동시에, 새로운 의지를 갖도록 화자를 이끌어 주는 대상이다.

오답 풀이 ❷, ❸ '돌담'과 '쇠문'은 현실의 화자와 참된 자아를 가로막는 장애물이다.
❹ '그림자'는 화자가 길 위에서 느끼는 절망감으로 볼 수 있다.

알아두기 시어 '하늘'의 역할

시어 '하늘'
참된 자아를 회복하지 못한 화자를 부끄럽게 만들었지만, 자신을 돌아보고 새로운 의지를 갖게 만드는 매개체임

⇑ 올려다봄

화자의 상황
- 1연: 참된 자아를 잃어버림
- 2~4연: 참된 자아를 찾고자 길을 나섰으나, 장애물에 가로막혀 담 안쪽으로 들어갈 수 없는 시간이 지속됨
- 5연: 현실과 이상의 괴리를 느끼며 눈물짓다가 하늘을 올려다봄

10 표현

이 작품의 화자는 내면세계에 대한 탐색과 이를 통한 자기 성찰의 내용을 고백적이고 진솔한 어조를 통해 드러내고 있다.

이 작품에는 참된 자아를 찾고자 하는 화자의 의지가 나타나긴 하지만, 이것은 부끄러움에 대한 자기 인식을 바탕으로 하는 것이다. 따라서 화자가 단호하고 자신감 있는 어조로 자신이 지향하는 삶의 태도를 강조한다는 설명은 적절하지 않다.

오답 풀이 ❶ '길', '돌담', '하늘' 등 소박하고 일상적인 시어로 주제를 드러내고 있다.
❷ 화자는 '하늘'을 바라보며 부끄럽게 살아온 자신의 삶을 차분하고 담담한 어조로 성찰한 후 참된 자아를 회복하겠다는 의지를 드러내고 있다. 따라서 차분한 어조로 삶에 대한 자기 성찰적 자세를 나타내고 있다고 볼 수 있다.
❸ '돌담'이나 '쇠문', '그림자'와 같은 상징적 시어를 통해 화자가 처한 부정적 현실을 형상화하고 있다.
❺ 경어체 종결 어미 '-ㅂ니다'의 반복을 통해 운율을 형성하고, 화자의 고백적이고 간절한 태도를 드러내고 있다.

알아두기 **화자의 성찰적 자세**

하늘은 부끄럽게 푸릅니다.	• 참된 자아를 회복하지 못한 데서 오는 부끄러움 • 자아 성찰적 자세
내가 사는 것은, 다만, 잃은 것을 찾는 까닭입니다.	참된 자아를 회복하고 부정적 현실을 극복하려는 의지

이 작품의 화자는 '하늘'을 보고 현실에 굴복하고 소극적으로 살아가는 자신을 부끄럽게 여기고 있는데, 이러한 부끄러움은 화자에게 자아 성찰의 계기를 마련해 준다. 이를 통해 화자는 일제 강점기의 억압적 현실 속에서 지식인으로서의 삶의 자세를 성찰하며 부정적 현실을 극복하려는 의지를 표출하고 있다.

11 화자·대상 + 시어(구)

<보기>를 통해 당시 일제의 고등계 형사가 작가를 사상범으로 단정하고 극심한 정신적 고통을 주었음을 짐작할 수 있다. 이런 상황은 이 작품의 3연에서 길 위에 드리운 '긴 그림자'를 통해 표현되고 있다. 즉, '긴 그림자'는 화자를 둘러싼 절망적인 현실 상황을 의미한다.

오답 풀이 ❶ ㉠은 화자가 자신의 내면세계를 탐색하는 부분이다.
❸ ㉢은 참된 자아를 만나기 위한 과정이 오랜 시간 이어짐을 표현한 부분이다.
❹ ㉣은 화자의 자아 성찰로, 참된 자아를 회복하지 못한 자신에 대해 부끄러움을 느끼는 부분이다.
❺ ㉤은 참된 자아를 찾고자 하는 화자의 의지가 드러난 부분이다.

+ 독해 체크 본문 032쪽

❶ 자아 ❷ 의지 ❸ 길 ❹ 성찰 ❺ 담 ❻ 지식인
❼ 쇠문 ❽ 이상 ❾ 매개체 ❿ 과정

+ 어휘 체크 본문 033쪽

1 (1) 포기 (2) 매개체 (3) 자아 성찰
2 (1) ㉠ (2) ㉢ (3) ㉡

본문 034~035쪽

실전 06 가정 _박목월

갈래 자유시, 서정시
성격 상징적, 독백적, 의지적
주제 가장으로서의 고달픔과 가족에 대한 애정
특징 • 일상적이고 평범한 시어로 가장의 책임감과 가족에 대한 사랑을 노래함
• 가난한 시인이자 가장으로서 살아가는 고된 현실을 상징적 시어로 표현함
• 가장으로서의 책임감과 자식에 대한 사랑을 신발의 문수(치수)를 통해 시각적으로 표현함

확인 문제

01 × 02 ○ 03 × 04 × 05 문수
06 책임감 07 가장

실력 문제

08 ⑤ 09 ④ 10 ① 11 ⑤

01 아홉 명이나 되는 자식이 있다는 것, 알전등을 사용한 것, 신발 치수를 문수로 나타낸 것 등에서 이 작품의 시대적 배경이 1960년대임을 알 수 있다.

02 1연 4행에 제시되어 있는 '아니 어느 시인의 가정에는'을 통해 화자의 직업이 시인임을 알 수 있으며, 4연 2행에 제시되어 있는 '아홉 마리의 강아지야.'를 통해 화자의 자식이 아홉 명임을 알 수 있다.

03 '알전등'은 갓 따위의 가리개가 없는 전구, 또는 전선 끝에 달려 있는 맨전구를 뜻하는 것으로, 1960년대의 시대적 배경을 나타내면서 시간적 배경이 저녁 무렵임을 알려 준다. 이 작품에서 촉각적 심상을 통해 가정의 따뜻함을 표현한 시어는 '아랫목'이다.

04 '강아지 같은 것들아.'에서 '강아지'는 아홉 명의 자식 모두를 비유적으로 표현한 것으로, 막내둥이만을 한정하여 표현한 것은 아니다.

05 '알전등, 문수(십구 문 반, 육 문 삼), 아홉 켤레의 신발, 아홉 마리의 강아지(자식을 많이 낳지 않는 요즘 세태와 차이가 있음)' 등을 통해 이 작품이 1960년대를 시대적 배경으로 하고 있음을 알 수 있다.

06 '십구 문 반의 신발'은 아주 큰 치수의 신발로, 화자가 가장으로서 느끼는 무거운 책임감을 상징적으로 드러낸 시구이다.

07 '눈과 얼음의 길', '얼음과 눈으로 벽을 짜 올린', '연민한 삶의 길', '굴욕과 굶주림과 추운 길'에서 화자가 가장으로서 고달프고 힘든 삶의 현실을 살아가고 있음을 알 수 있다.

08 표현

이 작품은 현실의 고달픔을 차가운 '얼음'과 '눈'에, 가정의 따뜻함을 '아랫목'에 비유하여 촉각적으로 대비시키고 있다.

오답 풀이 ❶ 이 작품에서는 '신발', '알전등', '아랫목', '강아지' 등과 같은 평범하고 일상적인 시어를 사용하고 있다.
❷ 2연 1행의 '내 신발은'에서 화자('나')가 시의 표면에 직접적으로 드러나 있음을 확인할 수 있다.
❸ '눈과 얼음의 길', '얼음과 눈으로 벽을 짜 올린', '연민한 삶의 길', '굴욕과 굶주림과 추운 길'에서 시인인 화자의 가난하고 고달픈 삶을 비유적, 상징적으로 드러내고 있다.
❹ '아니 현관에는 아니 들깐에는 / 아니 어느 시인의 가정에는', '귀염둥아 귀염둥아 / 우리 막내둥아.', '아홉 마리의 강아지야. / 강아지 같은 것들아.', '내가 왔다. / 아버지가 왔다.' 등과 같이 동일한 시어와 유사한 시구의 반복을 통해 운율을 형성하고 있다.

09 주제

이 작품은 힘겨운 현실을 살아가는 가장으로서의 고달픔과 가족(자식들)에 대한 지극한 애정을 노래하고 있다.

오답 풀이 ❶ 이 작품에는 많은 자식을 둔 화자의 모습과, 자식에 대한 화자의 애정이 나타나 있다. 그러나 화자가 많은 자식을 둔 것을 뿌듯해하는 모습은 나타나 있지 않다.
❷ 이 작품에는 가장으로서 느끼는 화자의 삶의 무게와 고달픔이 제시되어 있을 뿐, 자식이 아버지의 고달픈 삶을 그리며 아버지를 그리워하는 내용은 제시되어 있지 않다.
❸ 이 작품은 가정과 사회에서 소외된 한 가장의 비애를 노래한 것이 아니라, 가장으로서의 고달픈 삶과 가족에 대한 사랑을 노래하고 있다.
❺ 이 작품에 가족을 위해 가장의 희생을 강요하는 사회의 모습이나 이러한 사회에 대해 비판하는 내용은 나타나 있지 않다.

10 시어(구) + 표현

'십구 문 반'은 아주 큰 치수의 신발 사이즈로, 가장으로서의 권위를 강조하는 것이 아니라 가장으로서 느끼는 무거운 책임감을 비유하여 강조한 표현이다.

오답 풀이 ❷ '눈'과 '얼음'은 차가운 속성을 지닌 것으로, '눈과 얼음의 길'은 가장으로서의 고단한 삶, 화자가 겪는 고달프고 힘겨운 현실을 의미한다.
❸ '미소하는 / 내 얼굴을 보아라.'는 현실의 삶은 힘들지만 자식들 앞에서는 웃음을 보이려는 가장의 마음이 담긴 시구로, 자식들에 대한 화자의 애정이 담겨 있다고 볼 수 있다.
❹ '강아지'는 귀엽고 사랑스러운 존재이자, 누군가의 보살핌과 보호가 필요한 존재이다. 따라서 '아홉 마리의 강아지'는 화자의 아홉 명의 자식들을 은유법을 통해 표현한 것이다.
❺ '아버지라는 어설픈 것'에는 넉넉하게 가족을 부양하지 못하는, 가장으로서 부족한 자신의 처지에 대한 부끄러움과 가족에 대한 미안함과 자책감이 담겨 있다.

11 화자·대상

이 작품의 화자는 힘든 현실 속에서도 자식들을 보살펴야 하는 가장으로서의 책임감을 느끼고 있으며, 4연의 '미소하는 / 내 얼굴을 보아라.'와 같이 현실의 어려움을 이겨 내려는 의지를 보이고 있으므로 ⑤의 내용은 적절하지 않다.

알아두기 화자의 상황을 통해 알 수 있는 삶의 모습

화자의 상황
- 시인이자 아홉 명의 자식을 둔 한 가정의 아버지
- 집 밖에서 힘들게 일하며 고달픈 삶에 연민을 느낌
- 자식들을 사랑하고 특히 막내를 귀여워함
- 자식들(가족)에 대한 책임감을 느낌
- 넉넉하게 가족을 부양하지 못하는 자신의 처지에 대해 부끄러워하고 가족에게 미안해함

⇓

삶의 모습
가난한 시대의 고달픈 현실 속에서 가족에 대한 애정과 책임감을 지닌 아버지들의 삶의 모습

독해 체크 본문 036쪽

❶ 아홉 ❷ 책임감 ❸ 알전등 ❹ 문수 ❺ 강아지
❻ 가장 ❼ 시인 ❽ 막내 ❾ 대조 ❿ 아랫목

어휘 체크 본문 037쪽

1 (1) 지상 (2) 아랫목 (3) 문수 (4) 굴욕
2 (1) ㉠ (2) ㉢ (3) ㉡

본문 038~039쪽

실전 07 엄마 걱정 _기형도

갈래 자유시, 서정시
성격 회상적, 애상적, 고백적
주제 장사하러 시장에 간 엄마를 혼자 기다리던 외롭고 슬픈 유년의 기억
특징
- 외롭고 슬픈 어린 시절의 기억을 섬세하고 솔직하게 고백함
- 어린 시절을 회상하는 형식으로, '과거 → 현재'로 시간의 변화를 보임
- 시구의 반복, 비유적 표현, 감각적 심상 등을 통해 화자의 처지와 심정을 효과적으로 형상화함

확인 문제
01 × 02 ○ 03 × 04 ○ 05 찬밥
06 과거, 현재 07 청각적

실력 문제
08 ④ 09 ① 10 ④ 11 ①

01 이 작품은 과거 회상의 형식을 취하고 있다. 어른이 된 현재의 화자는 유년 시절에, 시장에 장사하러 간 엄마를 늦도록 기다리던 경험과 그로 인해 느꼈던 정서를 이야기하고 있다.

02 장사하러 시장에 간 엄마를 혼자 기다리던 어린 화자의 외롭고 쓸쓸한 정서와 슬프고 허전한 느낌이 이 작품의 주된 정서이다.

03 이 작품에서 '배추잎 같은 발소리'는 삶에 지친 고단한 엄마의 발소리(엄마의 모습)를 비유한 표현이다.

04 이 작품에서는 '안 오시네', '엄마 안 오시네', '안 들리네' 등 유사한 시구를 반복하여 운율을 형성하고 시적 의미를 심화하고 있다.

05 시어 '찬밥'은 늦게까지 혼자 엄마를 기다리던 화자의 처지와 모습을 비유한 표현이다.

06 이 작품은 어른이 된 현재의 화자가 과거의 기억을 회상하는 형식을 취한다. 1연은 과거의 시점에서 과거의 모습을 형상화한 부분이고, 2연은 어른이 된 현재의 시점에서 과거를 떠올리고 있는 부분이다.

07 1연의 8행인 '금 간 창틈으로 고요히 빗소리'에서 '금 간 창틈'은 가난한 살림살이를 드러내는 시각적 심상이고, 고요한 '빗소리'는 화자의 외로움을 고조시키는 청각적 심상이다.

08 화자·대상 + 시어(구) + 표현

1연에서 '나'가 천천히 숙제를 한 이유는 늦도록 오지 않는 엄마를 혼자 기다리며 느끼는 무서움과 외로움, 혼자 지내야 하는 지루함을 달래기 위해서라고 보는 것이 적절하다.

오답 풀이 ❶ 1연의 '열무 삼십 단을 이고 / 시장에 간 우리 엄마 / 안 오시네'와 '빈방에 혼자 엎드려 훌쩍거리던'을 통해 '나'가 장사하러 시장에 간 엄마를 혼자 기다리고 있음을 알 수 있다.
❷ 직유법과 청각적 심상을 사용하여 삶에 지친 고단한 엄마의 모습을 '배추잎 같은 발소리'로 표현하고 있다.
❸ '찬밥'은 늦도록 혼자 방에 남아서 엄마를 기다리는 '나'의 모습을 빗댄 표현이다.
❺ 2연의 2행과 3행, '눈시울을 뜨겁게 하는', '내 유년의 윗목'에는 촉각적 심상이 쓰였다.

알아두기 **작품에 나타난 '나'와 '엄마'의 모습**

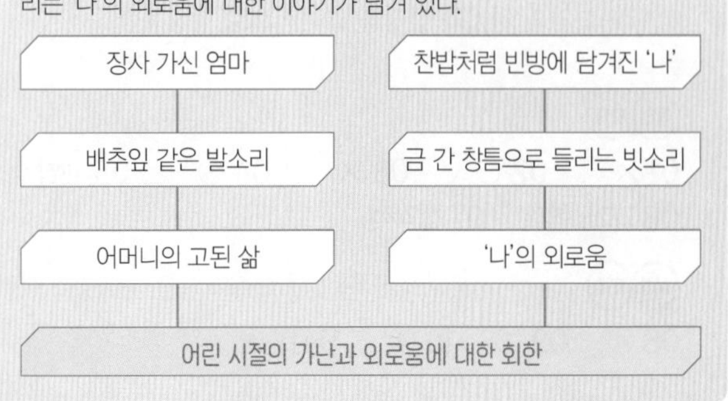

09 시어(구)

이 작품에서는 화자의 외로움과 슬픔, 허전함과 쓸쓸함 등의 정서와 작품의 분위기를 '찬밥, 금 간 창틈, 빗소리, 빈방, 윗목'과 같은 소재를 통해 효과적으로 드러낸다.

알아두기 **시어(구)의 의미와 기능**

시어 '찬밥, 금 간 창틈, 빗소리, 빈방, 윗목'		기능
• 춥고 을씨년스러운 분위기 • 쓸쓸하고 외로운 느낌 • 슬프고 허전한 느낌 • 세상과 동떨어진 공간에서 외톨이로 있는 느낌	⇒	작품의 분위기와 정서를 살려 줌

10 표현

㉠에는 활유법이 쓰이고 있다. 활유법이란 무생물을 생물인 것처럼, 감정이 없는 것을 감정이 있는 것처럼 표현하는 수사법이다. 이 작품에서는 무생물인 '해'를 '시든' 식물(생물)처럼 표현하고 있다. ④에서도 무생물인 '메아리'를 '자맥질을 하는' 생물처럼 표현하고 있다.

오답 풀이 ❶ 역설법이 사용된 시구이다.
❷ 은유법이 사용된 시구이다.
❸ 직유법이 사용된 시구이다.
❺ 반복법이 사용된 시구이다.

11 화자·대상 + 표현

화자는 1연에서 어린 시절의 '나'가 느꼈던 외로움과 슬픔을, 어른이 된 2연에서도 '지금도 내 눈시울을 뜨겁게 하는' 유년 시절이라며 공감하고 있다. 따라서 어린 시절의 '나'와 어른이 된 '나'의 괴리감을 보여 준다는 구상은 적절하지 않다.

오답 풀이 ❷ 이 작품은 어린 시절을 회상하는 형식으로, 1연은 화자의 유년 시절을, 2연은 어른이 된 현재를 다룬다.
❸ '안 오시네', '엄마 안 오시네', '안 들리네' 등 유사한 시구의 반복을 통해 운율을 형성하고 의미를 심화한다.
❹ '금 간 창틈'에 시각적 심상이, '배추잎 같은 발소리 타박타박' 등에 청각적 심상이, '나는 찬밥처럼 방에 담겨' 등에 촉각적 심상이 쓰이고 있다.
❺ 엄마의 고달픈 삶을 '배추잎 같은 발소리'로, '나'의 외로움을 '찬밥처럼 방에 담겨'로 비유하여 표현하고 있다.

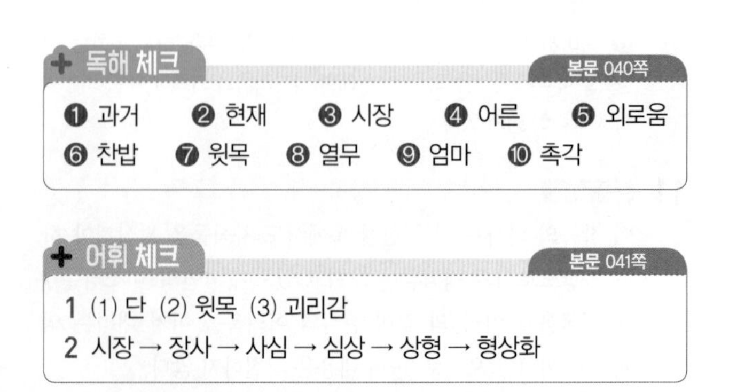

독해 체크 본문 040쪽

❶ 과거 ❷ 현재 ❸ 시장 ❹ 어른 ❺ 외로움
❻ 찬밥 ❼ 윗목 ❽ 열무 ❾ 엄마 ❿ 촉각

어휘 체크 본문 041쪽

1 (1) 단 (2) 윗목 (3) 괴리감
2 시장 → 장사 → 사심 → 심상 → 상형 → 형상화

본문 042~043쪽

실전 08 풀벌레들의 작은 귀를 생각함 _김기택

갈래 자유시, 서정시
성격 감각적, 고백적, 성찰적
주제 문명의 소음에 길들여진 삶에 대한 비판과 성찰
특징 • 문명의 소리와 자연의 소리를 대조적으로 나타냄
• 다양한 심상을 활용하여 대상의 특성을 감각적으로 표현함
• 풀벌레 소리를 통해 깨달은 점을 진솔하게 고백함

확인 문제
01 × 02 ○ 03 × 04 ○ 05 텔레비전 06 어둠 07 성찰

실력 문제
08 ③ 09 ④ 10 ④ 11 ② 12 ⑤

01 이 작품의 화자는 이전에 듣지 못했던 풀벌레 소리에 주의를 기울이고 있는 '나'임을 '내 귀', '내 눈' 등을 통해 알 수 있다.

02 이 작품은 '풀벌레', '어둠', '소리' 등의 시어를 반복하고, '~을/를 생각한다.', '~을 것이다.'의 문장 구조를 반복함으로써 운율을 형성하고 의미를 강조하고 있다.

03 이 작품은 시각적 심상, 청각적 심상, 공감각적 심상을 주로 활용하여 대상을 감각적으로 표현하고 있다. 후각적 심상은 나타나 있지 않다.

04 이 작품은 문명의 소리를 의미하는 '텔레비전'과 자연의 소리를 의미하는 '풀벌레 소리'가 대조되고, '브라운관이 뿜어낸 현란한 빛'과 '어둠', '별빛' 등이 대조되어 주제를 효과적으로 강조하고 있다.

05 1행의 '텔레비전'은 인공적인 대상으로, 자연의 소리를 의미하는 2행의 '풀벌레 소리'와 상반된 의미를 지닌다.

06 화자는 텔레비전을 끄고 어둠을 접하며 비로소 어둠 속에서 풀벌레 소리를 듣게 된다. 따라서 이 작품에서 '어둠'은 풀벌레 소리를 더욱 선명하게 듣게 하는 요소라고 볼 수 있다.

07 화자는 '브라운관이 뿜어낸 현란한 빛' 때문에 자신의 눈과 귀가 두꺼워졌고, 풀벌레 소리가 이런 벽에 부딪쳐 돌아갔을 것이라고 생각하며 자신의 태도를 성찰하고 있다.

08 화자·대상

이 작품의 화자는 현대 문명을 상징하는 '텔레비전' 소리를 듣느라 자연의 소리를 상징하는 '풀벌레 소리'를 듣지 못했던 자신의 삶을 스스로 돌아보며 반성하고 있다.

오답 풀이 ① 화자는 텔레비전의 빛과 소리로 대표되는 현대 문명의 삶에 대해 비판적인 태도를 드러낸다.
② 화자는 '어둠', '별빛', '풀벌레 소리'로 대표되는 생태계에 귀를 기울이는 삶을 살아갈 것을 노래하지만, 이 작품에서 화자가 자연 속에서 살았던 시절을 그리워하는 모습은 나타나지 않는다.
④ 화자가 어린 시절에 헤어진 존재들은 나타나 있지 않다.
⑤ 화자는 수없이 왔다가 되돌아갔을 풀벌레 소리의 존재를 알리며, 현대인들에게 내면을 채울 수 있는 자연의 소리에 귀 기울여 볼 것을 권유하고 있다.

알아두기 인식의 변화에 따른 화자의 성찰

인식의 전환	텔레비전을 끄고 평소에 듣지 못했던 풀벌레 소리를 듣게 됨
⇓	
인식의 확대	'너무 작아 들리지 않는' 풀벌레 소리와 풀벌레의 '여린 마음들'까지 생각하게 됨
⇓	
화자의 성찰	'단단한 벽'을 만들어 풀벌레 소리를 외면해 온 것을 반성하고, 풀벌레 소리를 내면 깊숙이 받아들임

09 표현

[A]는 공감각적 심상을 통해 시의 이미지를 감각적으로 생생하게 형상화하고 있다.

오답 풀이 ① 이 작품에는 무언가에 대해 묻거나 답하는 내용이 제시되어 있지 않다.
② 이 작품에는 사투리가 사용되지 않았다.
③ 이 작품에는 직유법, 다양한 심상 등이 활용되고 있지만, 반어의 방법은 나타나 있지 않다.
⑤ 이 작품에는 검은색과 흰색의 색채 대비가 나타나지 않는다.

10 화자·대상 + 시어(구)

㉣은 화자가 텔레비전과 같은 문명의 빛과 소리에 익숙해져 자연의 소리에 무관심해진 것을 의미한다.

오답 풀이 ① 화자는 텔레비전을 끈 후에 비로소 풀벌레 소리가 방 안 가득 들어오고 있음을 인식하게 되었다.
② 풀벌레 소리를 듣게 된 화자는 큰 울음 사이에서 너무 작아 들리지 않는 소리에 관심을 갖게 되었고, 이를 '그 풀벌레들의 작은 귀를 생각한다'라고 표현하였다.
③ '까맣고 좁은 통로들'은 풀벌레들의 작은 귀를 의미한다.
⑤ 화자는 밤공기를 들이쉬니 허파 속으로 그 소리들이 들어온다는 표현을 통해, 풀벌레 소리를 내면으로 받아들이는 모습을 드러내고 있다.

11 시어(구)

ⓑ는 작은 풀벌레들의 소리를 뜻하는 것으로, 자연적인 삶이나 생태계를 의미한다고 볼 수 있다. 나머지는 모두 ⓑ와 대조되는 인공적인 삶, 현대 문명을 의미한다고 볼 수 있다.

12 주제

이 작품의 화자는 텔레비전을 끄고 풀벌레 소리를 듣게 된 경험을 통해, 문명의 소리에 길들여져 풀벌레 소리와 같은 자연의 소리를 잊고 살았던 자신의 삶을 돌아보며 반성하고 있다.

그리고 이를 통해 현대인들에게 내면을 채울 수 있는 자연의 소리에 귀 기울일 것을 권유하고 있지만, 환경 오염에 대한 내용은 언급하고 있지 않다.

오답 풀이 ❶ 이 작품에는 텔레비전을 끄고 난 뒤, 풀벌레 소리를 듣게 된 화자의 경험이 제시되어 있다.
❷ 화자는 어둠이 찾아온 후에야 풀벌레들의 소리를 인식하였다.
❸ 화자는 텔레비전과 같은 문명의 소리가 자신의 눈과 귀를 두껍게 만들었고, 그 벽으로 인해 풀벌레 소리와 같은 자연의 소리를 듣지 못했다고 추측하고 있다.
❹ 화자는 현대 문명으로 인해 '풀벌레 소리', '너무 작아 들리지 않는 소리'와 같은 자연의 삶을 외면하고 살아온 것에 대해 성찰하고 있다.

+ 독해 체크 본문 044쪽

❶ 풀벌레 ❷ 무관심 ❸ 외면 ❹ 전등 ❺ 어둠
❻ 청각 ❼ 문명 ❽ 소음

+ 어휘 체크 본문 045쪽

1 (1) 풀벌레 (2) 낭랑 (3) 현란
2 (1) ㉢ (2) ㉠ (3) ㉡

본문 046~047쪽

실전 09 (가) 까마귀 싸우는 골에 (나) 까마귀 검다 하고

가 [까마귀 싸우는 골에_정몽주의 어머니]

갈래 고시조, 평시조, 단시조
성격 교훈적, 상징적
주제 나쁜 무리와 어울리는 것을 경계하고 지조와 절개를 지키는 마음
특징 대조적 소재(까마귀, 백로)와 상징적 시어(흰빛, 청강)를 통해 주제를 우회적으로 표현함

나 [까마귀 검다 하고_이직]

갈래 고시조, 평시조, 단시조
성격 비판적, 풍자적
주제 겉과 속이 다른 사람에 대한 비판
특징 대조적 소재(까마귀, 백로)를 통해 주제를 우회적으로 표현함

확인 문제

01 × 02 × 03 ○ 04 ○ 05 비판
06 설의법 07 청강에, 겉 희고

실력 문제

08 ⑤ 09 ⑤ 10 ③ 11 ②

01 (가)에서 '까마귀'는 다툼을 일삼는 나쁜 무리, 즉 부정적 의미로 쓰였고, '백로'는 더러움에 물들지 않은 결백한 인물, 즉 긍정적 의미로 쓰였다. 그러나 (나)에서 '까마귀'는 겉은 초라하나 속은 올바른 사람, 즉 긍정적 의미로 쓰였고, '백로'는 겉과 속이 다른 사람, 즉 부정적 의미로 쓰였다.

02 (가)의 중장에서 화자는 '까마귀'가 '백로'의 흰빛을 부러워하는 것이 아니라, 시샘할까 봐 두려워하고 있다.

03 '청강(淸江)'은 맑은 물이 흐르는 강을 의미하는 것으로, '청강에 조히(깨끗이) 씻은 몸'은 지조와 절개가 있는 군자를 의미한다고 볼 수 있다.

04 (나)의 종장에서 화자는 '백로'를 겉은 희나 속은 검은 것이라 하며 비판의 대상으로 삼고 있다.

05 (나)는 겉과 속이 다른 사람(고려 유신들)을 '백로'에 빗대어 비판하며 풍자하고 있다.

06 (나)의 '검을소냐.'는 '검지 않다.'라는 의미를 의문문의 형식으로 표현한 것으로, 이와 같이 누구나 다 아는 사실을 의문문의 형식으로 제시하여 변화를 주는 표현 방법을 '설의법'이라고 한다.

07 시조에서는 대체로 종장의 첫 음보가 3음절로 고정되어 나타나는데, (가)의 '청강에'와 (나)의 '겉 희고'가 이에 해당한다.

08 화자·대상 + 시어(구) + 표현

(가)와 (나) 모두 '백로'를 듣는 이로 설정하여 시상을 전개하고 있으며, 주제를 직접적으로 제시하지 않고 대조적인 소재와 상징적인 시어를 통해 우회적으로 드러낸다.

오답 풀이 ❶, ❹ 두 작품은 모두 평시조이다. 평시조는 3장 6구 45자 내외로 구성되며, 4음보의 율격을 지닌다.
❷ (가)에서는 '까마귀'를, (나)에서는 '백로'를 비판의 대상으로 삼고 있다.
❸ (가)에서는 '까마귀'(검은색)가 '백로'의 흰빛(흰색)을 시샘한다는 것에서 두 대상의 색채가 대비되고 있고, (나)에서는 보다 직접적으로 '까마귀 검다 하고'에서 '까마귀'의 검은색과 '겉 희고'에서 '백로'의 흰색이 대비되고 있다.

09 시어(구)

(나)에서 화자는 '까마귀'는 겉은 검지만 속은 검지 않고, '백로'는 겉은 희지만 속은 검다고 표현하고 있다. 이를 통해 '까마귀'는 겉모습과 달리 양심을 지키는 올바른 사람을, '백로'는 겉은 번지르르하지만 양심이 없는 겉과 속이 다른 사람을 의미함을 알 수 있다.

10 시어(구) + 어휘

㉠은 겉과 속이 다른 사람을 뜻한다. ③의 '표리부동(表裏不同)'은 겉으로 드러나는 언행과 속으로 가지는 생각이 다름을 뜻하므로, ㉠과 의미가 통한다.

오답 풀이 ❶ 자기 논에 물 대기라는 뜻으로, 자기에게만 이롭게 되도록 생각하거나 행동함을 이르는 말이다.
❷ 불을 보듯 분명하고 뻔함을 이르는 말이다.
❹ 마음과 마음으로 서로 뜻이 통함을 이르는 말이다.
❺ 작은 것을 탐하다가 큰 것을 잃음을 이르는 말이다.

11 시어(구) + 주제

(가)에서 화자는 '백로'가 '청강에 깨끗이 씻은 몸'을 더럽힐까 걱정하고 있으므로, '청강'은 이성계가 아니라 아들인 정몽주가 추구하는 세계를 의미한다고 볼 수 있다.

오답 풀이 ❶ (가)에서 '까마귀'는 다툼을 일삼는 무리(소인배), 구체적으로는 새 왕조를 건국하려는 이성계 일파를 상징하므로, '까마귀 싸우는 골'은 새 왕조를 건국하려고 세력을 다투는 무리들 속이라고 볼 수 있다.
❸, ❹ (가)의 '백로'는 긍정적인 의미를 지닌 대상으로, 작가가 염려하는 아들 정몽주, 또는 더러움에 물들지 않은 결백한 군자를 의미한다. 반면 (나)의 '백로'는 부정적인 의미를 지닌 대상으로, 정몽주와 같은 고려의 유신들 즉, 겉과 속이 다른 사람을 비판하기 위해 빗댄 대상이라고 볼 수 있다. 따라서 두 작품의 '백로'는 구체적으로 모두 고려의 유신들, 또는 그와 같은 입장의 존재로 볼 수 있다.
❺ (가)에서는 '백로'의 '흰빛'을 통해 지조와 절개, 결백한 마음 등을 내세우고 있다. 반면에 (나)에서는 고려 유신들을 빗댄 '백로'가 겉은 희고 속은 검은, 즉 겉과 속이 다른 존재라고 풍자하며 조선 개국 공신의 입장에서 자신들을 합리화하고 있다.

알아두기 **(가), (나)에 쓰인 대조적 시어와 주제**

	(가)	(나)
까마귀	신흥 세력인 이성계 일파	조선의 개국 공신(화자)
	⇕	⇕
백로	고려에 지조와 절개를 지키려는 정몽주	고려에 지조와 절개를 지킨 유신들
	⇓	⇓
주제	나쁜 무리와 어울리는 것에 대한 경계	화자를 비난하는 인물에 대한 풍자

+ 독해 체크 본문 048쪽

❶ 흰빛 ❷ 백로 ❸ 부정 ❹ 평시조 ❺ 외형률
❻ 까마귀 ❼ 정몽주 ❽ 고려

+ 어휘 체크 본문 049쪽

1 (1) 지조 (2) 절개 (3) 시샘
2 (1) ㉢ (2) ㉠ (3) ㉡

본문 050~051쪽

실전 10 훈민가 _정철

갈래 평시조, 연시조(전 16수), 정형시
성격 계몽적, 교훈적, 설득적
주제 유교 윤리의 실천을 권장함
특징
- 백성들을 교화하려는 목적으로 창작됨
- 청유형, 명령형 표현을 통해 설득력을 높임
- 백성들이 쉽게 이해할 수 있도록 순우리말과 일상어를 사용함

확인 문제
01 ○ 02 ○ 03 × 04 × 05 청유형
06 마소 07 향음주

실력 문제
08 ④ 09 ② 10 ⑤ 11 ⑤

01 두 개 이상의 평시조가 하나의 제목으로 엮인 시조를 연시조라고 하는데, 이 작품은 16수로 이루어진 연시조이다.

02 이 작품에서 중심을 이루는 내용은 당대에 중시했던 '삼강오륜(三綱五倫)'의 유교적 윤리이다. 작가는 백성들에게 유교적인 가치를 가르치고, 백성들이 바람직한 생활을 하도록 하기 위해 이 작품을 창작하였다.

03 〈제3수〉는 형제간의 우애를 강조하고 있다. 따라서 '딴 마음'은 형제간의 우애를 해치는 마음을 의미한다.

04 〈제9수〉의 화자는 어른을 공경하는 사람의 태도를 제시함으로써 어른을 공경할 것을 권장하고 있지만, 〈제9수〉에 어른을 공경하지 않는 사람의 태도는 나타나 있지 않다.

05 이 작품에는 '하자꾸나', '가자꾸나', '보자꾸나'의 청유형 표현이 나타나는데, 이를 통해 백성들에게 바람직한 생활상을 부드럽게 권유함으로써 설득력을 높이고 있다.

06 〈제8수〉에서는 윤리 의식을 갖추지 못한 사람을 '마소'에 빗대어 표현하여, 옳은 일을 하며 살 것을 권장하고 있다.

07 〈제9수〉에서는 향촌의 선비와 유생들이 학덕과 연륜이 높은 어른들을 모시고 술을 마시며 잔치를 하는 '향음주례'라는 전통문화를, 〈제13수〉에서는 힘든 일을 서로 거들어 주면서 품을 지고 갚는 '품앗이'라는 전통문화를 엿볼 수 있다.

08 화자·대상

화자는 시적 대상인 백성들에게 유교 윤리를 강조하며, 이를 실천할 것을 권장함으로써 자신이 지향하는 바람직한 삶의 자세를 드러내고 있다.

오답 풀이 ❶ 〈제13수〉의 '내 논 다 매거든'을 통해 화자가 논을 매는 농민임을 알 수 있다.
❷, ❸ 화자는 명령형, 청유형 표현을 사용하여 유교 윤리를 가르치고 있으므로 강압적 어조가 아니라 계몽적, 설득적 어조를 지니고 있다고 할 수 있다. 또한 백성들에게 유교 윤리를 권장한다는 점에서 화자는 비판적 태도가 아니라 계몽적, 교훈적인 태도를 지니고 있다고 할 수 있다.
❺ 〈제3수〉, 〈제4수〉, 〈제8수〉, 〈제9수〉, 〈제13수〉에서 화자가 과거를 회상하거나 잘못을 반성하는 모습은 찾아볼 수 없다.

알아두기 「훈민가」의 창작 목적

	중심 내용	유교 덕목
〈제3수〉	형제간의 우애	오륜
〈제4수〉	부모에 대한 효도	오륜
〈제8수〉	올바른 행동	자치 질서
〈제9수〉	어른에 대한 공경	오륜
〈제13수〉	근면과 상부상조	자치 질서

⇑

유교 사상이 밑바탕이 되어, 유교적 교화를 목적으로 창작됨

09 표현

이 작품에서는 청유형 표현 '하자꾸나', '가자꾸나', '보자꾸나'를 통해 대상을 예찬하는 것이 아니라, 유교 윤리를 실천할 것을 제안함으로써 설득력을 높이고 있다.

오답 풀이 ❶ 이 작품에서는 작가가 양반임에도 불구하고 백성들을 효과적으로 설득하기 위해, 백성들이 일상생활에서 사용하는 순우리말을 사용하고 있다.
❸ 이 작품에서는 백성들이 쉽게 공감할 수 있는 인간관계를 설정하고, 정감이 느껴지는 어휘를 사용하여 이를 그려 내고 있다.
❹ 이 작품에서는 화자가 청자인 백성들에게 말을 건네는 듯한 어조를 사용하고 있다.
❺ 이 작품에서는 유교 윤리의 가르침과 관련된 내용을 명령형 표현을 통해 백성들에게 직설적으로 전달함으로써, 유교 윤리의 실천을 강조하고 전달 효과를 극대화하고 있다.

배경지식 ⊕ 우리말의 종결 표현

종결 표현이란 문장을 끝내는 데 쓰이는 표현을 말한다. 국어의 문장은 종결 어미의 형태에 따라 평서문, 의문문, 명령문, 청유문, 감탄문의 다섯 가지로 나눌 수 있다.

평서문	말하는 이가 하고 싶은 말을 평범하고 단순하게 진술하는 문장 예 집에 간다.
의문문	말하는 이가 듣는 이에게 질문하여 대답을 요구하는 문장 예 집에 가니?
명령문	말하는 이가 듣는 이에게 무엇을 시키거나 행동을 요구하는 문장 예 집에 가.
청유문	말하는 이가 듣는 이에게 함께 행동할 것을 요청하거나 제안하는 문장 예 집에 가자.
감탄문	말하는 이가 듣는 이를 거의 의식하지 않는 상태에서 자기의 느낌을 표현하는 문장 예 집에 가는구나!

10 시어(구)

㉤에서 '새었다'는 '(날이) 밝았다.'의 의미로, 날이 밝았으니 호미를 메고 일하러 갈 것을 권장하는 것이다. 따라서 ㉤은 농민들이 하루를 마무리할 때가 아닌, 농민들이 하루를 시작할 때의 바람직한 태도와 관련이 있다.

오답 풀이 ❶ ㉠의 '모습조차 같은 것인가?'는 화자가 말을 건네는 대상인 형과 아우의 외모가 닮았음을 의미하는 것이다.
❷ ㉡은 부모가 살아 계실 때 섬기지 못하면 돌아가신 후에는 소용이 없음을 말하고 있는 것이다. 이는 효도를 다하지 못한 채 어버이를 여읜 자식의 슬픔을 의미하는 한자 성어인 '풍수지탄(風樹之歎)'과 관련이 있다.
❸ ㉢은 '마소와 같은 가축에게 갓 고깔을 씌워서 밥을 먹이는 것과 무엇이 다르겠느냐?'라는 의미를 지닌 설의적 표현으로, 사람답지 않은 행동을 하는 사람을 '마소'에 빗대어 나무라고 있는 것이다.
❹ ㉣은 '나갈 데 계시거든'이라는 상황을 가정하여 어른을 공경하는 태도를 제시하고 있는 것이다.

11 시어(구) + 주제

〈제13수〉에서 화자는 농사일을 할 때 근면하고 상부상조할 것을 권장하고 있다.

오답 풀이 ❶ 〈제3수〉에서는 형과 아우에게 형제간에 우애 있게 지낼 것을 권장한다.
❷ 〈제4수〉에서는 나중에 후회하며 슬퍼하지 말고 부모님이 살아 계실 때 효도할 것을 권장한다.
❸ 〈제8수〉에서는 마을 사람들에게 올바르게 행동하며 살아갈 것을 권장한다.
❹ 〈제9수〉에서는 어른을 공경할 것을 권장한다.

알아두기 작품이 창작된 시기의 사회·문화적 상황

유교 사상이 생활의 바탕이 됨

⇓

- 부모에 대한 효를 중요하게 생각함
- 장유유서(長幼有序: 어른과 어린이 사이의 도리는 엄격한 차례가 있고 복종해야 할 질서가 있음을 이르는 말)와 노인 공경을 중요하게 생각함
- 농업을 근간으로 하고 있었으며, 농사일을 할 때 상부상조(相扶相助: 서로서로 도움)의 정신으로 협동하는 것을 중요하게 생각함

+ 독해 체크 본문 052쪽

❶ 우애 ❷ 공경 ❸ 형 ❹ 마을 ❺ 계몽 ❻ 효도
❼ 근면 ❽ 순우리말 ❾ 이해

+ 어휘 체크 본문 053쪽

1 (1) 마소 (2) 평생 (3) 향음주
2 (1) ㉡ (2) ㉠ (3) ㉢

2. 소설

본문 060~061쪽

실전 01 운수 좋은 날 ❶ _현진건

갈래 단편 소설, 현대 소설, 사실주의 소설

성격 사실적, 비극적, 반어적, 현실 고발적

주제 일제 강점기 도시 하층민의 궁핍하고 비참한 삶

특징
- 일제 강점기 도시 하층민의 비참한 삶을 사실적으로 드러냄
- 극적인 반전(상황적 반어)을 통해 주제를 강조하고, 작품의 비극성을 극대화함
- '비 오는 날'의 날씨 배경을 통해 작품 전체의 분위기와 비극적 결말을 효과적으로 드러냄

확인 문제

01 ○ 02 ○ 03 설렁탕 04 비속어

실력 문제

05 ④ 06 ⑤ 07 ④ 08 ③

01 이 작품에서 겨울비가 추적추적 내리는 날씨 배경은 작품 전체에 어둡고 암울한 분위기를 조성하고, 인물이 처한 현실의 불행과 비극적 결말을 암시한다.

02 이 작품에서 '인력거', '인력거꾼', '김 첨지', '양복쟁이', '동광학교', '전(삼십 전, 오십 전, 팔십 전, 일 원 오십 전)', '백동화', '푼(서 푼, 다섯 푼)', '조밥', '남대문 정거장', '우장' 등은 작품을 창작할 당시(일제 강점기였던 1920년대)의 사회상이 반영된 소재이다.

배경지식 ⊕ 인력거

자전거 바퀴와 같이 생긴 구조의 큰 두 바퀴 위에 사람이 타는 자리를 만들고, 그 위에 포장을 둘러씌워 만든 것이다. 1869년경에 일본에서 서양 마차를 본떠 만들어진 인력거는 1894년 일본인이 10대의 인력거를 수입해 들여와 영업을 시작함으로써 처음으로 우리나라에 선을 보였다. 최초의 인력거꾼은 모두 일본인이었다가 점차 한국인으로 바뀌었다. 이로부터 인력거는 부산, 평양, 대구 등 지방 도시에 급속히 보급되어 가마를 대신하는 중산층 이상의 교통수단으로 번성을 누렸다. 인력거 영업은 1923년 절정에 이르러 전국에 4,647대(서울 1,816대)를 기록하였으나, 1912년부터 등장한 임대 승용차(택시)와의 경쟁에 밀려 점차 사양길을 밟았다.

03 이 작품에서 '설렁탕'은 돈을 번 김 첨지가 앓는 아내에게 사다 주고 싶어 하는 것으로, 아내에 대한 김 첨지의 사랑을 드러내는 소재이다.

04 이 작품에서 김 첨지가 사용하는 생생한 비속어는 하층민의 생활상과 인물의 심리를 사실적으로 드러내는 역할을 한다.

05 서술

이 작품은 작품 밖의 서술자(작가)가 전지전능한 위치에서 작품과 관련된 모든 것, 즉 인물들의 성격과 가치관, 과거와 미래, 내면 심리 등의 보이지 않는 것까지도 모두 전달하는 전지적 작가 시점을 취하고 있다.

오답 풀이 ❶ 1인칭 주인공 시점에 대한 설명이다.
❷ 1인칭 관찰자 시점에 대한 설명이다.
❸, ❺ 3인칭 관찰자 시점(작가 관찰자 시점)에 대한 설명이다.

06 인물·사건

(나)에서 김 첨지는 아내의 병이 위중함에도 약 한 첩 써 본 일이 없다고 하였다. 또한 김 첨지는 병이 나도 약을 쓰지 않고 참고 견뎌야 한다는 고지식한 신조를 지니고 있었다.

오답 풀이 ❶ (가)의 '근 열흘 동안 돈 구경도 못한 김 첨지는 ~ 눈물을 흘릴 만큼 기뻤었다.'를 통해 김 첨지가 근 열흘 만에 돈을 벌게 되었음을 알 수 있다.
❷ (나)의 '조밥도 굶기를 먹다시피 하는 형편이니'를 통해 김 첨지의 형편이 매우 어려움을 알 수 있다.
❸ (라)의 '이상하게도 꼬리를 맞물고 덤비는 이 행운 앞에 조금 겁이 났음이다.'를 통해 김 첨지가 이어지는 행운에 내심 불안감을 느끼고 있음을 알 수 있다.
❹ (나)의 '그의 아내가 기침으로 쿨룩거리기는 벌써 달포가 넘었다.'를 통해 김 첨지의 아내가 한 달 넘게 병을 앓고 있음을 알 수 있다.

07 배경·소재

'비 오는 날'이라는 날씨 배경이 작품의 음산하고 어두운 분위기를 조성하고 주인공 김 첨지의 착잡한 심리를 반영하는 역할을 하지만, 인물 간의 갈등을 심화시키고 있지는 않다.

오답 풀이 ❶, ❸ 이 작품은 겨울비가 내리는 배경을 묘사하며 시작된다. 이는 그만큼 '비 오는 날'이라는 음산하고 을씨년스러운 날씨 배경이 작품의 전반적 분위기나 내용 전개 방향과 관련되어 있다는 의미이다.
❷ '눈이 올 듯'했다는 것에서 계절적 배경이 겨울임을 알 수 있다.
❺ 하루 종일 비가 내리는 날씨 배경은 사건의 비극적 결말을 암시하는 역할을 한다.

알아두기 '겨울비'가 내리는 날씨의 역할

'겨울비'가 내리는 날씨
- '새침하게 흐린 품이 눈이 올 듯하더니 눈은 아니 오고 얼다가 만 비가 추적추적 내리었다.'
- '흐리고 비 오는 하늘은 어둠침침한 게 벌써 황혼에 가까운 듯하다.'
- '궂은비는 의연히 추적추적 내린다.'

⇓

날씨 배경의 역할
- 작품의 전반적인 분위기를 어둡고 음산하게 이끌어 감
- 김 첨지의 복잡하고 착잡한 심리 상태를 반영함
- 앞으로 다가올 불행과 비극적 결말을 암시함

08 서술

㉡의 다음 내용으로 보아, 김 첨지는 겉으로는 야단을 쳤지만 속마음으로는 아내를 안타까워하고 있으므로, ㉡은 아내에 대한 김 첨지의 생각을 단적으로 제시한 부분이라 볼 수 없다.

오답 풀이 ❶ '조밥도 못 먹는 년', '처먹고 지랄을 하게.'를 통해 비속어를 실감 나게 사용하고 있음을 알 수 있다.
❷, ❹ 비속어를 사용하여 1920년대 당시 하층민들의 생활상을 사실적이고 현장감 있게 전달하고 있다.
❺ ㉡을 통해 김 첨지의 성격, 심리 상태를 짐작해 볼 수 있다. 김 첨지는 겉으로는 설렁탕을 사 달라고 하는 아내를 야단쳤지만, 속으로는 아내의 바람대로 해 주지 못해 안타까워하고 있으므로 김 첨지는 무뚝뚝하지만 아내를 사랑하는 인물임을 알 수 있다.

배경지식 ⊕ 소설의 인물 제시 방법

직접적 제시	• 서술자가 직접 인물의 특성을 요약해서 설명하는 방법을 말함 • 인물에 대해 자세히 설명할 수 있고, 독자가 인물의 특성을 쉽게 파악할 수 있음
간접적 제시	• 서술자의 개입 없이 인물의 행동이나 대화 등을 통해 인물의 성격을 제시하는 방법을 발함 • 인물을 생동감 있게 그려 낼 수 있고, 독자로 하여금 상상력을 발휘하게 함

01 운수 좋은 날 ②

본문 062~063쪽

01 × 02 ○ 03 복선 04 행운

05 ⑤ 06 ④ 07 ④ 08 ③

01 (마)에는 나가지 말라는 아내의 부탁을 외면하고 일을 나와서 느끼는 김 첨지의 걱정과 불안, (사)에는 집 가까이 다다르자 느끼는 아내에 대한 김 첨지의 걱정과 불안이 드러나 있다.

02 아내가 중증의 병을 앓고 있음에도 돈을 벌기 위해 인력거를 끌러 나오는 김 첨지의 모습에서, 김 첨지가 비참할 정도로 가난한 처지임을 알 수 있다.

03 (마)에서 병든 아내가 일을 나가려는 김 첨지를 만류하는 것과, 그래도 일을 나가는 김 첨지에게 일찍 들어오라고 말하는 것은 이후에 불행한 일이 생길 것임을 암시하는 복선이다.

04 (바)~(사)에서 김 첨지는 큰돈인 '일 원 오십 전'을 벌 수 있는 기회를 잡고 남대문 정거장으로 향하고 있다. 따라서 손님을 계속 태우는 김 첨지의 행운이 이어지고 있음을 알 수 있다.

05 인물·사건

(사)에서 김 첨지의 다리가 갑자기 무거워진 것은, 집에 가까이 다다르자 병에 걸려 누워 있는 아내와 어린 자식이 떠올랐기 때문이다.

오답 풀이 ❶ (마)에서 '집을 나올 제 아내의 부탁이 마음에 켕기었다.'를 통해 알 수 있다.
❷ (바)에서 '빙글빙글 웃는 차부의 얼굴에는 숨길 수 없는 기쁨이 넘쳐흘렀다.'를 통해 알 수 있다.
❸ (바)에서 '그 학생을 태우고 나선 김 첨지의 다리는 이상하게 거뿐하였다.'를 통해 알 수 있다.
❹ (사)에서 김 첨지는 인력거 채를 쥔 채 길 한복판에 멈춰 서는데, 그 이유는 '엉엉하고 우는 개똥이의 곡성'을 들은 듯싶었기 때문이다.

알아두기 '발단~전개' 부분에 나타난 '김 첨지'의 심리

정류장에서 양복쟁이를 동광 학교까지 태워 줌	이른 아침부터 돈을 벌게 된 김 첨지는 모주 한 잔을 마실 수 있고, 아픈 아내에게 설렁탕을, 아이에게는 죽을 사다 줄 수 있게 되어 마음이 넉넉해짐
기숙사 학생을 남대문 정거장까지 태워 줌	손님을 태운 인력거가 집에 가까워질수록 아내에 대한 걱정으로 불안해져서 걸음이 느려지고, 집에서 멀어질수록 근심과 걱정을 잊게 위해 일에 몰두하여 걸음이 빨라짐
큰 가방을 들고 있던 손님을 인사동까지 태워 줌	돈을 더 벌게 되어 기뻤지만, 아내에 대한 걱정으로 걸음이 황급해짐. 집이 가까워 올수록 두려움이 커지면서 마음이 괴상하게 누그러짐

06 서술

(마)에서 평소와 달리 김 첨지에게 나가지 말라고 말하거나, 일찍 들어오라고 말하는 병든 아내의 부탁은 자신에게 벌어질 비극을 예감하는 말로 볼 수 있다. 따라서 ㉠은 작품의 비극적 결말(아내의 죽음)을 암시하는 복선에 해당한다.

07 인물·사건

㉡에는 아내의 병세에 대한 불안감을 애써 외면하는 김 첨지의 모습이 드러난다. 또한 이를 통해 병든 아내를 두고도 일을 나가야 하는 김 첨지의 매우 가난한 처지를 알 수 있다.

오답 풀이 ❶ 김 첨지의 무뚝뚝한 성격이 나타나긴 하지만, 앞뒤 내용으로 볼 때 김 첨지의 성격이 포악하다고 볼 수는 없다.
❷, ❺ 김 첨지는 퉁명스럽고 무뚝뚝하게 말할 뿐, 아내를 원망하지 않는다. 오히려 김 첨지는 남대문 정거장까지 가자는 말을 들은 순간, 집에 있는 병든 아내를 걱정하며 불안감을 느끼고 있다.
❸ 김 첨지는 집에서 벗어나고 싶어 하는 것이 아니라, 자신이 일을 해야 먹고살 수 있기 때문에 병든 아내의 부탁에도 일을 나가려는 것이다.

08 인물·사건

(사)에서 김 첨지는 집에 가까이 다다를수록 나가지 말라고 부탁하던 병든 아내의 모습이 떠올라 걸음이 느려지고, 집에서 차차 멀어질수록 근심과 걱정을 잊기 위해 다시 빨리 걸으며 일에 몰두한다. 즉 아내에 대한 걱정이 모두 사라졌기 때문에 걸음이 빨라진 것은 아니다.

01 운수 좋은 날 ❸

본문 064~065쪽

확인 문제

01 ○ 02 × 03 치삼 04 원수

실력 문제

05 ③ 06 ② 07 ⑤ 08 ④

01 이 작품에서는 비속어의 사용을 통해 김 첨지의 심리와 삶의 모습을 사실감 있게 드러내고 있다. 특히 (아)~(차)에 쓰인 비속어에는 궁핍한 삶에 대한 김 첨지의 원망과 아내에 대한 불안감 등의 심리가 반영되어 있다.

02 (차)의 '궂은비'는 술을 마시며 집에 돌아가는 시간을 늦추고 있던 김 첨지가 결국 집에 돌아가기 위해 거리로 나선 순간의 날씨이다. 시종일관 암울하고 을씨년스럽게 내리는 궂은비는 현재 김 첨지의 암울한 심정을 드러내며, 집에서 맞닥뜨릴 불행한 결말을 암시하는 요소로 이해할 수 있다.

03 김 첨지가 술을 마시는 것은 집에 돌아갈 시간을 미루기 위한 행동으로 볼 수 있다. 걱정하던 아내를 빨리 만나러 가지 않고, 치삼과 술을 마시며 버티는 것은 김 첨지 스스로도 불길한 예감이 들었기 때문이다.

04 (아)에서 김 첨지가 돈을 집어 던지는 행동에는 궁핍한 삶에 대해 원망하는 심정이 담겨 있다. 또한 취중에도 집어 던진 돈의 거처를 살피며 연연해하는 자신의 모습에도 화를 내고 있는데, 이 모든 것은 결국 지독한 가난으로 인한 현상이다.

05 서술

이 작품에서 김 첨지가 비속어를 사용하는 것은 구체적인 갈등 상대가 있기 때문은 아니다. (아)~(차)에 쓰인 비속어에는 주로 술에 취한 김 첨지의 고조된 감정, 즉 궁핍한 삶에 대한 원망이 사실적으로 반영되어 있다.

06 인물·사건

이 작품에서 김 첨지가 친구 치삼과 술을 마시고, 과장된 말과 행동을 하는 근본적인 이유는 아내에 대한 불길한 예감으로 집에 돌아가기가 두려웠기 때문이다. 따라서 김 첨지의 행동을 열심히 일한 자신에게 주는 보상으로 이해하는 것은 적절하지 않다.

오답 풀이 ❶, ❹ 김 첨지는 굶다시피 하는 형편에 병든 아내를 두고 나가 일을 해서 번 돈을 술을 마시며 탕진하고 있다. 이러한 김 첨지의 모습을 통해 당대 고달픈 하층민의 생활상을 사실적으로 그려 내고 있다.
❸ (자)에는 술에 취해서 술을 급하게 마시고 "또 부어, 또 부어."라고 외치며, 치삼의 어깨를 치며 큰 소리로 웃는 등 과장된 말과 행동을 하는 김 첨지의 모습이 나타나 있다.
❺ 김 첨지가 치삼의 어깨를 치며 큰 소리로 웃는 것은 술에 취해서이기도 하지만, 아내에 대한 불안감을 떨치기 위해서이기도 하다.

07 인물·사건 + 배경·소재

김 첨지가 돈에 화풀이를 하는 이유는 병세가 깊은 아내의 부탁을 뿌리치고 나올 수밖에 없는 비참한 상황, 즉 지독한 가난 때문에 돈이 원수처럼 느껴지고 원망스러웠기 때문이다.

08 인물·사건 + 서술

김 첨지가 치삼에게 "우리 마누라가 죽었다네."라고 말한 것은 집에서 맞닥뜨리게 될 불길한 상황을 예감하고 있기 때문이지만, 이런 말을 함으로써 내심 아내에게 별일이 없기를 바라는 김 첨지의 마음이 반영된 것이기도 하다.

오답 풀이 ❸ 김 첨지가 던진 돈이 양푼에 떨어지며 쨍하고 울린 것을 '정당한 매를 맞는다는 듯이 쨍하고 울었다.'라고 표현한 것에는 돈에 화풀이하는 김 첨지의 행동에 대해 은연중에 동조하는 서술자(작가)의 심정이 드러나 있다고 볼 수 있다.

01 운수 좋은 날 ❹

본문 066~067쪽

확인 문제

01 × 02 ○ 03 허장성세 04 죽음 05 반어

실력 문제

06 ② 07 ④ 08 ⑤ 09 ⑤

01 (카)에서는 개똥이가 젖을 빠는 소리가 날 뿐 꿀떡꿀떡하고 젖 넘어가는 소리가 없다며, 아내가 죽었음을 암시하고 있다.

02 (하)에서 아내는 김 첨지가 사 온 설렁탕을 끝내 먹지 못하고 숨을 거두는데, 이 장면에서 작품의 비극성이 가장 고조된다.

03 (카)~(파)에서 김 첨지가 고함을 치거나 비속어를 사용하는 등의 허장성세를 부리는 것은 스스로의 불안감을 떨치기 위한 행동이다.

04 김 첨지가 방문을 열었을 때 나는 다양한 냄새들은 죽음의 분위기를 생생하게 드러낸다.

05 이 작품의 결말은 '운수 좋은 날'이라는 제목과 반대되게 비극적으로 끝을 맺는다. 따라서 이 작품의 제목은 김 첨지의 비참한 삶을 반어적으로 드러내는 표현으로 볼 수 있다.

06 배경·소재

술에 취했음에도 아내를 위해 '설렁탕'을 사 오는 김 첨지의 모습에서 김 첨지의 소박한 인간미와 아내에 대한 애정을 느낄 수 있다. 반면 결말 부분에서 결국 아내는 '설렁탕'을 먹지 못하고 죽게 되므로, '설렁탕'은 작품의 비극성을 더욱 고조시키는 역할도 하고 있다. 그러나 김 첨지의 불안감과는 관련이 없다.

알아두기 **'설렁탕'의 역할**

- '사흘 전부터 설렁탕 국물이 마시고 싶다고 남편을 졸랐다. ~ 인제 설렁탕을 사 줄 수도 있다.'
- '김 첨지는 취중에도 설렁탕을 사 가지고 집에 다다랐다.'
- "설렁탕을 사다 놓았는데 왜 먹지를 못하니? 왜 먹지를 못하니……?"

⇓

- 하층민의 가난한 현실을 드러냄
- 아내에 대한 김 첨지의 사랑을 확인시켜 줌
- 아내가 설렁탕을 먹지 못하고 죽음으로써 결말의 비극성을 강조함

07 서술 + 주제

절정과 결말 부분에서 김 첨지가 허장성세를 부리는 것은 아내를 구박하는 것이 아니라, 아내의 죽음에 대한 불안감과 두려움을 느끼는 것을 애써 외면하려는 과장된 행동으로 볼 수 있다.

오답 풀이 ❶, ❷ '운수 좋은 날'이라는 이 작품의 제목은 아내의 죽음이라는 결말의 비극성을 강조하는 반어적 표현이다.

❸, ❺ 설렁탕도 먹지 못한 아내의 죽음은 결말의 비극성을 더욱 고조시킨다. 이와 같은 결말은 결국 일제 강점기 도시 하층민의 궁핍하고 비참한 삶을 효과적으로 보여 준다.

08 서술

ⓜ의 '꿀떡꿀떡하고 젖 넘어가는 소리'는 김 첨지의 아내가 살아 있을 때에 들릴 수 있는 소리이다. 나머지는 모두 아내의 죽음을 암시하는 표현이다.

09 인물·사건

이 작품의 발단과 전개 부분에서는 김 첨지에게 행운이 계속되어 김 첨지는 하루 벌이로는 큰돈을 벌게 된다. 기숙사 학생을 남대문 정거장까지 태워다 주면서 그의 기쁨은 절정에 다다르지만, 집이 가까워지자 아내에 대한 걱정으로 불안감을 느낀다. 이후 위기 부분부터는 불안감이 더 고조되며, 집에 가는 시간을 늦추기 위해 친구 치삼과 술을 마신 뒤 마침내 집에 돌아간 절정, 결말 부분에서는 아내의 죽음을 맞닥뜨리고 슬픔을 느끼게 된다. 따라서 김 첨지의 심리 변화 과정을 ⑤와 같은 그래프로 나타낼 수 있다.

+ 독해 체크 본문 068쪽

❶ 행운 ❷ 설렁탕 ❸ 죽음 ❹ 인력거꾼 ❺ 분위기
❻ 사랑 ❼ 비극성 ❽ 복선 ❾ 아내 ❿ 반어적

+ 어휘 체크 본문 069쪽

1 (1) 달포 (2) 일변 (3) 댓바람
2 (1) ㉡ (2) ㉢ (3) ㉠

본문 070~071쪽

실전 02 동백꽃  _김유정

갈래 단편 소설, 순수 소설, 농촌 소설
성격 향토적, 해학적, 서정적
주제 산골 젊은 남녀의 순박한 사랑
특징
- 상대의 행동을 이해하지 못하는 '나'의 어수룩한 행동으로 해학적 분위기를 조성함
- 토속적, 향토적 어휘와 소재를 풍부하게 사용하여 작품의 정서와 분위기를 형성함
- 1930년대 시골을 배경으로 하여 젊은 남녀의 순박하고 풋풋한 사랑을 서정적으로 그림

확인 문제
01 × 02 ○ 03 ○ 04 닭싸움 05 감자

실력 문제
06 ⑤ 07 ② 08 ⑤ 09 ④

01 이 작품은 작품 속에 등장하는 중심인물인 '나'가 자신의 이야기를 서술하는 1인칭 주인공 시점의 소설이다.

02 (다)에서 "느 집엔 이거 없지?"라는 점순이의 말은 민망함을 감추려는 것이었으나, '나'의 자존심을 상하게 하여 '나'는 점순이의 호의를 거절하였다.

03 (가)는 점순이가 이유 없이 닭싸움을 붙여 '나'를 괴롭히는 현재의 상황이고, (나)~(라)는 닭싸움을 하기 전 '나'가 점순이의 감자를 거절했던 과거를 회상하는 부분이다.

알아두기 **「동백꽃」의 역순행적 구성**

이 작품은 닭싸움을 중심으로 '현재-과거-현재'로 이어지는 '역순행적 구성'을 취하고 있다.

현재	발단('오늘도 또 ~ 아르렁거리는지 모른다.')
과거	전개('나흘 전 감자 ~ 달아나는 것이다.'), 위기
현재	절정, 결말

04 '나'와 점순이가 현재 갈등을 겪고 있는 상황은 (가)에 제시되어 있으며, 이 부분에는 점순이가 계속해서 자기네 닭과 '나'의 닭을 싸움 붙이는 상황이 나타나 있다. 즉 '나'와 점순이가 갈등을 겪고 있는 이유는 점순이가 일부러 붙이는 '닭싸움' 때문이다.

05 점순이는 '감자'를 주며 '나'에게 관심을 표현한다. 그러나 '나'가 이를 거절하자 점순이와 '나'의 갈등이 시작된다.

06 인물·사건

'나'는 점순이가 왜 '나'를 괴롭히지 못해서 안달인지 전혀 알아채지 못하고 있다.

오답 풀이 ① (가)의 '점순네 수탉(은 대강이가 크고 똑 오소리같이 실팍하게 생긴 놈)이 덩저리 작은 우리 수탉을 함부로 해내는 것이다.'에서 확인할 수 있다.
② (가)의 '오늘도 또 우리 수탉이 막 쪼이었다.'를 통해 이전에도 점순이의 괴롭힘이 있었음을 알 수 있다.
③ 점순이에게 감정이 없었던 '나'에게 점순이가 먼저 감자를 건넸고, 그것을 거절한 이후 닭싸움이 벌어졌다. 따라서 사건은 '나'가 아니라 점순이로부터 시작되었다고 할 수 있다.
④ (가)의 '대뜸 지게막대기를 메고 달려들어 점순네 닭을 후려칠까 하다가 생각을 고쳐먹고 헛매질로 떼어만 놓았다.'를 통해, '나'가 점순이에게 부당함을 따지지 못하고 있음을 알 수 있다.

07 서술

㉠에서 '나'는 점순이가 자신에게 호감의 표시로 감자를 준 것을 전혀 눈치채지 못하고, 점순이가 화를 낸 것은 저의 잘못이 아니라고 말하고 있다. ㉠은 이러한 '나'의 어수룩한 모습을 드러내어 해학성을 유발한다.

오답 풀이 ① ㉠은 사건의 원인을 바르게 파악한 것이 아니라, 점순이의 마음을 전혀 이해하지 못하는 '나'의 어수룩함을 드러내고 있다.
③ ㉠에서 '나'는 사소한 일을 부풀려 말하고 있는 것이 아니라, 실제로 생각하는 바를 솔직히 말하고 있다.
④ ㉠은 자기가 하고도 아니한 체, 알고도 모르는 체하는 시치미를 떼는 태도와는 관련이 없다.
⑤ ㉠에는 표현의 효과를 높이기 위하여 실제와 반대되게 말을 하는 반어적인 표현이 쓰이지 않았다.

08 인물·사건

㉡은 '나'의 자존심을 건드린 결정적인 말이기는 하지만, 원래 점순이의 의도는 갑작스레 '나'에게 관심을 보이는 것이 쑥스러워서 ㉡과 같이 말을 붙인 것이다.

09 인물·사건

[A]에서 점순이는 '나'에게 감자를 주며 호감을 표현한 것을 '나'가 이해하지 못하고 거절하자 매우 무안하고 화가 났다.

오답 풀이 ① 점순이는 '나'가 감자를 싫어해서 실망한 것이 아니라, '나'가 자신의 호의를 거절한 것 때문에 화가 난 것이다.
② 점순이는 '나'의 마음을 잘 몰라 당황한 것이 아니라, '나'가 감자를 단호히 거절해서 자존심이 상한 것이다.
③, ⑤ [A]에 나타난 점순이의 반응은 걱정하거나 미안해하는 것이 아니라, '나'의 거절에 무안하고 화가 난 것이다.

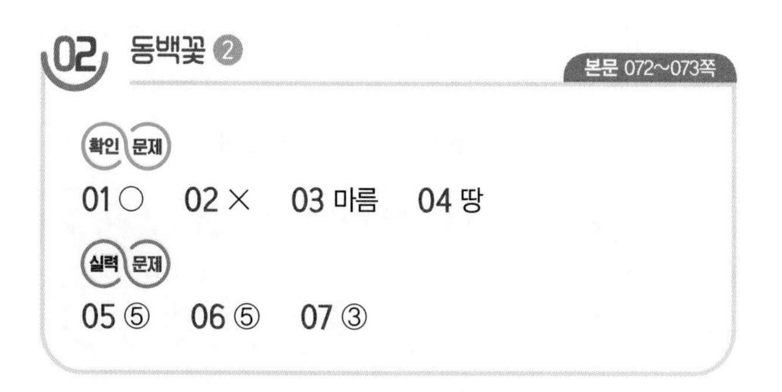

02 동백꽃 ②

본문 072~073쪽

확인 문제

01 ○　02 ×　03 마름　04 땅

실력 문제

05 ⑤　06 ⑤　07 ③

01 점순이는 '나'에게 감자를 건넸다가 무안함에 눈물을 흘리고 간 그담 날 저녁부터 '나'의 닭을 괴롭힌다. 즉 '나'에 대한 보복으로 닭을 때린 것이다.

02 (바)로 보아, '나'가 점순이에게 직접 화내지 못하는 이유는 '나'의 가족이 마름인 점순네 땅을 부치며 생계를 꾸려 가고 있기 때문이다.

03 '마름'은 땅 주인을 대신하여 소작권을 관리하는 사람을 뜻하는 말로, 1930년대의 시대상을 드러내는 소재이다.

04 (바)에 제시된 '왜냐하면 내가 점순이하고 일을 저질렀다가는 ~ 우리는 땅도 떨어지고 집도 내쫓기고 하지 않으면 안 되는 까닭이었다.'를 통해, 어머니가 '나'에게 주의를 준 이유는 땅이 떨어질 것을 염려했기 때문임을 알 수 있다.

05 인물·사건

'나'는 다소 어수룩하며 무뚝뚝하고 우직한 성격인 반면에, 점순이는 적극적이고 활달한 성격이다. 따라서 둘의 성격은 서로 비슷하다고 보기 어렵다.

오답 풀이 ① 점순이가 '나'의 닭을 괴롭히는 것은 '나'에 대한 원망의 표현이자, '나'의 관심을 끌고 싶은 마음이 담긴 행동이다. 따라서 애증, 즉 사랑과 미움이 교차하는 마음의 표현이라고 볼 수 있다.
② '나'는 점순이에게 적극적으로 따지고 대응할 수 없는 상황이다. 따라서 아무것도 안 하기에는 너무 분해 울타리라도 후려친 것으로 볼 수 있다.
③ (마)를 통해 평소 점순이는 부끄러움을 타지 않으며, 분하다고 눈물을 보이는 일은 더더욱 없음을 알 수 있다. 그런 점순이가 눈물을 보인 것은 '나'에게 호의를 거절당해 민망하고 부끄러웠기 때문이다.
④ (바)의 '설혹 주는 감자를 안 받아먹은 것이 실례라 하면, 주면 그냥 주었지 "느 집엔 이거 없지?"는 다 뭐냐.'를 통해, '나'가 감자를 거절한 이유가 점순이의 말 때문임을 알 수 있다. 따라서 점순이가 그 말을 안 했다면 아마도 '나'는 감자를 받아먹었을 것으로 예상할 수 있다.

알아두기 등장인물의 성격

점순	• 천연덕스럽고 괄괄함 • 조숙하고, 감정을 적극적으로 표현함
'나'	• 순박하고 어수룩함 • 무뚝뚝하고 우직함

06 인물·사건

(바)에서 '나'는 자신의 집은 점순네의 신세를 많이 지고 있는데, 자신과 점순이가 좋아지내기라도 하면 점순네 부모님이 화를 낼 것이며, 그로 인해 집이며 땅을 빼앗길지도 모른다고 생각하였다.

오답 풀이 ① (바)의 '우리 어머니 아버지도 ~ 인품 그런 집은 다시없으리라고 침이 마르도록 칭찬하곤 하는 것이다.'를 통해, '나'의 집과 점순네 집의 사이가 좋다는 것을 알 수 있다.
② '나'는 점순이의 관심을 전혀 이해하지 못하고 있으며, 점순이에게 관심이 많지 않다.

❸ 어머니의 당부 때문에 '나'는 점순이가 기를 복복 쓰며 '나'를 말려 죽이려고 하기 전부터 점순이를 멀리했다.
❹ 점순이와 친해지지 않도록 '나'에게 당부를 한 것은 '나'의 어머니이지 점순네 어머니가 아니다.

07 서술
〈보기〉는 (사)의 일부를 전지적 작가 시점으로 바꾸어 쓴 것이다. 전지적 작가 시점은 사건의 속사정과 인물들의 속마음까지도 자세히 서술하므로, 독자가 인물들의 심리를 잘 파악할 수 있다.

오답 풀이 ❶ 1인칭 주인공 시점으로 서술된 (사)는 화가 난 '나'의 심리가 실감 나게 제시되어 있어 극적 긴장감이 잘 나타나 있지만, 〈보기〉는 (사)에 비해 극적 긴장감이 덜하다.
❷ 1인칭 주인공 시점은 작품 속 등장인물인 '나'가 자신의 이야기를 독자에게 들려주므로, 서술자와 독자의 거리가 가깝다. 그러나 전지적 작가 시점은 자신의 이야기를 들려주는 것이 아니므로, 서술자와 독자의 거리가 1인칭 주인공 시점에 비해 상대적으로 멀다.
❹ 서술자의 눈에 비친 세계만 제한적으로 보여 줄 수 있는 것은 1인칭 관찰자 시점, 3인칭 관찰자 시점에 해당한다.
❺ 전지적 작가 시점으로 서술된 〈보기〉는 사건의 속사정, 인물들의 속마음을 다 알려 주기 때문에 독자의 상상력을 제한한다.

배경지식 ⊕ **1인칭 주인공 시점의 특징과 효과**
- 주인공인 '나'가 자신의 이야기를 직접 서술함
- 독자에게 직접 말하는 듯한 느낌이 들기 때문에 친근감과 신뢰감을 줌
- 주인공이 자신의 입장에서만 말하기 때문에 객관성이 떨어지고 전달하는 내용에 한계가 있음

02 동백꽃 ❸

본문 074~075쪽

확인 문제
01 × 02 ○ 03 외적 04 약, 관심

실력 문제
05 ⑤ 06 ② 07 ② 08 ①

01 (자)에 제시된 '욕을 이토록 먹어 가면서도 대거리 한마디 못하는 걸 생각하니'를 통해, '나'가 점순이에게 욕을 듣고도 아무것도 할 수 없었음을 알 수 있다.

02 점순네 닭에게 계속 지던 '나'의 닭은 (타)에서 점순네 닭을 공격하는 듯하였지만, 결국 상황이 역전되어 다시 점순네 닭에게 쪼이게 되었다.

03 소설의 갈등은 등장인물의 내면에서 일어나는 '내적 갈등'과, 등장인물들 사이에서 벌어지는 '외적 갈등'으로 나뉜다. 그리고 이 외적 갈등에는 인물과 인물 사이의 갈등, 인물과 사회와의 갈등, 인물과 운명과의 갈등 등이 있는데, 점순이와 '나'의 갈등은 인물과 인물 사이의 외적 갈등이라고 볼 수 있다.

알아두기 **'점순'과 '나'의 외적 갈등**

점순	⇔ 외적 갈등	'나'
• 자신의 호의가 무시당했다고 생각함 • '나'에 대한 앙갚음으로 닭싸움을 시킴		• 점순이의 행동을 이해하지 못함 • 닭싸움에서 이기려고 닭에게 고추장을 먹임

04 점순이가 깔깔거리며 되도록 '나'가 많이 들으라고 웃는 것은 '나'를 약 올리기 위한 행동이기도 하지만, 결국은 '나'의 관심을 끌고자 하는 행동으로 볼 수 있다.

05 배경·소재
점순이는 자신의 마음을 몰라주는 '나'에 대한 원망을 표현하기 위해 자신의 수탉과 '나'의 수탉을 싸움 붙이는 것일 뿐, 이를 소작인에 대한 마름의 횡포로 보기는 어렵다.

06 서술
이 작품은 1인칭 주인공 시점으로, 어수룩한 '나'가 점순이에게 미묘한 감정을 느끼게 되는 과정을 생생하게 서술하고 있다.

오답 풀이 ❶, ❸ 작품 속에서 '나'로 등장할 경우, 이때의 '나'는 서술자이다. 서술자인 '나'가 자신의 이야기를 할 경우 이 작품과 같은 1인칭 주인공 시점이 되고, 서술자인 '나'가 등장인물을 관찰하여 객관적으로 전달할 경우 1인칭 관찰자 시점이 된다.
❹ 3인칭 관찰자 시점의 서술자에 대한 설명이다.
❺ 전지적 작가 시점의 서술자에 대한 설명이다.

07 인물·사건
'나'는 쌈닭에게 고추장을 먹이면, 병든 황소가 살모사를 먹고 용을 쓰는 것처럼 기운이 뻗친다는 말을 듣고는, 점순네 수탉과의 싸움에서 자신의 수탉이 이기게 하기 위해 닭에게 고추장을 먹인다.

오답 풀이 ❶ (카)의 '장독에서 고추장 한 접시를 떠서 닭 주둥아리께로 들이밀고 먹여 보았다.'를 통해, '나'의 수탉이 평소에 고추장을 즐겨 먹은 게 아니라 '나'가 억지로 먹인 것임을 알 수 있다.
❸ 고추장을 먹였을 때 닭의 덩치가 커진다는 내용은 확인할 수 없다.
❹, ❺ '나'가 자기 닭에게 고추장을 먹인 것은 닭을 괴롭히거나 닭이 건강해지기를 바라서가 아니라, 닭이 싸움에서 이기기를 바라서이다.

08 인물·사건
'나'는 ㉠에서 '나'의 수탉이 고추장을 먹었는데도 계속 점순네 수탉에게 당하자 화가 난다. 하지만 ㉡에서 자신의 수탉이 점순네 수탉을 공격하자 신이 나고 통쾌함을 느끼다가 ㉢에서 금세 상황이 역전되자 '나'는 풀이 죽고 허탈해한다.

알아두기 **닭싸움 진행 과정에 따른 '나'의 심리 변화**

상황	심리
'나'의 수탉이 점순네 수탉에게 계속 당함	분함, 억울함
'나'의 수탉이 점순네 수탉을 공격함	기쁨, 통쾌함
'나'의 수탉이 점순네 수탉에게 다시 공격당함	허탈함, 실망함

02 동백꽃 ④

본문 076~077쪽

확인 문제

01 × 02 ○ 03 호드기 04 동백꽃

실력 문제

05 ⑤ 06 ④ 07 ⑤ 08 ③

01 (하)의 '나도 한때는 걱실걱실히 일 잘하고 얼굴 예쁜 계집애인 줄 알았더니'를 통해, '나'가 과거에는 점순이에게 호감이 있었음을 알 수 있다.

02 (하)에서 "뭐, 이 자식아! 누 집 닭인데?"라는 점순이의 말을 듣고, '나'는 마름인 점순네의 닭을 자신이 죽였다는 현실을 직시하게 된다. 그리고 이어지는 문장인 '인젠 땅이 떨어지고 집도 내쫓기고 해야 될는지 모른다.'를 통해, '나'가 울어 버린 이유는 닭을 죽인 일로 예상되는 결과에 대한 두려움 때문임을 알 수 있다.

03 (파)에서 '나'는 약을 올리기 위해 '나'의 닭을 집어내다가 닭싸움을 시켜 놓고 천연스레 호드기를 불고 있는 점순이의 모습에 매우 약이 올라서 '두 눈에서 불과 함께 눈물이 펴 쏟아졌다.'라고 했다.

04 두 사람이 파묻힌 노란 '동백꽃'은 서정적이고 낭만적인 분위기를 형성하며 '나'와 점순이 사이에 생긴 사랑의 감정을 감각적으로 드러내는 소재이다.

배경지식 ⊕ 작품에 제시된 '노란 동백꽃'

이 작품에 나오는 동백꽃은 우리가 흔히 알고 있는 붉은색이나 흰색의 동백꽃이 아니라, 생강나무의 노란 꽃을 지칭하는 것이다. 작가인 김유정의 고향이 강원도인데, 거기에서는 생강나무를 동박나무(동백나무)라고도 부른다. 생강나무라는 이름은 잎 또는 가지를 꺾으면 알싸한 생강 향기가 난다고 해서 붙여진 이름이라고 한다.

05 배경·소재 + 서술 + 주제

이 작품은 소작농과 마름 사이의 계층적 갈등보다는 사춘기 두 남녀의 애정에 초점이 맞춰져 있다. 점순이와 '나'의 갈등은 사춘기 소년 소녀 사이의 감정에서 오는 갈등으로, 시대 상황이나 계층적인 대립을 비판하는 것은 아니다.

06 인물·사건

(거)에서 "너 이담부터 안 그럴 테냐?"라는 점순이의 물음에 '나'는 그 의도를 이해하지 못한 채, "그래!"라고 답하였다. 이것은 자신이 점순네 닭을 죽인 일로 예상되는 두려운 결과에서 벗어나기 위한 대답일 뿐, 점순이의 마음을 받아 주게 된 것은 아니다.

오답 풀이 ❶ '나도 한때는 걱실걱실히 일 잘하고 얼굴 예쁜 계집애인 줄 알았더니'를 통해, '나'가 과거에는 점순이에게 호감이 있었음을 알 수 있다.

❷ (파)에서 약이 올라 눈물이 쏟아지는 '나'와 달리, 점순이는 천연스레 호드기를 불고 있는 태연한 모습을 보인다.

❸ 점순이가 닭싸움을 붙인 것은 '나'에 대한 앙갚음 때문이기도 하지만, 결국은 '나'의 관심을 끌기 위해서이다.

❺ 지금까지 당차고 당돌했던 점순이의 모습과는 달리, 어머니의 역정에 겁을 먹고 살금살금 산을 내려가는 점순이의 모습은 이전과는 대조적이어서 해학성을 유발한다.

알아두기 '닭싸움'의 결말과 역할

'나'가 점순네 수탉을 단매로 때려죽임 ⇒ 점순이의 제의를 '나'가 받아들임 ⇒ '나'가 점순이에게 떠밀려 함께 동백꽃 속에 파묻힘

'닭싸움'은 결말 부분에서 '나'와 점순이의 갈등을 해소하고 화해에 이르게 하는 역할을 한다.

07 인물·사건

ⓜ은 어수룩하고 둔한 '나'가 점순이의 애정을 어렴풋하게 느끼게 되었음을 후각적인 감각으로 형상화한 것이다.

오답 풀이 ❶ ㉠은 점순이에 대한 미움이 극에 달하여 점순이의 눈을 여우 새끼의 눈깔에 비교하고 있다.

❷ ㉡은 '나'에 대한 점순이의 분노가 극에 달했음을 보여 주는 것이 아니라, 점순이가 소작농의 아들인 '나'에게 마름 집의 수탉을 죽인 현실을 직시하게 하는 말이다.

❸ ㉢은 소작농의 아들인 '나'가 마름집인 점순네 닭을 죽임으로써 발생할 수 있는 상황이다.

❹ ㉣은 '나'가 분한 마음에 점순네 닭을 때려죽이기는 했지만, 현실적으로 자신의 처지를 깨닫고는 두려워서 어찌할 바를 몰라 터트린 울음이다.

08 서술

ⓒ는 약이 오를 대로 오른 '나'의 행동을 과장되고 익살스럽게 표현하여 독자의 웃음을 유발한다.

알아두기 작품의 해학성

- 점순이의 마음을 전혀 알아채지 못하는 '나'의 어리숙함을 통해 웃음을 유발함
- '쟁그러워', '싱둥겅둥', '걱실걱실' 등과 같은 토속어를 사용하여 인물을 희화화함
- 과장과 익살이 담긴 해학적 어조를 사용함

+ 독해 체크 본문 078쪽

❶ 닭싸움 ❷ 감자 ❸ 고추장 ❹ 동백꽃 ❺ 이해
❻ 적극 ❼ 웃음 ❽ 애정 ❾ 해소 ❿ 향토적

+ 어휘 체크 본문 079쪽

1 (1) 침해 (2) 빈사지경 (3) 마름
2 호의 → 의젓이 → 이마빼기 → 기색 → 색동 → 동리

본문 080~081쪽

실전 03 하늘은 맑건만 ❶ _현덕

갈래 현대 소설, 단편 소설, 성장 소설
성격 사실적, 교훈적, 동화적
주제 정직하게 사는 삶의 중요성
특징
- '현재-과거-현재'의 역순행적 구성을 취함
- 주인공의 갈등과 심리 변화가 섬세하게 드러남
- 주인공과 대립하는 인물이 등장하여 주인공의 갈등을 키움
- 갈등의 해결 과정을 통해 주인공이 성숙해 가는 과정을 드러냄

확인 문제
01 × 02 ○ 03 × 04 작은아버지
05 거스름돈

실력 문제
06 ③ 07 ④ 08 ④ 09 ② 10 ③

01 이 작품은 전지적 작가 시점으로, 작품 밖의 서술자가 인물의 내면 심리까지 전달하고 있다.

02 '지전', '고깃간', '둥구미', '일 원', '은전' 등의 소재를 통해 이 작품의 배경이 일제 강점기인 1930년대임을 알 수 있다.

03 (가)에서 문기는 숨겨 둔 공과 책상 서랍 속의 쌍안경이 없어지자 불안해하며 공과 쌍안경을 찾고 있다.

04 (가)에서 문기는 작은아버지가 회사에서 돌아오시면 잘못한 일이 들켜 혼이 날 것이라고 예상하고 있다.

05 (나)에서 문기는 고깃간에서 거스름돈을 생각보다 많이 받고, 어리둥절하고 당황하여 돈과 주인을 의심스레 쳐다보았다.

06 인물·사건

문기는 숙모의 심부름으로 고기 한 근을 사러 갔다가 고깃간 주인의 실수로 거스름돈을 더 받게 되었으므로, 수만이 고깃간 주인을 속여 많은 돈을 받아 냈다는 ③의 설명은 적절하지 않다.

오답 풀이 ❶ 수만은 돈을 쓰면 어떻게 되느냐는 문기의 질문에, "염려 없어. 나 하는 대로만 해."라고 답하며 거스름돈을 쓰는 것에 주저하지 않았다.

❷ 문기는 수만이 시키는 대로 하는 것이니 자기 책임이 없다고 합리화하며, 수만은 거스름돈은 문기가 받은 것이기 때문에 자기 책임은 없다며 합리화하고 있다.

❹ 문기는 거스름돈으로 공, 만년필, 쌍안경, 만화책을 사고 활동사진 구경을 했으며 군것질도 했다.

❺ 문기는 거스름돈을 잘못 받아 당황하고, 거스름돈을 쓰자는 수만의 제안에 머뭇거리는 등 소심하고 순진한 면모를 보인다. 반면에 수만은 문기에게 더 받게 된 거스름돈을 함께 쓰자고 제안하는 등 계산적이고 영악한 면모를 보인다.

알아두기 '문기'와 '수만'의 성격

문기	⇔	수만
• 겁이 많고 소심함 • 착하고 순수함		• 대담하고 탐욕스러움 • 약삭빠르고 계산적임
• 돈을 쓰자는 수만의 말에 머뭇거림 • 거스름돈을 쓸 생각에 양심의 가책을 느낌		• 문기에게 거스름돈을 더 받았는지 확인할 수 있는 방법을 알려 줌 • 거스름돈을 함께 쓰자고 문기를 꼬임

07 인물·사건

문기는 고깃간 주인의 실수로 더 많은 거스름돈을 받게 되었다. 이 일을 계기로 수만을 만나 거스름돈을 함께 쓰면서 문기는 갈등을 겪게 된다.

오답 풀이 ❶ 문기와 수만은 마음이 맞아 서로 어울려 거스름돈을 함께 썼다.

❷ 문기는 책상 서랍에 쌍안경을 숨겨 두었는데, 쌍안경은 보이지 않고 서랍 안은 뒤죽박죽으로 누군가 뒤진 흔적이 있어 두려워한다. 하지만 이 일이 문기가 심리적 갈등을 겪게 된 최초의 원인에 해당하지는 않는다.

❸ (가)의 내용으로 보아 문기가 숙모와 작은아버지 집에서 살고 있음을 확인할 수 있지만, 이는 문기가 겪는 갈등과 관련이 없다.

❺ 문기는 친구들이 아니라, 숙모와 작은아버지(삼촌)에게 들킬까 봐 쌍안경을 책상 서랍에 숨겨 두었다. 그리고 이 일은 갈등의 근본적인 원인이 아니다.

배경지식 ⊕ 갈등의 개념과 유형

- **갈등의 개념**: 인물의 마음속에 여러 가지 생각이 얽혀 있거나 인물과 인물, 혹은 인물과 외부 환경의 관계가 대립되어 충돌을 일으키는 일을 말함
- **갈등의 유형**

유형	설명
내적 갈등	한 인물의 마음속에서 일어나는 상반된 심리가 원인이 되는 갈등 예 인물이 겪는 고민, 근심, 불안, 망설임 등
외적 갈등	인물이 그를 둘러싼 외부 요소와 상반된 입장과 태도를 지니고 있어 생기는 갈등 예 인물과 인물의 갈등, 인물과 사회의 갈등, 인물과 운명의 갈등, 인물과 자연의 갈등 등

08 인물·사건

문기는 고깃간에서 거스름돈을 많이 받자 어리둥절하고 당황해한다. 이후 거스름돈을 쓰자는 수만의 제안에 처음에는 양심의 가책을 느끼며 걱정하지만, 이내 물건을 사고 군것질을 하는 재미에 빠지게 된다.

오답 풀이 ❶, ❺ 문기는 고깃간 주인에게 거스름돈을 더 받고 놀람과 어리둥절함을 느낀다.

❷, ❸ 문기는 거스름돈으로 물건을 샀다는 양심의 가책과 죄책감 등의 '알 수 없는 두려움'을 느꼈지만, 차차 물건을 사는 재미인 '다른 기쁨'을 느끼게 되었다. 그러나 화가 나거나 미안한 감정을 느끼지는 않았다.

알아두기 '문기'의 심리 변화

거스름돈을 더 많이 받아 어리둥절하고 당황함
⇓
고깃간 주인을 의심스럽게 쳐다봄
⇓
사실을 말할까 망설이며 고민함
⇓
숙모가 얼마를 준 것인지 알아봐야겠다고 생각함
⇓
잔돈만 숙모에게 주자는 수만의 의도를 알아차리지 못하고 시키는 대로 함
⇓
거스름돈을 쓰는 것이 망설여지고 양심의 가책으로 두려움을 느낌
⇓
물건을 사고 군것질을 하는 재미에 빠져 기쁨을 느낌

09 서술

(가)는 현재의 일이고, ㉠을 기점으로 (나)~(다)는 과거의 일을 나타낸다. 여기서 ㉠은 문기의 현재 상황이 며칠 전의 일과 관련되어 있음을 드러내며, 독자의 궁금증과 호기심을 유발하는 역할을 한다. 그러나 ㉠을 통해 문기의 심리 상태는 알 수 없으므로 ②의 설명은 적절하지 않다.

오답 풀이 ❶ '현재-과거-현재'의 역순행적 구성 방식은 독자들에게 궁금증을 불러일으키고, 사건에 흥미를 갖게 하는 효과가 있다.
❸ ㉠은 과거 회상을 시작하는 부분으로, 현재에서 과거로 이야기가 전환되는 부분이다.
❹ ㉠은 역순행적 구성 중에서 '현재 → 과거'에 해당하는 부분이다.
❺ 문기가 현재 찾는 공과 쌍안경은 며칠 전에 고깃간에서 잘못 받은 거스름돈으로 산 것이기 때문에, 문기의 현재 상황은 ㉠의 며칠 전 일과 관련이 있다.

알아두기 「하늘은 맑건만」의 역순행적 구성

역순행적 구성은 사건이 시간의 흐름에 따르지 않고 시간이 뒤바뀌어 전개되는 구성 방식으로, '입체적 구성'이라고도 한다. 이 작품은 '현재-과거-현재'의 역순행적 구성을 보인다.

현재	문기가 사라진 공과 쌍안경을 찾으며, 작은아버지에게 꾸중을 들을까 봐 불안해함 예 중문 안 안반 뒤에 숨겨 둔 공이 간 데가 없다. ~
⇓	
과거	문기가 잘못 받은 거스름돈을 수만과 함께 써 버림 예 며칠 전 일이다. ~
⇓	
현재	문기와 수만이 환등 틀을 사기 위해 만나기로 약속하였으나, 삼촌에게 공과 쌍안경을 들켜 꾸중을 들음 예 오늘 저녁부터 그 첫 착수를 하자는 약조였다. ~

10 어휘

㉡ 앞에 제시된 내용을 미루어 볼 때, 문기와 수남은 함께 거스름돈을 쓰기로 마음먹었다는 것을 알 수 있다. 따라서 ㉡에는 '함께 일할 때 생각, 방법 따위가 서로 잘 어울리고'라는 의미의 '손이 맞고'가 들어가는 것이 적절하다.

오답 풀이 ❶ '일이 익숙해지고'의 의미이다.
❷ '교제나 거래 따위를 중단하고'의 의미이다.
❹ '부정적인 일이나 찜찜한 일에 대해 관계를 청산하고'의 의미이다.
❺ '하던 일을 그만두거나 잠시 멈추고'의 의미이다.

03 하늘은 맑건만 ❷

본문 082~083쪽

확인 문제

01 × 02 × 03 ○ 04 삼촌 05 안마당 06 약조

실력 문제

07 ⑤ 08 ⑤ 09 ⑤ 10 ②

01 (라)에서 삼촌은 문기가 찾고 있던 공과 쌍안경을 상 밑과 무릎 밑에서 꺼내 들며 어디서 난 것들인지를 묻고 있다. 따라서 공과 쌍안경은 숙모가 아닌, 삼촌이 가지고 있었다.

02 (바)에서 문기는 양심의 가책을 느껴 물 위로 공을 흘려보내는데, 멀리 떠갔을 공을 생각하며 자기의 허물도 사라진 듯 후련함을 느꼈다.

03 문기는 죄책감 때문에 남은 거스름돈을 고깃간 집 안마당에 던졌지만, 수만은 이를 믿지 않고 문기가 거짓말을 한다고 생각했다.

04 (라)에서 문기는 공과 쌍안경이 어디서 난 건지를 묻는 삼촌에게, 잘못을 사실대로 털어놓지 못하고 수만이 준 것이라고 거짓말을 했다.

05 (바)에서 문기는 삼거리 고깃간으로 가 남은 돈을 종이에 싸서 그 집 안마당으로 던지며 다시는 허물을 범하지 않겠다고 다짐했다.

06 문기와 수만은 남은 돈으로 환등 틀을 사기로 약조했는데, 더 이상 양심을 어기는 행동을 하지 않으려는 문기에게 수만은 약조를 지킬 것을 요구했다.

07 인물·사건

문기는 삼촌한테 혼날까 봐 공과 쌍안경을 수만이 줬다고 거짓말을 했다. 그런데 삼촌은 문기의 말을 그대로 믿어 준다.

이는 문기에게 더 큰 양심의 가책을 느끼게 하여, (마)에서 문기의 얼굴을 벌겋게 달아오르게 한다.

오답 풀이 ❶ 문기가 어렸을 때 어머니가 돌아가시고 아버지 또한 집안에서 제 역할을 하지 못한 탓에, 삼촌이 부모님을 대신해 문기를 길러 왔다.
❷ 문기는 양심을 어기는 행동은 하지 않으려고 하지만, 수만은 문기 혼자 돈을 쓰려 한다고 생각하며 남은 돈을 내놓으라고 했다.
❸ 삼촌은 문기의 장래를 중요하게 생각하여 문기를 어디까지든지 공부를 시키려 하고, 바르게 성장하도록 잘못을 꾸짖고 있다.
❹ "아버지는 저 모양이시구, 앞으로 집안을 일으킬 사람은 너 하나야."라는 삼촌의 말을 토대로, 문기의 아버지가 부모의 역할을 제대로 하지 못하고 있다는 것을 알 수 있다.

08 인물·사건

문기는 수만에게 거스름돈을 돌려주었다고 말하지만, 수만은 문기의 말을 믿지 않고 돈을 내놓으라고 요구한다. 이러한 수만의 태도는 문기와 수만의 새로운 갈등을 예고함으로써 긴장감을 불러일으키는 역할을 한다.

오답 풀이 ❶ 수만의 태도는 수만과 문기의 갈등이 본격적으로 시작될 것임을 독자가 예상할 수 있게 할 뿐, 독자의 예상을 뒤집는 반전을 가져오지는 않는다.
❷ 문기는 수만이 자신의 말을 믿지 않자 고개를 떨어뜨리고 울상을 짓는데, 이를 통해 문기의 내적 갈등이 다시 시작될 것임을 예상할 수 있다.
❸ 문기가 거짓말을 한다고 생각하는 수만의 오해가 제시되어 있지만, 이를 통해 둘 사이의 갈등이 시작되는 것이지 갈등 해결의 실마리를 제공하는 것이 아니다.
❹ 문기가 잘못을 반복하지 않도록 이끌어 주는 역할을 하는 것은 수만이 아닌 삼촌이다.

09 인물·사건

수만은 문기 혼자 돈을 쓰려 한다고 생각하면서 남은 돈을 내놓으라며 문기의 멱살을 잡는다(ⓜ). 이는 문기와 수만의 외적 갈등이 본격적으로 시작되는 부분으로, 이로 인해 문기의 내적 갈등 또한 심화된다.

알아두기 **'전개' 부분에 드러난 갈등**

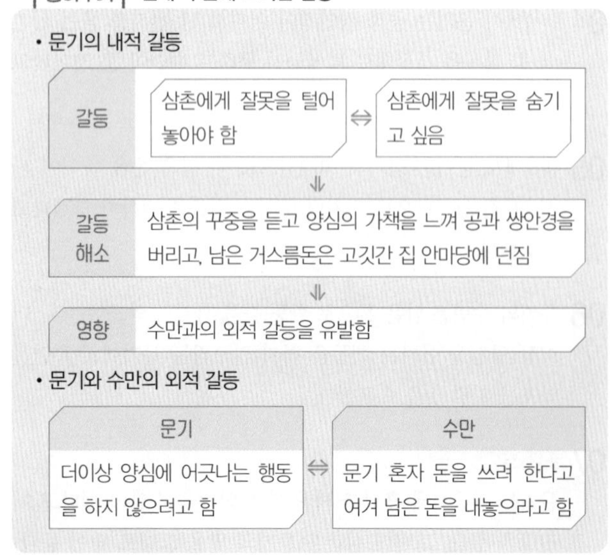

10 인물·사건 + 배경·소재

문기는 자신의 잘못을 깨닫고 양심의 가책을 느꼈지만, 〈보기〉와 같이 공과 쌍안경을 버리고 남은 돈을 고깃간 집 안마당에 던진 후에는 홀가분함을 느끼고 있다.

오답 풀이 ❶ (바)에서 문기는 고깃간 집 안마당에 돈을 던지고 물 위로 떠내려갔을 공을 생각하며 후련함을 느낀다. 따라서 〈보기〉의 문기는 자신의 허물을 다른 사람에게 숨기고 싶어서가 아니라, 죄책감에서 벗어나고 싶어서 사람들 몰래 공과 쌍안경을 버린 것이다.
❸ 다시는 양심에 어긋나는 행동을 하지 않겠다고 다짐하며 집으로 돌아가는 문기의 태도로 볼 때, 문기는 자신의 잘못을 깨닫고 반성했음을 알 수 있다.
❹ 양심의 가책을 느끼게 된 문기는 내적 갈등을 해소하기 위해 공과 쌍안경을 버린 것이지, 남은 돈을 수만과 나누지 않고 혼자 쓰려고 한 것은 아니다.
❺ 문기는 고깃간 집 안마당에 쓰고 남은 거스름돈을 던졌지만, 거스름돈으로 공과 쌍안경을 산 잘못을 주인에게 털어놓지는 않았다.

알아두기 **'공'과 '쌍안경'의 역할**

• 문기와 수만에게 물건을 사는 재미를 줬던 물건
• 문기에게 죄책감과 양심의 가책을 느끼게 하는 물건
• 문기의 내적 갈등을 일시적으로 해소하게 하는 물건

01 수만은 문기가 거스름돈을 혼자 쓰려 한다고 생각해, 남은 돈을 받아 내기 위해서 문기의 잘못을 알리겠다고 협박했다.

02 문기는 돈을 가져오지 않으면 잘못을 소문내겠다는 수만의 협박을 견디지 못하고 숙모의 돈을 훔쳐서 수만에게 주었다.

03 (차)에서 숙모는 붙장 안의 돈을 점순이 훔쳐 갔다고 생각했다.

04 점순은 숙모의 돈을 훔쳤다는 누명을 뒤집어쓰는데, 문기는 점순이 돈을 훔쳤다는 숙모의 말을 듣고 죄책감에서 벗어나기 위해서 '갚으면 고만이지'라며 자기 잘못을 합리화하였다.

05 '수신'은 바른 품성을 기르기 위해 만든 일제 강점기의 교과목이다. 따라서 '수신'은 이 작품의 시대적 배경이 일제 강점기(1930년대)임을 나타내 준다.

06 (카)에서 문기는 수신 시간에 '정직'의 의미와 중요성을 배우면서, 양심의 가책을 더욱 크게 느끼고 괴로워했다.

07 인물·사건

수만은 점점 더 과감하고 집요하게 문기를 괴롭혔지만, 소심하고 겁이 많은 문기는 수만에게 아무 말도 하지 못하고 당하기만 했다.

오답 풀이 ❶ 문기는 "김문기는 ○○○ 했다"라고 쓴 수만의 낙서를 지우는 등 수만이 자신의 잘못을 소문낼까 봐 불안해했다.
❷ 문기를 괴롭히는 수만의 행동은 점점 더 과감해지고 집요해지는데, 이로 인해 문기의 고민과 내적 갈등은 더욱 깊어졌다.
❹ 문기는 결국 수만의 협박을 견디지 못하고 숙모의 돈을 훔쳐서 수만에게 줬다.
❺ 수만의 괴롭힘에 문기의 불안함과 긴장감은 점점 커져 갔다.

알아두기 '문기'를 괴롭히는 수만의 행동

괴롭힘의 이유	문기가 혼자 돈을 다 쓰려고 거짓말을 한다고 생각함
⇓	
괴롭힘의 행동	• 판장과 빈지판에 "김문기는 ○○○ 했다"라고 낙서함 • "공공공 했다지.", "질적도 했다지."라고 말하며 문기를 따라다님 • 당장 돈을 가져오지 않으면 "도적질했다"라고 똑바로 쓰겠다며 문기를 협박함

08 인물·사건

(차)에서 숙모는 문기에게 붙장 안의 돈을 보았는지 묻긴 했지만, 문기가 학교에서 지금 왔다고 생각하고 전혀 의심하지 않는다. 그리고 숙모는 그 돈을 점순이 훔쳐 갔다고 생각했다.

오답 풀이 ❶ 문기의 잘못과 관련된 낙서를 하고, 잘못을 소문내겠다고 협박하는 등 수만이 문기를 심하게 괴롭힐수록 문기의 내적 갈등은 심화된다.
❷ 문기는 숙모의 돈을 훔쳤다고 누명을 쓰고 쫓겨난 점순으로 인해 죄책감이 더욱 심해졌다.
❸ (카)에서 문기가 맑고 푸른 하늘을 쳐다볼 수 없었던 이유는, 자신이 저지른 잘못으로 인한 죄책감과 양심의 가책 때문이다. 따라서 자신이 떳떳하게 하늘을 쳐다보는 것이 두려워졌음을 깨닫게 된 문기의 내적 갈등은 더욱 심해졌을 것이며, 결국 자신을 '떳떳한 얼굴로 그 하늘을 쳐다볼 만한 사람이 못 된다'라며 자책하게 된다.
❺ 문기는 수신 시간에 거짓이 얼마나 악한 것이고 정직이 얼마나 귀하고 중한 것인지를 배우면서, 그 이야기가 마치 자신의 잘못을 나무라는 것처럼 들려 괴로워했다.

알아두기 '문기'의 내적 갈등의 심화

• 점순이 숙모의 돈을 훔쳤다는 누명을 씀
• 수신 시간에 '정직'에 대해 배움

⇓

죄책감과 양심의 가책을 심하게 느끼게 됨

⇓

잘못을 저지르기 전의 떳떳한 상태로 돌아가고 싶어짐

09 인물·사건

(카)에는 수신 시간에 선생님의 말씀을 듣고 내적 갈등이 심화된 문기의 모습이 나타나 있다. ⑤는 이와 같은 내적 갈등의 예에 해당한다.

오답 풀이 ❶, ❸ 인물과 인물 사이의 외적 갈등에 해당한다.
❷ 인물과 사회 사이의 외적 갈등에 해당한다.
❹ 인물과 자연 사이의 외적 갈등에 해당한다.

10 인물·사건 + 어휘

문기는 '정직'에 대해 배우고 있는 수신 시간에 양심의 가책을 느끼며, 마치 그 내용이 자신을 나무라는 것처럼 여기고 있다. 이와 같은 상황을 나타내는 속담으로는 '지은 죄가 있으면 자연히 마음이 조마조마하여짐'을 뜻하는 ②가 적절하다.

오답 풀이 ❶ 얕은수로 남을 속이려 한다는 말이다.
❸ 쉬운 일이라도 협력하여 하면 훨씬 쉽다는 말이다.
❹ 강한 자들끼리 싸우는 통에 아무 상관도 없는 약한 자가 중간에 끼어 피해를 입게 됨을 비유적으로 이르는 말이다.
❺ 자기가 남에게 말이나 행동을 좋게 하여야 남도 자기에게 좋게 한다는 말이다.

11 인물·사건 + 주제

ⓒ는 문기가 죄책감에서 벗어나기 위해 자신의 잘못을 합리화한 것이다. 또한 점순이 누명을 쓴 것은 숙모가 그렇게 생각해 벌어진 일이지, 문기가 누명을 뒤집어씌운 것이 아니다.

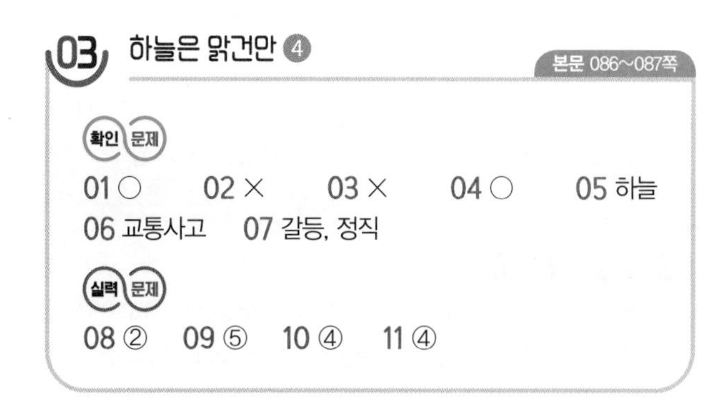

01 죄책감에 시달리던 문기는 자신의 잘못을 고백하기 위해 담임 선생님의 집을 찾아갔다.

02 문기는 죄책감으로 무거운 마음 때문에 자동차 소리를 듣지 못하다가 사고의 순간에서야 자동차 소리를 듣는다.

03 (거)에는 문기가 자신의 잘못을 고백한 내용과 고백을 한 이후의 문기의 심리 상태가 제시되어 있을 뿐, 문기의 이야기를 들은 후 삼촌의 반응은 제시되어 있지 않다. 하지만 삼촌에게 잘못을 털어놓고 홀가분해진 문기의 모습으로 볼 때, 삼촌이 문기를 엄하게 꾸짖지는 않았을 것이라고 짐작할 수 있다.

04 문기는 삼촌에게 그동안 저질렀던 잘못을 털어놓고 마음과 몸이 맑아지는 것을 느꼈다.

05 잘못을 털어놓기 전의 문기는 죄책감과 양심의 가책을 심하게 느껴 맑은 하늘을 쳐다볼 수 없는 상태였다. 이런 문기는 잘못을 저지르기 전의 떳떳한 상태로 돌아가고 싶어 했다.

06 문기는 담임 선생님을 만나고 집으로 돌아오다가 교통사고를 당해 정신을 잃었다.

07 결말 부분인 (거)에서는 문기의 내적 갈등이 해소되는 과정을 통해, '바르고 정직하게 살자.'라는 주제를 전달하고 있다.

08 인물·사건

(파)에서 문기는 잘못을 털어놓기 위해 담임 선생님을 찾아갔지만, 학교에서의 엄하고 딱딱한 모습과는 달리 선생님이 부드러운 태도를 보이자 오히려 말문이 열리지 않았다.

오답 풀이 ❶ 문기는 삼촌에게 그동안의 잘못을 모두 자백한 후에 몸과 마음이 가볍고 홀가분해짐을 느꼈다.
❸ 문기는 자신의 잘못을 진심으로 뉘우치며 교통사고를 당한 것을 자신의 잘못 때문에 받은 벌이라고 여겼다.
❹ (타)에서 친구들은 운동장에서 마음껏 즐겁게 놀지만, 문기는 죄책감 때문에 고개를 들지 못했다.
❺ (거)에서 죄책감 때문에 맑은 하늘을 쳐다볼 수 없었던 문기는 마침내 하늘을 떳떳이 마음껏 쳐다볼 수 있게 되었다. 이를 통해 잘못을 털어놓은 문기는 양심을 회복하고 앞으로는 정직하게 살 것임을 짐작할 수 있다.

알아두기 **내적 갈등의 해소로 인한 '문기'의 심리 변화**

내적 갈등의 해소	교통사고를 당한 후에 그동안의 모든 잘못을 삼촌에게 자백함
⇓	
문기의 심리 변화	• 마음속의 어둠이 사라지며 맑아짐 • 몸과 마음이 가볍고 홀가분해짐 • 맑은 하늘을 떳떳이 마음껏 쳐다볼 수 있게 됨

09 배경·소재 + 주제

제목 '하늘은 맑건만'은 정직하지 못한 행동으로 맑고 깨끗한 하늘을 떳떳이 바라볼 수 없는 문기의 상황과 대조되는 것으로, 정직한 삶의 중요성을 강조하는 표현으로 해석할 수 있다.

오답 풀이 ❶ '맑은 하늘'은 양심의 가책으로 괴로워했던 문기의 심리 상태와 대조되는 표현이다.
❷ 문기의 갈등이 해결되는 과정을 통해 '정직하고 바르게 사는 삶의 중요성'이라는 주제를 전달하고 있을 뿐, 타인에 무관심한 사회 현실을 비판하고 있지는 않다.
❸ 이 작품의 주인공인 문기는 소년으로, 맑은 하늘처럼 양심에 어긋나지 않는 정직한 마음을 회복하고 싶어 한다. 이미 어린아이인 문기가 순수한 어린 시절로 돌아가고 싶어 한다는 설명은 적절하지 않다.
❹ 문기는 '착한 일을 권장하고 악한 일을 징계함'이라는 '권선징악(勸善懲惡)'의 의미처럼 자신의 잘못에 대한 대가로 교통사고를 당했다고 생각하지만, 이것이 이 작품의 주제는 아니다.

알아두기 **제목 '하늘은 맑건만'의 의미**

'하늘'은 변함없이 맑고 푸른 모습을 지닌 소재로, 옳고 그름을 판단하는 양심을 의미한다. 문기는 죄책감 때문에 맑은 하늘을 바라볼 수 없는 상태이기 때문에, 이 작품의 제목인 '하늘은 맑건만'은 깨끗한 하늘처럼 '양심을 지키며 정직하고 떳떳하게 살아야 한다.'는 주제를 담고 있다.

문기의 마음	⇔	하늘
• 죄책감에 어두운 마음 • 순수하지 못함 • 양심에 어긋나게 행동함		• 죄책감이 없는 떳떳한 마음 • 맑고 깨끗하며 순수함 • 정직과 양심을 의미함

10 인물·사건

고깃간 주인은 문기가 건넨 일 원을 십 원으로 착각하고 거스름돈을 많이 내어 주었던 것이다. 따라서 문기가 거스름돈을 더 받기 위해 일부러 고깃간 주인을 속인 것은 아니다.

오답 풀이 ❶ 문기는 공과 쌍안경을 버린 후에, 쓰고 남은 거스름돈을 종이에 싸서 고깃간 집 안마당에 던졌다.
❷ 고깃간 주인은 일 원을 십 원으로 알고 거스름돈을 잘못 거슬러 주었는데, 문기는 이를 돌려주지 않고 수만과 함께 공, 만년필, 쌍안경, 만화책 등을 사고 군것질을 했다.
❸ 문기는 당장 남은 돈을 가져오지 않으면 문기의 잘못을 소문내겠다는 수만의 협박을 견디지 못해 붙장 안의 숙모 돈을 훔쳐서 수만에게 주었다.
❺ 삼촌은 문기가 거스름돈으로 산 공과 쌍안경을 발견하고 그 출처를 묻지만, 문기는 수만이 준 것이라고 거짓말을 했다.

11 인물·사건 + 서술 + 주제

문기는 삼촌에게 모든 사실을 털어놓고 양심을 회복하며 내적 갈등이 완전히 해소되었다. 따라서 문기의 잘못으로 일어난 수만과의 외적 갈등 또한 해소될 것으로 짐작할 수 있다.

오답 풀이 ❶ 주인공인 문기는 그동안의 잘못을 진심으로 반성하는 성장한 모습을 보여 주고 있다.
❷ 결말 부분에는 문기의 자백을 들은 삼촌이 어떤 반응을 나타내는지 제시되어 있지 않기 때문에 독자의 궁금증과 흥미를 유발한다.
❸ 이 작품은 문기와 같이 평범한 인물을 주인공으로 설정하고, 우리 주변에서 있을 만한 경험을 사건으로 제시하여, 독자의 공감과 성찰을 이끌어 낸다.
❺ 이 작품에서는 사건과 갈등 진행 과정에 따른 문기의 심리 변화가 구체적으로 제시되어 있다.

+ 독해 체크 본문 088쪽

❶ 거스름돈 ❷ 누명 ❸ 삼촌 ❹ 가책 ❺ 계산
❻ 엄격 ❼ 내적 ❽ 과거 ❾ 죄책감 ❿ 정직

+ 어휘 체크 본문 089쪽

1 (1) 필시 (2) 약조 (3) 약과
2 (1) ㉡ (2) ㉠ (3) ㉢

실전 04 수난이대 ❶ _하근찬

본문 090~091쪽

갈래 현대 소설, 단편 소설, 전후 소설
성격 사실적, 향토적, 의지적, 상징적
주제 민족의 수난과 그 극복 의지
특징
- 부자(父子)가 겪는 수난을 통해 민족의 시대적 아픔을 드러냄
- '외나무다리'와 같은 상징적 소재를 통해 주제 의식을 드러냄
- '현재 - 과거 - 현재'의 역순행적 구성 방식을 취함

확인 문제
01 × 02 ○ 03 전사, 총알 04 고등어

실력 문제
05 ② 06 ① 07 ③ 08 ⑤

01 이 작품은 아버지와 아들의 2대에 걸친 수난을 통해, 우리 민족의 비극적인 역사를 형상화한 소설이다. 아버지인 만도는 일제 강점기에 강제 징용을 나가 한쪽 팔을 잃었고, 아들인 진수는 6·25 전쟁에 참전했다가 한쪽 다리를 잃고 돌아온다. 따라서 일제 강점기만을 시대적 배경으로 하는 것은 아니다.

02 이 작품의 제목이 '수난이대'임을 고려할 때, 전쟁에서 갑자기 돌아오는 아들이 병원에서 나온다는 것은 강제 징용에서 팔을 잃은 만도처럼, 진수에게도 불행한 일이 생겼음을 암시하는 복선이라고 볼 수 있다.

03 (가)의 '전사'와 (나)의 '총알'은 6·25 전쟁 당시의 사회·문화적 배경을 드러내는 소재이다.

04 만도는 정거장으로 가기 전에 장거리에 들러 아들 진수에게 먹일 반찬으로 고등어 한 손을 산다. 따라서 '고등어 한 손'은 아들에 대한 만도의 사랑을 드러내는 소재이다.

05 서술 + 주제
(가)~(라)에는 주인공인 만도의 내면 심리와, 만도의 안타까운 처지에 대한 서술자의 논평까지 제시되어 있다. 이로 보아, 이 작품은 전지적 작가 시점에서 이야기가 서술되고 있음을 알 수 있다. ②는 1인칭 관찰자 시점에 대한 설명이다.

오답 풀이 ❶ 이 작품의 공간적 배경은 경상도 시골의 작은 마을이다.
❸ 이 작품의 시간적 배경은 일제 강점기부터 6·25 전쟁 직후까지이다.
❹ 만도와 진수 부자의 2대에 걸친 수난을 통해, 우리 민족이 겪었던 시대적 아픔을 드러낸다.
❺ (가)의 시작 부분에서 '진수가 돌아온다.', '살아서 돌아온다.', '우리 진수는 ~ 오늘 돌아오는 것이다.'와 같이 '돌아온다.'라는 표현을 반복하여 아들이 돌아오는 것에 대한 만도의 기쁨을 강조하고, 독자의 호기심을 자극한다.

06 인물·사건
(가)~(라)는 현재의 시점으로, 6·25 전쟁에서 돌아오는 것은 만도가 아니라 아들 진수이다. 뒤에 이어지는 내용에서 만도가 과거 일제 강점기 때 강제 징용에 끌려갔다가 사고를 당해서 한쪽 팔을 잃은 사연이 나온다.

오답 풀이 ❺ '정거장 대합실'은 아들 진수를 기다리는 현재의 시점에서, 만도가 징용에 끌려갔다가 팔을 잃게 된 과거의 기억을 떠올리게 하는 장소로, 과거 회상의 매개체가 된다.

알아두기 작품의 시대적 배경

과거 회상 부분	현재 시점 부분
만도가 강제 징용에 끌려갔던 일제 강점기	진수가 참전했던 6·25 전쟁 직후

07 인물·사건
(가)~(라)에서 만도가 서운한 감정은 느끼는 부분은 나타나지 않는다.

오답 풀이 ❶, ❷, ❺ 만도는 아들이 돌아온다는 기대감으로 기쁨과 설렘을 느낀다.
❹ 만도는 아들이 병원에서 나온다는 말에 혹시라도 크게 다친 것은 아닌지 불안해한다.

08 서술
㉠은 아들 진수를 만날 기대감에 부풀어 있으면서도 만도가 내심 불안감을 느끼는 이유로, 진수에게 비극적인 일이 생겼음을 암시하는 복선의 역할을 한다.

04 수난이대 ❷

본문 092~093쪽

확인 문제
01 ○ 02 ○ 03 공습 04 다이너마이트

실력 문제
05 ⑤ 06 ② 07 ⑤ 08 ⑤

01 (마)~(아)는 과거 회상 부분으로, 만도가 일제 강점기에 징용에 끌려갔다가 팔을 잃게 된 사연이 제시된다.

02 이 작품은 '현재 → 과거 → 현재'의 역순행적 구성 방식으로, 시점을 교차하며 서술되고 있다.

03 (사)에서 만도가 굴 안으로 도로 들어간 것은 비행기의 공습에 놀라 무의식적이고 습관적으로 굴 바닥에 엎드리고자 했기 때문이다.

04 (사)~(아)로 보아, 만도는 비행기의 공습을 피하려고 다시 굴 안으로 들어갔다가 다이너마이트가 터지는 바람에 한쪽 팔을 잃었음을 알 수 있다.

05 인물·사건 + 배경·소재

(마)로 보아, 만도를 포함하여 백 명 남짓한 사람들이 강제 징용에 끌려갔으며, 그들은 모두 자신들이 어디로 가는 것인지 모른 채 그저 차를 타라면 탈 사람들이었음을 알 수 있다.

06 배경·소재

(마)~(아)에서 당시의 사회·문화적 배경을 드러내는 소재에는 '징용, 북해도 탄광, 남양 군도, 연합군, 공습경보, 공습' 등이 있다. ②의 '정거장'은 현재에도 보편적으로 쓰이는 단어로, 이에 해당되지 않는다.

알아두기 **당시의 사회·문화적 배경을 드러내는 소재**

일제 강점기	6·25 전쟁
징용, 북해도 탄광, 남양 군도, 연합군, 공습경보, 공습 등	전사, 총알, 상이군인, 전쟁, 수류탄 쪼가리 등

07 인물·사건

(사)로 보아, 만도는 다이너마이트에 불을 붙인 뒤 얼른 굴 밖으로 피했으나, 갑작스런 비행기의 공습에 놀라 무의식적으로 다시 굴 안으로 몸을 피했다가 다이너마이트 폭파 사고를 당했음을 알 수 있다.

오답 풀이 ❶ 만도는 공습에 놀라 굴 안으로 몸을 피했다가 다이너마이트 폭파 사고를 당했다.
❷ 다이너마이트 폭파로 정신을 잃은 만도가 정신을 차렸을 때는 이미 한쪽 팔의 절단 수술이 끝난 뒤였다.
❸ 만도는 자신이 다이너마이트에 불을 댕기는 차례에 폭파 사고를 당했다.
❹ (바)와 (사)를 통해 만도는 사이렌이 미처 불기도 전에 비행기가 산등성이를 넘어 공습하던 순간 한쪽 팔뚝을 잃었음을 알 수 있다.

알아두기 **'만도'가 팔을 잃게 된 과정**

만도가 다이너마이트 불을 붙이는 차례가 되었고, 불길함 속에서 성냥 알맹이 네 개째에서 겨우 다이너마이트 심지에 불을 붙임

⇓

굴 밖으로 나오자 공습이 시작되고 있었음

⇓

공습에 놀라 무의식적으로 굴 안으로 다시 들어갔다가, 다이너마이트가 폭발하여 한쪽 팔을 잃게 됨

08 인물·사건

문맥으로 보아, ㉠의 '그런 때'는 공습경보의 사이렌이 미처 불기 전에 비행기의 공습이 시작된 경우를 말한다. 이는 준비 없이 맞닥뜨린 공습 때문에 많은 사람이 다치거나 죽는, 가장 손해가 큰 경우로 만도가 한쪽 팔을 잃은 경우 역시 이런 때에 해당한다.

04 수난이대 ❸

본문 094~095쪽

확인 문제

01 ○ 02 × 03 상이군인 04 주막집

실력 문제

05 ③ 06 ③ 07 ②

01 (자)의 첫 문장 속 '기차 소리'를 계기로, 서술의 시점이 과거에서 현재로 돌아오게 된다. 따라서 기차의 기적 소리는 시점을 전환시키는 계기가 된다고 볼 수 있다.

02 (차)에서 만도가 아들에게 모진 말부터 내뱉은 것은 자신의 비극이 아들에게까지 이어진 것에 대해 느끼는 분노와 절망감 때문이다.

03 진수는 전쟁에서 한쪽 다리를 잃고 상이군인이 되어 돌아왔다. '상이군인'은 '전투나 군사상 공무 중에 몸을 다친 군인'을 말한다.

04 아들의 불행에 고통을 느끼고 아들을 차마 똑바로 바라볼 수 없었던 만도는 주막집에 이르러서야 아들을 돌아보았고, 주막집에서 술을 연거푸 마신 뒤에야 심리적인 안정을 조금 되찾게 된다.

05 인물·사건 + 배경·소재

(카)에서 만도가 뒤를 돌아보지 않은 채 앞장서서 걸은 것은 아들의 처지를 생각하면서 드는 슬픔과 안타까움, 분노 등의 감정으로 인해, 아들을 차마 바로 볼 수 없었기 때문이다.

06 인물·사건

㉢은 자신을 부르는 소리에 뒤를 돌아본 만도가 한쪽 다리가 없는 아들 진수의 모습을 보고 놀라 충격을 받은 모습이다.

오답 풀이 ❶ 만도는 기적 소리가 가까워질수록 곧 진수를 만날 수 있다는 사실에 기대감과 설렘, 초조함과 긴장감을 느낀다.
❷ 만도는 진수가 나오지 않자, 진수에게 무슨 일이 생겼을지도 모른다는 불길한 생각에 불안해한다.
❹ 만도는 진수가 한쪽 다리를 잃은 것에 대해 절망하며 속상해한다.
❺ 만도는 한쪽 팔을 잃은 자신의 처지와 한쪽 다리를 잃은 아들의 처지를 생각하며 비통해한다.

07 서술

이 작품은 과거와 현재를 교차하며 서술되고 있다. 〈보기〉로 보아, A와 D는 만도가 진수를 기다리는 현재의 시점이고, B와 C는 만도가 강제 징용에 끌려갔던 과거의 시점이다. C는 징용에 끌려간 만도가 비극적 참사를 당하는 부분이므로, 갈등 해소와는 관계가 없다.

오답 풀이 ❶, ❸ 시간의 흐름으로만 보면, 'B → C → A → D'의 순서이다.
❹ (자)에서 '꽤애액' 하고 울리는 기차 소리를 계기로, 만도가 과거를 회상하던 시점에서 다시 진수를 기다리는 현재의 시점으로 돌아오게 된다.

❺ 한쪽 다리를 잃고 돌아온 진수를 보며, 만도는 자신이 한쪽 팔을 잃었던 것과 같은 심적인 고통을 경험한다. 만도는 자신이 겪었던 비극이 아들에게도 대를 이어 이어진 것에 대해 분노와 절망감을 느낀다.

04 수난이대 ❹

본문 096~097쪽

확인 문제

01 × 02 ○ 03 논두렁길 04 외나무다리

실력 문제

05 ① 06 ⑤ 07 ④

01 진수가 한쪽 다리를 잃게 된 것은 전쟁 중에 수류탄 파편에 맞았기 때문이다.

02 (파)에서 만도는 앞으로 살아갈 일을 걱정하는 진수를 위로하면서 서로가 처한 상황을 받아들이고 협력하면서 계속 살아가고자 하는 의지를 드러내고 있다.

03 (파)에서 주막을 나선 만도와 진수 부자는 '논두렁길'을 함께 걸으면서 서로의 처지에 대해 이해하고, 함께 살아갈 방법을 모색하게 된다.

04 이 작품에서 '외나무다리'는 만도와 진수에게 닥친 현실의 시련과 고난을 상징함과 동시에, 우리 민족이 극복해야 할 시련을 상징한다. 또한 작품 속의 인물들이 수난을 극복하며 살아갈 것임을 보여 줌으로써, 민족 수난과 그 극복 의지라는 작품의 주제 의식을 효과적으로 강조한다.

05 배경·소재 + 주제

(거)의 '외나무다리'는 만도와 진수에게 닥친 고난과 시련을 상징하지만, 서로 도우며 다리를 건너는 부자의 모습을 통해 고난과 시련에 대한 극복 가능성을 암시하는 역할도 한다는 것을 알 수 있다. 따라서 '외나무다리'는 절망적 삶을 의미한다고 볼 수 없다.

오답 풀이 ❷ 작가는 '외나무다리'를 통해 민족 수난과 그 극복 의지라는 작품의 주제 의식을 효과적으로 전달한다.

❸ '외나무다리'는 만도와 진수, 나아가 우리 민족의 시련의 공간이자, 수난 극복의 현장이다.

❹, ❺ 만도와 진수가 서로 화합하여 '외나무다리'를 건너는 모습을 통해, 부자가 내적·외적 갈등을 해소하고 앞으로 서로 도우며 살아갈 것임을 알 수 있다.

06 배경·소재 + 서술

(거)의 마지막 부분에서는 만도와 진수 부자로부터 시선이 원경으로 멀어지며, '용머리재'가 이들을 바라보는 것으로 작품을 끝맺고 있다. 마치 영화의 마지막 장면 같은 서술을 통해 독자에게 여운을 남기고, 수난을 극복하며 살아가고자 하는 인간의 생명력과 의지에 대한 경외감을 불러일으킨다.

오답 풀이 ❶ 만도와 진수 부자는 '논두렁길'을 함께 걸으며 대화를 통해 서로의 처지를 이해하고 함께 수난을 극복할 의지를 다지게 된다.

❷ '고등어'는 진수에 대한 만도의 애정이 담긴 소재이자, (하)에서 소변을 봐야 하는 만도를 불편하게 만드는 소재이다.

❸ 진수는 '수류탄 쪼가리'에 맞아 한쪽 다리를 잃게 되었다.

❹ '아버지의 굵은 목줄기'는 수난 극복에 대한 만도의 강인한 의지와 생명력을 드러낸다.

07 인물·사건

만도는 진수를 업고, 진수는 만도가 들고 있던 고등어를 들고 서로 협력하여 외나무다리를 건너는 장면은 2대에 걸쳐서 수난을 당한 아버지와 아들이 서로 도우며 현실을 극복해 나갈 것임을 드러내는 부분이다. 따라서 진수가 만도를 언짢아한다는 내용은 적절하지 않다.

알아두기 **'외나무다리'의 의미와 역할 및 작품의 창작 의도**

작품의 결말

만도와 진수 부자가 서로를 도우며 '외나무다리'를 건넘

⇓

'외나무다리'의 의미와 역할

- 한쪽 팔이 없는 만도와 한쪽 다리가 없는 진수에게 닥친 시련과 고난의 공간
- 만도와 진수가 서로 도우며 살아갈 수 있을 것임을 암시하는 소재
- 민족의 시련과 고난의 공간이자, 수난 극복의 가능성을 보여 주는 소재
- 만도와 진수가 역경을 딛고 시련을 이겨 내리라는 것을 효과적으로 드러내는 소재
- 인물 간의 갈등을 해소하고 인물들을 화합시켜 주는 매개체

⇓

작품의 창작 의도

- 일제 강점기와 6·25 전쟁이라는 비극적인 역사로 인한 상처와 고통을 극복해 나가는 의지적인 모습을 표현하고자 함
- 일제 강점기와 6·25 전쟁이 우리 민족에게 큰 상처를 남겼지만, 서로 힘을 합쳐 노력하면 극복할 수 있다는 희망과 용기를 전달하고자 함

+ 독해 체크 본문 098쪽

❶ 징용 ❷ 수류탄 ❸ 징용 ❹ 외나무다리 ❺ 극복 ❻ 다이너마이트 ❼ 수류탄 ❽ 의지적

+ 어휘 체크 본문 099쪽

1 (1) 절단 (2) 노상 (3) 공연히
2 (1) ㉢ (2) ㉠ (3) ㉡

본문 100~101쪽

실전 05 꺼삐딴 리 ❶ _전광용

갈래 현대 소설, 단편 소설, 풍자 소설
성격 냉소적, 풍자적, 비판적, 고발적
주제 시대와 상황에 따라 빠르게 변신하는 기회주의자의 삶에 대한 비판
특징
- 일제 강점기, 소련군 주둔 시기, 6·25 전쟁 이후 1950년대를 배경으로 함
- 급변하는 시대에 재빠르게 대응하는 인물의 모습을 그림으로써 기회주의자의 삶을 풍자함
- 현재 시점에서 과거와 현재의 사건을 교차적으로 서술함

확인 문제
01 × 02 × 03 친일파 04 일본어

실력 문제
05 ③ 06 ② 07 ⑤ 08 ④

01 이 작품은 작품 밖의 서술자가 전지적 위치에서 주인공의 말과 행동은 물론, 사건의 속사정과 인물의 심리까지 전달하는 전지적 작가 시점을 취하고 있다.

02 (가)는 1945년 팔월 하순, 즉 광복 직후의 상황이지만 앞부분의 줄거리를 참고하였을 때, (가)는 현재 시점을 기준으로 과거에 벌어진 일이다. 따라서 현재 시점을 기준으로 한 이 작품의 시대적 배경은 6·25 전쟁 이후이다.

03 '친일파'는 일제 강점기에 일본을 지지하고 따른 무리를 뜻하는 말로, 일제 강점기에 당시의 권력인 일본을 좇았던 이인국의 행적을 단적으로 드러내고 있다.

04 '국어 상용의 가'라는 액자는 일제 강점기 때 이인국이 적극적인 친일을 통해 받은 것으로, 여기서 말하는 '국어'는 일본어를 가리킨다.

05 배경·소재 + 서술 + 주제
이 작품은 현재와 과거를 오가는 역순행적 구성을 보이지만, ③과 같이 이야기 속에 또 다른 이야기가 들어 있는 액자 소설은 아니다.

오답 풀이 ❶ 이 작품은 일제 강점기 말부터 8·15 광복, 1950년대 6·25 전쟁 전후를 배경으로 한다.
❷ 이 작품은 6·25 전쟁 이후의 시점인 현재에서 일제 강점기인 과거로 거슬러 올라가는 역순행적 구성을 보인다.
❹, ❺ '꺼삐딴'은 영어의 '캡틴(captain)'에 해당하는 러시아어 '까삐딴'으로, 해방 후 북한에서 '우두머리, 최고'의 뜻으로 쓰인 말이다. 이는 시대의 변화 속에서 기회주의적 행동으로 살아남은 이인국의 태도를 암시하고 풍자한 것이다.

알아두기 「꺼삐딴 리」의 역순행적 구성

현재	미국행을 위해 브라운 씨를 만나러 가며 회중시계를 봄
과거	일제 강점기에 일본에 붙어 처세함
현재	미국 대사관으로 가는 자동차 안에서 신문을 봄
과거	해방 직후 소련에 붙어 처세함
현재	브라운 씨에게 선물 공세를 하여 미국행을 성사시킴

06 인물·사건
(라)에서 이인국은 사람들이 소련군의 탱크 부대를 보고 목청이 터지도록 만세를 부르는 것과 달리, 급변한 상황에 어색해하며 자신에게 닥쳐올 일을 걱정하고 있다.

오답 풀이 ❶, ❺ (가)에는 해방 이후 자신이 저지른 친일 행위 때문에 죗값을 치를지도 모른다는 생각으로 두려워하는 이인국의 모습이 잘 그려져 있다.
❸ (라)의 '그는 자기의 거동을 주시하지나 않나 해서 주위를 두리번거렸다.'를 통해, 누군가 자신을 감시하고 있는지 걱정하는 이인국의 모습을 엿볼 수 있다.
❹ (나)의 '어제 저물녘에 그것(친일파를 타도하자는 벽보)을 처음 보았을 때의 전율이 되살아왔다.'를 통해 알 수 있다.

07 인물·사건
㉠에서 이인국이 불안과 초조를 느끼는 이유는 일제 강점기에 친일했던 민족 반역자들을 찾아 벌주고자 하는 내용의 벽보를 보고, 자신 또한 친일 행위로 인해 죗값을 치를지도 모른다고 생각했기 때문이다.

오답 풀이 ❶ 친일 행위를 했던 이인국은 해방의 감격을 만끽할 수 없는 입장이다.
❷, ❹ 춘석과 눈이 마주친 일과 북쪽에 소련군이 들어온다는 사실은 이인국에게 꺼림칙하고 혼란스러운 일이기는 했지만, 잠을 못 잘 정도의 불안감과 초조함을 느끼게 한 직접적인 원인은 아니다.
❸ 친일을 했던 이인국의 입장에서는 일본군이 떠나는 것이 두려운 일이지, 그들이 떠나지 않고 남아 있는 것은 두려운 일이 아니었을 것이다. 또한 일본군이 아직 다 떠나지는 않았다는 내용은 이 작품에 제시되어 있지 않다.

08 배경·소재
액자 틀에 담겨 있던 종잇장에 적힌 '국어 상용의 가'라는 문구는 '국어를 일상적으로 사용하는 집'이란 뜻으로, 여기서 말하는 '국어'란 일제 강점기에 사용을 강요하던 일본어를 말한다. 따라서 이런 문구가 적힌 액자를 집에 걸어 놓고 있다는 것만으로도, 당시 이인국 박사의 친일 행적을 짐작할 수 있다.

오답 풀이 ❶, ❷ 이인국은 벽장문을 열고 안쪽에 손을 뻗쳐 액자 틀을 끄집어낸 후, 액자 틀 뒤를 열어 '국어(國語) 상용(常用)의 가(家)'라고 적힌 두꺼운 모조지를 꺼내어 꼼꼼히 찢었다.
❸ '이 종잇장 하나만 해도 일본인과의 교제에 있어서 얼마나 떳떳한 구실을 할 수 있었던 것인가.'를 통해 알 수 있다.
❺ '국어 상용의 가'라는 종잇장은 이인국의 친일 행위를 보여 주는 것이므로, 이인국은 자신의 친일 행적을 지우기 위해 이를 꼼꼼히 찢은 것이다.

05 꺼삐딴 리 ❷

본문 102~103쪽

확인 문제

01 ○　02 ×　03 소련　04 시계

실력 문제

05 ④　06 ⑤　07 ⑤

01 (마)는 6·25 전쟁 이후인 현재 시점이고, (바)~(아)는 소련군 주둔 시기~6·25 전쟁 중인 과거로, (마)는 (바)~(아)와 비교할 때 시간적 순서가 나중이다.

02 이인국의 아들이 소련 유학을 떠날 수 있었던 것은 스텐코프 소좌의 추천이 아닌, 스텐코프 소좌의 도움으로 요직에 있는 당 간부의 추천을 받았기 때문이다.

03 '노어'는 노서아어, 즉 러시아어를 뜻하는데, 이 시기에는 러시아가 소련이었다. 이로 보아, 이인국이 아들에게 노어 공부를 열심히 하라고 한 이유는 결국 소련군 주둔 시기라는 시류(그 시대의 풍조나 경향)에 편승(세태나 남의 세력을 이용하여 자신의 이익을 거둠을 비유적으로 이르는 말)하여 살아남기 위해서이다.

04 (카)에서 이인국은 소련군 병사가 훔치려는 자신의 시계를 어떻게든 지키고 싶어 한다. 이를 통해 이인국의 시계는 그의 분신과도 같은 소중한 존재임을 알 수 있다.

05 인물·사건 + 서술

이 작품은 역순행적 구성으로 사건을 전개하고 있다. 이를 시간의 순서에 따라 재배열하면, (차)~(카): 소련군 주둔 시기 / (바)~(아): 소련군 주둔 시기부터 6·25 전쟁 중 / (마), (자): 6·25 전쟁 이후의 현재 시점이다.

06 서술

이 작품은 작가(서술자)가 전지적인 위치에서 인물의 행동과 심리까지 모두 전달하는 전지적 작가 시점을 취하고 있다. 또한 풍자와 비판의 대상인 주인공(이인국)에 대해 비판적인 거리를 유지하고 있다.

오답 풀이 ❶ 1인칭 주인공 시점에 대한 설명이다.
❷, ❸ 1인칭 관찰자 시점에 대한 설명이다.
❹ 3인칭 관찰자 시점에 대한 설명이다.

07 인물·사건 + 서술 + 주제

[A]는 일제 강점기 친일 행적을 바탕으로 만족스러운 삶을 살았던 이인국이 이번에는 소련군 주둔 시기에 편승해 출세를 위해 아내의 반대에도 아들의 소련 유학을 결정한 부분이다. 이를 통해 이인국의 자기중심적이고 출세 지향적인 모습을 파악할 수 있다.

오답 풀이 ❶ 이인국은 아들의 소련 유학에 대해 불안정하고 예민한 정서를 내보이고 있는 것이 아니라, 확신에 차 있다.
❷ 이인국의 말투는 단호하지만 폭력적이지는 않다.
❸ 이인국은 시대의 변화에 빠르게 적응하고 있으므로, 운명에 순응하는 체념(희망을 버리고 아주 단념함)적인 태도와는 반대되는 기회주의적인 모습을 보이고 있다.
❹ 무슨 세상이 되든 할 대로 해 보자는 이인국에 말에서 과거에 대한 집착이 아닌, 시대의 변화에 따라 삶의 방향을 빠르게 바꾸는 이인국의 기회주의적 면모를 엿볼 수 있다.

05 꺼삐딴 리 ❸

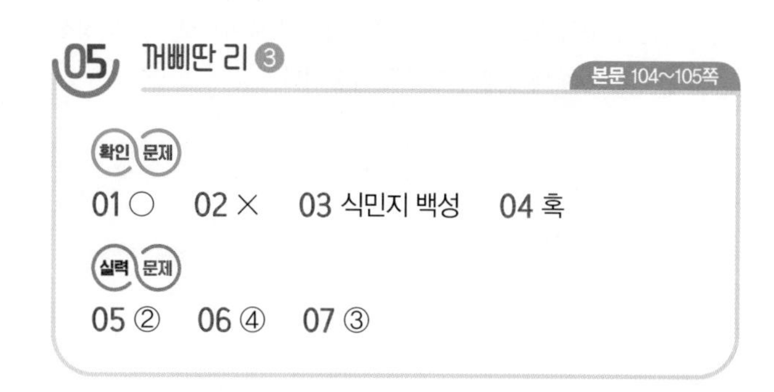
본문 104~105쪽

확인 문제

01 ○　02 ×　03 식민지 백성　04 혹

실력 문제

05 ②　06 ④　07 ③

01 (타)의 "친일파, 민족 반역자, 반일 투사 치료 거부, 일제의 간첩 행위……' / 이건 너무도 어마어마한 죄상이다.'를 통해 이인국은 자신의 잘못이 무엇이고, 그게 얼마나 큰 잘못인지를 알고 있음을 짐작할 수 있다.

02 (파)에서 감방에 갇힌 이인국은 목숨이 위태로운 상황에서조차, 스텐코프 소좌의 표정에서 기회를 포착하고 감방에서 나갈 희망을 품고 있다.

03 (파)의 '그럼, 어쩐단 말이야. 식민지 백성이 별수 있었어.'에는 자신의 잘못된 행동, 즉 친일 행적에 대한 자기변명을 합리화하는 이인국의 모습이 나타나 있다.

04 이인국이 감방에서 완전히 풀려날 기회로 포착한 것, 즉 '기적의 예시'는 스텐코프의 '오리알만 한 혹'이다.

05 인물·사건

친일 행적으로 죽을 수도 있었던 이인국은 소련군 장교인 스텐코프의 혹 제거 수술에 성공하고, 그의 신임을 얻음으로써 감방에서 풀려날 기회를 얻게 된다.

오답 풀이 ❶, ❺ 노어책을 거의 암송하다시피 하여 익힌 노어와 당사를 통해 스텐코프와 친해진 것은 이인국이 스텐코프의 혹 제거 수술을 하게 되는 기회를 잡게 해 주었다.
❸ 이인국이 감방 속의 이야기를 놓치지 않은 것은 주변 상황의 변화를 민감하게 살피기 위해서이다.
❹ 이인국은 복막염 수술을 한 소련군 환자의 실을 뽑는 옆에 온 스텐코프에게 혹 제거 수술을 제안하여 그 기회를 잡기는 했지만, 소련군 장교의 복막염 수술을 성공했다는 내용은 제시되어 있지 않다.

06 인물·사건 + 주제

'꺼삐딴'은 '우두머리, 최고'라는 뜻이므로 ㉠ '꺼삐딴 리'는 자신의 혹을 성공적으로 제거해 준 덕분에 이인국에 대한 스텐코프의 인식과 태도가 달라졌음을 알 수 있게 하는 호칭이다.

오답 풀이 ③, ⑤ 이 작품의 제목이기도 한 '꺼삐딴 리'에는 주인공인 이인국이 출세와 권력에 눈먼 기회주의자의 최고봉임을 비판하고 풍자하고자 하는 작가의 의도가 담겨 있다.

07 주제

〈보기〉는 일제 강점기와 6·25 전쟁을 배경으로 하여 창작된 작품들의 다양한 창작 의도(주제)에 대한 설명이다. 이 작품은 일제 강점기 말부터 1950년대를 배경으로, 우리 민족의 수난기에 시류에 편승하여 기회주의적 삶을 살았던 이인국이라는 인물의 삶을 비판하고 풍자하는 작품이므로, ⓒ의 창작 동기와 같은 맥락에서 창작된 작품이다.

05 꺼삐딴 리 ④

본문 106~107쪽

확인 문제

01 × 02 ○ 03 고려청자 04 기회주의적

실력 문제

05 ① 06 ③ 07 ③ 08 ④

01 (더)를 통해 이인국은 스텐코프의 부탁이 있느냐는 물음에 소련군에게 빼앗긴 시계를 돌려받길 원한다는 말을 했음을 알 수 있다.

02 미국인인 브라운에게 고려청자를 바치며 미국에 가서의 모든 일을 부탁하는 것을 통해, 이인국이 마지막으로 지향하는 권력이 미국임을 알 수 있다.

03 이인국은 미국행을 성사시키기 위해 브라운에게 상감 진사 고려청자 화병을 선물로 바쳤다.

04 (버)의 '나보다 얼마든지 날뛰던 놈들도 있는데, 나쯤이야…….'에는 기회주의적인 태도로 살아온 스스로의 삶에 대한 이인국의 자기 합리화가 나타나 있다.

05 인물·사건

(더)에서 집에서 통근해도 좋다는 스텐코프의 말은 이인국이 처벌을 받지 않고 완전히 자유의 몸이 되었음을 의미한다.

오답 풀이 ② (러)에서 브라운은 이인국이 선물로 가져온 청자병을 보고 만면에 미소를 띠고 기쁨을 참지 못했다. 따라서 이인국의 선물이 매우 마음에 들었음을 알 수 있다.

③ (러)의 '그날의 적기와 돌려 온 시계를 생각했다.'를 통해 이인국이 빼앗겼던 시계를 돌려받았음을 알 수 있다.

④ (서)의 '차창을 거쳐 보이는 맑은 가을 하늘이 이인국 박사에게는 더욱 푸르고 드높게만 느껴졌다.'에서 계획한 일이 뜻대로 잘 풀리고 있어 즐거워하는 이인국의 마음을 알 수 있다.

⑤ (러)의 '사실 그것을 내놓는 데는 얼마간의 아쉬움이 없지 않았다.'를 통해, 청자병이 값진 것이라 내놓기가 아까웠던 이인국의 심리를 알 수 있다.

06 배경·소재

미국에만 갔다 오면 별이라도 딴 듯이 날치는 꼴이 눈꼴사나웠다는 이인국의 말을 통해, 남한에서 사회적으로 미국의 영향력이 커졌음(ㄴ)을 알 수 있다. 또한 브라운의 집에 즐비한 우리 문화재와 청자병을 선물하는 이인국을 통해, 우리 문화재가 국외로 유출되던 당시의 상황(ㄷ)이 드러난다.

오답 풀이 ㄱ. 브라운과 이인국은 영어를 간혹 쓰기도 하지만, "그거, 국무성에서 통지가 왔습니다.", "미국에 가서의 모든 일도 잘 부탁합니다."와 같이 한국어로 대화를 하고 있다.

ㄹ. 이인국은 지금까지 권력자에게 아부하여 자신의 부와 권력을 키워 온 사람으로, (버)에서 그가 한 말인 '나보다 얼마든지 날뛰던 놈들도 있는데'를 통해 이러한 사람들이 이전에도 많이 있었음을 알 수 있다.

07 인물·사건 + 어휘

이인국은 부와 권력을 좇아 재빠르게 변신하는 기회주의자의 모습을 보인다. 이는 자신의 이익에 따라 지조 없이 이편에 붙었다가 저편에 붙었다 하는 약삭빠른 사람을 비꼬아 이를 때 쓰는 속담인 '간에 붙었다 쓸개에 붙었다 한다'와 관련이 있다.

오답 풀이 ① 사람이 지나치게 결백하면 남이 따르지 않음을 비유적으로 이르는 말이다.

② 애써 하던 일이 실패로 돌아가거나 남보다 뒤떨어져 어찌할 도리가 없이 됨을 비유적으로 이르는 말이다.

④ 자기는 더 큰 흉이 있으면서 도리어 남의 작은 흉을 본다는 말이다.

⑤ 시작할 때는 크게 마음먹고 훌륭한 것을 만들려고 했으나, 생각과 다르게 초라하고 엉뚱한 것을 만들게 됨을 비유적으로 이르는 말이다.

08 배경·소재

(회중)시계는 일제 강점기, 소련군 주둔 시기, 6·25 전쟁 등 시대의 변화 속에서 이인국과 생사고락을 함께한 것으로, 이인국의 분신과도 같은 물건임을 〈보기〉를 통해 알 수 있다.

알아두기 '회중시계'의 의미와 역할

의미	• 이인국의 분신. 그가 걸어온 인생의 역정을 보여 줌 • 일제 강점기에 제국 대학을 졸업하며 받은 수상품으로, 일왕에게 받았다는 점에서 그의 반민족적 사고가 단적으로 드러남
역할	현재에서 과거로 이동할 때 매개 역할을 함(과거 회상의 매개체)

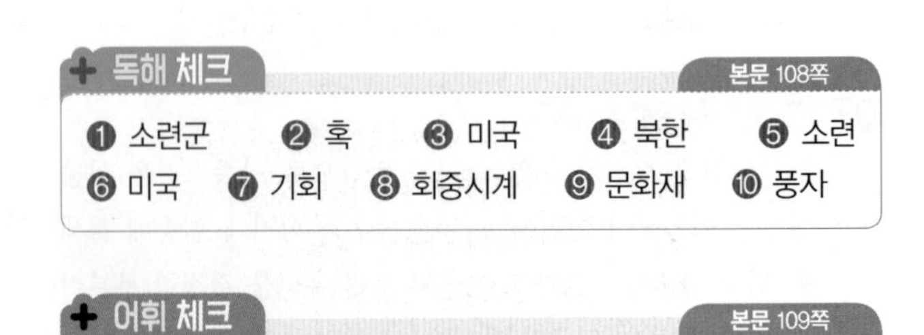

독해 체크 본문 108쪽

❶ 소련군 ❷ 혹 ❸ 미국 ❹ 북한 ❺ 소련
❻ 미국 ❼ 기회 ❽ 회중시계 ❾ 문화재 ❿ 풍자

어휘 체크 본문 109쪽

1 (1) 섬광 (2) 우격다짐 (3) 엄습

2 〈가로〉 ❶ 전율 ❷ 타도

〈세로〉 ❶ 전공 ❸ 방도

본문 110~111쪽

실전 06 모래톱 이야기 ❶ _김정한

갈래 단편 소설, 농촌 소설, 참여 소설

성격 사실적, 현실 고발적, 저항적

주제 소외된 사람들의 비참한 삶과 부조리한 현실에 대한 저항

특징
- 지식인으로 설정된 1인칭 관찰자가 조마이섬에서 일어난 사건을 객관적으로 전달함
- 개발로 인해 삶의 터전을 잃어 가는 사람들의 비극적인 생활상을 사실적으로 보여 줌
- 부당한 권력과 이에 저항하는 섬사람들 사이의 갈등과 대립을 선명하게 부각함

01 × 02 ○ 03 낙동강 04 사투리

05 ③ 06 ④ 07 ①

01 (가)의 '이십 년이 넘도록 내처 붓을 꺾어 오던 내가'를 통해 '나'가 20년이 넘도록 절필해 왔음을 짐작할 수 있다.

02 (가)에서 '나'는 낙동강 하류의 어떤 외진 모래톱에 관한 기막힌 사연들이 세상에 버려져 있는 데에 차마 묵묵할 도리가 없었다며, 글을 쓰게 된 동기를 구체적으로 밝히고 있다.

03 (가)를 통해 건우가 젊은 홀어머니, 할아버지와 함께 낙동강 하류의 외진 모래톱에 살고 있음을 알 수 있다.

04 (나)에서 건우 어머니는 사투리를 사용하고 있다. 이처럼 등장인물이 사용하는 사투리는 향토적·토속적인 분위기를 형성하며, 농촌의 실상을 현장감 있게 사실적으로 전달하는 효과가 있다.

05 서술

'나'는 건우라는 제자를 통해 알게 된 조마이섬에 대한 이야기를 관찰하여 서술하고 있다. 따라서 주인공인 '나'가 자신의 이야기를 구체적으로 밝히고 있다는 설명은 적절하지 않다.

오답 풀이 ❶ '나'는 20년 전, 교사 생활을 할 때 경험했던 사건을 회상하여 서술하고 있다.
❷ '나'는 20년이 넘도록 절필했으나, 교사였던 시절 알게 된 조마이섬의 부조리한 현실을 외면할 수 없어 글을 쓰게 됐다는 점에서 고발자의 역할을 한다고 볼 수 있다.
❹ 이 작품은 현재의 '나'가, 20년 전 교사였던 시절의 이야기를 회상하는 형식을 띠고 있다. 따라서 외부 이야기(현재) 속에 내부 이야기(20년 전)가 전개되는 액자식 구성을 취하고 있다고 볼 수 있다.
❺ 이 작품의 서술자인 '나'는 건우를 통해 알게 된 이야기를 관찰자의 입장에서 객관적으로 전달하고 있다.

알아두기 서술자의 특징

이 작품에서 '나'는 건우의 담임 선생님이자, 작가로 조마이섬에 대한 이야기를 관찰하여 서술하고 있다.

'나'	• 1인칭 관찰자 시점의 서술자 • 조마이섬과 관련된 사건에 이해관계가 없음

⇓

'나'의 특징
- 사건의 관찰자이자 고발자의 역할을 함
- 중학교 교사로 있던 20년 전의 이야기를 회상하여 전달함
- 자신이 관찰한 바를 서술하여 독자들에게 객관성과 현실성을 느끼게 함

⇓

효과	권력자들과 섬사람들 사이의 갈등과 대립을 부각시킴

배경지식 ⊕ 액자 소설의 개념과 특징

- **액자 소설의 개념:** 소설에서 이야기 속에 또 하나의 이야기가 들어 있도록 구성하는 것을 말함

외부 이야기(현재)
　내부 이야기
　(20년 전, 조마이섬의 이야기)

- **액자 소설의 특징**
  - 독자의 흥미와 호기심을 유발함
  - 내부 이야기를 객관화하여 이야기의 신빙성을 더할 수 있음
  - 외부 이야기와 내부 이야기에 다른 시점을 설정하여 다각적으로 이야기를 전개할 수도 있음

06 인물·사건

건우가 읽은 「내가 본 국도」에 등장하는 섬사람들은 실생활과 관련이 없는 정치를 위하여, 선거 때가 되면 정당에서 보낸 배를 타고 육지로 나가 지정해 준 후보에게 투표를 했다.

오답 풀이 ❶, ❷ (라)에서는 섬사람들에 대해 '조국의 사랑이라곤 받아 본 일 없이 헐벗고 배우지 못한 그들'이라고 하였다. 이를 통해 그들이 나라의 보호와 관심을 받지 못했으며, 가난했고 교육도 제대로 받지 못했음을 알 수 있다.
❸ (라)의 '선거 때가 되면 소속 육지에서 똑딱선을 가지고 섬 백성을 모시러 오는 알뜰한 정당이 있어 ~ 지정해 주는 기호 밑에 도장을 찍어 주고 그 배에 실려 돌아온다는 것입니다.'를 통해 확인할 수 있다.
❺ '조국의 사랑이라곤 받아 본 일 없이 헐벗고 배우지 못한 그들의 아들들이 먼저 ~ 군인이 되어 갔다는 것'을 통해, 국가로부터 소외된 계층의 사람들이 제일 먼저 국가를 지켜야 할 의무와 책임을 지고 군인이 되었음을 알 수 있다.

07 인물·사건

건우네 가족은 선조 때부터 조마이섬에서 살았지만 땅의 소유권은 나라, 국회 의원 등으로 계속 바뀌어 건우네 가족은 땅에 대한 소유권이 없다.

오답 풀이 ❷ (나)에서 '나'는 건우 어머니에게 가정 사정과, 할아버지와 아저씨 그리고 재산 등에 대해 질문했다고 하였다.

❸ 건우 어머니는 건우 할아버지가 '개깃배(고깃배)'를 타신다고 하였다. 즉 건우 할아버지가 어업에 종사하고 있음을 알 수 있다.
❹ '나'는 건우의 글을 통해 건우의 가정 형편에 대해 대략 알고 있었다고 하였다.
❺ 건우 어머니는 '나'에게 건우가 길이 먼 데다 나룻배까지 타야 해서 지각이 많아 죄송하다고 하며, 아버지가 없으니 그런 점을 생각해서 잘 도와 달라고 부탁하였다.

06 모래톱 이야기 ❷

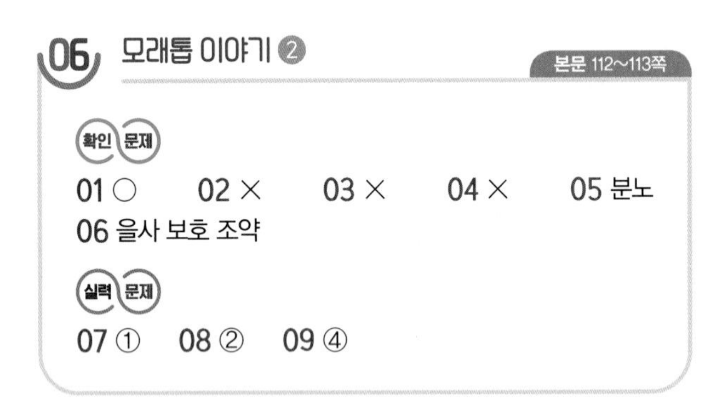
본문 112~113쪽

확인 문제

01 ○ 02 × 03 × 04 × 05 분노
06 을사 보호 조약

실력 문제

07 ① 08 ② 09 ④

01 '나'는 건우의 중학교 담임 선생님으로, 건우네 가정 방문을 갔다가 건우가 쓴 글을 통해 조마이섬의 사람들이 소유권 문제에서 소외되어 왔던 상황을 알게 되었다.

02 (마)에서 '나'는 건우에게 언젠가는 조마이섬 사람들이 땅의 주인이 될 거라고 말한다. 그러나 이것은 조마이섬 사람들이 섬의 소유권을 가지게 될 것을 기대하며 미래에 대해 긍정적인 태도를 보인 것이 아니라, 억울하고 괴로워하는 건우가 희망을 잃지 않게 하기 위해 한 말이다. 오히려 '나'는 유력자들에 의해 소유권이 바뀌어 온 조마이섬의 역사를 알고, 이런 부조리한 현실에 대해 비판적·저항적 태도를 드러내고 있다.

알아두기 '조마이섬'의 의미

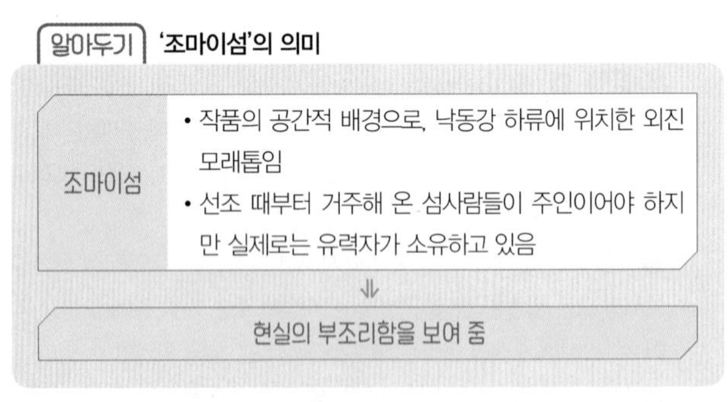

03 (바)에서 건우 할아버지가 '정말정말 훌륭한 선생님이라고' 들었다며 '나'의 손을 덮싸는 행동을 통해, 건우 할아버지가 '나'에게 우호적임을 알 수 있다. 건우 할아버지가 불만을 지니고 있는 대상은 '나'가 아니라, 국회 의원 등의 사회 지도층이다.

04 (사)에서 건우 할아버지가 "처음부터 없기싸 없었겠소마는 죄다 뺏기고 말았지요."라고 말한 것을 통해, 조마이섬 사람들은 선조로부터 물려받은 자기 땅을 갖고 있었으나 외부 세력으로 인해 이를 빼앗기게 되었음을 알 수 있다.

05 건우 할아버지는 '나'에게 조마이섬의 소유권에 얽힌 내력을 들려주며 개인의 이익만을 추구하는 권력자들을 "죽일 놈들."이라고 표현하며 분노를 드러내고 있다.

06 (사)의 내용을 통해 1905년에 맺은 '을사 보호 조약'을 계기로 토지 사업이 전국적으로 실시되며 조마이섬 사람들이 땅을 빼앗기게 되었음을 알 수 있다.

07 인물·사건

자연적으로 형성된 조마이섬의 실질적인 주인은 섬사람들이다. 하지만 일제 강점기에 일제가 농토를 빼앗아 동척, 일본인들에게 불하하여 일본인들에게 소유권이 넘어갔고, 그 이후에는 국회 의원이나 하천 부지의 매립 허가를 얻은 유력자들에게 소유권이 이전되었다.

오답 풀이 ❷ '청년단'은 윤춘삼과 갈등을 일으켰던 단체로, 조마이섬의 소유권을 차지했던 유력자들과는 관련이 없다.
❸ '송아지 빨갱이'는 윤춘삼의 별명으로, 윤춘삼은 일제가 불하하는 형식으로 소유권을 이전 받은 동척과 일본인이 아닌 조마이섬 사람이다.
❹ 모래톱 사람들, 즉 조마이섬 사람들은 섬에 실제로 거주하면서 선조들로부터 땅을 물려받았지만 점차 권력자들에게 땅을 빼앗겼다.
❺ 국회 의원에게 소유권이 넘어간 이후에 하천 부지의 매립 허가를 얻은 유력자에게 소유권이 다시 넘어갔다.

알아두기 '조마이섬'의 소유권 변천 과정

대상	소유권 변천 과정	시기
선조들	낙동강 물이 만들어 줌	예전
갈밭새 영감 등	선조들로부터 물려받음	일제 강점기 이전
동척, 일본인	일제가 강제로 동척, 일본인들에게 불하함	일제 강점기
국회 의원, 유력자	친일 행적이 있는 국회 의원 등에게 해방 이후 넘어갔으리라고 추정함	해방 이후

08 인물·사건

㉠은 부당한 권력을 이용하여 자신들이 지키고 살아온 섬을 빼앗아 간 사람들에 대한 분노와 원망이 담긴 표현이다.

09 인물·사건 + 배경·소재 + 서술

건우 증조부(S#98)와 건우 할아버지(S#99)는 자신들의 땅으로 여겼던 조마이섬의 소유권이 부당하게 다른 곳으로 넘어간 것에 대해 분노하고 있으며, 나머지 인물들은 그의 말에 동조하거나 경청하고 있다. 즉 S#98~99에는 인물 간의 갈등은 나타나지 않으며, 소유권 이전에 찬성하는 인물 또한 제시되어 있지 않다.

오답 풀이 ❶ S#98에서 '길게 펼쳐진 조마이섬 모습'을 제시하기 위해 섬의 전체적인 지형을 카메라에 담는 E.L.S. 기법을 쓰고 있다.

❷ 일제 때 토지 조사 사업을 통해 토지를 수탈한 사실이 작품에서는 서술자의 생각으로 제시되어 있으나, S#99에서는 건우 선생님의 대사로 제시되어 있다.
❸ 내일까지 섬에서 나가라는 '시커먼 놈들'의 요구에 반발하는 건우 할아버지의 대사를 통해, 관객들은 이후에 생길지 모를 갈등 상황에 대해 긴장감을 느낄 수 있다.
❺ S#98에서는 건우 증조부가 "대명천지에 이럴 수는 없는 기다!"를 외치고, S#99에서는 건우 할아버지가 역시 같은 말을 외치며 자신들의 억울함을 표출하고 있다.

06 모래톱 이야기 ❸

본문 114~115쪽

확인 문제

01 × 02 ○ 03 외면 04 홍수 05 건우

실력 문제

06 ④ 07 ② 08 ②

01 (아)에서 건우 할아버지는 부조리한 현실을 외면한 채 자연의 아름다움을 노래하는 감성적 문학 행위에 대해 '썩어 빠진 글'이라며 비판하고 있다.

02 홍수로 인해 보릿대와 두엄 더미들이 무더기로 흘러내리고 수박, 오이, 호박 등이 떠내려오는 모습은 생존을 위협받고 삶의 터전을 상실한 민중들의 삶의 모습을 나타낸다.

03 (아)에서 건우 할아버지는 부조리한 현실을 외면하고 감성적 문학 행위를 하는 당대 지식인들의 비겁함과 무능함을 비판하고 있다.

04 '나'는 홍수로 인해 큰 피해를 입었을 조마이섬이 걱정되어 버스를 탔다.

05 (자)에서 '나'는 물에 잠겨 가는 조마이섬을 바라보며, '나룻배 통학생임더!' 하던 건우의 목소리를 떠올리고 있다.

06 배경·소재

홍수는 조마이섬 사람들의 생존을 위협하였고, 그들로 하여금 유력자들이 쌓은 엉터리 둑을 대들어서 무너뜨리게 하였다. 이는 이후 조마이섬 사람들과 유력자 사이의 갈등을 심화시키는 원인이 될 것임을 짐작할 수 있으므로, 홍수가 조마이섬 사람들과 유력자 사이의 갈등을 해소한다는 설명은 적절하지 않다.

오답 풀이 ❶ 갑작스럽게 일어난 큰 홍수는 사건 전개 과정에서 위기감과 긴장감을 고조시킨다.
❷ 홍수가 조마이섬 사람들의 안전을 위협한다는 점에서, 소외된 사람들의 비참한 삶을 다루는 이 작품의 주제와 관련이 있다.
❸ 자연재해인 홍수는 조마이섬 사람들의 생존을 위협하고 있다.
❺ 홍수는 조마이섬 사람들을 더욱 큰 위기에 빠지게 한다는 점에서, 조마이섬 사람들의 힘들고 비참한 삶을 부각시키는 역할을 한다.

알아두기 '조마이섬'을 위협하는 요인

조마이섬을 위협하는 요인은 자연적인 요인과 사회적인 요인으로 나눌 수 있다.

자연적 요인	폭풍우로 인한 홍수
사회적 요인	외부 유력자들의 횡포

⇓

홍수가 끝나도 외부 유력자들과의 갈등이 존재하기 때문에 사회적 요인으로 인한 갈등이 중심이 됨

07 인물·사건 + 배경·소재

ⓑ '낙동강 물'은 부조리한 현실을 외면한 채 자연의 아름다움을 노래하는 지식인들을 비판하기 위해 건우 할아버지가 인용한 구절의 일부이다.

오답 풀이 ❶ 보릿고개를 넘기기가 힘들어 목숨을 끊는 사람들이 있다는 말은 민중들의 비참한 삶의 현실을 나타내는 것이다.
❸ 건우 할아버지가 '나'에게 써 보라고 권하는 '우리 농사꾼이나 뱃놈들의 이바구'는 현실의 실상을 알리는 글로, '썩어 빠진 글'과 대비되는 글이라 할 수 있다.
❹ 잘 보이지도 않는 조마이섬에서 시선을 떼지 못하는 '나'의 모습은 조마이섬에 대해 걱정하는 '나'의 심리를 짐작하게 한다.
❺ 키다리는 어제 일어났던 사건, 즉 조마이섬 사람들이 둑을 허물었던 소동에 대해 '나'에게 정보를 제공해 주는 역할을 한다.

08 주제

건우 할아버지는 현실과 동떨어진 내용으로 쓰인 글에 대해 비판적인 시각을 드러낸다. ②는 수탈을 일삼는 탐관오리(권력자)를 '참새'에, 힘없는 민중을 '늙은 홀아비'에 빗대어 가혹한 수탈로 인한 농민의 피폐한 삶을 드러낸 글로, 건우 할아버지가 '나'에게 써 보라고 요청한 내용의 글에 해당한다.

오답 풀이 ❶ 자연 속에 묻혀 사는 즐거움을 노래한 시이다.
❸ 떠나는 임에 대한 사랑을 노래한 시이다.
❹ 자연 속에서의 안빈낙도(가난한 생활을 하면서도 편안한 마음으로 도를 즐겨 지킴)를 노래한 시이다.
❺ 가을 달밤의 정취와 풍류를 노래한 시이다.

06 모래톱 이야기 ❹

본문 116~117쪽

확인 문제

01 ○ 02 ○ 03 × 04 둑 05 학교

실력 문제

06 ③ 07 ② 08 ③ 09 ⑤ 10 ③

01 유력자들은 자신들의 이익을 위해 조마이섬에 엉터리 둑을 쌓았고, 이로 인해 홍수가 난 뒤 섬사람들은 생존의 위협을 받게 되었다.

02 갈밭새 영감은 행패를 부리는 깡패를 물속에 태질했고, 깡패가 탁류에 휩쓸리면서 살인죄로 감옥살이를 하게 되었다.

03 윤춘삼은 섬사람들의 안전을 위해 둑을 무너뜨리고 살인죄로 감옥에 가게 된 갈밭새 영감이 안타까워 눈물을 흘렸다.

04 큰 홍수로 물이 불어 엉터리로 만들어 둔 둑이 갑자기 터지면 섬 전체가 위험에 빠질 수 있으므로, 섬사람들은 자신들의 생존을 위해 둑을 허물어 버린다.

알아두기 '둑'을 허무는 행동의 의미

- 자신들의 안전을 위협하는 존재로부터 생존권을 지키기 위한 조마이섬 사람들의 노력
- 조마이섬을 빼앗으려는 유력자들의 부당한 권력에 대한 민중들의 저항

05 이 작품은 폭풍우가 끝났지만 결국 건우가 학교에 돌아오지 않았으며, 조마이섬에 군대가 정지를 한다는 소문을 전달하며 비극적인 결말로 끝맺고 있다.

06 인물·사건

갈밭새 영감은 섬을 통째로 삼키려는 유력자의 무리 중 한 명을 탁류에 던져 죽게 한다. 이 일로 경찰이 갈밭새 영감을 찾았을 때 "내가 그랬소!"라고 당당하게 말하며, 부조리한 현실에 저항적인 모습을 보여 주었다.

오답 풀이 ❶ 갈밭새 영감은 유력자들이 쌓아 놓은 둑을 허무는 등 권력자의 횡포에 당당하게 맞서 싸웠다.

❷ 갈밭새 영감은 행패를 부리는 깡패들에게 욕을 하고 태질을 하는 등 화가 났을 때 물불을 가리지 않는 성격을 지녔다.

❹ '살신성인(殺身成仁)'은 자기의 몸을 희생하여 인(仁)을 이룬다는 말로, 부당한 권력에 맞서 섬사람들의 목숨을 지키려다 살인까지 저지르게 된 갈밭새 영감의 모습을 잘 표현한 말이다.

❺ 윤춘삼의 말에 의하면 갈밭새 영감은 그동안 조마이섬을 지켜 온 사람이며, 현재에도 섬사람들의 목숨을 지키기 위해 부당한 권력과 맞서 싸웠음을 알 수 있다.

알아두기 '갈밭새 영감'의 성격을 표현한 방법

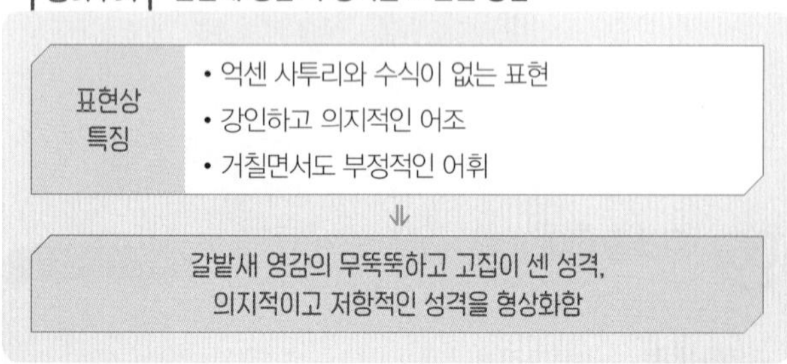

07 배경·소재

조마이섬은 삶의 터전을 가꾸면서도 땅의 소유권을 인정받지 못한 민중들과, 권력을 휘두르며 땅을 소유하려는 유력자들 사이의 갈등이 존재하는 공간이다.

오답 풀이 ❶ 이 작품은 세대 간의 가치관에 차이가 나타나는 것이 아니라, 힘이 있는 자와 힘이 없는 자의 갈등이 나타난다.

❸ 홍수가 끝나고 조마이섬에 군대가 정지를 한다는 점에서, 조마이섬은 현실의 모순을 극복한 공간이라고 볼 수 없다.

❹ 홍수로 인해 잠긴 조마이섬은 자연의 아름다움을 간직한 공간이라고 말할 수 없다.

❺ 갈밭새 영감은 경찰이 찾아오자 망설임 없이 자신이 한 행동이라고 말하는 등 부조리한 현실에 저항하는 태도를 보여 주고 있지만, 자신의 지난 삶을 반성하는 모습은 나타나 있지 않다.

배경지식 ⊕ 배경의 역할과 종류

- 배경의 역할
  - 작품의 전반적인 분위기를 형성하고, 주제를 뚜렷이 드러내는 데 기여함
  - 인물과 사건에 사실성과 신뢰성을 부여하고, 인물의 심리나 미래의 사건을 암시함
  - 인물의 의식, 성격이나 태도 형성에 영향을 미침
- 배경의 종류

시간적 배경	행위나 사건이 일어나는 시간, 계절 등
공간적 배경	행위나 사건이 일어나는 장소, 지역 등
시대적·사회적 배경	인물이 처한 시대적 상황이나 사회적 상황, 역사적 사건 등

08 서술

[A]에서 작품 속 서술자인 '나'는 갈밭새 영감이 둑을 무너뜨린 사건에 대해 윤춘삼에게 들은 내용을 전달하는 방식으로 서술하고 있다.

오답 풀이 ❶ 서술자인 '나'는 [A]에서 공간의 이동 없이 한자리에서 윤춘삼에게 들은 이야기를 전달하고 있다.

❷ [A]에 제시된 내용은 어제 조마이섬에 있었던 사실에 대한 것이며, 등장인물의 심리는 나타나 있지 않다.

❹, ❺ 이 작품은 1인칭 관찰자인 '나'의 시점으로 서술되어 있다. 따라서 작품 밖 서술자인 3인칭 서술자는 존재하지 않는다.

09 인물·사건 + 배경·소재 + 주제

ⓔ 앞에 제시된 '섬사람들의 애절한 하소연에도 불구하고'를 통해 섬사람들은 갈밭새 영감의 감옥살이를 어떻게든 막아 보려 했음을 알 수 있다. 그럼에도 결국 기약 없는 감옥살이를 하게 된 갈밭새 영감을 통해 약자인 민중들이 겪어야 했던 아픔, 부당한 대우 등을 확인할 수 있다.

오답 풀이 ❶ 사흘 내내 억수로 쏟아지는 '비'는 소외된 계층인 조마이섬 사람들의 삶을 더욱 위협한다. 즉 섬사람들이 처한 위기 상황을 심화시키는 소재로 볼 수 있다.

❷ '섬을 통째로 집어삼키려던'에서 유력자들이 둑을 쌓은 이유가 땅을 차지하기 위해서임을 알 수 있다.

❸ 둑을 허물고 있는 갈밭새 영감의 괭이를 뺏어 물속에 던지는 깡패 같은 청년들의 행위는 섬사람들을 방해하는 것으로 볼 수 있다.

❹ 법이나 힘이 있는 사람들에게 억울하게 짓밟힌 민중들의 현실을 서술한 것으로, 이 작품의 핵심 내용을 집약적으로 제시한 것이라 볼 수 있다.

10 인물·사건 + 주제

갈밭새 영감(건우 할아버지)은 처음에는 둑을 허물지 못하게 막아선 유력자의 무리를 타일렀다. 하지만 청년 하나가 자신의 괭이를 빼앗아 집어 던지며 방해하자 분노가 폭발해서 그를 탁류에 던졌다.

오답 풀이 ❶ 갈밭새 영감은 섬사람들의 안전을 지키는 과정에서 살인을 저지르게 되었는데, 갈밭새 영감이 감옥살이를 하게 된 것은 법의 비형평성을 보여 준다.

❷ 둑을 허물지 않는다면 위험에 처할 수 있기 때문에, 섬사람들은 둑을 허물 수밖에 없었다.

❹ 건우는 생계를 책임지던 할아버지가 감옥살이를 하게 되면서 가정 형편이 어려워졌을 것이고, 이로 인해 학교에 나오지 못했을 것으로 짐작할 수 있다.

❺ '황폐한 모래톱'은 부당한 권력에 맞선 민중들의 저항이 좌절된 현실을 상징한다. 건우는 모래톱의 비극적인 상황에서 권력자의 부당함에 맞서 저항한 할아버지의 뒤를 이어, 불의에 저항하는 삶을 살고자 했을 것으로 짐작할 수 있다.

알아두기 | '황폐한 모래톱'의 상징적 의미

'황폐함'의 의미	• 폭풍우로 인해 물리적인 피해를 입음 • 부당한 권력에 의해 민중들의 정신이 핍박받고 훼손됨
⇓	
'황폐한 모래톱'의 의미	'모래톱' 마을에서 부당한 권력에 맞선 민중들의 저항이 좌절됨(비극적인 결말)

배경지식 ⊕ 「모래톱 이야기」의 문학적 성격

농촌 문학	농민과 어민이 대부분인 조마이섬에서 농촌이 처한 비극적인 상황과 생존의 어려움을 드러냄
저항 문학	유력자의 횡포에 굴하지 않고 저항하는 갈밭새 영감과 조마이섬 사람들의 모습을 통해, 부당한 현실에 좌절하지 않고 맞서 싸우는 민중의 의지를 보여 줌
사실주의 문학	작품이 창작될 당시 낙동강 인근 마을의 궁핍한 형편과 삶의 터전을 위협받는 소외된 사람들의 이야기를 사실적으로 그림

+ 독해 체크 본문 118쪽

❶ 홍수 ❷ 군대 ❸ 고발 ❹ 의지 ❺ 해방
❻ 소유권 ❼ 회상 ❽ 관찰 ❾ 갈밭새 ❿ 저항

+ 어휘 체크 본문 119쪽

1 (1) 탁류 (2) 처사 (3) 묵연
2 〈가로〉 ❶ 매립 ❷ 정지
〈세로〉 ❶ 매국 ❸ 부지

본문 120~121쪽

실전 07 마지막 땅 ❶ _양귀자

갈래 현대 소설, 세태 소설, 연작 소설
성격 세태적, 일상적, 비판적
주제 자본주의적 도시화의 세태에 대한 비판과 땅의 가치에 대한 인식
특징 • 1980년대 원미동이라는 구체적 배경을 바탕으로 평범한 사람들의 일상적인 삶을 다룸
• 원미동 사람들의 소박한 삶을 사실감 있게 드러냄

01 ○ 02 × 03 × 04 농사 05 묘사

실력 문제

06 ② 07 ⑤ 08 ③

01 (라)에 제시된 "이제는 참말이지 더 이상 땅값이 오를 수가 없게 돼 있다 이 말씀입니다."라는 박 씨의 말을 통해 과거에 비해 이 작품의 배경인 원미동의 땅값이 많이 상승했음을 짐작할 수 있다.

02 이 작품은 전지적 작가 시점으로, 작품 밖의 서술자가 등장인물의 성격과 심리까지 구체적으로 전달하고 있다.

03 박 씨 부부는 강 노인이 농사를 짓고 있는 땅을 팔고, 그 땅이 개발되어 동네의 땅값이 오르기를 바라고 있다.

04 강 노인은 땅의 전통적 가치를 중시하여 농사를 지으며 땅을 지키고 싶어 한다. 반면에 땅을 팔아 이익을 얻고 싶은 동네 사람들은 여름이면 밭에서 나는 거름 냄새를 싫어한다.

05 (나)에 서술된 강 노인의 외양 묘사를 통해, 그가 소탈하고 씩씩하며 당당한 성격을 지녔음을 알 수 있다.

알아두기 | '강 노인'의 외양 묘사

강 노인의 외양 묘사	• 일 미터 팔십을 넘는 큰 키에 거대한 몸집 • 막일꾼 차림새 • 씩씩한 걸음걸이, 팔뚝의 꿈틀거리는 힘줄
⇓	
특징	• 당당하며 나이에 비해 풍채가 좋고 건강해 보임 • 꾸밈이 없이 소탈하고 씩씩함

06 인물·사건 + 배경·소재 + 서술

이 작품은 역순행적 구성으로 이야기가 전개되고 있지 않다. (가)~(다)는 서술을 통해 작품의 배경과 인물을 소개하고, (라)는 대화를 통해 땅에 대한 등장인물의 생각을 제시하고 있다.

오답 풀이 ❶ 이 작품은 1980년대 원미동을 배경으로 한다.
❸ '꽃샘바람'은 '이른 봄, 꽃이 필 무렵에 부는 쌀쌀한 바람'을 의미하므로 이 작품의 계절적 배경을 알려 주는 소재이다.
❹ 강 노인은 땅을 팔지 않고 농사를 지으려고 하고, 박 씨는 강 노인이 땅을 팔기를 바란다.
❺ 이 작품은 평범한 원미동 사람들의 일상적이고 소박한 삶의 모습을 다루고 있다.

07 서술

강 노인은 물질적 가치보다 땅의 정신적 가치를 중시하는 인물이다. 따라서 강 노인이 땅값이 더 오를 때까지 기다리느라 땅을 팔지 않는 것이라는 고흥댁의 판단은 잘못된 것이다.

오답 풀이 ❶ (라)에서 강 노인이 별다른 반응이 없자 박 씨가 나서서 말하다가, 박 씨의 말이 끝나자 고흥댁이 거들고 있다.
❷ 박 씨는 팔팔 올림픽 전에 북에서 쳐들어올 확률이 높다는 불확실한 정보를 언급함으로써 강 노인에게 불안감을 불러일으킨다.
❸ 고흥댁은 경국이 할머니도 땅을 팔고 싶어 한다고 언급하며, 강 노인의 아내도 자신들과 같은 생각을 지녔음을 설득의 근거로 내세운다.
❹ 박 씨가 앞으로 더 이상 땅값이 오를 수 없다고 말하는 것은 강 노인에게 지금 땅을 팔아야 가장 큰 이익을 얻을 수 있음을 강조한 것이다.

08 인물·사건 + 배경·소재

강 노인은 땅을 가족과 지역 공동체의 경제적 기반이나 삶의 원천으로 인식하는 인물로, 도시를 개발하여 이익을 얻는 것에 반대하는 입장이다.

오답 풀이 ❶ 박 씨는 '똥 냄새 풍겨 주는 밭'을 개발의 대상이자 이익 창출의 수단으로 인식한다.
❷ 강 노인은 고추를 심고 푸성귀를 가꾸기 때문에 농사를 지어도 큰 이익을 얻지 못한다.
❹ 땅을 지역 공동체의 경제적 기반으로 인식하고 땅에 근원을 둔 정신적 가치를 중시하는 인물은 박 씨가 아닌 강 노인이다.
❺ (가)의 '나방 떼'는 공터에 불을 질러 생긴 그을음들이 바람에 이리저리 떠돌아다니는 모양을 빗대어 표현한 말이다.

07 마지막 땅 ❷

본문 122~123쪽

확인 문제

01 ○ 02 × 03 × 04 × 05 자식
06 밑거름 07 반상회

실력 문제

08 ④ 09 ② 10 ③ 11 ② 12 ②

01 강 노인은 땅값에 관계없이 땅을 팔기 싫어하기 때문에, 땅값을 더 올려 준다고 해도 팔지 않을 것이다.

02 (마)에서 강 노인은 박 씨 부부가 전라도 출신인 것을 알고 있지만, 땅으로 이익을 얻으려고 하는 태도를 탐탁지 않게 여겨 '서울 것들'이라고 부르고 있다.

03 강 노인은 자신이 농사를 짓는 것에 불만을 지닌 동네 사람들이 일부러 밭에 연탄재를 던진다는 것을 알고 있다. 이는 (바)의 마지막 문장인 '이곳에다 연탄재를 내던지는 ~ 강 노인도 짐작하고 있었다.'를 통해 직접 제시되어 있다.

04 강 노인은 땅을 팔아서 자식들의 뒷바라지를 해 준 것을 후회하고 있지만, 강 노인의 아내는 남은 땅도 팔아서 자식들의 뒷바라지를 해 주기를 바라고 있다.

05 강 노인은 해마다 기대한 만큼의 수확을 안겨 주는 땅 농사에 비해 자식 농사는 허망하다고 생각한다.

06 강 노인은 여름에 더러운 인분 냄새가 난다고 극성을 떠는 동네 사람들 때문에 실컷 장만해 둔 밑거름을 땅에 제대로 쓰지 못했다.

07 23통 6반 반장은 농사가 시작되기 전에 반상회에서 강 노인의 밭으로 인해 인분 냄새가 나는 문제를 해결하려고 한다.

08 배경·소재

이 작품은 도시화로 인한 개발의 바람이 불어 땅값이 들썩이는 상황에서 전통적 가치를 중시하는 인물과 물질적 가치를 중시하는 인물의 갈등을 다룬 소설로, 핵가족화로 인해 가족의 형태가 변화했다는 내용은 다루고 있지 않다.

오답 풀이 ❶ 임 씨는 욕심내던 강 노인의 가게에 세를 들지 못해 앞장을 서서 강 노인에 대한 불만을 표현하고 있다. 이처럼 동네 사람들은 개인의 이해관계에 따라 인간관계를 맺고 있다.
❷ 1980년대에는 서울 근교에까지 개발의 바람이 불어닥쳤다.
❸ 산업화·도시화가 가속화되면서 땅의 가치나 공동체적 가치를 중시하는 전통적인 삶의 방식이 사라져 가고 있었다.
❺ 땅을 개발하여 이익을 창출하려는 것은 자본주의적 세태를 반영한 것이다.

알아두기 **'강 노인'의 모습에 반영된 사회·문화적 가치**

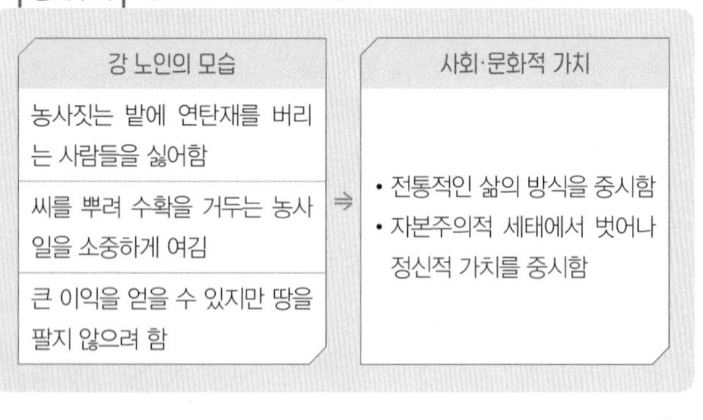

강 노인의 모습		사회·문화적 가치
농사짓는 밭에 연탄재를 버리는 사람들을 싫어함	⇒	• 전통적인 삶의 방식을 중시함 • 자본주의적 세태에서 벗어나 정신적 가치를 중시함
씨를 뿌려 수확을 거두는 농사일을 소중하게 여김		
큰 이익을 얻을 수 있지만 땅을 팔지 않으려 함		

09 배경·소재

㉡의 '연탄재'는 농작물의 수확을 안겨 주는 땅을 부석하게 만들지만, ㉠의 '두엄', ㉢의 '오줌', ㉣의 '밑거름', ㉤의 '똥'은 농작물의 성장과 수확에 도움이 된다.

10 인물·사건

'서울 것들', '서울 끄나풀들'이라는 말은 땅의 소중함을 알지 못하고 땅으로 이익을 얻으려고만 하는 사람들을 지칭하는 말이다.

오답 풀이 ❶ 원미동 사람들은 밭에서 두엄 냄새가 나면 질색하며 손을 내젓는데, 강 노인은 이들을 가리켜 '본데없이 막된 것들'이라고 말한다.
❷ 원미동 사람들은 상가 주택, 단독 연립 등의 다세대 주택에서 모여 살지만, 이러한 점이 '서울 끄나풀들'의 특성은 아니다.
❹ (사)에 의하면 동네 사람들이 반상회를 통해 자신의 불만을 말하기는 하지만 이러한 점이 '서울 끄나풀들'의 특성은 아니다.
❺ 강 노인의 밭 때문에 정미의 옷에 똥이 묻었지만, 강 노인이 미안해하지 않는지는 확인할 수 없다.

11 인물·사건

강 노인은 가족과 지역 공동체의 경제적 기반인 땅을 지키고자 한다. 따라서 공동체적 삶을 지향하는 인물은, 땅을 이익 창출의 수단으로 여기는 동네 사람들이 아닌 강 노인이다.

알아두기 **계절에 따른 '강 노인'과 동네 사람들의 갈등**

동네 사람들은 여름에는 밭에서 나는 인분 냄새에 불만을 품고, 겨울에는 강 노인의 밭에 일부러 연탄재를 버린다.

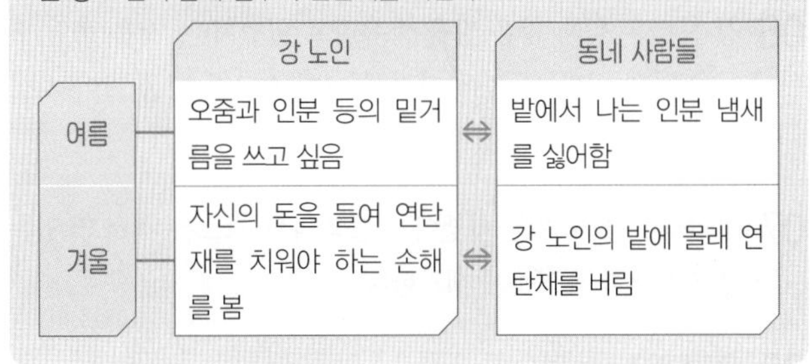

	강 노인		동네 사람들
여름	오줌과 인분 등의 밑거름을 쓰고 싶음	⇔	밭에서 나는 인분 냄새를 싫어함
겨울	자신의 돈을 들여 연탄재를 치워야 하는 손해를 봄	⇔	강 노인의 밭에 몰래 연탄재를 버림

12 인물·사건 + 배경·소재

이 작품의 공간적 배경은 도시 개발이 이루어진 서울 근교이기 때문에 농촌에서 촬영해야 한다는 ㄷ의 내용은 적절하지 않다. 또한 강 노인은 박 씨가 복덕방에 들어간 후에 한마디 내뱉은 것이므로, 큰 소리로 외쳐야 한다는 ㄹ의 내용은 적절하지 않다.

오답 풀이 ㄱ. 동네 사람들이 강 노인의 밭에 연탄재를 버리는 장면을 촬영하기 위해서는 연탄 등의 소품이 필요하다.
ㄴ. 정미 엄마는 정미의 옷에 강 노인이 밭에 뿌린 똥이 묻어서 강 노인에게 따지러 왔으므로, 몹시 화가 난 표정을 짓는 것은 적절하다.
ㅁ. 동네 사람들은 여름에 밭에서 나는 인분 냄새에 대해 강한 거부감을 드러내며 강 노인과 갈등하고 있다. 따라서 인분 냄새를 맡았을 때 얼굴을 찡그리거나 코를 막으며 냄새를 맡지 않으려는 행동의 연기는 이 작품의 상황과 잘 어울린다.

07 마지막 땅 ③

본문 124~125쪽

확인 문제

01 ○ 02 × 03 × 04 ○ 05 집주인
06 아내 07 고추

실력 문제

08 ④ 09 ② 10 ② 11 ④

01 동네 사람들은 강 노인의 땅에 번듯한 건물을 지어야 거리가 완벽해져 집값이 오를 거라고 생각한다.

02 (자)에서 자식들이 직공들의 월급도 못 줄 형편이라는 강 노인의 아내의 말을 통해, 강 노인의 자식들이 사업을 한다는 것을 짐작할 수 있다.

03 강 노인은 자식들이 돈을 벌지는 못하고 쓸 줄만 알아 뒷감당은 모두 아비에게 떠넘기고 있다고 하였다. 따라서 강 노인이 그동안 자식들을 경제적으로 도와 왔음을 알 수 있다.

04 동네에 강 노인이 땅을 판다는 소문이 퍼졌는데, 이는 강 노인의 며느리인 경국이 엄마가 반상회에서 강 노인이 땅을 팔 모양이라고 말했기 때문이다.

05 세를 든 사람들은 집값에 별 관심이 없지만, 집주인들은 집값 상승에 관심이 많아서 강 노인이 농사를 짓는 것을 더욱 반대한다.

06 강 노인의 아내는 강 노인이 땅을 팔아 형편이 어려운 자식들을 도와주기를 바란다.

07 동네 사람들은 고추 모종을 심은 강 노인의 밭에 연탄재를 폭격하는 해코지를 했는데, 이로 인해 고추 모종의 대부분이 상하게 되었다.

08 서술

(차)에서 고추 모종이 있는 강 노인의 밭에 연탄재를 던진 동네 사람들을 '짐승의 처사', '막된 인종들'과 같이 비판하고 있지만, 표현의 효과를 높이기 위해 실제와 반대되게 말을 하는 반어적 표현을 활용하지는 않았다.

오답 풀이 ❶ 이 작품은 전지적 작가 시점에서, 강 노인의 입장과 생각을 중심으로 강 노인의 내면 심리를 상세히 서술하고 있다.
❷ (자)의 강 노인 아내의 말, (차)의 서술, (카)의 김 씨의 말에 말줄임표(……)가 사용되었는데, 이는 독자의 호기심과 궁금증을 유발한다.
❸ 동네 사람들은 땅에 농사를 짓는 강 노인에 대한 불만의 표시로 고추 모종이 깔려 있는 밭에 연탄재를 폭격했고, 강 노인은 이를 두고 '짐승의 처사', '이런 짓거리', '막된 인종들'이라며 분노한다. 따라서 땅을 두고 강 노인과 동네 사람들이 갈등하고 있음을 확인할 수 있다.
❺ 땅을 파는 문제를 놓고 나누는 강 노인과 아내의 대화를 통해 땅에 대한 가치관의 차이를 확인할 수 있다.

배경지식 **말줄임표(……)의 효과**

- 독자에게 여운을 남김
- 독자의 상상력을 자극함
- 함축성이 풍부한 글을 만듦
- 독자의 흥미와 호기심을 유발함
- 다양하고 풍부한 해석을 가능하게 함

09 인물·사건

먼저 동네 사람들이 강 노인의 밭 문제를 해결하기 위해 반상회를 열었다. 다음 날에 강 노인의 아내가 아들이 돈을 빌리기 위해 처가로 가는 중이라는 사실을 강 노인에게 말했고, 이 말을 들은 강 노인은 자식들을 도와주는 일이 '밑 빠진 독에 물 붓기'라고 생각한다. 이후 반상회에서 며느리인 경국이 엄마가 했던 말을 김 씨가 전달하자, 강 노인이 사실을 확인하기 위해 집으로 향했다.

10 인물·사건

강 노인의 아내는 강 노인이 땅을 팔아서 아들들의 빚을 갚아 주기를 원하기 때문에, ⓐ에 생략된 말은 이와 관련된 내용이 가장 적절하다.

오답 풀이 ❶ 강 노인의 아내가 강 노인이 반상회에 참여하기를 바라는 내용은 제시되어 있지 않다.
❸ 강 노인의 아내는 어려운 이웃이 아닌, 아들들을 도와주어야 한다고 생각한다.
❹ 강 노인의 건강이 좋지 않다는 내용은 제시되어 있지 않다.
❺ 형제의 사이가 좋지 않다는 내용은 제시되어 있지 않다.

11 인물·사건

㉢의 '김 씨'는 자신의 부인에게 전해 들은 이야기를 ㉠의 '강 노인'에게 전달했다.

오답 풀이 ❶ 강 노인(㉠)은 아내(㉡)와 며느리(㉣)가 땅을 팔고 싶어 하는 태도에 불만을 나타낸다.
❷ 강 노인의 아내(㉡)는 강 노인(㉠)이 경국이네(㉣) 가족을 위해 땅을 팔아 적극적으로 도와주기를 바라고 있다.
❸ 강 노인의 아내(㉡)는 며느리(㉣)가 반상회에서 했던 말을 강 노인(㉠)이 오해하지 않도록 상황을 설명하고 있다.
❺ 강 노인의 며느리(㉣)는 어제 열렸던 반상회에서 강 노인(㉠)이 땅을 파실 것 같다고 말했다.

알아두기 땅을 둘러싼 등장인물의 갈등

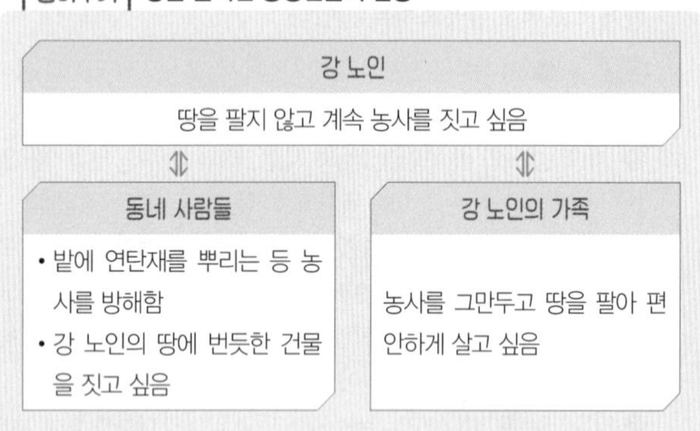

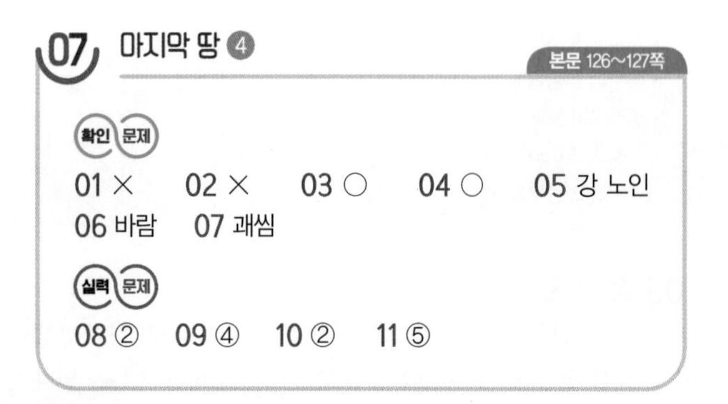

01 강 노인이 땅을 팔아 계약금을 받았다는 소문이 동네에 돌았는데, 이는 사실이 아니다.

02 김영진은 목동에서 살다가 철거 보상금을 받고 원미동으로 이주했는데, 그때 받은 철거 보상금을 삼 부 이자로 놓아 주겠다는 고흥댁의 말만 믿고 용규에게 빌려주었다.

03 (하)를 통해 강 노인은 마지막 땅 조각을 붙들고 있다는 것에 위안을 얻고 있었음을 알 수 있다.

04 강 노인은 자식들이 동네 사람들에게 빚을 진 사실을 알고 더 이상 모르는 척을 할 수 없어 땅을 팔아 빚을 갚아 주기로 결심하고 강남 부동산으로 향했다.

05 은혜 엄마는 강 노인이 땅을 팔았다는 소문을 듣고, 강 노인을 찾아와 경국이 엄마에게 빌려준 곗돈을 대신 갚아 달라고 하였다.

06 강 노인은 원래 많은 땅을 소유하고 있었지만, 서울 바람(도시 개발의 바람)이 불어 땅값이 크게 오르자 땅을 팔아 자식들의 뒷바라지를 해 왔다.

07 (하)에서 강 노인은 빚쟁이가 몰려와도 모르는 척하고 있는 용규 부부를 괘씸하게 생각한다.

08 인물·사건

용규 내외는 자신들이 진 빚에 대해 모른 척하고 있을 뿐, 강 노인에게 대신 갚아 줄 것을 대놓고 부탁하지는 않았다.

오답 풀이 ❶ 강 노인은 땅을 씨를 뿌리고 수확을 거두어들이는 공간, 즉 생명을 기르는 공간이라고 생각한다.
❸ 강 노인의 아내는 농사를 짓는 것에 별 관심이 없어 아욱의 겉잎이 밀고 올라오기 시작해도 덤덤해했다.
❹ (파)를 통해 김영진은 서울 목동에 살다가 집이 철거되는 바람에 서울에서 밀려 나와 원미동에서 살고 있음을 알 수 있다.
❺ 여덟 명의 동네 사람들은 강 노인의 땅을 믿고, 큰아들인 용규에게 돈을 빌려주었다.

알아두기 등장인물의 특징

강 노인	• 회유와 압박에도 밭농사를 포기하지 않음 • 땅을 삶의 터전으로 인식함 • 땅의 전통적 가치를 소중히 여기며, 물질보다 정신을 중요시함
강 노인의 아내	• 자식에 대한 애정이 깊음 • 땅을 팔아 편안하게 살고 싶어 함
강 노인의 자식들	• 강 노인에게 경제적으로 의지함 • 강 노인이 땅을 팔아 빚을 갚아 주기를 원함
동네 사람들	• 강 노인의 밭농사로 강 노인과 갈등함 • 밭에서 나는 인분 냄새로 불평하지만, 실제로는 동네의 집값이 오르기를 바라서 농사를 반대함 • 농사를 방해하려고 연탄재를 버리는 등 비도덕적, 비인간적인 모습을 보임

09 배경·소재 + 주제

강 노인은 농사를 생명을 기르는 행위이자 인간에게 필요한 먹거리를 거두어 수확하는 행위라고 생각한다. 이는 땅을 삶의 터전이자 생명이 자라는 공간, 인간과 자연이 공존하는 공간으로 여기고 있음을 의미한다.

오답 풀이 ❶ '마지막 땅'으로 인해, 땅에 대한 서로 다른 가치관을 지닌 강 노인과 그의 가족들이 갈등하고 있다.
❷ 강 노인은 땅을 팔아 큰돈을 벌었지만 허망함을 느끼기 때문에, '마지막 땅'을 돈을 버는 수단으로 여기지 않는다.
❸ 이 작품은 자연 파괴로 인한 환경 오염의 문제점을 고발하는 내용이 아니다.
❺ 강 노인이 땅을 보며 고향에 대한 그리움을 느끼는 내용은 제시되어 있지 않다.

10 서술

㉠은 김영진이 철거 보상비를 용규에게 빌려준 이유를 요약적으로 제시한 부분으로, 형편이 어려운 김영진이 용규에게 돈을 빌려주었던 이유를 알 수 있게 해 준다.

오답 풀이 ❶ ㉠은 강 노인이 과거를 회상하는 내용이 아니다.
❸ ㉠은 김영진이 고흥댁의 주선 아래에 용규에게 돈을 빌려주었다는 내용으로, 용규와 김영진의 갈등을 해결할 수 있는 계기에 해당하지 않는다.
❹ ㉠에는 1980년대를 나타내는 구체적인 사건이 제시되어 있지 않다.
❺ (타)에 경국이 엄마가 돈을 빌린 일, (파)에 용규가 돈을 빌린 일 등 자식들이 동네 사람들에게 돈을 빌린 일이 병렬적으로 제시되어 있지만, ㉠과는 관련이 없다.

11 배경·소재

강 노인은 ⓐ의 '멀뫼'를 보며 과거에 나무를 하러 산에 오르내리던 기억을 회상한다. 반면에 ⓑ의 '고추 모종'은 강남 부동산으로 가던 강 노인의 발걸음을 집으로 향하게 하는 역할을 한다.

오답 풀이 ❶ '멀뫼'와 '고추 모종' 모두 현재 강 노인이 직접 볼 수 있는 대상이다.
❷ '멀뫼'는 가족 간의 갈등과 관련이 없다.
❸ '고추 모종'은 강 노인이 가꾸는 것이 맞으나, '멀뫼'는 동네 사람들과 관련이 없다.
❹ 어린 시절에 '멀뫼'를 오르내렸던 경험은 강 노인이 '고추 모종'에 애착을 보이는 것과 관련이 없다.

+ 독해 체크 본문 128쪽

❶ 회유 ❷ 농사 ❸ 부동산 ❹ 전통 ❺ 인분 ❻ 팔팔
❼ 연탄재 ❽ 도시화 ❾ 심리 ❿ 생명

+ 어휘 체크 본문 129쪽

1 (1) 말본새 (2) 자명 (3) 번연히
2 (1) ㉡ (2) ㉢ (3) ㉠

본문 130~131쪽

실전 08 내가 그린 히말라야시다 그림 ① _성석제

갈래 현대 소설, 단편 소설, 성장 소설
성격 회상적, 고백적, 서사적
주제 기회와 선택의 순간에서 대처하는 태도에 따라 달라지는 삶의 모습
특징
- 주인공인 '0'과 '1'의 서술이 교차로 나타남(1인칭 주인공 시점의 교차)
- 한 사건에 대한 두 인물의 갈등 양상과 대응 방식이 대조적으로 제시됨
- 역순행적 구성을 통해 과거의 사건이 현재 등장인물의 삶에 미친 영향을 잘 드러냄

확인 문제

01 × 02 × 03 ○ 04 ○ 05 주인공 06 유언
07 초등

08 ④ 09 ③ 10 ② 11 ⑤

01 (가)를 통해 '0'의 '나'가 미술의 길에 들어서게 된 것은 아버지 때문임을 알 수 있다.

02 '0'의 '나'는 자신이 화가로서의 재능을 스스로 의심하는 것을 들키지 않으려고, 고개를 쳐들고 상대방의 눈을 쏘아보는 등 일부러 당당하고 강한 모습을 보였다.

03 '0'의 아버지는 자신이 화가가 되는 것은 포기했지만 아들에게는 좋은 그림 재료를 사 주고 싶어서, 형편에는 과분하지만 화방에서 권하는 그림 재료를 샀다.

04 (다)에서 '1'의 '나'는 그림을 좋아해 일주일에 한두 번은 화랑과 작은 미술관이 즐비한 거리를 돌아다닌다고 하였다.

05 이 작품에서는 '0'의 서술자 '나'와 '1'의 서술자 '나'가 번갈아 가면서 자신의 이야기를 서술하고 있다.

06 "난 아버님의 유언 때문에 그림을 포기한 대신 장가는 일찍 갔다네."라는 말을 통해, '0'의 아버지는 '0'의 할아버지의 유언에 따라 화가가 되기를 포기하고 일찍 결혼했음을 알 수 있다.

07 '그 사람, 백선규. 나와 같은 고향 출신이고, 같은 초등학교를 나왔는데'라는 '1'의 서술을 통해 '0'의 '나'는 백선규이며, '1'의 '나'와 같은 고향 출신으로 초등학교 동창임을 알 수 있다.

08 서술

이 작품은 1인칭 주인공 시점으로, '0'과 '1'의 두 서술자인 '나'가 각각 독백하듯이 자신의 심리를 직접 서술한다.

오답 풀이 ❶ '0'과 '1'의 서술자 '나'가 자신의 생각과 심리를 직접 서술하고 있다.

❷ 이 작품의 중심 사건인 '그날 그 일'과 관련한 구체적인 언급을 생략함으로써 독자의 궁금증과 호기심을 유발한다.

❸ '0'과 '1'의 '나'는 같은 고향, 같은 초등학교 출신으로 어린 시절의 공통의 기억을 지니고 있다.

❺ '0'의 서술자는 '그날 그 일'과 관련한 사건을 떠올리고, '1'의 서술자는 과거에 알던 '백선규'라는 인물을 떠올리고 있다.

알아두기 | 1인공 주인공 시점이 교차하는 서술 방식

이 작품의 주인공이자 서술자인 '0'과 '1'의 '나'는 같은 사건을 각자의 관점에 따라 서술하고 있다. 이러한 서술 방식은 등장인물의 심리를 효과적으로 전달하고, 독자로 하여금 사건을 다각적으로 파악할 수 있게 한다.

'0'의 '나'(백선규)	'1'의 '나'
• 주인공이자 서술자 • 남성 • 유명한 화가	• 주인공이자 서술자 • 여성 • 그림을 좋아하는 미술 애호가

09 인물·사건

(가), (나)의 '나'는 평론가, 원로들, 스승들로부터 상을 받으며 화가로서 뛰어난 그림 실력을 인정받고 있다.

오답 풀이 ❶ (가), (나)의 '나'는 자신의 재능을 의심하며 살아왔지만, 재능보다 노력을 중시하는지는 알 수 없다.

❷ (가), (나)에 '나'의 어린 시절의 꿈은 제시되어 있지 않다.

❹ (다), (라)의 '나'는 백선규가 어릴 때부터 많은 상을 받으며 인정을 받다가 한국을 대표하는 화가가 된 것을 알고 있다.

❺ (다), (라)의 '나'는 그림을 좋아해서 화랑과 작은 미술관에서 전시회 관람을 즐기지만 전문적인 비평가는 아니다.

10 인물·사건

(다), (라)의 '나'는 좋은 그림을 보고 있으면 시간 가는 줄 모른다고 하였다. 이로 볼 때 (다), (라)의 '나'는 여유 있게 그림을 즐기며 시간을 보내는 것에 만족한다는 것을 알 수 있다.

오답 풀이 ❶ '나'는 유명한 전시회나 박물관뿐만 아니라, 화랑과 작은 미술관에서도 그림을 감상하는 등 다양한 방법으로 예술을 향유하고 있다.

❸, ❹ '나'는 찻집 '고갱과 고흐'에서 커피를 마시며 사람들의 옷차림과 얼굴빛과 하늘의 색깔을 비교하고, 나뭇잎을 흔드는 바람에서 어떤 느낌을 얻는다는 것은 알 수 있다. 그러나 '나'가 얼굴빛이나 하늘의 색깔들을 화폭에 담는 것을 좋아하거나, 눈에 보이지 않는 바람 등을 표현한 그림을 즐기는 모습은 이 작품에 나타나지 않는다.

❺ '나'가 '고갱'과 '고흐'와 같은 화가의 작품에 대해 평가하는 모습은 이 작품에 나타나지 않는다.

11 배경·소재 + 어휘

ⓐ는 그림을 그리는 것이 생계에 도움이 되지 않는다는 의미이다. 따라서 '굶지 않고 겨우 살아가다.'라는 의미를 지닌 '목구멍에 풀칠하다.'의 관용 표현을 활용해 쓴 ⑤가 가장 적절하다.

오답 풀이 ❶ '등잔 밑이 어둡다.'는 대상에서 가까이 있는 사람이 도리어 대상에 대하여 잘 알기 어렵다는 말이다.

❷ '가는 날이 장날'은 일을 보러 가니 공교롭게 장이 서는 날이라는 뜻으로, 어떤 일을 하려고 하는데 뜻하지 않은 일을 공교롭게 당함을 비유적으로 이르는 말이다.

❸ '눈 가리고 아웅'은 얕은수로 남을 속이려 한다는 말이다.

❹ '누이 좋고 매부 좋다.'는 어떤 일에 있어 서로에게 모두 이롭고 좋다는 말이다.

알아두기 | '0'의 아버지의 태도

아버지의 상황과 처지	→	아버지의 태도
그림에 재능이 있었지만, 할아버지의 유언 때문에 화가가 되는 것을 포기함	→	가난하지만 아들에게는 좋은 재료로 그림을 그리게 해 주고 싶음 → 아들에 대한 사랑

08 내가 그린 히말라야시다 그림 ❷

본문 132~133쪽

확인 문제

01 × 02 ○ 03 × 04 × 05 사생 06 제재소 07 과외비

실력 문제

08 ⑤ 09 ② 10 ② 11 ③

01 사생 대회에는 심사 과정의 부정을 막기 위해서 그림 뒤에 이름 대신에 번호를 적는 규정이 있었다.

02 사생 대회와 축구 결승전이 같은 날 열렸는데, '0'의 '나'에게는 사생 대회보다 축구 결승전이 더 중요했다.

03 '1'의 '나'는 어린 시절에 피아노, 바이올린, 그림을 배웠다. 정구를 배운 것은 '나'의 오빠들이다.

04 미술을 가르치는 선생님은 아버지에게 '1'의 '나'가 그림에 재능이 뛰어나다고 말했는데, '나'는 선생님이 비싼 과외비를 받으니까 그냥 해 본 말이라고 추측하고 있다.

05 선생님은 '0'의 '나'가 그림에 소질이 있다고 생각하여 재능을 살릴 수 있는 기회를 주기 위해, '나'의 학년을 속이고 4학년 이상만 나갈 수 있는 사생 대회에 참가하게 하였다.

06 (사)에서 '1'의 '나'는 자신의 아버지가 읍내에서 제일 큰 제재소를 운영했다고 말했다.

07 '1'의 '나'는 읍내에서 유일한 사립 중학교에서 미술을 가르치는 선생님에게 비싼 과외비를 치르고 그림 과외를 받았다.

08 인물·사건

선생님은 친구의 아들도 자신의 친구처럼 그림에 소질이 있을 것이라고 생각하여, 재능을 살릴 수 있는 기회를 주기 위

해 학년을 속이면서까지 '0'의 '나'를 사생 대회에 참가시켰다. 따라서 선생님이 '0'의 '나'와 '1'의 '나' 중에서 누가 더 실력이 뛰어난지 확인하기 위해 '0'의 '나'를 사생 대회에 내보낸 것은 아니다.

오답 풀이 ❶ 선생님은 '0'의 '나'가 아버지를 닮아 그림에 소질이 있다고 믿었는데, '0'의 '나'가 장원을 했기 때문에 '나'의 재능을 더욱 확신했을 것이다.
❷ 선생님은 '0'의 '나'가 장원을 한 것을 축하해 주기 위해 술병을 들고 '0'의 '나'의 집으로 찾아왔다.
❸ 사생 대회는 4학년 이상만 나갈 수 있었는데, 선생님은 '0'의 '나'를 대회에 내보내기 위해 3학년인 '0'의 '나'를 4학년 5반이라고 속였다.
❹ 선생님은 '0'의 아버지는 집안 형편 때문에 그림을 포기했지만, '0'의 '나' 또한 아버지를 닮아 그림에 소질이 있다고 생각해 '0'의 '나'를 사생 대회에 내보냈다.

알아두기 | 선생님이 '0'의 '나'를 사생 대회에 내보낸 이유

이유		결과
• 친구의 아들인 '나'가 그림에 소질이 있을 것이라고 믿음 • 친구 대신 아들에게 재능을 살릴 수 있는 기회를 주고 싶음	⇒	3학년인 '나'가 학년을 속이고 4학년 5반 대표로 사생 대회에 나가 장원을 하게 됨

09 인물·사건

(사)에서 '1'의 '나'는 그림을 열심히 그릴 필요가 없다는 아버지의 말을 미술 선생님에게 전해 듣고 그림을 열심히 배울 생각이 사라졌다.

오답 풀이 ❶ '0'의 '나'는 사생 대회에 나가는 것보다 같은 날에 열린 축구 결승전을 더 중요하게 생각했다.
❸ 축하해 주며 기쁜 내색을 감추지 않는 선생님과는 달리, '0'의 아버지는 쑥스럽게 웃기만 했을 뿐 기쁜 마음을 크게 내색하지 않았다.
❹ '1'의 아버지는 집 안에 정구장을 지어 주거나 배우고 싶다는 것을 모두 배우게 해 주는 등 자식들이 원하는 대로 해 주고 있다.
❺ '0'의 선생님은 다른 참가자들보다 나이가 어린 '0'의 '나'가 크레파스를 이번에 처음 잡았음에도 불구하고, 장원을 한 것을 매우 대견하고 대단하게 생각한다.

알아두기 | '0'의 아버지의 성격

근거		성격
사생 대회에서 아들이 장원을 했다는 소식을 듣지만 쑥스럽게 웃는 듯했을 뿐, 별 다른 말과 행동을 보이지 않음	⇒	감정 표현이 서툴고 무뚝뚝함

10 서술

이름을 쓰지 않고 번호만 적게 하는 사생 대회의 규정은, 앞으로 이것과 관련하여 장원이 바뀌게 되는 중심 사건과 밀접한 연관이 있다.

오답 풀이 ❶, ❸, ❹, ❺ ⓐ, ⓒ, ⓓ, ⓔ의 내용은 앞으로 일어날 중심 사건을 암시하거나, 사건 전개에 필연성을 부여하는 역할을 하지 않는다.

배경지식+ 복선의 역할

복선은 앞으로 일어날 사건을 암시하는 장치이다. 인물들의 대화와 행동, 공간이나 날씨, 인물들이 사용하는 도구 등이 앞으로 전개될 사건의 진행을 예시적으로 보여 주기도 한다.

복선 - 암시의 장치		역할
사생 대회에서 공정한 심사를 위해 작품 뒤에 참가자의 이름 대신 미리 부여한 번호를 적는 규정이 있음	⇒	이 번호와 관련하여 특별한 일이 일어날 것임을 암시함

11 배경·소재

〈보기〉는 사회·문화적 상황을 토대로 작품을 감상하는 관점과 관련이 있다. ㉠을 당대의 사회·문화적 상황과 관련지으면, 이 작품의 배경이 된 시대에는 여성의 사회적 진출이 활발하지 않았음을 알 수 있다.

오답 풀이 ❶ ㉠의 아버지의 말과 관련이 없다.
❷, ❺ 독자 입장에서 ㉠을 감상한 내용이다.
❹ ㉠을 표현 방법과 관련하여 감상한 내용이다.

알아두기 | '0'과 '1'의 아버지의 특징

'0'의 아버지		'1'의 아버지
• 가난한 농부임 • 자신이 못 이룬 화가의 꿈을 아들이 이룰 수 있다고 기대함 • 아들에게 꿈을 펼칠 기회를 주고 싶어 함	⇔	• 읍내에서 제일 큰 제재소를 운영하며 부유한 형편임 • 여자는 직업을 가질 필요가 없다는 편견을 지니고 있음 • 딸이 화가가 되는 것을 원하지 않음

08 내가 그린 히말라야시다 그림 ❸

본문 134~135쪽

확인 문제

01 ○ 02 × 03 ○ 04 × 05 간장 06 심사 07 재능

실력 문제

08 ① 09 ④ 10 ② 11 ②

01 '0'의 '나'와 '1'의 '나'는 4학년 때 같은 사생 대회에 함께 나가게 되었다.

02 (자)에서 '0'의 '나'는 크레파스와 스케치북이 상품으로 나오는 차상과 차하까지는 괜찮지만, 그냥 특선이나 입선은 곤란하다고 하였다. 그 이유는 특선이나 입선을 할 경우에는 그림 도구가 아닌, 공책이나 연필을 상품으로 주었기 때문이다.

03 (자)의 '한 해 전과는 다르게 크레파스 뚜껑이 달아나 버려서 습자지를 덮고 고무줄로 동여맸지.'를 통해 '0'의 '나'가 작년과 같은 크레파스를 쓰고 있음을 알 수 있다.

04 '0'의 '나'는 크레파스와 스케치북을 상품으로 받기를 기대하지만, 사생 대회의 결과는 (아)~(카)에 제시되어 있지 않다.

05 (아)에서 '1'의 '나'는 '0'의 '나'에게서 받은 인상을 제시하고 있는데, '옷도 지저분하고 검정 고무신을 신은 데다 간장 냄새가 나던 녀석이 기억에 오래 남았어.'라고 하였다.

06 '0'의 '나'는 사생 대회의 심사 결과가 궁금했기 때문에, 축구를 하면서도 자꾸 눈이 심사를 하고 있을 교실로 향했다.

07 (카)에서 '0'의 '나'는 사생 대회의 심사 결과를 기다린 것에 대해 '아버지에게 물려받은 천부적인, 천재적인 재능을 명백히 확인받고 싶다는 충동'이었다고 밝히고 있다.

08 인물·사건

㉠('1'의 '나')은 ㉡('0'의 '나')에게서 느껴지는 가난의 냄새와 꼴이 싫어서 자리를 피하고 싶었지만, 이미 밑그림을 그린 후라서 자리를 옮기지 않았다.

오답 풀이 ❷ ㉡은 ㉠이 자신과 영원히 만날 일이 없을 것 같은 사람이라고 생각한다. 이를 통해 ㉡은 ㉠이 자신과 다른 부류의 사람이라고 생각하였음을 알 수 있다.
❸ ㉡은 ㉠이 자신을 힐끗 보며 코를 찡그리고 눈길을 주지 않는 것을 보고, 자신에 대한 ㉠의 부정적인 감정을 눈치채게 되었다.
❹ ㉡의 크레파스는 뚜껑이 없고 한 번만 더 쓰면 쓸 수 없을 만큼 닳았지만, ㉠의 크레파스는 한 번도 쓰지 않은 새것이라는 점에서 ㉠과 ㉡의 상반된 가정 형편을 알 수 있다.
❺ ㉠과 ㉡은 모두 주최 측이 확인 도장을 찍어서 나누어 준 도화지에 그림을 그렸다.

알아두기 **'0'의 '나'와 '1'의 '나'가 서로에게서 받은 인상**

'0'의 '나'가 '1'의 '나'에게서 받은 인상	• 자주색 원피스에 검정 에나멜 구두를 신고 푸른 구슬 리본을 매고 있음 • 얼굴이 희고 예쁨 • '나'와는 달리 부유한 환경의 아이임 • '나'와 비슷한 점이 하나도 없음 • 앞으로 영원히 만날 일이 없을 것 같은 사람임 • '나'를 피하는 듯한 부정적인 태도를 보임
'1'의 '나'가 '0'의 '나'에게서 받은 인상	• 옷도 지저분하고 검정 고무신을 신음 • 간장 냄새가 남 • 머리가 아플 정도로 지독한 가난의 냄새가 남 • '나'와는 달리 가난한 환경의 아이임

09 인물·사건

'124'번은 몇 해 전에 침투한 무장간첩을 훈련시킨 부대 이름을 연상시키기도 하지만, '나'는 '124'번에 얽힌 잊지 못할 일이 있었기 때문에 사생 대회에서 부여받은 번호를 기억하고 있는 것이다.

오답 풀이 ❶ '나'가 좋아하는 번호라는 내용은 제시되어 있지 않다.
❷ 사생 대회에서는 참가자에게 같은 번호를 부여할 수 없다.
❸ 번호를 부여받은 후에 '나'가 도화지 뒷면에 검정색으로 '124'라고 적었다.
❺ (자)에서 '나'는 124번을 잊어버릴 수 없는 이유를 말하며 '무장간첩을 훈련시킨 부대 이름이 124군 부대라서 그런 게 아냐.'라는 언급은 하였지만, 이는 무장간첩의 수와는 관련이 없다.

알아두기 **시간 순서에 따라 '0'의 '나'가 경험한 사건**

'나'의 아버지는 그림에 재능을 타고났지만 할아버지의 반대로 농사를 지음
⇓
천수기 선생님은 3학년인 '나'를 사생 대회에 나가도록 추천함
⇓
'나'는 축구 결승전을 보지 못하고 나간 사생 대회에서 장원을 함
⇓
4학년이 된 '나'는 두 번째로 사생 대회에 나가게 됨
⇓
두 번째 장원을 한 '나'는 주은희 선생님의 품에 안겨서 울
⇓
장원작이 자신의 그림이 아닌 것을 알았지만 '나'는 결국 사실을 밝히지 않음
⇓
자신의 재능을 의심하던 '나'는 성인이 되어 유명한 화가가 됨

10 인물·사건

'0'의 '나'는 1년 전에는 그림보다 축구를 더 좋아했지만, 사생 대회의 심사 결과를 기다리면서 지금은 축구보다 그림을 더 좋아하게 되었다는 것을 깨달았다.

오답 풀이 ❶ '0'의 '나'는 사생 대회의 심사 결과를 기다리면서 친구들과 축구를 하고는 있지만, 심사 결과가 궁금한 탓에 경기에 집중하지 않아 친구들의 핀잔을 들었다.
❸ '0'의 '나'는 사생 대회에 나가기 위해 크레파스를 들고 학교에 갔지만, 그 크레파스는 한 번만 더 쓰면 쓸 수 없도록 닳아 있었다.
❹ '0'의 '나'는 '1'의 '나'와 같은 위치에서 비슷한 그림을 그렸지만, 이는 3학년 때 사생 대회에서 장원을 한 것과 관련이 없다.
❺ '0'의 '나'는 아버지에게 천부적인 재능을 물려받아 1년 전에도 사생 대회에서 장원을 했다.

11 서술

주인공인 '0'과 '1'의 서술자 '나'가 서로 교차하여 이야기를 서술하는 방식이 아니라, 한 명의 서술자가 자신의 생각과 심리를 서술하는 방식을 취하게 되면 독자는 해당 서술자의 이야기에 집중할 수 있게 된다.

오답 풀이 ❶ '0'의 '나'와 '1'의 '나' 중에서 한 명의 서술자 시선으로 서술하더라도, 1인칭 주인공 시점이므로 주인공인 서술자가 자신의 속마음을 주관적으로 솔직하게 전달하게 될 것이다.
❸, ❺ 한 명의 서술자 시선으로 서술하면, 한쪽 서술자의 입장만 드러나므로 두 인물의 심리나 관점을 비교하기는 어렵다.
❹ 1인칭 주인공 시점은 주인공의 심리를 직접적으로 드러낼 수 있지만, 주인공이 관찰하는 인물의 심리는 간접적으로 전달된다.

배경지식 ⊕ 서술자와 시점

- **서술자:** 소설에서, 독자에게 이야기를 전달하는 존재
- **시점:** 소설에서, 이야기를 서술하여 나가는 방식이나 관점

시점	설명
1인칭 주인공 시점	• 소설 속 주인공인 '나'가 자신의 이야기를 서술함('나'=주인공=서술자) • 독자에게 친근감과 신뢰감을 줌
1인칭 관찰자 시점	• 소설 속 등장인물인 '나'가 관찰자의 입장에서 주인공의 이야기를 서술함 • '나'의 눈에 비친 세계만을 제한적으로 그려 내기 때문에 독자의 상상력을 자극함
3인칭 관찰자 시점	• 소설 밖의 서술자가 관찰자의 입장에서 등장인물의 행동이나 사건을 서술함 • 독자의 상상력이 확대됨
전지적 작가 시점	• 소설 밖의 서술자가 신과 같은 위치에서 인물의 성격과 심리까지 서술함 • 서술자가 사건 전개에 크게 개입하므로 독자의 상상력이 제한될 수 있음

08 내가 그린 히말라야시다 그림 ❹

본문 136~137쪽

확인 문제

01 ○ 02 ○ 03 × 04 × 05 ×
06 히말라야시다 07 강당 08 그런데

실력 문제

09 ① 10 ③ 11 ⑤ 12 ②

01 '1'의 '나'가 실수로 참가 번호를 '124'번으로 잘못 쓰는 바람에, '1'의 '나'의 그림으로 '0'의 '나'가 상을 받게 되었다.

02 (타)에서 '1'의 '나'가 상을 받지 않아도 행복하다고 말하는 것으로 보아, '1'의 '나'는 상을 받지 못한 것에 연연하지 않고 현재 자신의 삶에 만족하고 있음을 알 수 있다.

03 '0'의 '나'는 회색 크레파스가 떨어져서 그림에 회색을 사용할 수 없었지만, '1'의 '나'는 히말라야시다 가지 끝의 앞부분을 회색 크레파스로 칠했다.

04 (너)에서 '1'의 '나'는 길에서 우연히 백선규를 보고 화가인 백선규와 그림 감상을 좋아할 뿐인 자신은 가는 길이 다르다고 말하고 있으므로, '1'의 '나'가 백선규처럼 유명한 화가가 되는 것을 꿈꾼다는 설명은 적절하지 않다.

05 (너)에서 '1'의 '나'는 백선규에게 인사를 해 볼까 하다가, 귀찮은 생각이 들어서 인사하지 않았다.

06 (파)에서 '0'의 '나'는 '1'의 '나'가 그린 그림을 보며 풍경은 자신의 그림과 비슷했지만, 자신의 그림과 달리 히말라야시다 가지 끝의 앞부분이 회색으로 칠해진 그림이었다고 하였다. 이로 볼 때 '0'의 '나'와 '1'의 '나'는 모두 같은 자리에서 히말라야시다 그림을 그렸음을 알 수 있다.

07 (하)를 통해 '0'의 '나'와 '1'의 '나'가 사생 대회 입상작을 전시한 학교 강당에서 서로 마주쳤음을 알 수 있다.

08 (파)에서 '0'의 '나'는 '그런데', '절대로'를 반복적으로 사용하여 장원작이 자신의 그림이 아닌 것을 알게 된 후의 심리적 충격과 당혹감을 강조하고 있다.

09 인물·사건 + 주제

(타)에서 '1'의 '나'는 자신의 그림으로 '0'의 '나'가 장원을 한 것을 알았지만 잘못된 과정을 바로잡는 것이 귀찮고, 한 아이에게 좌절감을 줄 수 있다고 생각해 실수를 바로잡지 않았다.

오답 풀이 ❷ (파)에는 장원을 한 그림이 '0'의 '나'가 그린 그림이 아니라, '1'의 '나'가 그린 그림이라는 반전이 드러나 있다.
❸ (하)에서 '0'의 '나'는 학교 강당에서 '1'의 '나'와 마주쳤지만, 장원작이 자신의 그림이 아니라는 사실을 밝히지 못하고 부끄러움과 죄책감에 눈을 감는다.
❹ (거)에서 '0'의 '나'는 그 일 이후로 끊임없이 자신의 재능을 의심하고 어떤 그림을 그리든 최선을 다하였다고 하였다.
❺ (너)에서 '1'의 '나'는 길을 가다가 백선규를 보았지만, 귀찮고 각자의 길이 다르다고 생각하여 아는 척을 하지 않았다.

알아두기 사건의 반전

그림을 확인하기 전		그림을 확인한 후
'0'의 '나'는 사생 대회에서 장원을 하고, 자신의 타고난 재능을 인정받았다고 생각함	⇒	'0'의 '나'는 장원작이 '1'의 '나'의 그림임을 알고, 그 여자아이가 자신보다 뛰어난 재능을 지니고 있다고 생각함

10 인물·사건

'0'의 '나'는 자신이 부여받은 '124'번을 분명히 기억하고 있다. 그런데 장원작의 뒷면에는 '124'라고 쓰여 있었지만, 그건 자신의 글씨가 아니었다. 따라서 '1'의 '나'가 자신의 번호를 쓰지 않고 실수로 '0'의 '나'의 번호를 썼음을 알 수 있다.

오답 풀이 ❶ '0'의 '나'가 도화지의 뒷면에 쓰인 '124'를 보았는데 자신의 글씨가 아니었다. 따라서 '1'의 '나'는 '0'의 글씨를 흉내 내지 않았다.
❷ '0'의 '나'는 자신의 번호가 '124'인 것을 분명히 기억하고 있다.
❹ '0'의 '나'가 잘못된 곳에 번호를 적었다는 내용은 찾을 수 없다.
❺ '1'의 '나'는 번호를 잘못 쓴 것이 자신의 실수라고 말하고 있다.

11 인물·사건

(하)에서 '0'의 '나'는 장원을 한 그림이 자신의 것이 아니라는 사실을 알고, 이를 밝힐 것인지 말 것인지 내적으로 갈등하고 있다. ⑤의 '정수' 또한 공부를 할 것인지 말 것인지 내적으로 갈등하고 있다.

오답 풀이 ① 인물(삶의 터전을 빼앗긴 사람들)과 자연(집중 호우)의 외적 갈등이다.
② 인물(아래층 여자)과 인물(위층 여자)의 외적 갈등이다.
③ 인물(취업이 되지 않는 취준생)과 사회(좋지 않은 경기)의 외적 갈등이다.
④ 인물(민서)과 인물(예지)의 외적 갈등이다.

알아두기 '0'의 '나'의 내적 갈등과 이후의 삶

내적 갈등은 인물의 마음속에서 상반되거나 분열된 심리가 원인이 되어 일어나는 심리적 갈등을 말한다.

사실을 밝혀야 함	⇔	사실을 밝힐 수 없음
그림의 주인('1'의 '나', 여자아이)을 생각하면 부끄러움과 죄책감에 사실을 말해야 함		자신에게 기대를 걸었던 사람들을 실망시킬 수 없음

⇓

내적 갈등의 결과	끝내 자신의 그림이 아니라는 사실을 밝히지 않음

⇓

이후의 삶에 미친 영향	자신의 능력을 의심하면서, 최선을 다해 그림을 그려 유명한 화가가 됨

12 서술

(너)는 1인칭 주인공 시점으로, 주인공인 '1'의 '나'가 자신의 생각과 심리를 직접적으로 서술하고 있다. 반면에 〈보기〉는 3인칭 관찰자 시점으로, 작품 밖의 서술자가 '1'의 '나'에 해당하는 여자의 행동이나 사건을 관찰하고 있다. 3인칭 관찰자 시점은 등장인물이나 사건을 이해하기 위하여 독자의 상상력이 더욱 필요하므로, (너)를 〈보기〉와 같이 바꾸면 독자의 상상력이 더욱 확대된다.

오답 풀이 ① 독자에게 친근감과 신뢰감을 주는 것은 1인칭 주인공 시점의 특징이다.
③ (너)와 〈보기〉에는 모두 등장인물 사이의 갈등이 나타나지 않는다.
④ 〈보기〉는 작품 밖의 서술자가 관찰자의 입장에서 여자의 행동을 서술한 것이다.
⑤ (너)는 1인칭 주인공 시점으로, 주인공인 '1'의 '나'의 심리가 구체적으로 드러난다. 하지만 〈보기〉는 3인칭 관찰자 시점으로, 여자의 심리가 구체적으로 드러나지 않는다.

+ 독해 체크 본문 138쪽

① 장원 ② 성인 ③ 화가 ④ 만족 ⑤ 죄책감
⑥ 좌절감 ⑦ 서술자 ⑧ 의심 ⑨ 선택

+ 어휘 체크 본문 139쪽

1 (1) 과분 (2) 고명딸 (3) 즐비
2 〈가로〉 ① 천부적 ④ 원로
〈세로〉 ② 부정 ③ 장원

본문 140~141쪽

실전 09 춘향전 ① _작자 미상

갈래 고전 소설, 판소리계 소설, 애정 소설
성격 해학적, 풍자적
주제 • 표면적: 신분을 초월한 남녀 간의 사랑과 정절
• 이면적: 신분 상승의 의지, 탐관오리에 대한 저항
특징 • 조선 시대의 신분적 한계가 남녀의 사랑을 통해 드러남
• 편집자적 논평, 확장적 문체 등 판소리의 특징이 나타남
• 판소리계 소설의 해학과 풍자가 많이 나타남

확인 문제
01 ○ 02 × 03 × 04 유교 05 청룡 06 내직

실력 문제
07 ⑤ 08 ② 09 ③ 10 ⑤ 11 ①

01 방자는 이몽룡이 부리는 하인으로, 이몽룡과 성춘향 사이에서 서로의 말을 전해 주는 전달자의 역할을 한다.

02 (가)에서 이몽룡은 자신의 부름을 거절하는 성춘향의 말을 전해 듣고, 언짢아하는 것이 아니라 기특하다고 생각한다.

03 춘향 어미는 이몽룡과 성춘향의 만남에 긍정적인 태도를 보이고 있다.

04 성춘향은 지조와 절개를 중시하는 모습을 보이는데, 이는 유교적 이념에 해당한다.

05 춘향 어미는 꿈에서 본 청룡을 '꿈 몽(夢) 자, 용 룡(龍) 자'로 풀어 이몽룡을 가리킨다고 생각하고 있다.

06 이몽룡은 내직으로 승진한 아버지를 따라 남원을 떠나게 되었는데, 이로 인해 이몽룡과 성춘향은 이별을 맞이한다.

07 인물·사건

성춘향은 "예사 처녀를 함부로 부를 리도 없고 부른다 해도 갈 리도 없다."라며 이몽룡의 부름을 거절한다. 이는 예사 처녀를 함부로 부르는 것이 도리에 어긋난다는 말이다.

오답 풀이 ① 성춘향에게 혼인을 약속한 사람이 이미 정해져 있는지에 대해서는 나타나 있지 않다.
② 성춘향은 퇴기의 딸이므로 양반이 아니라는 것은 알 수 있다. 그러나 이러한 신분의 차이를 근거로 이몽룡의 부름을 거절하지는 않았다.
③ 성춘향이 부모의 허락을 받고 이성을 만나고 싶다고 말한 내용은 제시되어 있지 않다.
④ 성춘향은 다른 집 처자들도 광한루에서 그네를 탔는데 유독 자신에게만 뭐라 한 방자가 이해가 안 된다는 식의 말은 했지만, 이몽룡이 유독 자신만을 부르는 것이 이해가 되지 않는다고 하지는 않았다.

08 인물·사건 + 배경·소재 + 서술

(나)에서 춘향 어미는 간밤에 꾼 꿈을 근거로 성춘향과 이몽룡의 만남이 운명이라고 생각하고 있다. 그래서 성춘향에게 이몽룡을 만나고 오라고 한다.

오답 풀이 ❶ 이몽룡은 성춘향에게 자신의 뜻을 직접 전하지 않고 방자를 통해 간접적으로 소통하고 있다. 이를 통해 당시 양반들은 아랫사람에게 전갈을 보내 간접적으로 소통하였음을 짐작할 수 있다.
❸ 성춘향은 '충신은 두 임금을 섬기지 않고 열녀는 지아비를 바꾸지 않는다.'라는 옛글을 인용하여 지조와 절개의 중요성을 강조하고 있다.
❹ 성춘향의 집 문 앞에서 울고 있는 이몽룡의 모습을 '통째 건더기째 보자기째 왈칵 쏟아진다.'라고 해학적으로 표현하여 독자의 웃음을 유발하고 있다.
❺ '사람이 위아래를 막론하고 누구나 어머니에게는 허물이 적으니'라는 편집자적 논평을 통해, 허물없이 이야기할 수 있는 어머니와 이몽룡의 관계를 독자에게 직접 전달하고 있다.

09 인물·사건

춘향 어미는 신분 상승 욕구를 지닌 인물로, 성춘향에게 "양반이 부르시는데 아니 갈 수 있겠느냐."라고 말하며 양반인 이몽룡의 부름에 성춘향이 응하게 한다.

오답 풀이 ❶ 이몽룡은 어머니에게만 자신과 성춘향의 관계를 털어놓았다. 따라서 이몽룡의 아버지는 이몽룡과 성춘향의 관계를 알지 못하는 상황이다.
❷ 이몽룡의 어머니는 성춘향과의 관계를 털어놓는 이몽룡을 꾸짖는다. 성춘향과 이몽룡의 만남이 운명이라고 생각하는 것은 춘향 어미이다.
❹ 이몽룡은 성춘향과의 이별에 어쩔 줄 몰라 하며 눈물만 흘릴 뿐, 이별을 적극적으로 거부하는 태도를 보이지는 않는다.
❺ 성춘향은 (가)에서 이몽룡의 부름을 거절하고, (나)에서도 어미의 말을 듣고 못 이기는 모습으로 겨우 일어나고 있다. 따라서 성춘향이 신분의 차이 때문에 양반의 부름에 무조건 따라야 한다고 생각한다고 볼 수 없다.

10 서술

㉠은 이몽룡을 만나러 가기 위해 광한루를 건너는 성춘향의 아름다운 걸음걸이를 다양한 비유로 열거하여 표현하고 있다.

알아두기 **열거를 통한 장면의 극대화**

열거	간단한 내용을 다양하게 열거하여 내용을 확장하고 덧붙임으로써 장면을 극대화함 예 대명전(大明殿) 대들보의 명매기걸음으로, 양지(陽地) 마당의 씨암탉걸음으로, 흰모래 바다의 금자라 걸음으로
⇓	
효과	특정한 내용에 해당하는 부분을 확장시켜 독자의 흥미를 유발하고 감동을 줌(판소리계 소설의 특징)

11 인물·사건

이몽룡은 어머니에게 성춘향과의 일을 울면서 털어놓는데 꾸중만 듣는다. 따라서 이몽룡은 자신의 마음을 이해하지 못하는 어머니에게 서운함을 느꼈을 것이다.

오답 풀이 ❷ 자신의 마음을 몰라주는 어머니에게 이몽룡이 미안함을 느꼈다는 것은 적절하지 않다.
❸ 어머니는 허물없이 말할 수 있는 사람이라는 편집자적 논평으로 볼 때, 어머니에게 이몽룡이 두려움을 느꼈다는 것은 적절하지 않다.
❹ 자신을 꾸짖는 어머니에게 이몽룡이 동정심을 느꼈다는 것은 적절하지 않다.
❺ 이몽룡이 이별의 슬픔에 눈물을 흘리는 것으로 볼 때, 태연해한다는 것은 적절하지 않다.

09 춘향전 ❷
본문 142~143쪽
확인 문제
01 × 02 × 03 ○ 04 친구 05 말
06 집장사령
실력 문제
07 ② 08 ② 09 ⑤ 10 ②

01 (마)에서 성춘향이 이몽룡에게 "조부모 상(喪)을 당하셨소."라고 말한 것은 이몽룡이 울고 있는 이유를 묻기 위해 열거한 하나의 예일 뿐, 이몽룡이 실제로 조부모 상을 당한 것은 아니다.

02 성춘향은 이몽룡의 눈물을 닦아 주며 달래는데, 이몽룡이 울음을 그치지 않고 더 섧게 울자 결국 화를 낸다.

03 새로 부임한 사또는 이몽룡에 대한 '일부종사(一夫從事)'를 이유로 수청을 거부하는 성춘향에게 곤장을 맞게 한다.

04 후배사령은 아들을 찾는 이몽룡의 아버지에게 이몽룡이 친구를 만나고 있다며 거짓말을 했다.

05 (바)에서, 가자고 네 굽을 치는 말의 모습은 이별을 재촉하는 듯하다. 반면 성춘향은 이별을 슬퍼하여 떠나는 이몽룡의 다리를 부여잡는다.

06 (아)에서 성춘향이 매를 맞는 것을 구경하던 한량들은 "집장사령 놈 눈 익혀 두어라. 삼문(三門) 밖 나오면 급살을 주리라."라며 변 사또에게 직접 화풀이하지 못하고 집장사령에게 분노를 표현하고 있다.

07 서술 + 주제

이 작품은 판소리 사설이 문자로 정착된 판소리계 소설로 판소리의 특징인 운문적인 요소, 즉 운율을 지닌 표현이 자주 나타난다. '꾸중을 들으셨소. ~ 분함 당하셨소.', '울지 마오. 울지 마오.' 등과 같이 유사하거나 동일한 문장 구조가 반복되는 부분에서 이를 확인할 수 있다.

오답 풀이 ❶ 이 작품은 '근원 설화 → 판소리 → 소설'로 정착되는 과정에서 여러 사람을 거쳐 이야기가 만들어져 온 것이다.
❸ 이 작품은 고전 소설의 한 종류인 판소리계 소설이다. 고전 소설에서는 대부분 시간의 순서에 따라 사건이 전개되는 평면적 구성이 나타난다.
❹ 이 작품에서는 부당한 매질을 하는 형리와 통인의 모습을 우스꽝스럽게 표현함으로써 민중들을 억압하는 당대의 지배층을 비판한다. 이는 신분 제도와 경제적 궁핍 속에서 살아가던 민중들의 힘든 삶을 웃음으로 해소하고, 동시에 지배층의 억압과 횡포를 웃음을 통해 비판한 것이다.
❺ 이 작품은 신분을 초월한 남녀의 사랑을 바탕으로, 신분 상승의 의지 및 탐관오리에 대한 저항 등 다양한 주제 의식을 드러낸다.

08 인물·사건

성춘향은 (마)에서 울기만 하는 이몽룡에게 화를 내고, (바)에서 이별을 강하게 거부하는 모습을 보인다. 또한 (사), (아)에서 지배층인 변학도의 부당한 명령을 거절하고 지조를 지키겠다는 뜻을 굽히지 않는 강인한 모습을 보인다. 이를 통해 성춘향이 양반들에게 절대적으로 순종하는 인물이 아니며, 적극적이고 저항적인 성격을 지녔음을 알 수 있다.

오답 풀이 ❶, ❹ 성춘향은 유교적 가치관에 바탕을 둔 굳은 신념으로 '일편단심(一片丹心)', '일부종사(一夫從事)'의 뜻을 굽히지 않는 것이다. 따라서 통명스럽고 충동적이라거나, 작은 일에도 쉽게 화를 낸다고 볼 수는 없다.
❸ 이몽룡과 이별을 해야 하는 현실을 받아들이지 않고, 이몽룡에 대한 지조와 정절을 지키고자 한다.
❺ 수청을 요구하는 지배층의 부당한 요구에 맞서는 성춘향의 모습이 잘못을 인정하지 않는 태도라고 볼 수는 없다.

알아두기 | 등장인물의 특징

인물	특징
성춘향	• 유교적 이념에 충실하여 정절을 지킴 • 신분의 제약을 뛰어넘어 사랑을 쟁취하려는 적극적이고 의지적인 인물임 • 지배층의 부당한 억압과 횡포에 맞섬
이몽룡	• 처음에는 미숙하고 철이 없는 모습이었지만, 사랑을 지키는 의리 있는 인물로 변화함 • 부패한 탐관오리를 징벌함
변학도	• 부패한 지방 수령임 • 어리석고 혐오와 조롱의 대상이 됨
월매	• 성춘향의 모친으로 수다스럽고 방정맞음 • 현실에 민감하며 신분 상승 욕구를 지님
방자	• 이몽룡의 하인으로 성춘향과 이몽룡 사이에서 사랑의 전달자 역할을 함 • 양반을 조롱하고 풍자하며 웃음을 불어넣음

09 서술

㉠은 성춘향이 매를 맞는 비극적인 장면인데, 형리와 통인이 매질을 하는 모습을 '닭싸움하는 모양'에 빗대어 웃음을 유발하고 있다. 이처럼 웃음을 유발하여 비극성을 막고 긴장감을 완화시키는 것은 판소리계 소설의 특징이다.

오답 풀이 ❶ 반어적 표현은 나타나지 않는다.
❷ 과장의 방법은 나타나지 않는다.
❸ 구체적인 배경 묘사는 나타나지 않는다.
❹ '하나 치면 하나 긋고 둘 치면 둘 긋고'에서 '~면 ~고'의 유사한 문장 구조가 반복되지만, 해학적으로 표현하여 독자의 안타까움이 아닌 웃음을 불러일으킨다.

10 인물·사건

성춘향은 지배층의 핍박에 맞서다 부당한 형벌을 받는 민중 계층을 대변하는 인물이다. 따라서 성춘향이 매질을 당하는 모습을 보던 마을 사람들이 집장사령 놈에게 급살을 준다며 강한 분노를 터뜨리는 것은 당시 지배층에게 억압받던 민중들의 동조와 공감을 얻어 낼 수 있는 부분이다.

오답 풀이 ❶ 이몽룡을 양반 계층으로 설정한 것은 양반층의 취향이 반영된 것으로 볼 수 있다.
❸ 성춘향이 한자어를 사용해서 자신의 지조를 나타내도록 설정한 것은 양반층을 위한 것이다.
❹ 새로 부임한 사또가 성춘향이 불쌍하고 가련하다고 말하는 것은 진심이 아니다.
❺ 성춘향은 절개를 지키기 위해 새로 부임한 사또의 수청을 거절하는데, 이는 유교적 이념과 관련한 것이므로 양반층을 위한 설정으로 볼 수 있다.

09 춘향전 ❸

본문 144~145쪽

확인 문제

01 ○ 02 × 03 ○ 04 운봉 05 차운 06 갈비

실력 문제

07 ① 08 ③ 09 ② 10 ⑤

01 (자)에서 성춘향은 자신을 찾아온 이몽룡에게 내일 생일잔치 끝에 자신이 죽거든 죽은 사람의 이름을 부르던 '초혼'을 이몽룡의 육성으로 해 달라고 부탁한다. 이는 죽어서도 이몽룡과 함께 하고 싶다는 의미로 이해할 수 있다.

02 이몽룡은 백성들의 어려운 삶과는 대조를 이루는 화려한 본관의 생일잔치를 보고 마음이 심란해졌다.

03 이몽룡은 개다리소반에 콩나물, 깍두기, 막걸리 등이 놓인 자신의 상을 보고, 운봉의 상에 차려진 갈비를 달라고 말한다. 따라서 이몽룡의 잔칫상은 잔치에 참여한 다른 수령들의 잔칫상과 다르게 초라했다는 것을 알 수 있다.

04 본관은 자신의 생일잔치에 잡인의 출입을 금하였지만, 이몽룡의 거동을 본 운봉은 본관에게 이몽룡을 위한 자리를 마련해 주자고 청한다. 본관이 이런 운봉의 청을 받아들여 이몽룡은 잔치에 참석하게 된다.

05 (카)에서 운봉은 잔치의 흥을 돋우기 위해서 차운 한 수씩을 짓자고 제안하고 있다.

06 (카)에 제시된 '갈비'는 신체 부위인 '갈비'와 음식 '갈비'를 의미하므로, 동음이의어를 활용한 언어유희에 해당한다.

07 배경·소재

이몽룡이 사치스러운 본관의 생일잔치를 보고 심란해하는 모습을 통해, 지배층과 다르게 백성들의 삶이 힘들었음을 알 수 있다(ㄱ). 또한 '오냐, 도적질은 내가 하마. 오라는 네가 져라.'라는 이몽룡의 속마음을 통해, 중앙 관리인 어사또가 부패한 지방 관리를 벌하는 제도가 있었음을 알 수 있다(ㄴ).

오답 풀이 ㄷ. 기생의 딸인 성춘향이 양반인 이몽룡과의 사랑을 지키려다 시련을 겪는 모습을 통해, 신분의 차이가 있는 남녀의 사랑이 이루어지기 힘든 시대였음을 알 수 있다.
ㄹ. 물건값이 오를 것을 예상하여 물건을 한꺼번에 샀다가 값이 오르면 파는 매점매석을 통한 경제 활동이 이 작품에서는 나타나지 않는다.

08 서술

㉠의 '갈비'는 신체 부위인 '갈비'와 음식 '갈비'를 뜻하는 동음이의어이다. ⓐ의 '이부'는 두 명의 남편인 '이부(二夫)'와 이씨 성을 지닌 남편인 '이부(李夫)'를 뜻하는 동음이의어이다. 따라서 ㉠과 ⓐ은 모두 동음이의어를 통한 언어유희의 방법으로 웃음을 유발하고 있다.

오답 풀이 ❶ 코앞의 물건을 못 찾는 사람을 '눈 뜬 장님'이라는 속담에 빗댄 해학적 표현이다.
❷ '밥 더미'를 '남산 더미'만 하다며 과장한 해학적 표현이다.
❹ 갓을 뒤집어 쓴 인물의 우스꽝스러운 행동을 통한 해학적 표현이다.
❺ 오래 굶어서 배가 고픈 상황을 뱃가죽이 등에 붙고 갈빗대가 따로 났다며 과장한 해학적 표현이다.

배경지식 ⊕ 동음이의어의 의미

동음이의어	두 개 이상의 낱말이 우연히 소리만 같을 뿐, 전혀 다른 뜻으로 사용되는 경우에 이 낱말들을 동음이의어(동형어)라고 함

예 ㉠ 배를 타고 강을 건넜다. → 강이나 바다에서 타는 '배(船)'
㉡ 과수원에서 배를 땄다. → 먹는 '배(梨)'
㉢ 떡볶이를 먹어서 배가 부르다. → 사람의 몸의 일부인 '배(腹)'

09 서술

〈보기〉는 편집자적 논평에 대한 설명이다. ⓑ는 편집자적 논평이 아니라, 판소리의 창자가 관객에게 직접 말을 건네는 판소리 공연의 특징이 판소리계 소설에 남아 있는 것이다.

오답 풀이 ❶ 백성들의 어려운 형편과 대조되는 변학도의 사치스러운 잔치에 대한 반감을 서술자가 직접 드러낸다.
❸ '명관'은 이몽룡이 어사또임을 알아차리지 못하는 관리들을 서술자가 반어적으로 평가하고 조롱한 것이며, '어찌 아니 명관인가.'는 설의적 표현을 통해 관리들의 어리석음을 강조한 것이다.
❹ 운봉의 제안으로 이몽룡을 잔치에 참여시킨 것을 못마땅해하는 본관의 심리를 서술자가 직접적으로 드러낸 것이다.
❺ 자신에게 차려 준 초라한 밥상에 대한 이몽룡의 분노를 서술자가 설의적으로 표현하여 독자의 동의를 구하고 있다.

10 인물·사건

운봉은 이몽룡과 변학도를 만나게 하는 역할을 하면서 사건 전개에 도움을 주는 보조적 인물이다. 하지만 지배 계층에 대한 비판 의식을 지니고 행동하는 인물은 아니다.

오답 풀이 ❶ 변학도는 전형적인 탐관오리를 대표하는 인물이므로, 심술궂은 모습으로 분장하는 것은 적절하다.
❷ 본관의 생일잔치에 초대된 수령들은 변학도와 비슷한 성격을 지닌 인물들이므로, 흥청망청 노는 모습을 연출하는 것은 적절하다.
❸ 성춘향은 지배층인 변학도에 맞서 죽음까지 무릅쓰고 자신의 정절을 지키고자 하므로, 기득권의 횡포에 저항하는 인물이다. 따라서 의지적인 모습을 보이는 것은 적절하다.
❹ 어사또가 되어 다시 남원에 온 이몽룡은 자신의 신분을 감추고 본관의 생일잔치에서 능청스러운 모습을 보이고 있다.

01 (타)에서 이몽룡이 지은 한시는 본관의 사치스러운 생일잔치와 백성들의 고통을 대비하여, 백성들을 핍박하는 탐관오리의 가혹한 정치를 비판하는 내용을 담고 있다.

02 어사 출두 후에 허둥대며 도망치는 수령들의 모습을 우스꽝스럽게 표현함으로써 당대 관리들의 허위성을 고발하고 있다.

03 (하)에서 어사또의 명령에 따라 고개를 든 성춘향은 어사또가 이몽룡인 것을 확인하고 크게 기뻐한다.

04 '결말' 부분에서 성춘향은 이몽룡과 재회하고 함께 서울로 떠나게 되어 기쁘지만, 고향을 떠난다는 생각에 한편으로는 서운한 마음이 들었다.

05 이몽룡은 탐관오리인 본관에게 봉고파직의 징벌을 내렸다.

06 대체로 고전 소설은 갈등이 완전히 해소된 후에 주인공이 행복한 결말을 맞이하는 구조를 지니는데, 이 작품 또한 성춘향과 이몽룡이 재회하여 함께 서울로 떠나는 행복한 결말로 끝맺고 있다.

배경지식 ⊕ 고전 소설의 특징

주제	• 권선징악(勸善懲惡): 선을 권하고 악을 벌함 • 인과응보(因果應報): 좋은 일에는 좋은 결과가, 나쁜 일에는 나쁜 결과가 있음
인물	평면적, 전형적 인물
사건	우연적, 비현실적인 사건
배경	막연하고 비현실적인 배경
시점	대부분 전지적 작가 시점임
구성	시간의 흐름에 따른 일대기적 구성, 평면적 구성
문체	운문체, 문어체
결말	주로 행복한 결말로 끝맺음

07 어사또가 되어 남원으로 돌아온 이몽룡이 탐관오리인 변학도와 겪는 갈등의 유형은 인물과 인물 사이의 외적 갈등에 해당한다.

08 신분적 제약에서 벗어나 이몽룡과 행복한 결말을 맞이하는 성춘향은 인물과 사회의 갈등이 해소된 것으로 볼 수 있다.

09 배경·소재

이몽룡이 지은 한시는 백성들을 핍박하는 탐관오리의 횡포를 고발하는 내용으로, 호화롭고 사치스러운 지배층의 삶과 백성들의 고통스러운 삶이 대조적으로 제시되어 있다.

오답 풀이 ❶, ❸ 한시의 내용은 어사 출두를 암시하여 사건을 극적으로 전환시켜 긴장감을 고조한다.

❷ 탐관오리를 고발하고 비판하는 한시의 내용은 암행어사가 출두할 수밖에 없는 이유에 해당한다고 볼 수 있다.

❹ 한시는 백성들의 것을 수탈하고 착취하는 변학도의 횡포를 질책하는 내용을 담고 있다. 즉 부패한 탐관오리에 대한 비판 의식이 나타난다고 볼 수 있다.

알아두기 '어사 출두'로 인한 사건의 반전

어사 출두 전	• 본관인 변학도가 상황을 주도함 • 탐관오리의 횡포가 이루어짐 • 성춘향이 죽을 위기에 처하며 갈등이 극에 달함

⇓

어사 출두 후	• 어사또인 이몽룡이 상황을 주도함 • 이몽룡이 탐관오리를 징벌함 • 성춘향이 옥에서 풀려나며 갈등이 해소됨

10 인물·사건

이몽룡의 한시를 듣고 '아뿔싸, 일이 났다.'라고 생각하는 것을 보아, 운봉은 눈치가 빠르고 상황 판단력이 뛰어남을 알 수 있다.

오답 풀이 ❶ 한시를 듣고 상황을 알아차린 운봉과 달리, 본관은 상황을 알아차리지 못한다. 어리석은 것은 운봉이 아니라 본관이다.

❷ 학식과 견해가 이몽룡보다 나은 모습은 나타나지 않는다.

❸, ❺ 이 작품에 제시된 운봉의 모습과는 거리가 있다.

11 서술

본관의 생일잔치에 참여했던 수령들이 체면을 차리지 않고 비상식적인 행동을 하며 도망치는 모습을 통해, 어사 출두로 당황한 관리들의 모습을 해학적으로 표현하고 있다.

오답 풀이 ❶, ❷ '인궤 잃고 과줄 들고, 병부 잃고 송편 들고~'는 놀라서 허둥대는 관리들의 모습을 열거와 대구를 사용하여 장면을 극대화한, 판소리계 소설의 확장적 문체가 활용된 부분이다.

❹ '문 들어온다, 바람 닫아라, 물 마른다, 목 들여라.'는 단어의 위치를 뒤바꾸어 말하여 당황하는 본관의 모습을 해학적으로 표현한 것이다.

❺ '본관이 똥을 싸고 멍석 구멍 생쥐 눈 뜨듯 하고' 등과 같이 비유적 표현을 활용하여 인물들의 행동을 생동감 있게 표현하였다.

12 배경·소재

㉠의 '추절(秋節)'은 가을을 의미하며, 동시에 성춘향에게 수청을 요구한 본관의 횡포를 의미하는 중의적 표현이다.

오답 풀이 ❶ ㉠과 ㉡은 하나의 단어가 둘 이상의 의미로 해석되는 중의적 표현이다.

❷ ㉠의 사전적 의미는 '계절이 가을인 때', 즉 가을이다.

❹ ㉡은 '오얏 꽃에 부는 봄바람', 즉 '따뜻한 봄바람'을 의미한다.

❺ '객사에 봄이 들어 이화 춘풍(李花春風)이 자신을 살린다고 하였으므로, ㉡은 성춘향을 구해 줄 이몽룡을 의미한다고 볼 수 있다.

13 주제

'남존여비(男尊女卑)'는 사회적 지위나 권리에 있어 남자를 여자보다 우대하고 존중하는 일을 의미한다. 그러나 이 작품은 부패한 탐관오리에 대한 비판을 담고 있을 뿐, 남존여비 사상에 대한 비판의 내용은 찾아볼 수 없다.

오답 풀이 ❶ 이 작품은 성춘향과 변학도, 이몽룡과 변학도 등 주요 인물들 간의 갈등을 통해 주제 의식을 드러내고 있다.

❷ 고난 속에서도 지조와 절개를 지키는 성춘향의 모습은 유교적 가치관이 반영된 것이다.

❹ 신분을 초월한 성춘향과 이몽룡의 사랑은 봉건 사회의 질서를 부정한 자유연애 사상을 담고 있다.

❺ 변학도를 징벌하는 이몽룡을 통해, 탐관오리를 징벌하고자 하는 당대 사회 개혁 의지를 엿볼 수 있다.

+ 독해 체크 본문 148쪽

❶ 한양 ❷ 어사 ❸ 절개 ❹ 수청 ❺ 이몽룡
❻ 횡포 ❼ 출두 ❽ 편집자 ❾ 해학 ❿ 탐관오리

+ 어휘 체크 본문 149쪽

1 (1) 남루 (2) 지조 (3) 심란
2 〈가로〉 ❷ 직신 ❺ 단좌
〈세로〉 ❶ 봉고파직 ❸ 신세 ❹ 일편단심

본문 150~151쪽

실전 10 양반전 ① _박지원

갈래 고전 소설, 단편 소설, 한문 소설
성격 풍자적, 비판적, 사실적
주제 양반 계층의 무능과 위선적인 태도 비판
특징
- 조선 후기의 사회상이 잘 드러남
- 실사구시(實事求是: 사실에 토대를 두어 진리를 탐구하는 일)의 실학 정신이 잘 드러남
- 몰락하는 양반들의 경제적인 무능과 허례허식, 위선적인 모습을 풍자함

01 × 02 × 03 한 푼 04 환곡, 신분 05 소인

06 ④ 07 ⑤ 08 ③ 09 ⑤ 10 ④

01 양반은 군수가 새로 부임하면 반드시 인사를 갔을 정도로 성품이 어질고 글 읽기를 좋아했지만, 경제적으로는 무능력하여 일천 섬의 환곡을 갚지 못해 결국 양반 신분을 팔게 된다.

02 같은 마을에 살던 부자는 어려움에 처한 양반의 환곡을 대신 갚아 주고, 평소 부러워하던 양반 신분을 산다.

03 (나)에서 현실적인 생활 능력을 중요하게 생각하는 양반의 아내는, 환곡을 갚지 못해 관청에 끌려갈 위기에 처했지만 해결할 능력이 없어 울기만 하는 남편에게 "한 푼도 못 되는 그놈의 양반!"이라며 질책한다.

04 (라)에서 양반 신분을 동경하던 부자는 양반이 갚지 못한 일천 섬의 환곡을 대신 갚아 주고, 양반의 신분을 사게 된다.

05 (라)에서 양반은 부자에게 자신의 신분을 팔았으므로, 군수에게 자신을 낮추어 '소인'이라고 칭하면서 감히 쳐다보지도 못하였다.

06 인물·사건
(나)에서 양반은 환곡을 갚지 못해 관청에 잡혀갈 위기에 처했음에도 어쩔 줄을 몰라 밤낮으로 울기만 한다. 양반을 찾아가 거래를 제안한 것은 부자이다.

07 배경·소재
(다)로 보아, 부자가 양반 신분을 사려고 하는 이유는 돈이 아무리 많아도 양반들처럼 존중받지 못하고 욕을 보며 살아야 했기 때문이다.

오답 풀이 ❶, ❸ 부자가 환곡을 대신 갚아 주고 양반의 신분을 사는 모습을 통해, 돈으로 양반 신분을 사고팔며 신분 제도가 붕괴되어 가고 있었음을 알 수 있다.
❷ 부자가 평민인 것을 통해서 알 수 있다.
❹ 환곡을 갚지 못해 곤란한 처지에 놓인 양반을 통해, 경제적으로 무능력한 양반들의 권위가 무너져 가고 있었음을 알 수 있다.

알아두기 작품에 나타난 조선 후기의 시대상

- 양반이 자신의 신분을 팔아 환곡을 갚음
- 평민인 부자가 부를 축적하여 양반 신분을 사게 됨

⇓

- 부유한 평민이 등장함
- 신분에 따른 불평등이 존재함
- 경제적으로 몰락한 양반이 있었음
- 돈으로 신분을 사고파는 경우가 있었음(신분 질서의 동요 현상)

08 인물·사건
(나)에서 아내는 "그렇게도 글을 잘 읽었지만 환곡을 갚는 데에는 아무런 쓸모가 없구려."라고 말하며 양반의 경제적 무능함을 비판하고 있다. 아내가 양반의 학문의 깊이에 대해 평가한 부분은 나타나지 않는다.

오답 풀이 ❶, ❷ (나)로 미루어 볼 때, 양반의 아내는 현실적인 생활 능력을 중시하는 실용적인 사고를 지녔음을 알 수 있다.
❹, ❺ (나)에서 아내는 글공부는 많이 했지만, 경제적으로는 무능한 남편을 '한 푼도 못 되는 양반'이라며 비판하고 있다. 이와 같은 아내의 태도와 말에는 양반의 무능을 풍자하고자 하는 작가 의식이 담겨 있다고 볼 수 있다.

09 인물·사건 + 주제
㉠은 일천 섬이나 쌓인 환곡을 갚지 못해 관청에 잡혀갈 위기에 처했음에도 밤낮으로 울기만 하는 남편의 경제적 무능력을 비판하는 말이므로, 양반을 풍자하려는 작가의 의도가 담긴 표현이다.

알아두기 양반에 대한 풍자가 드러나는 부분 ①

"한 푼도 못 되는 그놈의 양반!"	글 읽기에만 열중할 뿐, 경제적으로 무능력하여 식구조차 부양하지 못하는 양반을 풍자함

⇓

작가의 주제 의식	조선 후기, 양반 계층의 무능력함을 비판함

10 인물·사건 + 어휘
[A]는 부자임에도 평생 천대받는 신분으로 치욕스럽게 살았던 부자의 오랜 분함과 탄식이 드러난다. 따라서 '뼈에 사무칠 만큼 원통하고 한스러움'을 뜻하는 ④가 적절하다.

오답 풀이 ❶ 편안한 마음으로 제 분수를 지키며 만족할 줄을 앎을 이르는 말이다.
❷ 아첨하는 말과 알랑거리는 태도를 이르는 말이다.
❸ 자기가 그린 그림을 자기가 칭찬한다는 뜻으로, 자기가 한 일을 스스로 자랑함을 이르는 말이다.
❺ 여우가 죽을 때에 머리를 자기가 살던 굴 쪽으로 둔다는 뜻으로, 고향을 그리워하는 마음을 이르는 말이다.

10 양반전 ❷

본문 152~153쪽

확인 문제

01 × 02 × 03 어짊 04 군자

실력 문제

05 ③ 06 ④ 07 ③ 08 ③

01 (마)에서 군수는 부자에 대해 '참으로 양반'이라며 칭찬하는 모습을 보이지만, 이런 행동의 이면에는 돈으로 양반의 신분을 산 부자의 속물근성을 비판하고자 하는 작가의 풍자가 담겨 있다고 볼 수 있다.

02 (바)에서 군수가 작성한 증서는 부자가 양반으로서 지켜야 할 의무와 규범을 담고 있는 것으로, 체면과 허례허식에 얽매인 양반의 모습들을 보여 줄 뿐 부자가 원하던 양반의 모습이 담겨 있는 것은 아니다.

03 (마)에서 군수는 양반 신분을 산 부자를 '군자', '양반', '옳음', '어짊', '슬기로움'이라고 칭찬하는데, 본질적으로 이것은 부자에 대한 풍자로 볼 수 있다.

04 (바)에서 군수는 양반의 이름이 여러 가지인데, 그중 덕이 있는 양반을 '군자'라고 한다고 말한다.

05 인물·사건

(바)의 마지막 부분에서 군수가 "여기 적힌 모든 행실에서 ~ 바로잡을 것이니라."라고 말한 것은 부자가 양반 증서의 내용에 적힌 양반의 행실과 덕목을 지키지 않을 경우에는 양반 신분을 빼앗기는 것과 같은 불이익을 당할 수도 있다는 경고로 이해할 수 있다. 부당한 일로부터 부자를 보호해 주기 위함이 아니다.

오답 풀이 ❶ (바)에서 '아래 문서는 양반을 값에 쳐서 팔아 환곡을 갚기 위한 것으로써 그 값은 일천 섬이다.'라고 하였다. 이를 통해 양반 증서의 가격이 환곡 일천 섬임을 알 수 있다.
❷ (바)에서 '손에 돈을 쥐지 말고, 쌀값도 묻지 말고'라고 하였는데, 이는 실생활과 관련된 일을 멀리하는 양반의 모습(비생산적인 양반의 모습)을 비판한 것이다.
❹ (바)에서 '무관이면 서쪽에 줄을 서고 문관이면 동쪽에 줄을 서는 까닭에 이것을 양반이라 한다.'라고 하였다.
❺ (마)에서 군수는 부자에 대해 "낮은 것을 싫어하고 높은 것을 바랐으니 슬기로움이로다."라고 말하며, 고을 백성들을 불러 모아 증인으로 세우고 증서를 만들어 주겠다고 하였다.

06 인물·사건

(마)를 통해, 군수는 아무런 증거도 없이 사사로이 신분을 사고팔면 나중에 소송과 같은 문제가 생길 수도 있기 때문에 양반 증서를 만들려고 하였음을 알 수 있다. 다만 이것은 작품 속에서 전개되는 표면적인 이유이며, 뒤에 이어지는 내용에서 양반 증서는 결국 부자가 양반이 되는 것을 포기하게 만드는 역할을 하게 된다.

오답 풀이 ❶ 군수가 양반 증서를 만들려는 이유는 부자와 양반 사이에 생길 수 있는 소송의 빌미를 만들지 않기 위해서이지, 군수가 적극적으로 신분을 사고파는 질서를 바로잡기 위해서임은 아니다. 오히려 군수는 작가 의식을 대변하는 인물로서 신분 거래 자체에 대해 부정적인 인식을 지니고 있다고 보는 것이 적절하다.
❷ 군수는 결국 부자가 양반이 되는 것을 가로막는 역할을 한다.
❸ 제시된 지문을 통해 알 수 있는 내용이 아니다.
❺ 군수는 엄숙한 태도로 증서를 작성하긴 하지만, 이것은 양반을 배려하여 대접해 주기 위해서 한 행동은 아니다.

07 배경·소재

㉢의 '인색'은 '재물을 아끼는 태도가 몹시 지나치거나, 어떤 일을 하는 데 대하여 지나치게 박한 태도'를 뜻한다. 나머지는 군수가 부자를 칭찬하는 표현이다.

08 주제

(바)에 제시된 양반 증서에는 양반이 지켜야 할 의무와 규범이 나열되어 있는데, 이는 결국 체면에 집착하고 허례허식에 얽매인 양반들의 모습을 풍자적으로 드러낸다.

오답 풀이 ❶ 신분 제도의 모순을 비판하는 것은 작가가 이 작품을 창작한 의도와는 관계가 없다. 작가는 신분 거래 자체를 비판하고 있다고 볼 수 있다.
❷, ❹, ❺ 양반들의 부정부패나 양반의 권위가 훼손되어 가는 세태, 자기 분수에 맞지 않는 삶에 집착하는 태도는 (바)에 제시된 1차 양반 증서의 내용과 관계가 없다.

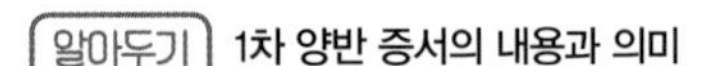
알아두기 **1차 양반 증서의 내용과 의미**

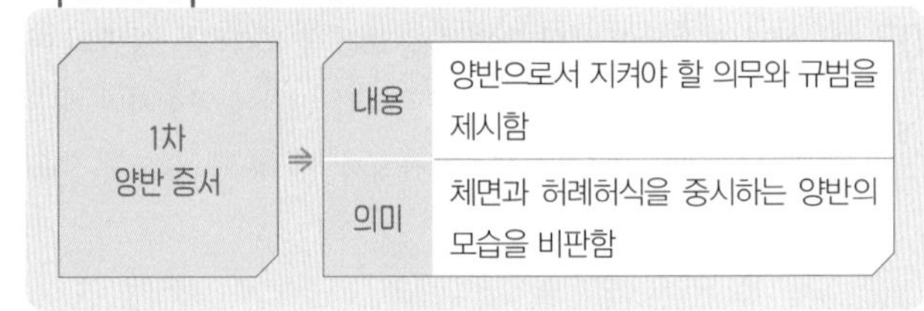

10 양반전 ❸

본문 154~155쪽

확인 문제

01 ○ 02 ○ 03 × 04 ○ 05 양반 증서 06 도적놈

실력 문제

07 ⑤ 08 ⑤ 09 ④

01 이 작품은 조선 후기를 시대적 배경으로, 양반 신분을 사고파는 것을 소재로 한 고전 소설이다. 따라서 작품 속에는 신분 질서에 동요가 발생했던 당시의 사회상이 잘 드러난다.

02 양반 아내가 자신이 진 빚조차 해결하지 못하는 무능하고 비생산적인 양반의 모습을 비판하는 것과, 부자가 부당한 특권을 누리며 횡포를 일삼는 양반의 모습이 도적놈과 다를 바 없다고 비판하는 것에서 이 작품의 창작 목적이 양반 계층의 무능과 위선적인 태도를 비판, 풍자하기 위함임을 알 수 있다.

03 군수가 작성한 2차 양반 증서의 내용에는 신분과 지위를 이용하여 이득을 취하는 양반들의 부패한 모습이 풍자적으로 드러난다.

알아두기 2차 양반 증서의 내용과 의미

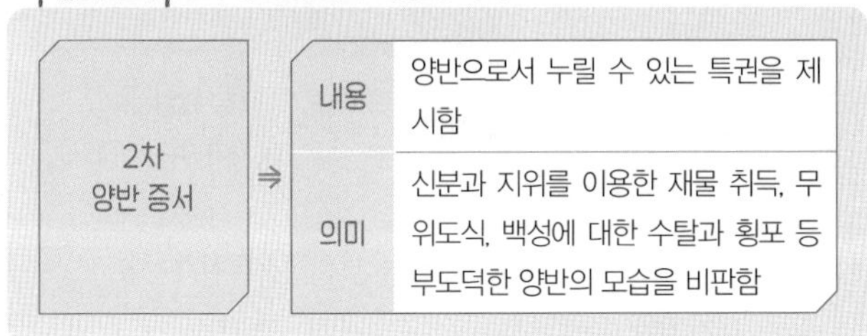

2차 양반 증서	⇒		
		내용	양반으로서 누릴 수 있는 특권을 제시함
		의미	신분과 지위를 이용한 재물 취득, 무위도식, 백성에 대한 수탈과 횡포 등 부도덕한 양반의 모습을 비판함

04 군수가 양반의 신분을 산 부자를 위해 작성해 주려고 한 1, 2차 양반 증서의 내용을 보고, 결국 부자는 양반이 되기를 포기하고 뛰쳐나간다. 따라서 군수는 부자가 양반이 되는 것을 방해하는 역할을 한다고 볼 수 있다.

05 1차 양반 증서에서는 양반으로서 지켜야 할 의무와 규범을 제시하여 체면과 허례허식을 중시하는 양반의 모습을 비판하고, 2차 양반 증서에서는 양반으로서 누릴 수 있는 특권을 제시하여 부도덕한 양반의 모습을 비판하고 있다.

06 결말 부분에서 부자는 "장차 나더러 도적놈이 되라는 말입니까?"라고 말하며 양반이 되기를 포기한다.

07 인물·사건

군수는 작가의 의도를 작품 속에서 간접적으로 전달하는 인물로서, 표면적으로는 양반 증서를 만들어 신분 매매를 확실히 하고자 하지만, 이면적으로는 양반의 허례허식과 부도덕한 모습을 풍자하고, 돈으로 신분을 사려는 부자도 비판하는 역할을 한다. 나아가 작품 속에서 부자가 결국 양반이 되는 것을 포기하게 만드는 역할도 한다.

알아두기 등장인물의 특징 및 역할

양반(신분을 파는 자)	⇔ 신분이 바뀜	부자(신분을 사는 자)
경제적으로 무능력하며 현실 대응 능력이 없음 → 가장 신랄한 풍자의 대상이 됨		부를 바탕으로 신분 상승을 꾀하는 인물(풍자의 대상임)로, 양반 증서를 보고 양반이 되기를 포기함

군수(신분 매매의 매개자)
- 표면적: 양반과 부자의 신분을 공정하게 매매하게 하는 역할
- 이면적: 부자가 양반 신분을 얻는 것을 포기하도록 하는 역할

08 인물·사건 + 서술

(자)에서 부자가 "장차 나더러 도적놈이 되라는 말입니까?"라고 말한 이유는 2차 양반 증서의 내용을 통해 양반이란 신분과 권력을 이용하여 부당하게 재물을 축적하고, 무위도식하며, 백성들에게 횡포를 일삼는 존재임을 깨달았기 때문이다.

알아두기 양반에 대한 풍자가 드러나는 부분 ②

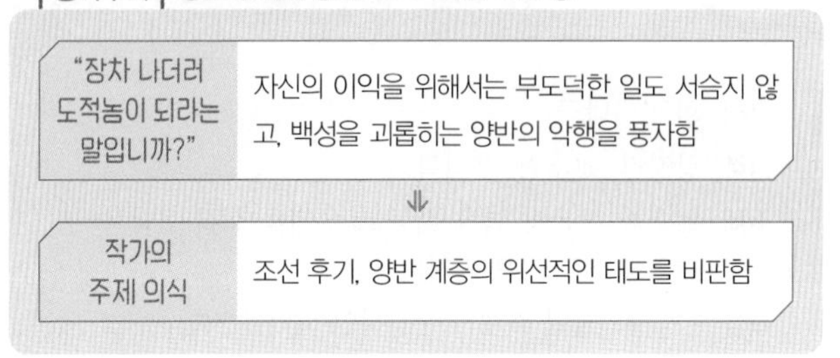

"장차 나더러 도적놈이 되라는 말입니까?"	자신의 이익을 위해서는 부도덕한 일도 서슴지 않고, 백성을 괴롭히는 양반의 악행을 풍자함
⇓	
작가의 주제 의식	조선 후기, 양반 계층의 위선적인 태도를 비판함

09 주제

〈보기〉에서는 권세와 이익을 꾀하지 말고, 곤궁하더라도 선비의 본분을 잃어서는 안 된다고 말하고 있다. 즉 선비가 지녀야 할 마음과 자세를 언급하고 있는 것이다. 「양반전」은 이와 같은 선비다움을 잃어버린 양반 사회의 부도덕성을 비판하고, 신분 제도의 동요에 따른 양반 사회의 비윤리적 모습을 풍자하기 위해 창작되었다.

오답 풀이 ❶ 〈보기〉와 이 작품에서는 신분 제도의 모순과 근대 의식에 대해 다루고 있지 않다.
❷ 이 작품과 관직에 있는 사람인 관리의 자세와는 관련이 없다.
❸ 〈보기〉에 따르면 양반은 경제력과 상관없이 선비로서의 본분을 지켜야 한다.
❺ 〈보기〉와 이 작품에서는 인재 등용에 대해 다루고 있지 않다.

알아두기 『방경각외전』에 나타난 작가의 의도

올바른 선비	⇒	지금의 선비들
• 권세와 이익을 꾀하지 않음 • 곤궁하더라도 선비의 본분을 잃지 않음		• 명분과 절의를 닦는 것에 힘쓰지 않음 • 문벌을 이득의 기회로 여겨 대대로 내려오는 덕을 팔고 삼

작가는 『방경각외전』에서 올바른 선비의 모습을 제시하고 그와 동떨어진 선비들을 비판하고 있다. 또한 신분을 팔고 사는 것은 장사치와 다를 것이 없다며 부패한 양반들을 비꼬며 풍자하고 있다.

+ 독해 체크 본문 156쪽

❶ 환곡 ❷ 양반 ❸ 도적놈 ❹ 양반 ❺ 증서 ❻ 신분
❼ 의무 ❽ 허례허식 ❾ 도적놈 ❿ 무능력

+ 어휘 체크 본문 157쪽

1 (1) 역정 (2) 횡포 (3) 빌미
2 〈가로〉 ❶ 분수 ❸ 허례허식
〈세로〉 ❷ 수결 ❹ 무위도식

3. 극/수필

본문 162~163쪽

실전 01 들판에서 ① _이강백

갈래 희곡(단막극)
성격 상징적, 교훈적, 우의적
주제 형제가 마음의 벽을 허물고 우애를 회복함(남북 분단의 현실과 극복 의지)
특징
- 등장인물과 소재가 상징적인 의미를 지님
- 날씨 변화를 통해 사건 전개 방향을 암시함
- 형제의 갈등과 화해의 과정을 통해 우리나라의 분단 현실을 되돌아보게 함

확인 문제
01 ○ 02 × 03 ○ 04 × 05 희곡 06 실습 07 말뚝

실력 문제
08 ③ 09 ⑤ 10 ④ 11 ②

01 (가)의 '해설' 부분에서 등장인물과 배경 등을 소개하고 있는데, 이로 보아 이 작품의 공간적 배경은 '들판'이다.

02 (나)에서 형과 아우는 서로의 그림을 칭찬하며 우애 있는 모습을 보여 주고 있다. 그러나 누가 더 잘 그리는지는 알 수 없다.

03 이 작품에서 날씨는 사건이나 극의 분위기와 밀접한 관련이 있는데, '발단' 부분에서 형제는 화창한 날씨 속에서 즐겁고 평화롭게 그림을 그리고 있다.

04 (라)를 통해 측량 기사는 형제의 땅을 공장 부지로 개발하여 팔거나 주택지로 팔아 큰돈을 벌 속셈을 지니고 있음을 알 수 있다.

05 이 작품은 연극, 즉 무대에서 상연할 것을 목적으로 하는 희곡이다.

06 (라)에서 측량 기사는 형제의 땅을 빼앗으려는 속셈을 숨기고 형제에게 측량 실습을 위해 땅을 찾은 것이라고 말하고 있다.

07 (마)에서 측량 기사는 말뚝과 밧줄로 형제가 있는 공간인 들판을 나누어 놓았는데, 이는 앞으로 일어날 형제의 갈등을 암시한다.

08 형상화 방식

이 작품은 희곡으로, 희곡은 무대 상연을 하기 위한 글이므로 시간과 공간 및 등장인물의 수에 제약을 받는다.

오답 풀이 ① 희곡은 모든 사건이 현재형으로 표현된다.
② 희곡은 무대 상연을 전제로 하기 때문에, 시간과 공간에 제약이 있다.
④ 희곡은 서술자가 존재하지 않고, 주로 등장인물의 대사와 행동을 통해 사건이 전개된다.
⑤ 희곡은 등장인물 사이의 극적인 대립과 갈등을 주요 구조로 사건이 전개된다.

배경지식 ⊕ 희곡과 소설의 비교

	희곡	소설
목적	무대 상연	글로 표현하여 독자가 읽기 위함
전개 방법	등장인물의 대사와 행동	서술자의 묘사와 서술
시간적·공간적 배경	제약이 많음	제약이 없음
등장인물의 수	제약이 많음	제약이 없음
표현 방법	주로 현재형으로 표현함	주로 과거형으로 표현함
사건 전개 양상	대립과 갈등을 중심으로 사건을 전개함	

09 인물·사건

(라)에서 형과 아우는 계산적이고 교활한 측량 기사의 의도를 눈치채지 못하고, 오히려 자신들이 측량 기사에게 심하게 대한 것은 아닌지 생각해 보고 있다. 이를 통해 형제가 착하고 순박한 성격을 지녔음을 알 수 있다.

오답 풀이 ① (마)에서 말뚝과 밧줄을 대하는 형제의 태도로 볼 때, 형은 소심하고 소극적이지만 동생은 대범하고 적극적인 성격을 지녔음을 알 수 있다.
② 측량 기사와 조수들은 들판에 말뚝을 박고 밧줄을 매서 형제의 아름답고 평화로운 들판을 훼손했다.
③ 형과 아우는 작가의 주제 의식을 실천하는 주동 인물이지만, 측량 기사와 조수들은 주동 인물을 방해하고 갈등을 일으키는 반동 인물이다.
④ 측량 기사와 조수들은 우애 깊은 형제의 갈등과 대립을 조장하고 새로운 사건의 실마리를 제공한다.

배경지식 ⊕ 작품 속 인물 유형

	종류	의미
역할에 따라	주동 인물	작품의 주인공으로 작가의 주제 의식을 실천하는 인물 예 형, 아우
	반동 인물	주동 인물을 방해하며 대립과 갈등을 일으키는 인물 예 측량 기사, 조수들
성격 변화에 따라	평면적 인물	작품 안에서 성격의 변화가 없는 인물 예 측량 기사, 조수들
	입체적 인물	작품 안에서 사건의 전개에 따라 성격이 변화하는 인물 예 형, 아우

10 인물·사건 + 어휘

㉠에서 측량 기사는 형제의 동의를 구하지 않고 마음대로 땅을 측량했는데도, 도리어 형제에게 화를 내고 있다. 따라서 '잘못한 사람이 도리어 잘한 사람을 나무란다.'라는 의미를 지닌 ④의 한자 성어가 측량 기사의 태도에 가장 잘 어울린다.

오답 풀이 ❶ 같은 자리에 자면서 다른 꿈을 꾼다는 뜻으로, 겉으로는 같이 행동하면서도 속으로는 각각 딴생각을 하고 있음을 이르는 말이다.
❷ 우물 속에 앉아서 하늘을 본다는 뜻으로, 사람의 견문(見聞)이 매우 좁음을 이르는 말이다.
❸ 인생의 길흉화복은 변화가 많아서 예측하기가 어려움을 이르는 말이다.
❺ 처지를 바꾸어서 생각하여 봄을 이르는 말이다.

11 배경·소재 + 주제

〈보기〉는 문학 작품이 사회를 반영하며, 이 작품 역시 우리 사회의 문제점을 담고 있다는 내용이다. 〈보기〉를 토대로 할 때 이 작품을 통해 드러나는 사회적 상황은 우리 민족의 분단 현실로, 결국 '들판'은 남과 북으로 나누어진 우리 국토를 의미한다고 볼 수 있다.

오답 풀이 ❶ '들판'은 평화롭고 아름다운 공간으로 형제의 우애를 돋보이게 하지만, 사회의 모습과 관련된 내용은 아니다.
❸ '들판'은 형과 아우가 살아가는 삶의 공간이지만, 사회의 모습과 관련된 내용이 아니다.
❹ '샛노란 민들레꽃, 빨간 양철 지붕의 집, 한가롭게 풀을 뜯는 젖소' 등이 존재하는 들판은 한가롭고 여유로운 분위기가 느껴지지만, 사회의 모습과 관련된 내용이 아니다.
❺ 희곡의 공간적 배경 제약으로 인해 들판의 풍경을 걸개그림으로 표현했는데, 이는 무대 장치와 관련한 설명으로 사회의 모습과 관련된 내용이 아니다.

알아두기 **'들판'의 의미와 역할**

- 이 작품의 공간적 배경으로 형제의 삶의 공간임
- 평화롭고 행복한 분위기를 형성함
- 형제의 우애를 돋보이게 함
- 남과 북으로 나누어진 '우리 국토'를 상징함

01 들판에서 ❷

본문 164~165쪽

확인 문제

01 ○ 02 × 03 ○ 04 × 05 젖소
06 반어 07 총

실력 문제

08 ② 09 ③ 10 ⑤ 11 ④

01 중략 부분 줄거리에서 형제는 밧줄을 사이에 두고 가위바위보를 하며 줄넘기 놀이를 하는데, 아우가 형을 세 번이나 이겼다.

02 (바)에서 형은 아우에게 계속해서 지게 되자 화를 내는데, 아우는 이와 같은 형의 권위적인 태도에 화가 났다.

03 '밧줄'은 그나마 형제간의 의사소통이 가능하지만, '벽'은 의사소통이 단절된다. 따라서 '밧줄'보다 '벽'이 형제의 대립과 갈등을 더 심화시키는 소재라고 볼 수 있다.

04 (사)에는 측량 기사의 부추김과 이간질로 인한 형과 아우의 외적 갈등이 나타나 있다.

05 (사)에서 아우는 젖소들을 자신만의 소유로 하고 싶어서, 젖소들이 넘어가지 못할 만큼 튼튼한 것을 설치하려고 한다.

06 (아)에서 측량 기사는 들판의 벽을 '훌륭한 관광 명소'라고 말하는데, 이는 분단 현실에 비추어 볼 때 남북의 분단 현실을 반어적으로 표현한 것이라고 할 수 있다.

07 (자)에서 측량 기사가 팔려고 하는 '총'은 다른 소재와 달리 상대방을 공격할 수 있다는 점에서, 형제의 갈등을 극단으로 몰아가며 극도의 긴장감을 유발한다.

08 배경·소재 + 주제

줄넘기 놀이를 하면서 형은 아우에 대해 권위적이고 독선적인 태도를, 아우는 형에 대한 피해 의식을 드러내고 있다. 이를 통해 형제간 갈등의 원인이 외부 세력인 측량 기사에게만 있었던 것이 아니라, 형제 내부에도 존재했음을 알 수 있다.

오답 풀이 ❶ 형은 아우가 자신을 속였다고 의심하지만, 이것이 사실인지의 여부는 제시되어 있지 않다.
❸ 제시된 부분에는 형제가 화해하는 장면이 나타나 있지 않다.
❹ "형님은 언제나 이겨야 하고, 동생인 나는 항상 져야 한다!"라는 아우의 말을 통해 아우의 불만은 과거부터 이어져 왔음을 알 수 있지만, 작가가 궁극적으로 전달하려는 의미는 아니다.
❺ 아우는 형이 고정 관념을 지니고 있다고 불만을 터뜨리지만, 작가가 궁극적으로 전달하려는 의미는 아니다.

알아두기 **형제의 대립과 갈등의 원인**

내부 원인	'줄넘기 놀이'라는 사소한 것에서부터 형제의 갈등(권위적이고 독선적인 형의 태도 ↔ 동생의 피해 의식)이 표면화됨. 형제 사이에 잠재되어 있던 서로에 대한 불만이 갈등으로 터져 나옴
외부 원인	측량 기사가 형제의 땅을 빼앗을 속셈으로 접근하여 이간질함

09 인물·사건

㉢은 현실을 객관적으로 전달하는 것이 아니라, 자신의 경제적인 이익을 위해 형제 사이를 이간질하여 갈등을 부추기는 것이다. 이처럼 측량 기사는 계산적이고 교활한 면모를 지니고 있다.

오답 풀이 ❶ 아우에게 지자 화를 내며 다시는 놀이를 하지 않겠다는 형의 태도에서 아우에게 지기 싫어하는 독선적이고 권위적인 성격을 엿볼 수 있다.
❷ 동생은 동생이라는 이유로 항상 형에게 져 왔다는 피해 의식을 지니고 있다.
❹ 측량 기사는 형제간에 싸움을 부추겨 땅을 빼앗고 돈을 벌려고 하고 있다.
❺ 측량 기사는 아우에게 총을 살 것인지 묻지도 않고 아우가 총을 구입하도록 하고, 대금은 땅으로 달라고 한다. 이를 통해 측량 기사가 아우에게 총을 팔고 그 대금으로 땅을 받음으로써 땅을 모조리 빼앗으려 하고 있음을 알 수 있다.

알아두기 | 등장인물의 성격

형	• 소극적이고 소심함 • 독선적이고 권위적임, 옹졸함 • 체면을 중시함
아우	• 적극적이고 대범함 • 형에 대한 피해 의식을 지님
측량 기사	• 교활하고 계산적임 • 뻔뻔하고 능청스러움

10 인물·사건

ⓐ에서 측량 기사와 조수들은 아우에게 총을 팔고 웃으며 퇴장하는데, 이는 자신들의 음모가 실현되어 가는 것에 대한 만족감을 드러내고 자신들의 계략에 넘어가는 아우의 어리석음을 비웃는 웃음이다.

오답 풀이 ❶ ⓐ에서 측량 기사와 조수들은 아우를 우스꽝스럽게 희화화하지는 않는다.
❷ ⓐ에서 측량 기사와 조수들은 불안감을 느끼지 않는다.
❸ ⓐ에서 측량 기사와 조수들은 사회의 모순을 비판하지 않는다.
❹ ⓐ에서 측량 기사와 조수들은 허탈감을 느끼지 않으며, 오히려 만족감을 느끼고 있다.

알아두기 | '측량 기사'의 계략

측량 기사의 계략	형제간의 갈등과 불신이 심해지도록 조장하고, 형제를 이간질하여 땅을 빼앗음

⇓

행동	• 서로의 영역을 구분 짓는 말뚝과 밧줄을 설치함 • 서로를 단절시키는 벽을 설치함 • 서로를 의심하게 하는 전망대를 설치함 • 대립과 갈등을 심화시켜 서로에게 총을 쏘도록 함

11 인물·사건 + 배경·소재

이 작품에서 측량 기사와 조수들은 형제의 땅을 빼앗으려는 외부인이다. 이를 〈보기〉에 제시된 우리 민족의 현실과 관련지으면, 측량 기사와 조수들은 남과 북의 분단을 부추기는 외부 세력인 미국과 소련으로 볼 수 있다.

오답 풀이 ❶ '벽'은 의사소통이 불가능한, 형제의 완전한 단절을 의미하므로 휴전선을 상징한다.
❷ '총'은 대립과 갈등이 최고조에 달했음을 의미하므로, 남과 북의 군사적 대립을 상징한다.
❸ 우애 있게 지내다가 대립하고 갈등하는 '형'과 '아우'는 남과 북으로 나누어진 우리 민족을 상징한다.
❺ '전망대'는 상대방을 감시하는 도구로, 형제간의 불신을 조장하여 갈등을 심화시키는 역할을 한다. 따라서 남과 북의 의심과 불신을 상징한다.

알아두기 | 현실과 관련된 소재의 상징적 의미

형제	우리 민족
측량 기사와 조수들	외세(외부 세력)
들판	우리 국토
말뚝, 밧줄	남과 북의 대립, 38선
벽	남과 북의 단절, 휴전선
전망대	서로를 향한 남과 북의 의심과 불신
총	남과 북의 군사적 대립, 무력 충돌

01 들판에서 ❸

본문 166~167쪽

확인 문제

01 ○ 02 ○ 03 × 04 ○ 05 날씨 06 들판

실력 문제

07 ② 08 ③ 09 ④ 10 ③

01 (차)에서 조수는 형과 아우의 대립을 심화시키기 위하여 형에게 총을 쏘는 법을 알려 주었는데, 이는 형제의 총격전을 유발한다.

02 (차)에서 총을 지닌 형과 아우는 갈등이 최고조에 달해 서로를 향해 위협사격을 한다.

03 (카)에서 비를 맞으며 벽을 지키던 형제는 벽을 사이에 두고 멈춰 서서 자신들의 잘못을 후회한다. 이처럼 '비'는 형제가 스스로의 잘못을 반성하게 되는 계기로 작용한다.

04 (파)에서 형제는 우애의 증표인 '민들레꽃'을 서로에게 던지며 화해하고자 하는 마음을 전달하는데, 형제는 이 꽃을 주워 들고 기뻐하며 벽을 허물기로 한다.

05 이 작품에서 날씨의 변화는 사건 전개 방향을 암시하고 형제의 심리를 제시하는 역할을 한다.

06 (파)에서 무대 조명이 무대 뒤쪽의 들판 풍경을 그린 걸개그림을 환하게 비추는 것은 형제가 모든 갈등을 해소하고 평화롭고 아름다운 들판을 되찾았음을 의미한다.

07 주제

형제가 '벽'을 허무는 행위는 형제간의 갈등과 대립을 해소하는 것이다. 이를 남북으로 분단된 우리 민족의 현실과 관련지으면, 분단 상황을 극복하는 것으로 해석할 수 있다. 그러나 불평등한 사회에 대한 고발과는 관련이 없다.

오답 풀이 ❶, ❸ 이 작품은 남북으로 분단된 현실에서 분단 극복, 즉 통일에 대한 염원과 의지를 담고 있다.
❹ 갈등과 대립을 끝내고 남과 북이 화해하여 통일을 이루면 민족의 공동체 의식을 회복할 수 있다.
❺ 측량 기사와 조수들이라는 외부 세력이 형제간의 갈등을 부추기므로, 벽을 허무는 행동은 외세의 개입과 간섭에 대한 저항으로도 볼 수 있다.

알아두기 '벽'과 '벽 허물기'의 상징적 의미

벽	• 대립과 단절 • 화해를 막는 장애물 • 분단의 벽, 휴전선
벽 허물기	• 대립과 갈등의 끝 • 형제간의 우애 회복 • 민족 통일에 대한 의지

08 배경·소재

이 작품에서 '민들레꽃'은 형제가 서로 우애 있고 행복하게 지내던 시절을 떠올리게 하여 화해의 실마리가 된다. 그러나 부모님과는 관련이 없다.

오답 풀이 ❶ 형제는 민들레꽃을 두고 다정하게 지내기로 맹세했기 때문에 민들레꽃은 형제간 우애의 증표이다.
❷ (타)에서 아우는 형님과 자신이 믿을 만한 것이 남아 있으면 좋겠다고 말하며 민들레꽃을 떠올린다. 따라서 민들레꽃은 형제간의 신뢰를 회복하게 하는 역할을 한다.
❹ (파)에서 형제는 서로에게 민들레꽃을 던지며 화해하고 싶어 한다. 따라서 민들레꽃은 갈등 해소의 실마리를 제공하는 역할을 한다.
❺ (타)에서 형제는 민들레꽃을 보며 우애 있게 지내던 시절을 그리워한다.

알아두기 '민들레꽃'의 상징적 의미

- 형제간 우애의 증표임
- 형제간에 화해할 수 있는 기회를 제공함
- 형제간의 불신을 없애 주는 계기를 마련함
- 형제간의 갈등을 해결하는 실마리를 제공함
- 형제가 서로를 그리워하게 하는 매개체의 역할을 함

09 인물·사건 + 배경·소재

ⓐ의 번개와 천둥은 갈등이 최고조에 이르렀음을 보여 주지만, ⓑ의 번개와 천둥과 비는 갈등 상황에서 극적인 반전의 분위기를 마련하여 화해의 분위기를 제공하고, ⓒ의 햇빛은 형제간의 갈등이 해소될 것임을 암시한다.

오답 풀이 ❶ ⓐ는 형제간의 갈등이 최고조에 달한 것을 의미하지만, 형제의 비극적인 운명과는 관련이 없다.
❷ ⓐ는 형과 아우의 외적 갈등을 드러낸다.
❸ ⓑ는 비가 내리면서 반전의 분위기를 조성하고 있다. 또한 갈등 해결의 실마리가 보이는 '하강' 단계이므로, 새로운 인물이 등장하여 새로운 사건을 일으키기보다는 현재의 갈등이 해소되고 사건이 마무리되는 방향으로 이야기가 전개될 것임을 암시한다.
❺ 형제간의 갈등이 최고조에 이르렀음을 보여 주는 것은 ⓒ가 아니라 ⓐ이다. ⓒ의 햇빛은 화해의 분위기를 암시하며 형제가 우애를 회복함을 보여 준다.

알아두기 날씨 변화와 사건 전개

천둥, 번개	• 서로를 향해 총을 쏨 • 형제간의 갈등이 최고조에 이르렀음을 나타냄 • 극도의 긴장감과 불안한 분위기를 형성함 • 인물의 불안한 심리를 간접적으로 제시함
비	• 형제에게 반성과 성찰의 기회를 제공함 • 사건이 하강 국면으로 접어들었음을 나타냄 • 화해의 분위기를 조성함 • 형제의 내적 갈등이 시작됨
햇빛	• 화해의 분위기를 암시함 • 형제간의 갈등이 해소됨 • 민족의 동질성 회복을 나타냄

10 형상화 방식

ㄴ. (카)에서 형이 "부모님께서 날 꾸짖는 거야!"라고 말한 것은 자신의 잘못을 자책하며 마치 천둥소리가 부모님께서 자신을 꾸짖는 소리로 들린다는 의미이므로, 부모님이 형을 호되게 꾸짖는 장면을 중간에 삽입하는 것은 적절하지 않다.
ㄹ. (파)에서 형제는 갈등을 해소하고 우애를 회복하기 위해 벽을 허물자고 말하는 것이므로 지친 목소리는 어울리지 않는다.

오답 풀이 ㄱ. 총소리, 천둥소리, 빗소리는 효과음으로 처리할 수 있다.
ㄷ. 우애의 증표인 민들레꽃을 강조하기 위해 크게 확대하여 촬영하는 것은 적절하다.
ㅁ. (파)에서 '무대 조명, 서서히 꺼진다.'라고 했으므로, 화면이 점점 어두워지는 것으로 마무리하는 것은 적절하다.

+ 독해 체크 본문 168쪽

❶ 민들레꽃 ❷ 벽 ❸ 비 ❹ 우애 ❺ 들판 ❻ 하강 ❼ 햇빛 ❽ 피해 ❾ 계산 ❿ 통일

+ 어휘 체크 본문 169쪽

1 (1) 명소 (2) 심통 (3) 측량
2 (1) ㉠ (2) ㉢ (3) ㉡

본문 170~171쪽

실전 02 집으로 ① _이정향

갈래 시나리오

성격 서정적, 향토적

주제 희생적인 외할머니와 철부지 손자의 가슴 따뜻한 사랑

특징
- 시간의 흐름에 따라 사건을 전개함
- 할머니에 대한 상우의 심리 변화가 대사와 행동을 통해 효과적으로 드러남
- 말 못하는 할머니로 인해 대사보다는 지시문을 통한 행동 위주로 내용이 전개됨

확인 문제

01 × 02 × 03 시나리오 04 초코파이

실력 문제

05 ④ 06 ③, ④ 07 ③ 08 ④

01 이 작품의 등장인물인 할머니가 말을 못하는 캐릭터이기 때문에, 이 작품의 경우 대사보다는 지시문의 비중이 높으며 지시문을 통한 행동 위주로 내용이 전개된다.

02 S#56에서 할머니가 상우에게만 자장면을 사 준 이유는 손자에게 신발까지 사 준 뒤 돈이 부족했기 때문이다.

03 시나리오는 영화를 촬영하기 위해 쓴 각본으로, 장면이나 그 순서, 배우의 행동과 대사 등을 상세하게 표현한다.

04 S#63에서 할머니가 걱정되어 버스 정류장에서 기다리던 상우는 할머니가 버스를 타지 않고 걸어왔음을 알게 된다. 이에 할머니에 대한 미안함과 사랑의 표현으로 자신이 아끼던 초코파이를 할머니의 보따리 속에 넣어 둔다.

05 형상화 방식

시간과 공간, 등장인물의 수에 제약이 많은 것은 희곡의 특징이다. 시나리오는 영화로 촬영되기 때문에 시간과 공간, 등장인물의 수에 제약이 거의 없다.

오답 풀이 ① 희곡에 비해 시간적, 공간적 제약을 받지 않으며 장면의 전환이 자유롭다.

② 장면(scene)은 영화의 최소 단위로, 시나리오의 기본 단위가 된다.

③ 영화 촬영을 목적으로 하므로, 촬영에 필요한 특수 용어들이 표시된다.

⑤ 작가의 개입이 어려우므로, 인물의 행동과 대사를 통해 인물의 성격이 드러나고 사건이 진행되며 주제가 형상화된다.

06 인물·사건

할머니와 장에 다녀온 일을 통해 상우는 할머니의 경제적인 형편을 짐작하게 되었고, 그럼에도 불구하고 할머니가 자신을 위해서 해 준 일들을 통해 할머니의 사랑을 깨닫게 되었다. 이를 계기로 상우는 전파상을 그냥 지나치며 건전지를 사고 싶은 욕구를 참거나, 버스 정류장에서 할머니를 오래도록 기다리는 등 할머니를 배려하는 행동을 한다.

오답 풀이 ① 할머니가 사 준 새 신발을 신고 다니는 상우의 모습은 제시되어 있지 않다.

② 할머니가 사 준 자장면을 허겁지겁 먹는 상우의 모습은 아이다운 천진한 면을 보여 주는 장면이다.

⑤ 할머니가 꼬깃꼬깃한 천 원짜리 몇 장을 꺼내 간신히 계산하는 것을 유심히 보는 상우의 모습은 상우가 할머니의 경제 사정을 짐작하게 되는 장면이다.

07 배경·소재

S#63에서 상우는 할머니의 보따리를 들고 걷다가, 생각난 듯 자신이 아껴 두었던 초코파이를 할머니의 보따리 속에 넣어 둔다. 이것은 할머니에 대한 상우의 미안함과 사랑의 표현이라고 할 수 있다.

08 인물·사건

S#54에서 상우가 슬프고 화가 나는 이유는 고생하는 할머니가 나물과 채소를 손해 보듯이 팔고 있는 모습에 슬프고, 또 그런 할머니가 창피해서 다가가지 못하고 숨어 있는 자신에게 화도 났기 때문이다.

02 집으로 ②

본문 172~173쪽

확인 문제

01 × 02 ○ 03 사랑 04 그림엽서

실력 문제

05 ③ 06 ④ 07 ③

01 S#83에서 상우는 혼자 남을 할머니를 걱정하여 글을 못 읽는 할머니에게 글자를 가르쳐 주고 있다. '보고 십다.'라고 잘못 쓴 것은 어린 상우가 맞춤법을 잘 모르기 때문이다.

02 S#83에서 상우가 할머니에게 글자를 가르쳐 주는 모습이나 S#84~S#87에서 그림엽서를 만들어 주고 떠나는 모습에서 상우는 혼자 남을 할머니가 상우를 보고 싶을 때, 그리고 몸이 아플 때 손자인 자신에게 연락할 수 있는 방법을 마련해 주려고 했음을 알 수 있다.

03 이 작품은 할머니와 어린 손자의 사랑을 주제로 한다.

04 S#87에서 상우가 그림엽서를 만들어 주고 떠나는 모습을 통해 할머니에 대한 상우의 사랑과 배려의 마음을 느낄 수 있다.

05 인물·사건 + 배경·소재

이 작품에서 상우는 글을 모르고 말도 할 수 없는 할머니를 위해 로봇 그림엽서에 '아프다', '보고 싶다'라는 뜻의 글자와 그림을 남기고 떠난 것이지, 아끼던 로봇을 주고 간 것이 아니다.

오답 풀이 ❶ 상우는 혼자 남을 할머니를 위해 '아프다', '보고 싶다'라는 글자를 가르치고자 했다.
❷ 할머니가 글자를 빨리 익히지 못하자, 상우는 자신이 그림엽서를 만들어서 할머니가 자신에게 연락할 수 있도록 하였다.
❹ 상우는 "할머니, 많이 아프면 그냥 아무것도 쓰지 말고 보내."라고 말하며, 할머니에 대한 사랑과 배려의 마음을 드러내었다.
❺ 상우는 할머니가 주무시는 사이에, 눈이 어두운 할머니를 위해 모든 바늘에다 실을 꿰어 놓았다.

알아두기 | '상우'의 행동에 담긴 의미와 작품의 주제

할머니를 떠나기 전, 상우의 행동
• 할머니에게 글자를 가르쳐 주려 함 • 반짇고리의 모든 바늘에 실을 꿰어 놓음 • 글을 모르는 할머니를 위해 그림엽서를 만듦

⇓

상우의 행동에 담긴 의미
• 혼자 남을 할머니를 걱정하는 마음 • 할머니에 대한 진심 어린 배려와 사랑

작품의 주제
희생적인 외할머니와 철부지 손자의 가슴 따뜻한 사랑

06 인물·사건

㉣에서 상우가 할머니의 시선을 외면하고 고개를 떨군 것은 쏟아질 것 같은 눈물을 참으며, 자신이 우는 모습을 할머니에게 보이지 않기 위해서이다.

07 형상화 방식

S#84~86에서는 상우가 할머니에 대한 걱정으로 잠을 이루지 못하고 일어나 무언가 열심히 그리고 있다는 것만 따뜻한 느낌으로 전달하면 된다. S#86에서도 그림의 내용은 드러나지 않으며, 할머니가 그림엽서에 담긴 그림을 확인하는 것은 S#87에서 상우가 떠난 뒤이다.

+ 독해 체크 본문 174쪽

❶ 백숙 ❷ 심통 ❸ 아프다 ❹ 대사 ❺ 지시문
❻ 바늘 ❼ 걱정 ❽ 사랑

+ 어휘 체크 본문 175쪽

1 (1) ㉡ (2) ㉢ (3) ㉠
2 〈가로〉 ❶ 엽서 ❷ 반짇고리
〈세로〉 ❶ 엽차 ❸ 광주리

본문 176~177쪽

실전 03 파초 _이태준

갈래 현대 수필, 경수필
성격 체험적, 서정적, 사색적
주제 파초에 대한 애정과 정신적 가치의 중요성
특징 • 두 개의 이야기가 '파초'라는 공통된 소재로 연결됨
• 파초를 통해 문인으로서의 풍류와 가치관을 드러냄
• 파초를 대하는 '나'와 앞집 사람의 대조적인 태도를 보여 줌

01 ○ 02 × 03 × 04 그늘 05 챙

06 ② 07 ③ 08 ④ 09 ④

01 (다)에서 앞집 사람은 자신의 경험을 근거로, '나'의 파초가 내년에는 죽게 될 것이라고 말하고 있다.

02 '나'는 지나다닐 때마다 마음에 들었던 큰 파초를 이웃집에서 사 왔다.

03 (라)에서 '나'가 파초를 두고 '이왕 죽을 것을 가지고'라고 말하는 것으로 보아, '나'는 파초의 수명이 다해 감을 알고 있다.

04 (나)에서 '나'는 폭염 아래서도 푸르고 싱그러운 그늘로 눈을 시원하게 해 주는 파초의 매력을 느끼고 있다.

05 (라)에서 앞집 사람은 '나'에게 내년이면 죽게 될 파초를 오 원에 팔아 '챙'을 살 것을 제안한다. 이는 식물에 대한 애정을 이해하지 못하고, 물질적 가치에 초점을 두고 대상을 대하는 태도이다.

06 글쓴이

글쓴이는 지금 팔면 오 원 이상은 받을 수 있다며 파초를 팔라는 옆집 사람의 제안에 마음이 얼른 쏠리지 않아 한다. 즉 파초가 죽게 되어 쓸모가 없어진다고 하더라도 팔지 않으려 고 한다.

오답 풀이 ❶ '나'는 선지, 생선 씻은 물, 깻묵 물 등 파초에 좋다는 거름을 써 파초를 정성껏 키웠다.
❸ (라)에서 '나'는 비를 피하기 위해 챙을 달라고 권하는 앞집 사람에게 챙을 하면 파초에 빗방울 떨어지는 소리가 들리지 않는다고 설명했다고 말한다. 이를 통해 '나'가 비 오는 날에 파초에 빗방울 떨어지는 소리를 즐긴다는 것을 알 수 있다.
❹ '나'는 올봄에 크게 키운 파초의 새끼를 다섯이나 뜯어내 번식시켰다.
❺ 앞집 사람은 '나'가 서재에 챙을 달지 않는다고 자신의 일처럼 성화를 부렸다.

배경지식 ⊕ 1940년대 '오 원'의 가치

1940년대에는 화폐의 단위로 '원'을 사용했다. 이 시대에 쌀 80kg 한 가마니의 가치는 금액이 22.69원이었다. 이태준의 또 다른 작품 「돌다리」를 보면 서울의 교통 편한 자리의 삼층 양옥을 삼만 이천 원으로 살 수 있다고 제시되어 있다.
예 마침 교통 편한 자리에 삼층 양옥이 하나 난 것. 〈중략〉 지금의 병원을 팔면 일만 오천 원쯤은 받겠지만 그것은 새집을 고치는 데와, 수술실의 기계를 완비하는 데 다 들어갈 것이니 **집값 삼만 이천 원은 따로 있어야 할 것**.

07 표현

이 작품은 파초를 키운 글쓴이의 경험을 통해 느낀 파초에 대한 애정과 정신적 가치의 중요성을 주관적으로 서술한 수필로, 파초에 대한 객관적인 정보를 전달하고 있지 않다.

오답 풀이 ❶ (다), (라)에서는 옆집 사람과 '나'의 대화를 직접 제시하여 현장감을 부여하고 있다.
❷ 이 작품은 글쓴이가 파초를 키우면서 느꼈던 애정과 파초의 멋 등을 진솔하게 고백하고 있다.
❹ (나)에서는 파초가 비를 맞는 장면을 자세히 서술하여 파초에 대한 글쓴이의 애정을 드러내고 있다.
❺ 앞집 사람은 파초를 팔아 돈을 남기는 것이 더 좋다고 생각하지만, '나'는 애정을 다해 키운 파초를 돈 때문에 팔 수 없다고 생각한다. 이처럼 대상을 대하는 두 사람의 태도를 대조하여 제시함으로써 정신적 가치의 중요성을 효과적으로 드러내고 있다.

배경지식 ⊕ 수필의 종류

이 작품은 파초를 키운 글쓴이의 경험을 토대로 파초에 대한 글쓴이의 애정과 정성을 드러낸 경수필이다.

	경수필	중수필
뜻	일상생활에서 얻은 느낌이나 생각을 자유로운 형식으로 쓴 개인적 성격의 수필	특정한 주제에 대해 객관적인 근거를 토대로 체계적으로 쓴 사회적 성격의 수필
성격	주관적, 감성적, 신변잡기적	객관적, 논리적, 사회적
특징	일상적인 소재를 다루며, 문장이 가볍고 부드러움	사회적, 시사적인 문제를 다루며 문장이 무겁고 딱딱함
종류	일기, 편지, 기행문 등	칼럼, 평론 등

08 글쓴이 + 표현

㉣에서 글쓴이는 물질적 가치에 초점을 두고 대상을 바라보는 사람들이 많아, 앞집 사람만이 특별하게 모진 사람은 아니라고 생각한다.

오답 풀이 ❶ 파초를 특별히 좋아하는 글쓴이의 심리를 직접적으로 제시하고 있다.
❷ 다른 사람을 속여 파초를 팔자는 앞집 사람의 말이 자신에게 선의의 의도로 제안한 것임을 알기에 직설적인 비판을 하지 않는다.
❸ '나'는 식물(파초)을 키우면서 느끼는 애정과 같은 정신적인 가치를 이해하지 못하는 앞집 사람에 대한 반감을 지니고 있다.
❺ '나'는 곧 죽을지도 모르는 데도 아무 걱정 없이 너울거리는 파초를 보며 연민과 안타까움을 드러낸다.

알아두기 '나'와 '앞집 사람'의 가치관 비교

'나'		앞집 사람
정성을 다해 애정으로 키운 파초를 경제적인 이득으로 따질 수 없음	⇔	곧 죽을 파초이니 지금 팔아 경제적인 이득을 얻는 것이 좋음

⇓

파초를 팔라고 제안한 앞집 사람과 함부로 팔지 않는 '나'를 대조하여, 금전적·물질적 가치만을 중시하는 현대적 가치관을 비판함

09 글쓴이 + 주제

이 작품의 '나'는 파초에 대한 깊은 관심과 애정을, 〈보기〉의 화자는 '솔(소나무)'에 대한 관심과 애정을 지니고 있다.

오답 풀이 ❶ '나'와 〈보기〉의 화자 모두 대상에 대한 친밀감을 드러내며 교감하고 있다.
❷ 이 작품과 〈보기〉는 성실하고 근면한 삶의 태도를 주제로 하지 않는다.
❸ '나'와 〈보기〉의 화자는 자연에서 살아가고 싶어 하는 태도를 보이고 있지 않다.
❺ '나'는 계절의 변화를 통해 파초의 멋과 그에 대한 애정을 드러내며, 〈보기〉의 화자는 계절의 변화에도 꿋꿋한 '솔(소나무)'의 모습에서 고난과 시련을 이겨 내는 '솔(소나무)'의 절개를 예찬한다.

배경지식 ⊕ 윤선도, 「오우가(五友歌)」

작가는 다섯 자연물인 '물, 바위, 소나무, 대나무, 달'을 '오우(五友)'로 의인화하고, 자연물이 지닌 속성에서 인간의 덕성을 유추하여 예찬하고 있다.

자연물	자연물에서 유추한 인간의 덕성
물	깨끗하고 맑은 불변성
바위	변하지 않는 영원성
솔(소나무)	고난과 시련을 이겨 내는 굳은 절개
대나무	곧고 굳은 지조
달	광명과 과묵

+ 독해 체크 본문 178쪽

❶ 정성 ❷ 챙 ❸ 빗방울 ❹ 물질 ❺ 경험 ❻ 대화 ❼ 멋 ❽ 정신

+ 어휘 체크 본문 179쪽

1 (1) 주렴 (2) 챙 (3) 폭염
2 (1) ㉢ (2) ㉡ (3) ㉠

실수 ① _나희덕

갈래 현대 수필, 경수필

성격 교훈적, 자기 고백적

주제
- 실수의 긍정적 의미
- 실수를 너그럽게 용납해 주는 태도의 필요성

특징
- 실수와 관련된 일화를 통해 독자의 관심과 흥미를 유발함
- 부정적으로 생각하기 쉬운 대상(실수)에 대해 새로운 시각을 보여 줌
- 한시를 인용하거나 속담 및 관용 표현을 활용하여 글쓴이의 생각을 효과적으로 전달함

확인 문제

01 × 02 ○ 03 흰 종이 04 빗

실력 문제

05 ⑤ 06 ③ 07 ⑤ 08 ③

01 이 작품은 글쓴이가 자신의 경험으로부터 얻은 깨달음을 바탕으로, 실수의 긍정적 의미와 가치에 대해 쓴 경수필이다.

02 글쓴이는 실수에도 긍정적인 면이 있음을 곽휘원의 일화와 자신의 일화를 바탕으로 참신하게 전달하고 있다.

 **'실수'와 관련된 일화**

곽휘원의 일화	글쓴이의 일화
떨어져 사는 아내에게 문안 편지 대신 흰 종이를 보낸 실수가, 아내에게 의외의 기쁨을 줌	스님에게 빗을 빌려 달라고 한 실수가, 산사의 생활에 익숙해져 있던 스님의 잠든 시간을 깨움

03 (가)에서 곽휘원은 아내에게 편지 대신 '흰 종이'를 넣어 보내는 실수를 했다가, 아내로부터 뜻밖의 답 시를 받게 되었다.

04 (나)에서 글쓴이는 머리카락이 없는 암자의 스님에게 '빗'을 빌려 달라는 실수를 했다.

05 표현 + 주제

이 작품은 대부분의 사람들이 부정적인 행동이라고 생각하는 실수의 긍정적 효과에 대한 깨달음을 전달하고 있다. 그러나 이것을 실수를 했어도 결과가 좋으면 가치가 있다는 의미로 이해하는 것은 적절하지 않다.

오답 풀이 ❶ (가)의 일화는 사소한 실수가 의외의 긍정적 효과를 불러온 경우로, 글의 도입부에서 독자의 흥미와 재미를 유발한다.
❷, ❸ (가)와 (나)의 일화는 실수가 부정적인 것만은 아니라는 의외의 사례가 된다.
❹ (가)와 (나)는 실수의 긍정적인 효과를 드러내는 일화이므로, 작품의 주제와 연결된다.

06 표현

이 작품은 중수필이 아니므로, 글쓴이의 주장이나 그에 대한 근거는 제시되지 않는다.

오답 풀이 ❶ (가)에서 곽휘원의 아내가 보낸 답 시를 인용하고 있고, (가)와 (나)에서 '꿈보다 해몽이 좋다', '우물가에서 숭늉 찾는 격'이라는 속담을 인용하고 있다.
❷ (가)의 '행복한 오해'에서 역설적 표현을, (나)의 '20년 또는 30년, 마치 물길을 거슬러 올라가는 연어 떼처럼 ~ 스쳐 지나가는 듯했다.'에서 비유적 표현을, '파르라니 깎은 스님의 머리가 유난히 빛을 내며 내 눈에 들어왔다.' 등에서 묘사를 사용한 표현을 확인할 수 있다.
❹ (나)에서 글쓴이는 암자에서 스님에게 빗을 빌려 달라고 말했던 자신의 실수를 제시하고 있다.
❺ (나)에서 글쓴이는 자신의 덜렁거리는 성격이나 실수를 긍정적으로 평가하는 자신의 가치관을 진술한 표현을 통해 전달하고 있다.

07 글쓴이 + 표현

㉤은 글쓴이 자신의 실수가 스님에게 잊고 살았던 과거의 추억(잠든 시간)을 떠올리게 만들었다는 의미이다.

08 글쓴이 + 표현

(가)의 아내는 남편이 자신에 대한 그리움을 말로 다할 수 없어 흰 종이를 넣어 보냈을 것이라고 생각하고, 이러한 생각을 답 시로 적어 보낸다. 따라서 남편에 대한 그리움을 말로 다할 수 없어서 한시에 담아 보냈다는 감상은 적절하지 않다.

오답 풀이 ❶ 아내도 처음에는 남편이 보낸 편지가 백지인 것을 보고 당황했을 것이다.
❷ 아내는 남편이 실수로 잘못 보낸 흰 종이를 말로는 다할 수 없는 그리움을 표현한 것이라고 믿고, 그 감정을 적어 답 시를 보낸다.
❹, ❺ 글쓴이는 (가)의 일화를 통해, 의도치 않은 실수가 때로는 신선한 충격과 행복한 오해로 이끌 수도 있다며 실수의 긍정적인 면을 말하고 있다.

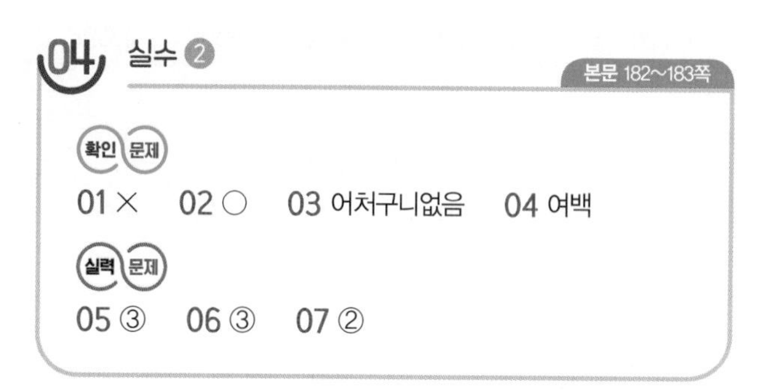

04 실수 ②

본문 182~183쪽

확인 문제

01 × 02 ○ 03 어처구니없음 04 여백

실력 문제

05 ③ 06 ③ 07 ②

01 (다)에서 글쓴이는 자신이 저지르는 대부분의 실수가 의외의 수확이나 즐거움을 가져다줄 때가 많았다고 하였다.

02 (다)로 보아 글쓴이는 집중하는 대상에 강하게 몰입하는 성격으로, 어떤 생각에 매달려 있을 때에 사소한 실수들을 자주 저질렀음을 알 수 있다.

03 (라)에서 글쓴이는 어이없음을 의미하는 '어처구니없음'의 뜻을 바탕으로, 실수의 의미에 대해 생각해 보고 있다.

04 (마)에서 글쓴이는 결국 실수는 '삶과 정신의 여백'에 해당한다고 말하고 있다. 글쓴이에게 실수란 이처럼 각박한 세상에서 숨을 돌릴 수 있게 하는 삶과 정신의 여유인 것이다.

05 글쓴이

(다)에서 글쓴이는 악의적이지 않은 실수는 봐줄 만한 구석이 있다며, 자신이 번번이 저지르는 실수들의 긍정적인 효과를 제시하고 있다.

오답 풀이 ❶, ❷, ❹ 글쓴이가 저지르는 실수의 긍정적인 효과에 해당한다.
❺ (라)에서 상상력이 풍부하고 자유로운 사람은 실수가 잦은 것이 자연스러운 일이라고 말하고 있다.

06 표현

(사)의 마지막 문장에서 글쓴이는 실수가 만들어 내는 삶의 행복과 가치에 대해 말하고 있다. 따라서 '빗 하나'는 글쓴이의 실수로 인해 산사의 노스님이 떠올리게 된 자신의 젊은 시절의 추억 하나를 비유한 표현으로 볼 수 있다.

07 글쓴이 + 주제

글쓴이는 타인의 사소한 실수조차 비난하는, 조급하고 너그럽지 못한 모습을 부정적으로 바라보고 있으므로 ②는 성찰 내용으로 적절하지 않다.

오답 풀이 ❶, ❸, ❹, ❺ (마)에서 글쓴이는 '실수는 삶과 정신의 여백에 해당한다.'라고 말하고 있다. 결국 실수는 정신과 마음을 내려놓게 하는 삶의 여백이며, 여유라고 할 수 있다. 그러므로 글쓴이는 자기 성찰을 통해 빠르고 각박하게 돌아가는 세상에서 여유를 가지고 실수에 너그러워지는 태도를 지녀야 한다고 생각한 것이다.

알아두기 | 글쓴이의 성찰과 깨달음

오늘날의 세태와 글쓴이의 성찰

- 발 빠르게 돌아가는 각박한 세상임
- 사소한 실수조차 짜증과 비난의 대상이 됨
- 수많은 실수를 하고 살면서도, 다른 사람의 실수는 너그럽게 받아주지 못했음

⇓

글쓴이의 깨달음(작품의 주제)

실수는 삶과 정신의 여백임을 이해하고, 실수를 너그럽게 받아들이는 마음의 여유를 가져야 함

+ 독해 체크 본문 184쪽

❶ 종이 ❷ 실수 ❸ 기쁨 ❹ 추억 ❺ 수확 ❻ 악의
❼ 속담 ❽ 여백

+ 어휘 체크 본문 185쪽

1 (1) ㉢ (2) ㉠ (3) ㉡
2 〈가로〉 ❶ 십상 ❸ 비구니
〈세로〉 ❷ 회상 ❹ 어처구니

본문 186~187쪽

실전 05 이옥설 _이규보

갈래 고전 수필, 설(說)
성격 경험적, 교훈적, 유추적
주제 잘못을 알고 그것을 고쳐 나가는 자세의 중요성
특징
- '경험한 내용 + 깨달음(의견)'의 구성 방식을 취함
- '집 → 사람 → 정치'로 연관 지어 논지를 확대해 나감
- 유추의 방법으로, 경험을 통해 깨달은 점을 다른 상황에 적용하여 내용을 전개함

확인 문제

01 ○ 02 × 03 ○ 04 행랑채 05 수리
06 재목

실력 문제

07 ② 08 ② 09 ④ 10 ⑤

01 이 작품은 글쓴이의 경험을 토대로(경험적) 얻은 깨달음(교훈적)을 전하는 고전 수필로, 한문 문체 중 하나인 '설(說)'에 해당한다.

02 이 작품에서 첫 문단은 글쓴이의 경험을 제시한 부분이며, 두 번째, 세 번째 문단은 경험으로부터 얻은 글쓴이의 깨달음을 제시한 부분이다.

03 '이(理)'는 무엇을 '고치다'라는 의미이고, '옥(屋)'은 '집'이라는 의미이다. 즉 '이옥'은 '집을 수리한다.'라는 의미로 해석할 수 있으며, '설(說)'은 사물의 이치를 풀이하고 의견을 덧붙여 서술하는 갈래이다.

04 이 작품의 글쓴이는 행랑채를 수리한 경험에서 잘못은 빨리 고쳐야 한다는 깨달음을 얻고 이를 정치에 적용하고 있다.

05 (가)로 보아, 글쓴이는 행랑채를 수리해야 한다는 것을 알고 있었지만, 계속 미루다가 마지못해 수리했음을 알 수 있다.

06 (다)에서 글쓴이는 탐관오리들을 내버려 두면 백성들이 도탄에 빠지고 나라가 위태롭게 된다고 말하며, 그런 뒤에 급히 바로잡으려 하는 것은 이미 썩어 버린 재목처럼 때늦은 것이라고 말한다.

07 표현

이 작품은 '경험 + 의견'의 형식을 지닌 교훈적 성격의 설(說)로, 글쓴이가 집(행랑채)을 수리한 경험을 통해서 얻은 깨달음을 전달하고 있다. 그러나 인물에 대한 풍자는 드러나지 않는다.

오답 풀이 ❶, ❺ 이 작품은 교훈적인 성격의 한문 고전 수필로, 설(說)의 갈래에 해당한다.

③ (다)의 마지막에서 '어찌 삼가지 않겠는가?'라는 설의적 표현을 사용하여 '잘못을 알고 그것을 고쳐 나가는 자세의 중요성'이라는 주제를 강조한다.

④ 행랑채를 수리한 글쓴이의 경험을 제시하고, 그로부터 얻은 깨달음을 전달하고 있다.

08 글쓴이

(가)에서 글쓴이는 행랑채를 고쳐야 한다는 것을 알고 있었지만, 망설이며 미루다가 문제가 커진 뒤에서야 고쳤으며, 세 칸 중 제때 고치지 못한 두 칸으로 인해, 수리비가 많이 들었다고 말하였다.

09 주제 + 어휘

글쓴이는 행랑채를 수리하며 얻은 경험을 통해, 잘못된 것을 알고 고쳐 나가는 자세가 중요하다는 깨달음을 전달하고 있다. 이와 의미가 통하는 속담은 '적은 힘으로 충분히 처리할 수 있는 일에 쓸데없이 많은 힘을 들이는 경우'를 비유적으로 이르는 ④이다.

오답 풀이 ① 소의 귀에 대고 경을 읽어 봐야 단 한 마디도 알아듣지 못한다는 뜻으로, 아무리 가르치고 일러 주어도 알아듣지 못하거나 효과가 없는 경우를 이르는 말이다.

② 대상에서 가까이 있는 사람이 도리어 대상에 대하여 잘 알기 어렵다는 말이다.

③ 가늘게 내리는 비는 조금씩 젖어 들기 때문에 여간해서도 옷이 젖는 줄을 깨닫지 못한다는 뜻으로, 아무리 사소한 것이라도 그것이 거듭되면 무시하지 못할 정도로 크게 됨을 비유적으로 이르는 말이다.

⑤ 모든 일은 근본에 따라 거기에 걸맞은 결과가 나타나는 것임을 비유적으로 이르는 말이다.

10 표현

〈보기〉에서 A는 (가)에, B는 (나)에, C는 (다)에 해당한다. 글쓴이는 행랑채를 고친 경험(A)에서 사람도 잘못됨을 알고 바로 고치지 않으면 안 된다는 깨달음(B)을 얻고, 이를 부패한 정치를 개혁해야 한다는 주장(C)으로 확장하여 적용한다. 그러므로 나라의 정치에 대한 주장은 C에 한 번만 제시된다.

오답 풀이 ① (가)에는 행랑채를 수리한 경험이 구체적으로 제시된다.
②, ③, ④ 글쓴이는 행랑채를 수리한 경험으로부터 얻은 깨달음을 바탕으로 유추의 방법을 통해 사람의 경우를 추론(B)하고 있으며, 이것을 다시 나라의 정치(C)로 확대하여 적용하고 있다.

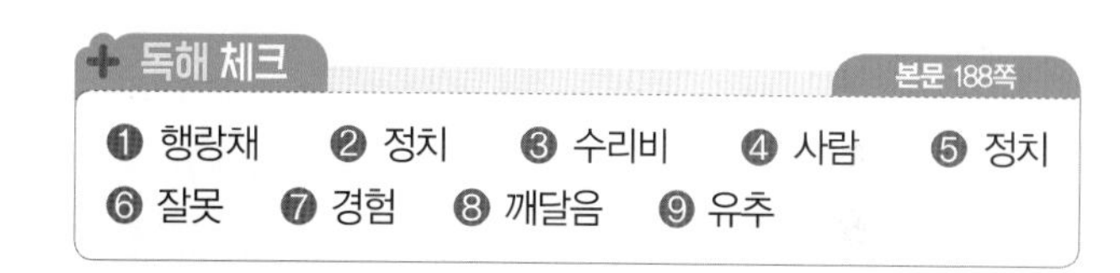
+ 독해 체크 본문 188쪽

❶ 행랑채 ❷ 정치 ❸ 수리비 ❹ 사람 ❺ 정치 ❻ 잘못 ❼ 경험 ❽ 깨달음 ❾ 유추

+ 어휘 체크 본문 189쪽

1 (1) 유추 (2) 재목 (3) 도탄
2 (1) ㉡ (2) ㉢ (3) ㉠

memo

실전과 기출문제를 통해 어휘와 독해 원리를 익히며 단계별로 단련하는 수능 학습!

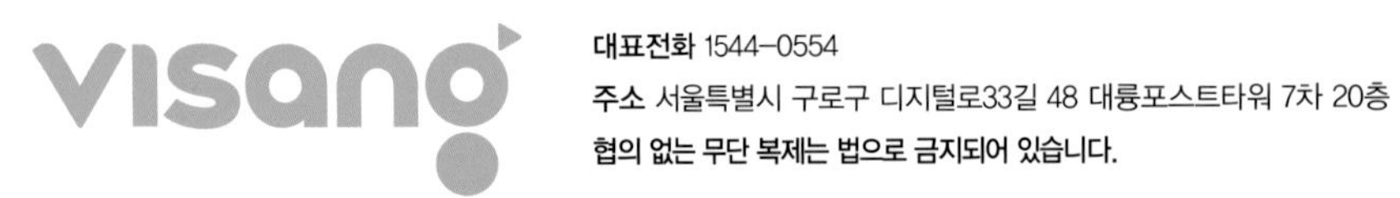

대표전화 1544-0554
주소 서울특별시 구로구 디지털로33길 48 대륭포스트타워 7차 20층